图书在版编目(CIP)数据

从东方到西方/钟叔河著. —长沙：岳麓书社，2002
(走向世界丛书)
ISBN 7-80665-192-6

Ⅰ.从…　Ⅱ.钟…　Ⅲ.中国—近代史—研究
Ⅳ.K250.7

中国版本图书馆 CIP 数据核字(2002)第 044991 号

整体设计　胡　颖
责任编辑　丁双平
封面设计　郭天民

从东方到西方
——走向世界丛书叙论集
钟叔河著
岳麓书社出版发行（长沙市新民路 10 号）
湖南省新华书店经销　湖南省新华印刷一厂印刷
2002 年 8 月第 1 版第 1 次印刷
开本：890×1240 毫米　1/32　印张：21
字数：460,000　印数：1—5,000

ISBN 7—80665—192—6
K·220　定价：38.00 元

厂址：长沙市芙蓉北路 564 号　邮编：410008
本社邮购电话：0731—8885616　邮编：410006

走向世界丛书叙论集 xulun ji

从东方到西方

← ["From East to West": Introductory essays from the series Zouxiang Shijie Congshu]

Text little changed from 1985
adds illustrations, margin notations
much sharper print

目　录

序

李一氓

中国自成为一个国家以来，就朝代而论，只有汉唐两代最为开放，最具有世界性，对自己国家、民族的力量充满自信，不搞锁国主义。所以“汉”成为我们民族的族称，而“唐”亦作为汉族之异名，直到现在。其他的朝代，如宋、明、清朝，则自己把自己封闭起来，出息不大。明代初年，“三宝太监下西洋”，不论其动机如何，总还算是从海上走出了中国的大门，显示了当时在造船航海技术上的成就，可是在炫耀了一阵“威风”之后，就偃旗息鼓了。至于其他朝代，三国、晋、南北朝、元，则另是一种情况，为自身的纷乱所困扰，就说不上什么开放或封闭了。史书著录了汉代张骞、班超这些人远至异域的亲身见闻；唐玄奘游学印度后写了《大唐西域记》；明代随郑和下西洋的马欢写了《瀛涯胜览》，费信写了《星槎胜览》，巩珍写了《西洋蕃国志》。他们的活动记载，使中国人大开眼界，知道除了长安、洛阳、北京以外，还有一个如此广阔的世界。

可惜这些前人的著作和活动，没有能够激发起后代中国人走向外部世界的勇气和胆量。同时，一些眼光短浅的封建统治者，也把出海出边视为邪行妄举，发布禁令，并设置种种障碍。以致徐霞客这样伟大的旅行家，也只能在云南境内艰难地转来转去。这种情形，到清代更甚。特别是鸦片战争后，那些“咦夷”、“红毛”、“罗刹”，已经以产业革命后资本主义列强的面貌出现在我国的周围，对我实行炮舰政策，而我却仍然自居为天朝上国，把他们视同匈奴、吐蕃、契丹、鲜卑……一样。所以到十九世纪中叶以后，只好被动挨打，落得个赔款割地的下场。闭关锁国之祸，至此而极。

清代后期，不得不打开大门，接触西方世界。一批政府派出的外交使节，如志刚、郭嵩焘、黎庶昌、曾纪泽、薛福成等；一批考察外国政治、法律的专使，如戴鸿慈、载泽等；一批政治流亡人士和旅行家，如王韬、康有为、梁启超，都先后到了西欧各国和美洲各国，也包括日本。他们在接触到轮船、火车、机械之外，还看见了巴力门（国会）、鲁哇（罗浮宫）、单纯（跳舞）……。虽然这批人多数是洋务派——从办“夷务”到办“洋务”也是一个困难的过程——，少数是改良主义者，但都多多少少意识到这个中国之所以积弱之故。西欧不仅有奇器淫巧，而且还别有立国之道。解放了的巴黎巴士底狱和放在纽约港前的自由神，不能不在他们的思想上引起震动。可是“天朝上国”的阴魂不散，承认西学为用的同时，还一定要配上一个以孔老二为招牌的中学为体。即西学为用也没有完全接受，以郭嵩焘之高明，还反对“以工匠把持工价”，以康有为之迂顽，自然就更反对法国式的革命了。

这些人都在东西洋游历、考察、从事外交活动之后，留下各种著作，记述翔实，态度认真，这在当时有极大的现实意义，现在看来，也具有极大的历史价值。因为从另一方面看，这正是自十九世纪下半叶起，中国的社会变革不得不缓慢而痛苦地前进的记录。

钟叔河同志以远大的眼光，孜孜不倦，搜集一八四〇到一九一九的八十年间的这类著述约百种，编为《走向世界丛书》，现已出齐第一辑，计三十六种，十大巨册，这是近年出版界一巨大业绩。叔河同志在主编此丛书时，费力既勤且精；凡重要段落都在书页旁加注要点，每种书后又增附“人名索引”和“译名简释”，对原书人名、地名的异译都加注原文和今译。这都是麻烦费力的笨工夫，实堪佩服。特别是他在每种书前，各精心撰写了一篇对作者及其著作的详尽的叙论，文笔流畅，论断精当。这确实是我近年来所见到的整理古文献中最富有思想性、科学性和创造性的一套丛书。在这方面，推而广之，可称为整理古籍的模范。

不知对不对，我总觉得，搞改革的，搞近代史的，搞古籍整理的，对这套丛书，都注意得很不够。因此我更希望叔河同志猛志勇进，不半途而废，把其他六十几种，分为第二、第三辑，继续整理出来，继续印行，不胜企盼之至！

出版社辑《走向世界丛书》各书前叔河同志所撰之叙论为一集，裁篇别行，以便读者，征序于余，故乐为之略加论列如此。

一九八六年元宵。

1 《走向世界丛书》总序

□ 《走向世界丛书》(FROM EAST TO WEST)于一九八〇年开始出版,一九八六年出齐第一辑十卷(三十六种)。作者在每种(或相关的几种)书前各撰写了一篇叙论,并写了这篇总序。今汇编为一册,共二十五篇。

人们常说，今日之世界，乃是一个“迅速缩小的世界”(rapidly shrinking world)。在电视卫星、激光通信和喷气式客机的时代，地球之上各地之间的距离，确实好像越来越短，人们相互间的接触和交流，也越来越方便和密切了。

古代人的海外奇谈

可是，仅仅在几代人以前，异国还显得那样的离奇和遥远。古代欧洲人说，中国人用小米和青芦喂一种类似蜘蛛的昆虫，喂到第五年虫肚子胀裂开，就从里面取出丝来(Pausanias《希腊纪事》)。古代中国人则曾经相信，西方有种羊羔是从泥土里生长出来的，脐带还连着大地(《旧唐书·西戎传》、《康熙御制渊鉴类函·边塞部九》)。这类海外奇谈，今天听起来简直不可思议，而在过去上千年中，却一直被当作可信的资料，记载在欧洲和中国的史书上。由此可见，人类文明的发展，经历了一条何等漫长曲折的道路。

为了探索和开辟外部世界，丰富自己的物质和精神生活，各国人民都作过许多贡献。人类文明史像叙说伟大的发明家和著作家一样，将永远铭记着张骞、玄奘、马可波罗、哥仑布等不朽的名字。我们甚至可以这样说：一个民族从中世纪到现代的历史，也就是它打开眼界和走向世界的历史。

历史的发展从来是不平衡的。当黄河、长江已经哺育出精美辉煌的古代文化时，泰晤士、莱茵和密西西比河上的居民，还在黑暗的原始森林里徘徊。而自从地理大发现和产业革命以来，中国却相对地落后了。在西方实现资本主义的现代化以后，中国还是一个基本上同外界隔绝的古老国家。是鸦片战争打开了中国的大门，也打开了中国人的眼睛。人们称林则徐为清代“开眼看世界的第一人”，因为西方的坚船利炮打到中国来时，林则徐首当其冲，他亲身感到这个世界在缩小，距离和壁垒再也不能把异国隔离开了。

鸦片战争打开国门

（一九八〇年出版的十种）

过去时代的中国读书人，在“严夷夏之大防”的社会里度过了上千年。封闭的外壳被打破后怎么办？守旧派的办法是把脑袋钻进沙子里学鸵鸟，像慈禧太后的大学士徐桐，见到洋人就以扇蔽面。就是这个徐桐，在庚子年间焚香叩请骊山老母下凡来“杀尽洋人”，结果骊山老母没有下凡，他自己的老命却白白送掉了。而林则徐和魏源则不同，提出要“师夷长技以制夷”，主张学习外国的长处，以对付外国的侵略。要学习，先得了解，于是林则徐编了《四洲志》，魏源编了《海国图志》。虽然

林则徐和魏源

他们未能亲身出国去考察，书的材料靠间接采辑而来，难免有许多谬误，但无论如何，地里长羊羔之类的神话毕竟不得不逐步让位给常识了。

林、魏之后，中国才开始有读书人走出国门，到欧美日本去学习、访问和工作。容闳、王韬、郭嵩焘、黄遵宪和严复等人，要算是最早的。接着出国的人渐渐多了起来，尽管其中不少是奉派而去的政府官员，但既然去了，就不会不接触近代——现代的科学文化和政治思想，也就不可能不在中国发生影响。

向西方去寻找真理

《走向世界丛书》专收一九一九年前国人亲历欧美和日本的记述。自从一八四〇年鸦片战争失败那时起，先进的中国人，经过千辛万苦，向西方国家寻找真理。应该说康有为和在他之前的郭嵩焘、王韬、容闳等人，的确代表了近代中国向西方寻找真理的一派人物。当然，丛书所收的，也并不全属先进的人物的作品；但总而言之这些都是中国人从东方走向西方的实录，自有其文化的意义和历史的价值。

必须指出的是：从鸦片战争到五四运动这一历史时期中，西方国家虽在许多方面比中国先进，值得中国人学习，但国家利己主义的本质，却总是要压迫剥削比他们落后的民族的。中国人走向世界、接触西方，既有一个学习外国长处的问题，又有一个抵抗外国侵略的问题，盲目排外和盲目崇外都是错误的。对于某些作品中不免流露的这类观点，我们将在为各书撰写的叙论中，适当地作些分析，供读者参考。

洋为中用

“洋为中用”是我们今天的主张，也是十九世纪先进的中国人的主张。“师夷长技以制夷”，不也是“洋为中用”吗？当然，随着接触和认识的逐步深入，人们慢慢地看出：仅仅学一点“长技”，搞一点坚船利炮，还是不行的；要救国，只有维新，

（一九八一年出版的十种）

维新行不通，就只有革命。伟大的革命先行者孙中山，用他自己的话来说，也是在一八七八年出国以后，“始见轮舟之奇、沧海之阔，自是有慕西学之心，穷天地之想”，才树立了推翻清朝建立民国的大志和信心。历史无情亦有情，后人的思想和事业肯定要超越前人，但前人的足迹总可以留作后人借鉴，先行者总是值得纪念的。

历史无情亦有情

今天的世界已不是十九世纪的世界，今天的中国更不是清朝末年的中国。今日之中国，已经逐渐以现代的面貌，出现在世界的东方。但是，世界的进步越来越快，中国的经济和文化等许多方面还需要不断地发展和提高；这就必需继续打开眼界、走向世界。打开眼界以后，还要学会分析，分清好的和坏的。一切好的东西，要拿来为我所用；一切有害的东西，要实行抵制和预防。在这方面，前人的经验和教训，有一些也仍然值得我们注意。

谨将这套丛书奉献给爱好历史和文化、关心中国和世界的读者，希望它能在中国现代化的过程中，起到一点微薄的作用。是为序。

（巴黎版法译本《西洋杂志》）

2 林鍼《西海纪游草》

□　林鍼于一八四七年随“花旗”商人赴美，担任中文翻译和教员，一八四九年回国。《西海纪游草》经左宗棠等人阅过后，于一八四九年夏秋间刻印于福州。兹据林氏家藏原刻本整理。

中国的大门终于向世界打开，既是突如其来，又是艰难而勉强的。人们对此并没有思想准备。因此，尽管已经有了“出洋”的可能，绝大多数人（尤其是读书人）在浩渺的海洋面前，仍然是踟蹰和犹豫的。中国的知识分子去到西方国家并且作出自己的记述，到十九世纪下半叶才开始。林鍼一八四七年去美国，可算是近代第一人。*

记美国的第一人

容闳（一八二八至一九一二年）由于个人偶然得到的机会，也在一八四七年便出洋读书，可是他的《西学东渐记》迟至一九〇九年才写成，而且很少记述初到美国的印象。故我们指数一八四〇年以来“走向世界”的报道，只能从林鍼的《西海纪游草》算起。

林鍼把他的记述比喻为“测海窥蠡”。蠡者，贝壳也。用小小的贝壳去测量大海，当然无法知道海的广大，但是比起没有接触海甚至没有见过海的人来，总算知道得多了一些。我们无妨同意林鍼的谦虚，将《西海纪游草》叫做近代中国人用

* 前此旅西有记述的樊守义未至美国，谢清高不是文人。

来测量世界海洋的第一块贝壳。

厦门的“番语通事”

《西海纪游草》是十分罕见的一种书。厦门大学杨国桢先生在《文物》杂志一九八〇年第十一期上首次报道了他所见到的一个刻本,并以寄示。刻本封面有“家父西海纪游草,林古愚珍奉”墨迹两行,钤印章“古娱”二字,可证为林氏家藏。

原书版框高十四点五公分,宽九公分,连封面共五十页。扉页所题年月为“道光己酉蒲月”,即一八四九年初夏,在林鍼旅美归来后不久。林氏本人的文字,有《西海纪游诗》一首,五言排律五十韵,计二页;《西海纪游自序》,是一篇骈体长文,计六页;《救回被诱潮人记》,三页;《附记先祖妣节孝事略》,一页。其馀三十六页,全部是题记、序跋和题诗,有闽浙总督左(宗棠)、镇闽将军兼管闽海关印务英(桂)、福建巡抚徐(宗幹)

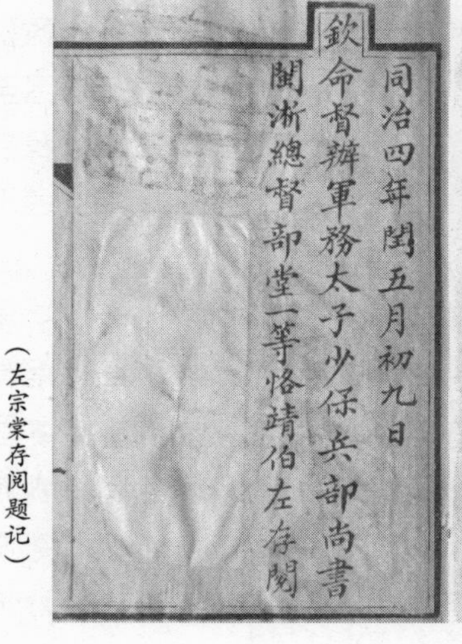
同治四年閏五月初九日
欽命督辦軍務太子少保兵部尚書
閩浙總督部堂一等恪靖伯左存閱

(左宗棠存阅题记)

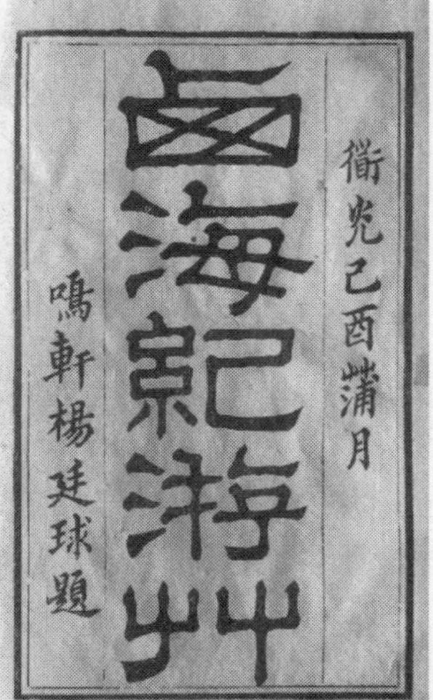

左宗棠阅

等人的题记，可见当时人们确实把林鍼的西海之游看作空前的壮举。英桂序云：

> 盖西游者溯自汉纪，及唐、元以来，历有其人，然以游之远且壮者，莫留轩若也。

周立瀛序云：

> 自古游历之广，如《淮南子》云：“禹使大章步东极至于西极，二亿三万三千五百七十里，自北极至南极亦然。”尚已！特词近荒渺，犹难征信。其后史册所载，或远蹈绝域，而未有海外之行者。迨我朝声教遐讫，即琉球东南海邦，使臣奉册命往封，每数十年一至其地；然舟行风利，计程四五日可达，大约去中华尚在万里内也。独留轩林君，负奇气，以家贫谋奉旨甘，遂乘风破浪，涉溟洋九万馀里，行百四十日而抵花旗，视球洋又远增十数倍。噫！何其壮欤！

周揆源序云：

> 汉代自张骞寻河源，泛斗牛，始达西域。唐玄奘、元耶律楚材衔命西游，后此鲜有继者。然张骞未睹昆仑，玄奘、耶律楚材仅至西番；唯我朝徐霞客，以书生遍游宇内名山大川，出玉门关数千里，至昆仑，穷星宿海，去中夏三万四千三百里，可谓游之壮者。今林君景周，由闽挂帆九万馀里，行抵绝域，详悉各国风土人情，了如指掌。是霞客而后，游之远而且壮者，莫景周若也。……视霞客游历

误徐霞客为本朝人

> 之程仅三万馀里者,则有其过之。……倘入輶轩之采,即与霞客合传可也。

这些序文,都一致肯定了《西海纪游草》在域外纪游作品中的划时代的意义。

关于林鍼本人的情况,因为资料缺乏,只能从书中窥知一个大概。他原籍福州(当时称闽县),曾祖父(琼苑)曾有过"候选州"的头衔。但到他祖父"中年去世"后,家道便已中落,"所有产业尽被族人侵占",祖母不得不从事女红养育诸孤,有时竟穷到"日不再食"的地步。后来他的伯父(端言)年龄稍长,到厦门谋生,祖母才率全家移居厦门。

早在一八四〇年以前,厦门就是洋商来华贸易的港口。英人胡夏米(H. H. Lindsy)一八三三年所写《阿美士德号航行中国记》,对厦门作了如下的报道:

> 厦门的港口是优良的,……当地人民似乎是天生的商人与水手。由于他们家乡的贫瘠,多数人无业可就,但更主要的是他们的性格,驱使他们离乡背井,到台湾,到中华帝国的各个主要商业中心,或者到印度洋群岛。……早年葡萄牙人曾在这里通商,荷兰人接踵而至,英国人在很长的时间内也曾在这里建立过商馆。……

一八四二年以后,厦门是第一批正式开放的五个口岸("五口通商")之一,很快就发展成了"华洋杂处"的大码头。林鍼"少时颇不好学",同时以家境论,亦断无读书入仕之可能。在这个充斥着外国"商人与水手"的海港城市里,少年林鍼很早就学会了外语外文,靠在洋商那里担任通事翻译和教

在厦门教洋人中文

授中文,赚取工资,以“谋菽水之奉”。这就是序跋中恭维他的“素习番语,译文为各国所推重,奉委经理通商事务”。

舌耕海外

一八四七年春天,林鍼“受外国花旗聘舌耕海外”,丁未二月由粤东(潮州)起程,至六月达其国,在美国工作了一年多,于己酉二月(一八四九年三月)回福建。《西海纪游诗》和《西海纪游自序》,便是他此行的实录。

对“花旗”的印象

《西海纪游诗》首序出洋经过:

足迹半天下,闻观景颇奇。因贫思远客,觅侣往花旗。
初发闽南棹,长教徼外驰。星霜帆作帐,冻馁饼充饥。

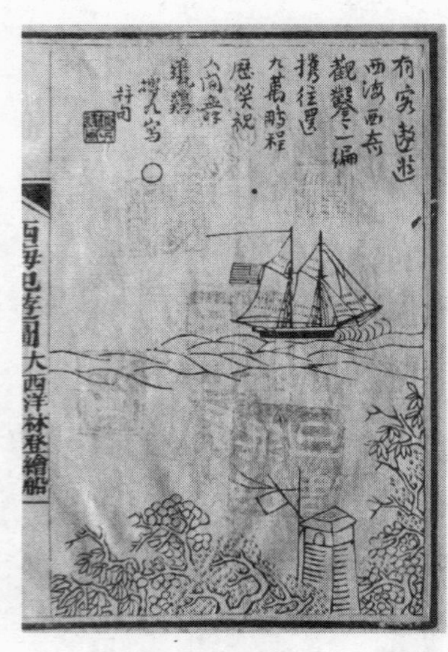

(刻本中的船)

林鍼横渡太平洋所乘的船是一种三桅帆船。他从中国去美国共用了一百四十天(中途有停泊),途中是颇为辛苦的。《西海纪游自序》的叙述就详尽得多了(原注用小字,改用大字加括弧,以别于正文):

岁维丁未,月届仲春,爰借东风,远游西极。……腹如悬磬,晨夕不计饔飧;身似簸箕,日夜飘流风雨。千金一饭,王孙容易豪雄;百结愁肠,绝域难堪腥臭。灯如求璧;水甚淘金。……水手跳梁,呼余伙计(番人呼粤人为伙计);梢工督令,宛尔将军(洋俗出海多权)。……四旬航海,惊殊寒暑三更(仅得四十日之洋,而三迁寒暑,因南北廛度之分也);两阅人生,虚度韶光什二。回忆牛衣对泣,游人知有室之乖(予初婚未久即辞家外出);举头斗柄频更,荡子抱无家之痛。……

接着,《诗》和《序》都用主要的篇幅叙述了初到美国纽约的见闻。诗句很简单,序文(特别是所加的注)却相当具体。如诗的这一段开头八句是:

宫阙嵯峨现,桅樯错杂随。激波掀火舶,载货运牲骑。
巧驿传千里,公私刻共知。泉桥承远溜,利用济居夷。

序文则洋洋洒洒,写下了对"花旗"的最初的印象:

对美国的最初印象

百丈之楼台重叠,铁石参差(以石为瓦,各家兼竖铁支,自地至屋顶,以防电患);万家之亭榭嵯峨,桅樯错杂(学校、行店以及舟车,浩瀚而齐整)。舻舳出洋入口,引水掀轮(货物出口无饷,而入税甚重。以火烟舟引水,时行百里);街衢运货行装,拖车驭马(无肩挑背负之役)。浑浑则老少安怀;嬉嬉而男女混杂(男女出入携手同行)。田园为重,农夫乐岁兴歌;山海之珍,商贾应墟载市(每七日为安息期,则官民罢业)。博古院明灯幻影,彩焕云霄(有一院集天下珍奇任人游玩,楼上悬灯,运用机括,变幻可观);巧驿传密事急邮,支联脉络。暗用廿六文字,隔省俄通(每百步竖两木,木上横架铁线,以胆矾、磁石、水银等物,兼用活轨,将廿六字母为暗号。首尾各有人以任其职,如首一动,尾即知之。不论政务商情,顷刻可通万里,予知其法之详);沿开百里河源,四民资益(地名纽约克,为花旗之大马头,番人毕集。初患无水,故沿开至百里外,用大铁管为水筒藏于地中,以承河溜;兼筑石室以蓄水,高与楼齐,且积水可供四亿人民四月之需。各家楼台,暗藏铜管于壁上,以承放清浊之水,极工尽巧。而平地喷水,高出数丈,如天花乱坠)。……

就这样,林铖在大段的骈文和夹注中,介绍了不少在美国看到的新鲜事物。他不完全是志异炫奇,而是有时候能够联系思想,写出这些新鲜事物在自己心中引起的变化。如在"浑天仪"句下注云:"其人善测天地度数,虽航海周年,不睹山岚,亦无毫厘之差。如西儒利玛窦之天地形说,亦不及其详。""技夺天工"句下注云:"集板印书,以及舟车、舂织、锤铸等工,均用火烟轮,运以机器,神速而不费力。余独有志于舟车之学,可以济公利私,唯独力不支,苟吾人有志共成,不期年可以奏效也。"同时,他也不是一味欣赏海外"壮丽之大观",而能够下一点雌黄,对那些他认为不好的现象略加涂抹:

火烟轮即蒸汽机

一团和气,境无流丐僧尼;四毒冲天,人有奸淫邪盗(斯亦不免)。应心得手,创一技便可成名(其俗不尚虚文,凡人能首创一艺足以利世,特加奖赏);远国他邦,道不同目为愚蠢(目崇信鬼神、奉祀土木偶者为贱鄙罪人)。

还有一联云:

去日之观天坐井，语判齐东；
来年只测海窥蠡，气吞泰岱。

意思是说，过去自己对关于外国的传闻半信半疑，以为是“齐东野语”；现在有了一点亲身经历，哪怕只是“以蠡测海”吧，眼光和气概便已和过去大不相同了。这既是夫子自道，也反映了最初“开眼看世界”的人们的共同体会。

用骈体文叙事纪游是颇受限制也颇不容易的。林铖之文虽不佳，但因为写的是新鲜事物，包含了比较充实的内容，故读来仍饶有兴味。下面一节，概述了南北战争以前美国的经济、蓄奴、选举、独立和总统制等等方面的情况，他甚至还注意到了美国南方和北方在经济、社会等方面的差别：

南圃南农遍地，棉麦秋收；北工北贾居奇，工人价重。黑面生充下陈，毕世相承（英人以黑面卖于其地，遂世为贱役；主人贫，辄转卖之）；土官众选贤良，多签获荐（凡大小官吏，命士民保举，多人荐拔者得售）。暴强所扰，八载劳师（其地原属英吉利管辖，因征税繁扰，故华盛顿出而拒之，遂自为国，争霸西洋）；统

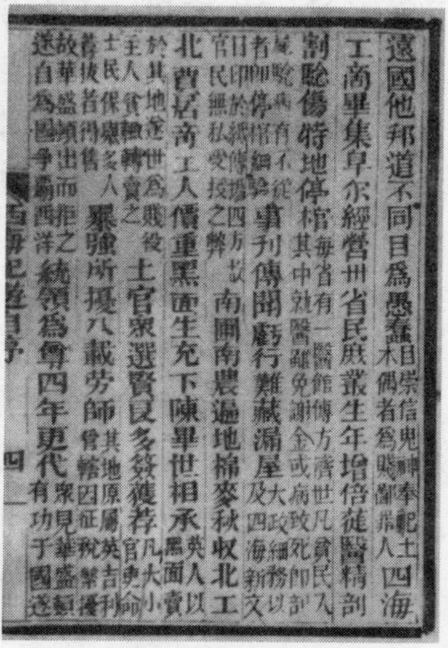

投票选举

（“众选贤良，多签获荐”）

领为尊,四年更代(众见华盛顿有功于国,遂立彼为统领,四年复留一任,今率成例)。四时土产,物等价昂;半据荒洲,地宽人少(其地虽居天下四分之一,然而人民不及中国二省之多。工人少而土物贵,理所必然)。

林铖的这些观察,很难称之为深刻;正如他自己所说,只能算是"以蠡测海"吧。但"以蠡测海"毕竟和"海"有了直接的接触。有了直接的接触(不管如何有限),也就有了真实的了解(不管如何肤浅),这就和"坐井观天"有了本质的不同,更不是过去的《四夷列传》和《渊鉴类函》上的捕风捉影之词所能比拟的。

旧的观念,旧的气味

林铖的诗、序和《救回被诱潮人记》,都谈到了他旅美期间的一回遭遇,即是他救助为英人诱骗到纽约的二十六名华人回国,因而被英人设计构陷,幸有美国友人相助,得以雪诬,这也是有关早期华人出国的一桩史事。

在美国打官司

林铖在出国之前,已知英人在广州买了一条中国船,并且诱招了二十六名潮州人上船,"意欲归国藉奇以获利"。林铖行抵纽约,见那条中国船泊于港口,被作为展览品。"欲观之人,与英人银钱半枚,始得上船遍览,(英人)日得银钱数千"。前往探望时,众人泣诉:英人原来伪立合约,云系往爪鸦(爪哇)贸易,以八月为限,限满听去留。"而后船经其地而不入,众方知苦,然而悔已晚矣",又诉及"长洋数受鞭笞之惨,求死不能";"有额破足跛,血染征衣者,不堪卒视"。林铖遂为被诱同胞觅得"法家"(律师),准备申诉到当地"察院"(法院)。此时英人竟诬告船上华人作乱,“谋杀船主”,使七名华人被押于牢中。林鍼闻讯,又“到槛中相探”,和美国律师一同参加会审,并“向前代译始末情由”。结果七人被判当堂释放,英人船只查封交付罚款,“即日配船送众归国”,“一切工资亦不许白吞”。二十六人回国后,“勒碑于潮”对林鍼表示感谢。

林鍼在为被诱同胞奔走时,结识了纽约的“各国水手之会主”雷即声(译音)和他的女儿。据说这位女郎对他一见倾心,“恒与围炉夜话”,“并肩把臂于月下花前”。林鍼时正学习“神镜法”(照相术),英人败诉后,怀恨在心,乃串通其友“照镜师”,诬林鍼所买照相机等物系盗窃得来,告官拘讯。雷女得知,恳求其父以三百金保林鍼在外候讯,并代觅律师,为至官厅剖明真相,始得无事。这就是序中所说的:“主人高义,保非罪之拘囚;彼美多情,喜惊鳞之脱网。”林鍼激动地写道:“不意平生知己,竟出于海外之女郎。而余之结草衔环,又在何日?兴怀及此,未尝不潸然欲涕也。”

对待女性的心态

因为风俗习惯、男女观念的不同,中国的文人士子、旅客行人,初到西方,往往一和外国女性接近就误认为“胡妇多情”,而不禁自作多情起来。有的人在诗词中留下过多的痕迹,使后人看了不禁肉麻或者好笑。林鍼也未能免俗,什么“底事华番异致,黎倩牵心;天然胡妇多情,子卿谁是?夜绕横塘梦草,孤灯泪渍衾裯;时维睹画呼真(按此指女性所赠照片),一纸心悬枕席”……完全是刘阮游仙、章台折柳的格调,现在读来实在好笑。幸亏林鍼着意刻画的不只是他视作平生知己的雷氏女郎,而是“玉腰纤小、窈窕可人”的“随凌氏”等许多“洋女”,不然的话,那就会更加使人反感。

《附记先祖妣节孝事略》放在《西海纪游草》书中,初看似觉不伦,实则颇有深意。因为“父母在不远游”乃是宗法社会的基本道德信条，像林铖这样远涉重洋，哪怕不出三年五载就回，也是要受到谴责的。所以林铖乞人作序要写上：

……闻景周性惇笃，而家甚贫。白发在堂，无以为养。其乘风破浪，孤剑长征，将以博菽水资，而为二老欢也。其游不久即归，非得已也。不知者乃以此相夸诧，过矣。

还得再附上《附记》这么一篇文章，宣扬祖母"节孝非常"，表示自己"孝思不匮"。

旧士大夫的见识

这样做果然有收效。在全书十五篇序跋题记中，有十二篇赞扬了林铖的孝道。有的甚至说林铖之能"生入玉门"，全是由于他的孝心感动了上苍，故尔"履险如夷，吉人天眷"。如"南昌万鹏拜草于鹭江官舍"的一篇，一开头就说：

林君景周，湖海士也。尝作外海游，历九万重洋，谋菽水，拯患难，非其孝义醇笃，能屡涉峻险，置身命于度外耶？迨履险如夷，归慰闾望，又非其诚之所格，得致侠女援，天必欲全其孝义耶？

又如"皖江李生煐颖光氏书于鹭门节署"的一篇说：

凡人能以孝义为心，无不逢危而安、遇险而夷者，此定理也。景周林君，以谋菽水之奉，远涉花旗国，孝足称也。又以倾盖之遭，不避嫌怨，拯救潮州二十六人生命，义足取也。是以虽被诬陷，足得剖白而还，非其心之善而获报之速乎？

光从这一点,亦足以窥见当时社会上的一般心理了。

除了赞扬林鍼的孝义以外,序跋和题诗有的恭维他的壮游,有的欣赏他的艳遇,有的大讲"言忠信,行笃敬,虽蛮貊之邦行矣",大都不出旧式士大夫的见识水平和思想境界。只有王广业的序文略有新意,曰:

> 夫人跼蹐于一室之中,老死于户牖之下,几不知天地之大、九州之外更有何物。一二儒生矫其失,则又搜奇钓异,张皇幽渺,诧为耳目之殊观。不知天玄地黄,一诚之积也。诚之所至,异类可通,况在含形负气之伦,宁有异性哉?

意思是说,只要是"含形负气"的人,虽然远在异域,亦未始不可以彼此交通和互相理解。这和把蛮貊夷狄一律视为虫豸犬羊的旧观念,总算有所不同。

值得提到的还有两首题诗。一署"浯屿树梅瘦云",云:

两首题诗略有新意

> 西极舟航古未通,壮游似子有谁同。
> 足心相对一球地,海面长乘万里风。
> 留意所收皆药石,搜奇多识到鱼虫。
> 此行不负平生学,历尽波涛悟化工。

一署"阆湖女史李蝉仙",是步上首原韵的:

> 蛮貊能将语意通,可知忠信此心同。
> 针程九万夸游迹,笔纪千言备采风。
> 球客免为衔石鸟,思乡不羡寄居虫。

归来又得诗盈箧，袖里烟云画更工。

“足心相对一球地”，已可算是新的世界知识；“思乡不羡寄居虫”，则大胆嘲笑了“跼蹐于一室之中，老死于户牖之下”的人生观。所谓“女史”，其实是能够吟诗作对的妓女的雅称。这个生活在市民、商贾群中的烟花女子的才识，实在比许多满口“孝义”的读书人还要高明一点。

可悲的是，林鍼出洋一事纵有划时代的意义，笼罩着他的心地的仍然是一派旧的观念，围绕着他四周的更是蔑视“蛮貊”、宣扬“节孝”的旧的空气。这就难怪在“五口通商”六年以后才出现林鍼和他的书，也难怪在林鍼之后又过了不止六年，才出现第二个、第三个“针程九万夸游迹，笔纪千言备采风”的人物。

3 斌椿《乘槎笔记》及纪游诗

□ 斌椿一八六六年因总税务司赫德(R.Hart)建议，由清政府派遣，率同文馆学生游历欧洲，凡五阅月，历英、荷、普、丹、瑞、芬、俄、比、法诸国，有《乘槎笔记》及纪游诗《海国胜游草》、《天外归帆草》。均据初刻本整理。

由于商业特别是对外贸易的不发达，由于个人的物质条件、主动精神和活动范围受到限制，即使在一八四〇年以后，中国知识分子的“出洋”，在大多数情况下只能属于官方派遣的性质。这是近代以来，中国和西方人员交流上的一个特点。

林鍼和容闳要算是偶然的例外。他们的记述之特殊价值正在于此，而其不能成为近代出国载记代表作之原因亦在于此。

第一批由清政府派遣赴泰西“游历”，也就是第一批亲自去接触和了解西方文化的代表，当是同治五年(一八六六年)由斌椿父子率领的同文馆学生一行五人，而其组织者则为在中国担任总税务司的英国人赫德(Robert Hart)。

中土西来第一人

斌椿此行记事抒情之作，有《乘槎笔记》一卷，诗稿《海国胜游草》和《天外归帆草》二种。在《天外归帆草·晓起》一章中，斌椿有诗云：“愧闻异域咸称说，中土西来第一人。”这倒并不是夸张。

总理衙门的“洋务”

斌椿一行赴欧游历，主持其事的是咸丰十一年(一八六一年)成立的“总理各国事务衙门”，始发其议的则是“洋员”赫德。而总理衙门和洋员，都是第二次鸦片战争后，中国的门户进一步向西方国家开放的产物。

恭亲王

关于派员游历这件事，一八六六年二月二十日，主管总理衙门的恭亲王奕䜣等人有一道奏摺，摘录如下：

> 查自各国换约以来，洋人往来中国，于各省一切情形日臻熟悉；而外国情形，中国未能周知，于办理交涉事件，终虞隔膜。臣等久拟奏请派员前往各国，探其利弊，以期稍识端倪，借资筹计……迟迟未敢渎请。
>
> 兹因总税务司赫德来臣衙门，谈及伊现欲乞假回国，如由臣衙门派同文馆学生一二名，随伊前往英国，一览该国风土人情，似亦甚便等语。臣等伏思……与该税务司同去，亦不稍涉张皇，似乎流弊尚少。惟该学生等皆在弱冠之年，必须有老成可靠之人，率同前去，庶沿途可资照料；而行抵

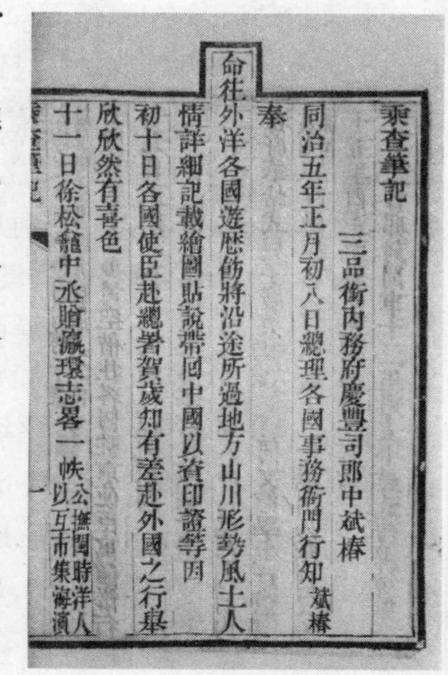
乘查筆記
三品銜內務府慶豐司郎中斌椿
同治五年正月初八日總理各國事務衙門行知斌椿
奉
命往外洋各國遊歷飭將沿途所過地方山川形勢風土人
情詳細記載繪圖貼說帶回中國以資印證等因
初十日各國使臣赴總署賀歲知有差赴外國之行舉
欣欣然有喜色
十一日徐松龕中丞贈瀛環志畧一帙公撫閩時洋人以互市集海濵

(《乘槎笔记》首页)

该国以后,得其指示,亦不致因少不更事,贻笑外邦。

兹查有前任山西襄陵县知县斌椿,现年六十三岁,系内务府正白旗汉军善禄管领下人,因病呈请回旗,于咸丰七年在捐输助赈案内加捐副护军参领衔。前年五月间经总税务司赫德延请办理文案,并伊子笔帖式广英襄办年馀以来,均尚妥洽。拟令臣衙门札令该员及伊子笔帖式广英,同该学生等与赫德前往。即令其沿途留心,将该国一切山川形势、风土人情随时记载,带回中国,以资印证……

奏摺一开头就指出:自从"换约"即开关互市以来,洋人对于中国的情形日臻熟悉,而中国对于外国的情形则一切隔膜。其所以如此,一个重要的原因是:长期封闭的社会使得人们对于外部世界极度无知,而无知造成的偏见和固执又加深了敌视一切新事物的病态心理,给无知穿戴了一套理直气壮的冠服,以致士大夫讳谈外国,故步自封到了愚昧可笑的程度。明季利玛窦、艾儒略等"西儒"带来一点地理知识,到纪晓岚时仍被认为是"异闻"。林鍼和林鍼之前别人的见闻,或者湮没不彰,或者被视为海客谈瀛,并没有得到知识阶级的普遍重视和承认。

一八四〇年中英开战前,道光帝才匆忙令臣下查明英国情形。琦善"访知"女王自行择配,奏言"是固蛮夷之国、犬羊之性,初未知礼义廉耻,又安知君臣上下"。耆英谓英人夜间目光昏暗。黄惠田更谓英地暗黑,不敢燃火,船行半月始见天日。骆秉章奏称英兵上身刃不能伤,但以长梃俯击其足,应手即倒。……全是一派胡言。就连确实认真查考过一番的林则徐,其下决心以武力解决问题,也是由于错误地认为:"茶叶、大黄禁不出洋,已能立制诸夷之命";"中国封港,其货无处可卖;其本国距中国太远,出兵不易;女王叔父有觊觎之心;安南

林则徐的错误判断

曾诱歼其船；他国恶之，万不敢以侵凌他国之术，窥伺中国”；“从前律劳卑(W.J.Napier，一七八六——一八三四年)冒昧一进虎门，旋即惊吓破胆，回澳身死，是其明证”；“且夷人除枪炮外，击刺步伐俱非所娴，而其腿足缠束紧密，屈伸皆所不便，若至岸上，更无能为；……”这些判断无一符合实际情况，徒然成了偾事的原因和外人的笑料。

一八四〇年和一八六〇年的两次战争，使得更多的人睁开了眼睛。统治阶级中也有一部分人感到有必要修改对外政策，学会和外国打交道，开始主张了解外洋情况，培养外事人才，这些也就是所谓“洋务”的一部分内容。一八六一年成立总理衙门，一八六二年开办同文馆，一八六六年派人出国游历，都是洋务史上的大事。

研究和讨论整个洋务运动并非本文的任务。这里只简单介绍一下“洋务派”对当时情势的基本分析和提出的基本方针，这对了解斌椿出洋的背景是十分必要的。下面摘录了奕䜣、桂良、文祥等人关于建立总理衙门的奏摺中的一节话：

总理衙门

(总理衙门的大臣们)

> 夷祸之烈极矣！论者引历代夷患为前车之鉴，专意用剿。自古御夷之策，固未有外于此者。然臣等揆时度势，……窃谓大沽未败以前，其时可剿而亦可抚；大沽既败而后，其时能抚而不能剿；至夷兵入城，战守一无足恃，则剿亦害，抚亦害。就两者轻重论之，不得不权宜办理，以救目前之急。

剿还是抚

所谓“剿”就是战，所谓“抚”就是和。奕䜣等人对于在对外政策上如何运用战(剿)与和(抚)两手的意见是：当“战守一无足恃”之时，不得不靠“和”的一手“以救目前之急”，因为：

> 如不胜其忿而与之为仇，则有旦夕之变；若忘其为害而全不设备，则贻子孙之忧。古人有言，以和好为权宜，战守为实事，洵不易之论也。

这就是说，目前只能运用“和”的一手与敌国周旋，以争取时间作为战守的准备，而不能一味依靠“战”的一手。

这项基本方针的依据是两点：(一)“捻炽于北，发炽于南，饷竭兵疲”，实在无力对外作战；(二)洋人“志在通商”，“并不利我土地人民，犹可以信义笼络”。

这两点估计，当然反映了“洋务派”未能抓住根本，但求苟且偷安的立场。洋务派在整个同光时期所办的各项“洋务”，是为了延长满清王朝的统治，为了预防“旦夕之变”，以免贻“子孙之忧”。但是，如果到了十九世纪七十年代还不办“洋务”，不建立外交机关，不开办外语学校，不遣人出洋游历，继续坚持认为洋兵腿足不能屈伸，长棍一挥即倒，难道就会更符合民族和人民的利益吗？

卫廉士、丁韪良的影响

六十三岁的斌椿被选派出国，这首先因为他是一位满人。清朝统治者不放心臣民和外国人打交道，尤其不放心汉族臣民和外国人打交道，深怕无父无君的思想会由此而散布开来。始办洋务时，上至总理各国事务衙门的大臣，下至同文馆招收的学生，都几乎是清一色的满人。只是在靠满人不能解决问题时，才被迫起用汉人，但这已经是稍后的事情了。

一位满人

清代的满人在政治上确实享有某些特权，但在文化上却不可能不接受汉人的影响。到咸同年间，满人中的知识分子早已全盘汉化。像斌椿这样的汉军旗人，血统上本是汉族，隶属旗籍还不过二百多年，文化上和心理上的"归根"当然更不成问题。斌椿从小读儒经，应科举，喜作诗文。他在一首诗中自述道：

> 椿也少无慧，处事多龃龉。束发入书堂，惟嫌质椎鲁。
> 我师嘉其愚，谓予疾近古。稍长性更迂，诵读忘寒暑。
> 捷径甘退让，人弃我乃取。窃禄逾廿年，愧无尺寸补。
> 始知慕清节，林泉乐解组。……

完全是一副传统读书人的口吻。

不过，作为一个传统的读书人，斌椿的经历和思想却又有其特点。他中年到外地作官，旅行的范围很广，所谓"壮岁饥驱不自主，西瞻华岳东罗浮，南登会稽临禹穴，北至娲皇炼石补不周"。又云"劳生半驰驱，游观聊自慰。……九州曾历历，广见堪傲睨"。他的眼界和胸襟比较宽，交的朋友也比较多，像《瀛寰志略》作者徐继畬、近代著名数学家李善兰,都曾为他的书作序,自亦不能排除相互间的影响。因此,对于远游他并不害怕,而且还颇有兴趣,正如其诗中所云:

久有浮海心,拘墟苦无自;每于海客来,纵谈羡无已。……风采至列邦,见闻广图史。

这就不是当时一般读书人所能有的表现了。

一八六四年,斌椿应赫德延请,到"总税务司"办理文案,这大概是他生平接触洋人的开始。赫德于一八六三年代李泰国(Horatio Nelson Lay)服务于海关,据陈恭禄《中国近代史》(商务印书馆一九三五年《大学丛书》本)谓其:

赫德

为人精通华语,娴习华礼,忠于职守。……就职后即往北京,谒见恭亲王于总理衙门,言谈欢洽。一八六五年,正式设立总税务司官署于北京,其职务于管理关税之外,对于外交常有赞助,事实上殆为总理衙门之顾问。……

方赫德之整理海关,英商恶其职员详问船上之货物,而未予以权利。英领谓其仍受领事裁判,尝课以罚金,而妨碍其工作。

可见赫德和总理衙门的关系是很好的,是一位竭力支持中国洋务运动的"洋员"。

可能是由于赫德的关系,斌椿结识了美国驻北京使馆参赞卫廉士(S.W.Williams,一八一二至一八八四年)、同文馆总教习丁韪良(W.A.R.Martin,一八二七至一九一六年)等"西儒”，通过他们开始接触了一些近代文化知识。他有诗叙述卫、丁二人帮助他改变了“天圆地方、天动地静”的老观念：

卫公来京师，赠我联邦志。（原注：美国使臣卫廉士驻北京六年，前岁赠予《联邦志略》，所言疆域政事甚详。）

卫廉士

才士丁玮良，著书讲文艺。（原注：美国文士丁玮良，学问甚优，以所著《地球说略》等书见惠。）

丁玮良

初如井底蛙，开编犹愦愦。

书云地形方，主静明其义。

岂知圆如球，昼夜如斯逝。……

因此，当总理衙门准备派人赴欧游历时，大小官员“总苦眩晕，无敢应者”，只有六十三岁的斌椿“慨然愿往”，就不是偶然的了。

当时劝阻斌椿的人很多：

或云风涛险，恐君不堪此，此行古未有，祸福畴能许。

或云虎狼秦，待人以刀俎；又如使匈奴，被留等苏武。

洪涛高盈云，所经多险阻；谁与涉重洋，试触蛟龙怒。

……

而他的答复是：

天公欲试书生胆，万里长波作坑坎。

虽然谈不上有认识新世界和接受新文化的自觉，仅凭这一份“久有”的“浮海心”，也就值得刮目相看了。

非亲到不知有此胜境

斌椿父子率同同文馆学生三人,于同治五年(一八六六年)正月二十一日离开北京,三月十八日到达法国马赛。他们一行在欧洲的旅程如下:

旅行日程

三月十八日至四月初三日	法国
四月初四日至五月十二日	英国
五月十三日至十八日	荷兰
五月二十日至廿一日	汉堡
五月廿二日至廿三日	丹麦
五月廿四日至六月初二日	瑞典
六月初三日	芬兰
六月初四日至初十日	俄国
六月十二日至十五日	普鲁士
六月十六日	汉诺威
六月十七日至廿一日	比利时
六月廿二日至七月初九日	法国
七月初十日	离马赛回国

斌椿一行在欧洲游历的时间不到四个月,应该说,他们的收获并不是很多的。斌椿"随时记载,带回中国"的,只有薄薄一册《乘槎笔记》,更薄的两本纪行诗集《海国胜游草》和《天外归帆草》。但无论如何,这毕竟是近代中国知识分子最早亲历欧洲的记述,它们在很大程度上反映了当时一部分士大夫的传统观念,因此仍然值得重视。

斌椿一行访问伦敦时，英太子问斌椿道："伦敦景象较中华如何？"斌椿答："中华使臣，从未有至外国者。此次奉命游历，始知海外有此胜境。"翌日维多利亚女王又问斌椿："敝国土俗民风，与中国不同，所见究属如何？"斌椿答："来已兼旬，得见伦敦屋宇器具，制造精巧，甚于中国。至一切政事，好处颇多。……"在斯大克阿剌扪（斯德哥尔摩），瑞典"太坤"（太后）接见了斌椿一行，云："中华人从无至此者，今得见华夏大人，同朝甚喜。"斌椿曰："中华官从无远出重洋者，况贵国地处极北，使臣非亲到不知有此胜境。"并吟诗一首赠"太坤"云：

同治戊辰首夏

海國勝游草

桐城章于錦題

（《海国胜游草》扉页）

西池王母住瀛洲，十二珠宫诏许游；
怪底红尘飞不到，碧波青嶂护琼楼。

诗只能算是传统的应酬体，把瑞典王太后比作王母娘娘也未免可笑，但在"中华人从无至此"的国度里，这番友谊的接触，总可以算是文化交流上的创举。

王母娘娘

在斌椿游历所经的十一个欧洲国家中，荷兰是最早见于中国史书的国家之一。但过去中国对荷兰的了解，同样是离题万里。小说家言不必列举，即拿《明史·和兰传》来说，所谓：

和兰又名红毛番，地近佛郎机（钟按：明人所称佛郎机系指葡萄牙，与荷兰并不相近）。……其人深目长鼻，发、眉、须皆赤，足长尺二寸。……所役使名乌鬼，入水不沉，走海面若平地。其柁后置照海镜，大径数尺，能照数百里。……

荷兰

仍然是哈哈镜里的形象。而斌椿游荷兰五日，其记载如：

拉里（即海牙）街道洁净，楼宇高者四五层，颇修整。河道甚多，皆直而长。……街市多以两犬架小车售物。

安特坦（即阿姆斯特丹）地势低下，居民修治河道，于水中立桩砌石，架木其上，筑楼阁六七层。……通都计桥七百六十座。河之阔处，舸舰迷津，商货辐辏。贸易之盛，为欧土大都会。

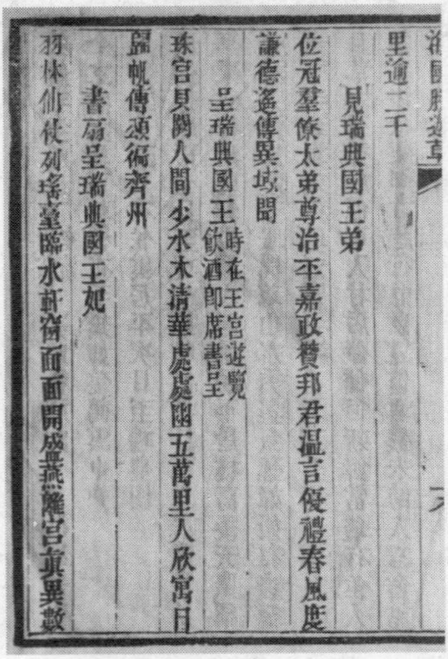
海國勝遊草
里逾二千
見瑞典國王弟
位冠羣僚太弟尊治平嘉政贊邦君温言優禮春風度
謙德遙傳異域聞
呈瑞典國王時在王宮遊覽飲酒即席書呈
珠宫貝闕人間少水木清華處處幽五萬里人欣寓目
歸帆傳頌徧齊州
書扇呈瑞典國王妃
羽林仙仗列瑤臺臨水軒窗面面開盛燕隨宫真異數

（《海国胜游草》一页）

火轮取水器具（即排水工程）用泄亚零海水者，计立此法二十馀年，涸出良田三十馀万亩。有司以绘图与观，田畴明晰，沟洫条分，变斥卤为膏腴，洵为水利之魁。

全国滨大西洋海，夷坦无山，港道纷歧。民受水害，因习水利，善筑堤，又善操舟行远。南洋各岛国，自爪哇起，皆建立埠头。市舶之通东南，自荷兰始。

笔墨虽不多,却比较准确地勾出了上世纪中叶荷兰的简单轮廓,不再是"入水不沉"、"照数百里"那一套了。

斌椿所写的诗,也可以与笔记参看。如《海国胜游草·十六日赴安特坦,见用火轮泄亚零海水,法极精巧》一首:

荷兰自古擅名都,沧海桑田今昔殊。
处处红桥通画舫,湾湾碧水界长衢。
晶帘十里开明镜,璧月千潭照夜珠。
创造火轮兴水利,黍苗绿遍亚零湖。

接着又有《昨观火轮泄水,偶题七律一首,已入新闻纸数万本,遍传国中……》:

远方景物倍鲜妍,得句频联翰墨缘;
今日新诗才脱稿,明朝万口已流传。

《包姓别墅》之一:

弥思(译言女儿也)小字是安挐,明慧堪称解语花;
呖呖莺声夸百啭,方言最爱学中华。

弥思小字是安挐

正如作者对瑞典"太坤"所云,"非亲到不知有此胜境";不是亲眼见到,此类题材是无论如何不会入诗的。

初乘火轮车

对于斌椿游历欧洲及其记述,过去史家的评价并不高。

陈恭禄的评价

前引陈恭禄氏《中国近代史》，即谓其“不通外国语言，不明其思想制度，……自无深切了解同情之可能性。……其所著之笔记，偏重于海程、宴会，固无影响于国内”。

今阅《乘槎笔记》，确实多有此类记述，如：

> 女优登台多者五六十人，美丽者居其半，率裸半身跳舞。剧中能作山水瀑布、日月光辉，倏而见佛像，或神女数十人自天降，祥光射人，奇妙不可思议。

又如：

> 各官夫人姗姗其来，无不长裙华服，珠宝耀目，皆袒臂及胸，罗绮盈庭，烛光掩映，疑在贝阙珠宫也。

但平心而论，近世欧洲各国之物质技术文明，在书中亦不是毫无反映。同治五年三月初八日初抵马赛，当天即有关于火轮升降机、煤气灯、传呼机器的记载，其中尤以对商店出售儿童自行车的描写最为有趣：

木牛流马

> 肆售各物率奇创。有木马，形长三尺许，两耳有转轴。人跨马，手转其耳，机关自动，即驰行不已，殆亦木牛流马之遗意欤？

三天以后，斌椿一行到了巴黎，又写到了自行车：

> 街衢游人，有只用两轮贯以短轴，人坐轴上足踏机关，轮自转以当车。又有只轮贯轴，两足跨轴端踏动其

机，驰行疾于奔马。

这些描写诚为幼稚朴拙，谓自行车得木牛流马之遗意，更不免老大自居之讥。但中国人破题儿第一遭介绍蒸汽机时代的工业产品，在近代文化史的研究上自有其价值，这却是不容否认的。

斌椿在欧洲初次乘坐火轮车，故其对火轮车的介绍更为具体详尽：

火轮车

前车为火轮器具，烧石炭，贮水激轮。后车以巨钩衔其尾，蝉联三四十辆，中坐男妇多寡不等。每辆如住屋一所，分为三间，……坐卧、饮食、起立、左右望，皆可随意。次者装货物箱只。再次装驼马。摇铃三次，始开行，初犹缓缓，数武后，即如奔马不可遏。车外屋舍、树木、山冈、阡陌，皆疾驰而过，不可逼视。

这和现代小说中初次坐火车的老乡所说，“一座座山头直向我倒下来”，实有异曲同工之妙，都用朴实的语言刻画了一种真实的感觉。

《海国胜游草》集内诗题，如《二十二日戌刻由里昂登车，未明即抵巴黎斯》、《四月三十日夜瞒者斯登车，次早即至伦敦，计程六百里》，都是写火车的。其《初乘火轮车》诗二首之一云：

宛然筑室在中途，行止随心妙转枢。
列子御风形有似，长房缩地事非诬。
六轮自具千牛力，百乘何劳八骏驱。
若使穆王知此法，定教车辙遍寰区。

只有登上了火轮车，人们才能比“八骏日行三万里”的周穆王走得更远。——而当时在国内，士大夫“一闻修造铁路、电报，痛心疾首，群起阻难，至有以见洋人机器为公愤者”(见郭嵩焘《养知书屋文集》卷十一《伦敦致伯相》)；英商在淞沪间修的小铁路，也因“人群骇异”，被清政府买回拆毁，机车也抛入了黄浦江。

游历一番后，斌椿的思想并没有发生大的变化。当西人向他“询问大中华，何如外邦侈”时，他还是“答以我圣教，所重在书礼；纲常天地经，五伦首孝悌；……今上圣且仁，不尚奇巧技”。但这些“奇巧技”的优越性是如此之明显，“瞬息六百里，飞仙应我羡”，这是仅凭直觉亦不得不承认的。

当然，卫廉士、丁韪良等在京师传授给斌椿的知识，在游历中也得到了一些补充。《与泰西人谈地球自转理有可信》一诗便是一个例子：

地球自转

汉时铸仪象，璇玑用以传。七政属右转，天体实左旋。
西法近愈邃，乃云殊不然。地球不自转，一日一周天。
闻兹初甚惑，管见费钻研。若云地广厚，旋转焉能便？
一转九万里，人民苦倒悬。岂无倾覆患，宫室多危颠。
不知真力满，大气包八埏。我行球过半，高卑判天渊。
中华日正午，英国鸡鸣前。敧侧人未觉，可证形团圆。
天体亿万倍，宗动何能然？地转良可信，破的在一言。

更有意思的是斌椿在海船上见到旅客“不同国者二十有八，不同言语者一十七国”，因与同行诸人论及：古书所载“贯胸”、“羽民”、“三面”等“外国”，荒唐无稽，“传讹已久，非身历不能证也”，因而“率成长古”一首，中云：“凡人禀赋同此理，海外亦皆兄弟侪。……贯胸羽民三面国，传讹已久今在不？吾人读书弗泥古，矜奇炫异亦可休”。——这就是斌椿所能达到的最高境界了。

海外亦皆兄弟侪

李善兰在《乘槎笔记·序》中对斌椿远游极为羡慕，谓曰：

> 举天下之人，其足迹有不出一郡者矣，有不出一邑者矣，甚至有终身不出里巷者矣。……即曰不畏风涛，视险若夷，而中外限隔，例禁綦严，苟无使命，虽怀壮志，徒劳梦想耳。

如果像李善兰这样能“格物致知”肯“经世致用”的学者，能够得到同斌椿一样的机会，其于文化之贡献必然不止于此。可惜，在“中外限隔，例禁綦严”的社会里，这确实只能是一个不能实现的“梦想”。

FROM EAST TO WEST

4 志刚《初使泰西记》

□　志刚一八六八年以办理中外交涉事务大臣身份,参加蒲安臣使团,巡回出使美、英、法、瑞典、丹、荷、普、俄、比、西等国,一八七〇年返华,有《初使泰西记》及《初使泰西纪要》二书。兹辑为一种。

一八六八年八月十八日（清同治七年七月初一日），从美国纽约州首府奥尔巴尼开往波士顿的一列客车上，迎风飘扬着一面美国人从来没有看见过的旗帜。旗的底色为黄色，四周镶着蓝色的边；三米多长的旗幅上，有一条巨龙在飞舞。

黄龙旗

这是在西方第一次升起中国的国旗。从这以后，龙这种传说中的神灵动物，就被全世界看成是古老中国的象征。

升起这面龙旗的，是清朝政府向西方国家派出的第一个外交使团。使团由三位“办理中外交涉事务大臣”组成，他们是：前任美国驻华公使，此时受聘为中国政府服务的美国人蒲安臣（Anson Burlingama）；总理各国事务衙门章京、花翎记名海关道志刚；总理各国事务衙门章京、道衔繁缺知府、礼部郎中孙家谷。

志刚有《初使泰西记》一书，记述使节团一八六八至一八七〇年期间历访美、英、法、普、俄及其他一些欧洲国家的经过。所谓“初使泰西”，即是首次出使到西方国家。这在近代中国对外关系史上，是一个相当重要的转折点。

三跪九叩首

在漫长的古代岁月里，中国很缺乏在国际社会中和其他国家平等打交道的经验。正如著名历史学家 Tyler Dennett 所说，“在东方的政治经济学上只有两类国家——进贡国和收贡国”。要末是“天朝上国”的国威远播，四境以外的“夷狄”年年进贡岁岁来朝，使得君臣们都觉得很是光荣；要末是“夷狄”反过来侵陵中国，朝廷遣使是为了向“番邦”输款乞和，在朝野上下的心中投下屈辱的阴影。

按照清朝的规矩，外国使臣前来朝贡，应在所乘车船上悬旗写明“某国贡使”字样，朝觐后立即离京不准逗留。特别要紧的是，外国使臣见到皇帝或皇帝的代表时，必须行三跪九叩首的跪拜礼。——关于这项礼仪的争议，竟然成了中国在十九世纪开始接待西方国家使节时头等重要的问题。

一七九二年（乾隆五十七年），英王热沃尔日第三（乔治三世）遣使马戛尔尼（Macartner）来华，带来的国书（中国称之为“表文”）中云：

乔治三世的国书

……本国知道中国地方甚大，管的百姓甚多……早有心要差人来，皆因本境周围地方俱不平安，耽搁多时。如今把四面的仇敌都平服了，本境平安。造了多少大船，差了多少明白的人，漂洋到各处。并不是想添自己的国土，自己的国土也够了；也不是为贪图买卖便宜。但为着要见识普天下各地方有多少处，各处事情物件可以彼此通融；别国的好处我们能得着，我们的好处别国也能得着；……要把四方十界的物件各国互相交易，大家都得便

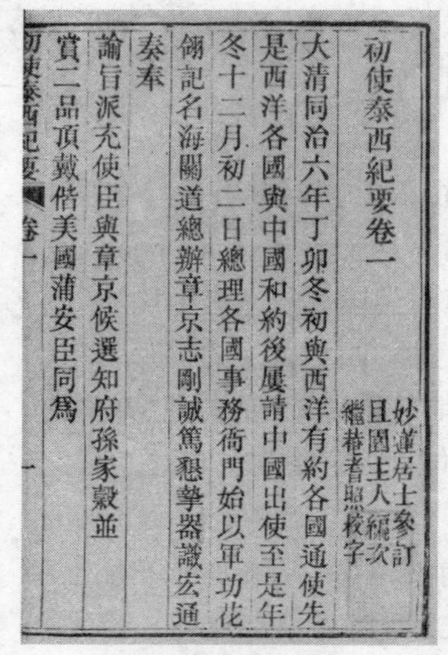
初使泰西紀要卷一
妙蓮居士參訂
且園主人編次
繼菴者照校字
大清同治六年丁卯冬初與西洋有約各國通使先
是西洋各國與中國和約後屢請中國出使至是年
冬十二月初二日總理各國事務衙門始以軍功花
翎記名海關道總辦章京志剛誠篤懇摯器識宏通
奏奉
諭旨派充使臣與章京候選知府孫家穀並
賞二品頂戴偕美國蒲安臣同爲
初使泰西紀要 卷一 一

(《初使泰西纪要》首页)

宜。……从前本国的许多人到中国海口来做买卖,……不能保其不生事。故此求与中国永远平安和好,必得派一我国的人带我的权柄住在中国地方,以便弹压我们来的人。……他们若得了不是,即该处治;若并无不是,自然常受大皇帝的恩典。……

一七九二年的英国,已经有了瓦特发明的蒸汽机(一七六九年),有了亚当·斯密写成的《国富论》(一七七六年)。它派使节前来,并不是为了向“天朝”致敬,而是为了扩大自己的海外市场。马戛尔尼初到广州,粤督奏称来祝“万寿”;抵大沽后由地方官备船送往北京,船上挂起了贡使的旗子;但其至热河觐见时,即拒绝行跪拜之礼。当时清朝的统治局面还比较恢宏,乾隆在这个问题上并不过分敏感,总算同意他以见英王之礼朝见,但对国书中所提建交遣使、扩大通商的要求,则一概表示拒绝,给英王的“敕谕”(原文如此)云:

乾隆帝之敕谕

……天朝所管地方最为广远,凡外番使臣到京,驿馆供给,行止出入,俱有一定体制,从无听其自便之例。今尔国若留人在京,言语不通,衣服殊制,无地可以安置。……

……天朝统驭万国,一视同仁。即广东贸易者,亦不仅尔英吉利一国。若俱纷纷效尤,以难行之事妄行干渎,岂能曲循所请?念尔国僻居荒远,间隔重瀛,于天朝体制原未谙悉。是以命大臣等向使臣等详加开导,遣令回国。……

过了二十四年,英国又于一八一六年(嘉庆二十一年)派阿美士德(Amberst)来华。这次嘉庆皇帝非要使臣三跪九叩首不可,结果阿美士德称病拒绝行礼,即日出京回国。嘉庆就此事给沿海各省督抚的上谕云:

三跪九叩

……此次英吉利国遣使入贡,该使臣等到天津时,朕特派苏楞额、广惠前往赏给筵宴。苏楞额带领该使谢宴,该贡使即不遵行三跪九叩之礼。比至通州,又派和世泰、穆克登额前往责问,并令演习跪叩仪节,……令于初七日带领瞻觐。届期该贡使等已到宫门,正贡使忽患重病不能行动。朕谕以正使患病即召副使进见,其副使复称患病不能进见。该贡使等如此狡诈无礼,不能仰承恩赉,是以降旨将该贡使等即日遣回。……

嘉庆还有一通给英王的"敕谕",彻底拒绝和英国建立关系,说:

……尔使臣不敬恭将事,代达悃忱,乃尔使臣之咎。……尔国距中华遥远,遣使远涉,良非易事。且来使于中国礼仪不能谙习,重劳唇舌,非所乐闻。……俟后毋庸遣使远来,徒烦跋涉。但能倾心效顺,不必岁时来朝,始称向化也。

夜郎自大的是谁

清朝皇帝以“统驭万国”的天子自居，把一切外国(包括开始了工业革命的英国)都视为“僻居荒远”的“化外”，的确是荒唐可笑的。但他们一再拒绝和西方国家通使，也有想抵御外来势力入侵的原因。

我们在研究近代中西关系时，不能忘记一个基本的事实，即：尽管在近代文明发展上，西方进步而中国落后；但从传统道德观点来看，正义却往往在中国这一边。马克思在评论鸦片战争时说得好：“在这场决斗中，陈腐世界的代表是激于道义原则，而最现代的社会的代表却是为了获得贱买贵卖的特权——这的确是一种悲剧，甚至诗人的幻想也永远不敢创造出这种离奇的悲剧题材。”(《鸦片贸易史》)

第一次鸦片战争前夕英国政府的训令写道：

先予打击再讲道理

> 陛下政府今次对待中国政府的做法，有意……开头先来一个打击，然后再讲道理。因此之故，第一步行动是封锁珠江，……第二步就占领舟山群岛，拦截沿海商船；最后，海军司令就出现于北直隶湾的白河河口，……一直等到中国政府对各事都有满意的解决的时候为止。

第二次鸦片战争前夕英国外交大臣向在华全权代表发出的指示是：“如果中国对首先规定的前三条要求拒绝任何谈判，你就有理由立即采取强制手段。”

当时英国资产阶级的喉舌伦敦《每日电讯》报在一八五九年夏天更是毫不掩饰地鼓吹：

> 大不列颠应攻打中国沿海各地，占领京城，将皇帝逐出皇宫……应该教训中国人重视英国人。英国人高出中国人之上，应成为中国人的主人……

英国人这样说了，英国人也这样做了。一个已经丧失尽盛世荣光的统治者，面对着如此咄咄逼人的对手，自然不能不感到威胁而设法抗拒。早在通商初期，“外国商人自己的残暴行为，即应视为他们被享以闭门羹的主要原因”（布莱克斯利：《中国与远东》）。而到西方国家的负责官员公开宣布，除非使用武力，否则就不可能和中国打交道时，闭关政策的采取也就显得是相当有理的了。

当然，闭关政策决不能持久。开始了资本主义现代化的西方国家，是一定要向东方寻找市场、原料和廉价劳动力的。如果外交不能成为适宜的手段，炮舰就会成为另一种手段。作为一个弱国，即使暂时没法子以炮舰对付炮舰，却不能不讲究以外交对付外交，清朝皇帝却一直不肯承认这个简单的道理。

要求互派外交使节

一八四〇年签订南京条约时，英国即表示希望派公使到北京。一八五四至一八六六年，英、法、美等国先后向清政府要求“修约”，明确提出要“有一位代表长久而光明正大地驻节在北京朝廷”，并请“中国公使常驻于巴黎、伦敦和华盛顿政府”。当时英、法等国政府对中国的政策确实是帝国主义的侵略政策，但要求互派公使这件事本身却很难说是侵略行为。咸丰皇帝对于割地赔款等一概可以接受，唯独认为这一条“尤为狂妄”，必须“正言驳斥，杜其妄念”，“将该夷所递节略，即行掷还”。

一八五八年（咸丰八年），英法联军攻陷大沽炮台后，提出的条约草案规定：英国公使可居住京师，觐见皇帝时用欧洲各国通行礼节，不再三跪九叩。咸丰批示："该夷条约，以派员驻京……最为中国之害，……断难允准。"直到联军攻入北京，他逃到热河，也仍然只在"不见使节"这一点上讨价还价。

咸丰帝之固执

咸丰的固执态度，确实使后人难于理解。他在心理上，无非是不愿意承认这样一个事实：世界上居然有人可以不向皇帝恭敬跪拜，俯伏称臣。他害怕这个事实会使他在臣民面前丧失最高统治者的权威，使"普天之下莫非王土，率土之滨莫非王臣"的观念发生动摇。所以，他宁可将国家、人民孤注一掷，在毫无作战把握的情况下"诱捕"英国派来谈判的使者。结果一败涂地，不得不公开承认：

> 大英钦差各等大员及各眷属，可在京师或长行居住，或能随时往来。……英国自主之邦，与中国平等。大英钦差大臣作为代国秉权大员，觐大清皇上时，遇有碍于国体之礼，是不可行。……

圆明园烧了，北京条约签了。咸丰躲在避暑山庄，一不痛心割让九龙，二不痛心赔款一千六百万两，只痛心"此次夷务步步不得手，致令夷酋面见朕弟（指恭亲王奕䜣），已属不成事体"。他尤其害怕公使要求面见皇帝亲递国书，于和约签字后仍然不敢回京，说：

> 亲递国书一节，既未与彼等言明，难保不因朕回銮，再来饶舌。

这时候，清廷对于跪拜礼的要求已经被迫放宽。一八五九年白河战后，清廷允许美国公使华若瀚(Ward, John E.)进京换约，条件是觐见时至少要向皇帝行一种“修正的叩头礼”。因为美国废止了封建的繁文缛节，华若瀚先生不无幽默地回答说，他纵然能够“弓身微曲右膝”，可是却只习惯于向上帝和妇女这样作(据约翰·福斯特:《美国远东外交史》)。结果，觐见当然没有实行。

修正的叩头礼

咸丰对这种不恭顺的态度大为不悦。后来他见到美国总统的国书以平等相称，竟在上面批道:“夜郎自大，不觉可笑。”其实，可笑的正是咸丰自己。

关于蒲安臣

清朝皇帝“死要面子活受罪”，一面拒绝互通使节，一面不断挨打吃亏。打挨得多了以后，统治阶级中的一部分人终于逐渐认识到:不能不注意研究世界大势和外国的情形，不能不引进先进的外国技术和设备，也不能不跟外国打交道、办交涉、通往来。这就是从一八六一年起逐步形成的“洋务运动”。

“洋务”办起来以后，外国使臣“不请自来”，交涉事宜日益频繁。到一八六七年，《天津条约》已届修约之期，主管洋务的恭亲王等人，估计英法等国可能会提出进一步的要求，鉴于一八三九和一八五八年的教训，与其临时关门，不如事先交涉。要交涉，就得遣使；要遣使，就得有使才。一八六七年十一月二十七日，即同治六年十一月初二日，恭亲王等上了一道奏摺，中云:

恭亲王等奏请遣使

> 通商各国将届修约之期，所有一切事宜必须筹备，……遣使一节，本系必应举行之事。止因一时乏人堪膺

> 此选，且中外交际不无为难之处，是以明知必应举行，而竟不敢竟请举行，尚待各处公商，以期事臻妥协。惟近来中国之虚实，外国无不洞悉；外国之情伪，中国一概茫然。其中隔阂之由，总因彼有使来，我无使往。以致遇有该使崛强任性、不合情理之事，仅能正言折服，而不能向其本国一加诘责，默为转移。

这里说得十分明白，"明知必应举行，而竟不敢竟请举行"的原因有二：一是"乏人堪膺此选"；二是"中外交际不无为难之处"，也就是派斌椿出国游历时所说的，"礼节一层尤难置议"。

在"诸费周章"的情况下，总理衙门总算找到了一个办法，聘请原来担任美国驻华公使，此时业已卸任的蒲安臣来"权充"使臣。关于这一点，奏摺写道：

蒲安臣

> 蒲安臣于咸丰十一年来京，其人处事和平，能知中外大体。从前英人李泰国所为种种不合，蒲安臣曾经协助中国，悉力屏逐。迨后回转西洋一次，遇有中国不便之事，极肯排难解纷。此时复欲言归，……自言嗣后遇有与各国不平之事，伊必十分出力，即如中国派伊为使相同。……向来西洋各国，互相遣使驻扎，不尽本国之人。……用中国人为使，诚不免于为难；用外国人为使，则概不为难。……臣等于二十三日复向蒲安臣谆切要约，伊已慨然允诺。

聘请外籍人士担任本国外交官员，诚然是外交上幼稚无能的表现。但是，一则如奏摺所云，外国也有这种做法；二则清政府在这件事情上，也不是全无头脑、一任外人安排。总理

（使团人员，左起六为孙家谷，七为蒲安臣，八为志刚，十为张德彝）

衙门在“给蒲安臣阅看条款”中,作了如下规定:(一)偕往各国的中国官员,同样作为“办理中外交涉大臣”,与蒲使一律平行;(二)无论何项大小事件,都必须逐细告知中国官员;(三)中国官员到外国,礼节尚未议定,希望概免行礼;(四)中国官员应该享受正式外交人员待遇;(五)与各国交涉事宜,必须与中国官员商量妥当,咨由总理衙门核定;(六)发给的关防只供内部文书函信盖用,对外以总理衙门关防为定;(七)使期暂定一年;(八)随行人员应一体保护。后来的事实表明,蒲安臣是认真执行了这些规定的。

蒲安臣曾在哈佛研读法律,年纪很轻时就成了马萨诸塞州的国会议员,他的政治倾向是进步的。他在国会中支持林肯总统反对奴隶制度的政策,支持奥匈帝国的民族自决要求。一八六一年,林肯任命他为驻奥公使,遭到奥国政府拒绝,因而被改任为驻华公使。

门户开放

当时,西方国家的对华政策中出现了分歧。有一派人主张本国在中国尽量猎取最多的利权,如若中国表示抗拒,或者其他国家意图妨碍,则不惜使用武力。另一派人则主张在中国维持一种均势,促使中国有秩序地向整个西方开放。蒲安臣坚持后一种主张,并且提醒美国当局:

> 我们不应过存奢望,希冀我们一举而使中国和我们比较进步的文化相沟通。我们必须牢记我们身处其中的是一个特殊的民族,他们的文化是多么古老,他们是多么骄傲,他们对于我们是多么无知,……
>
> (一八六三年四月十八日美国《外交函件集》)

在纽约的一次宴会上,蒲安臣大声疾呼:

中国已经睁开眼睛

中国……已经睁开了它的眼睛。……（西方应该）让它自行其是，让它保有独立，让它按照它自己的时间，按照它自己的方法，发展它自己。……只要你们对待中国公平合理，将来的希望是无穷的。

（美国《参议院档》五八：二八至二）

看来，恭亲王的奏摺中说蒲安臣“处事和平”，“曾经协助中国”，“极肯排难解纷”，大概是不错的。志刚在《初使泰西记》中，亦谓蒲氏“明白豪爽，办事公平”。当其在彼得堡染上肺炎后，“病势日加，犹日阅新闻纸，以俄国之事为忧”，竟于一八七〇年二月二十三日病逝。中国委托他的使命，结果并没有完成。

使团的工作

志刚在《初使泰西记》中，对于使团在国外做的工作，作了一些记述。如同治七年六月初九日（一八六八年七月二十八日），“议定原约后续增八款（按此即通常所谓‘蒲安臣条约’）缮妥，同赴其外部，与华大臣（按指美国国务卿西华德氏）当面画押盖印”。这八款续约，体现了以门户开放主义代替炮舰政策的精神。其中有些条款，在当时历史条件下，对中国是比较有利，至少也是比较无害的。例如第四条：

原约第二十九款内载，耶稣基督圣教暨天主教有安分传教习教之人，当一体保护不可欺侮等语。现在议定……嗣后中国国人在美国，亦不得因中国人民异教，稍有屈抑苛待，以昭公允。……

第五条又规定:"除彼此自愿往来外,如有美国及中国人将中国人勉强带往美国或运于别国……均照例治罪"。据《初使泰西记》所录附呈总理衙门的"逐条注释",是因为"中国人之在金山者现有被抑勒之事","西班牙国贩运'猪仔',陷害华民无数",才议订了这些条款。

"猪仔"

在这个"续增条款"即通常所谓"蒲安臣条约"中,强调了中国在"按约准各国商民在指定通商口岸及水路洋面贸易行走之处"的"管辖地方、水面之权";强调了对于"中国之内治",美国"并无干预之权及催问之意"。尽管在国势强弱悬殊的条件下,这不过是一些"官样文章",但毕竟对治外法权论和瓜分中国的主张,多少起了一些抑制的作用。

使团由美国到达英国时,正值格兰斯敦第一任内阁就职,第二次鸦片战争期间有过充分表现的巴麦尊式的外交政策,正在为一种带有较多自由主义色彩的政策所代替。志刚记述了蒲使与英国外部大臣多次交涉的情形。同治七年十月初七日(一八六八年十一月二十日)觐见维多利亚女王后,志刚代蒲使拟致总署说帖,内称:

> 屡与司大臣谈论交涉事务,将中国情形及在美国续立条约办法,详细告知。并云:如果各国与中国办事,必须彼此商明,两相情愿,然后办理,不但可以永存和好,必且各国贸易日能兴旺。若不论中国事体人情,勉强代为办理,不但难存和好,必致反耽误各国贸易。司大臣甚以为然……

十一月初一日(一八六八年十二月十四日),志刚记述"新任外部柯大臣(Clarendon)与蒲使所议交涉办法(扬州地方伤害英国教士一案)"云：

> 应由各国领事官查明实在情形,呈报北京钦差,行知中国总理衙门定夺办法。俟衙门定有办法,再为行知本国。如中国办理仍有未协之处,就应行文本国定夺,不得擅调兵船向地方官争执。

使团在英国的活动,导致了柯勒拉得恩勋爵在一八六八年十二月二十八日发表的官方声明。这项声明在三天以后,即同治七年十一月十九日,由志刚记述如下(节略):

英国政府的声明

> 今英国并无勉强中国致干自主之权,切愿向中国执政大臣办事,不止与各省地方官会办。并已札饬在中国之英国官员,遵照此章办理,晓谕英民不但遵守中国律例,且应尽力与百姓之舆情相洽。

那么,上述英国的政策声明和美国签署的条约,难道主要是蒲安臣出于"好心"进行外交活动的结果吗?当然不是。英国是在它已经在远东确立了优胜地位之后,才对自己的政策稍作调整。美国则是站在"后来者"的地位上,要求与先走了一步的国家共享利权。所以,当蒲安臣一行继续前往欧洲各国首都时,就再也无法取得同样的"成功"。拿破仑第三以礼相待,只讲了几句不着边际的话。俾斯麦言不及义,给志刚的感觉是"其人身长语慢,好深沉之思",有些莫测高深。

从本质上说,西方列强对中国的态度根本是帝国主义的,手法可以变更,而目的始终一样。还是老牌的英国外交官阿礼国(Alcock)比较坦率(他此时正担任驻华公使),他说：

赤裸裸的武力

> 无论我们怎样设法掩饰,我们在中国的地位乃是以武力,赤裸裸的武力所造成的。任何促进或维持这个地位的明智政策,仍非凭靠某种或明或暗的武力,不能期其发生效果。 (米琪:《在中国的这位英国人》)

西方国家研究近世外交史的人,大都把蒲安臣看成一位热情的理想主义者,看成一位有演说才能和良好个人品质的不切实际的人物。而在中国人的心目中,他至少要比阿礼国这类“务实的”西方外交家要显得稍好一点。

可以深长思也

在出使以前和出使以后,志刚都是一个平庸的满族官员。他的“初使泰西”,和斌椿一样是由于偶然的际会。但是,即使是一个平庸的人,在不平常的际会中,也会有不平常的体会和认识。《初使泰西记》中,这类材料是颇多的。

卷一同治七年闰四月十三日,记美国外部大臣华尔特邀请茶会:

> 届时而往,已有各国使臣及各大员咸集,并有女客,亦系各客内眷,逐一执手相见。因言:凡地球四面七八万里之人,能于一夕一处相会,实为罕有。众宾无不欢悦。因思此等聚会,虽系西国之俗,而实具深意。盖总理各国事务者,时与各国亲信大臣聚首言欢,融为一气,无论潜消衅隙,即偶有牴牾,无不可尽之言,言无不可输之情;而连环交际,无非排解调处之人,是以各国之势,易于联属。此与人臣无外交之义,其用不同。

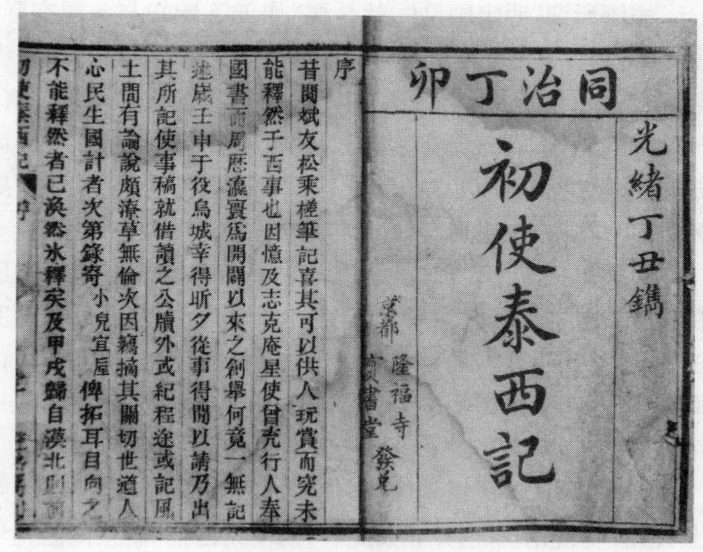

同治丁卯

光緒丁丑鐫

初使泰西記

京都隆福寺寶書堂發兌

序

昔閱斌友松乘槎筆記喜其可以供人玩賞而究未能釋然于西事也因憶及志克庵星使曾充行人奉國書而周歷瀛寰爲開闢以來之創舉何竟一無記述歲壬申于役烏城幸得昕夕從事得間以請乃出其所記使事稿就借讀之公牘外或紀程途或記風土間有論說頗潦草無倫次因竊摘其關切世道人心民生國計者次第錄寄小兒宜屋俾拓耳目向之不能釋然者已渙然冰釋矣及甲戌歸自漠北由南

（《初使泰西记》坊刻本之一）

卷二同治七年十一月二十日由伦敦抵巴黎当天有一段议论，总结在英交涉的体会：

中外交涉，最难解说，无如动辄恃强，以兵船为办事之具。若时常动兵，必误商政，实两不相宜之道。盖西国以通商为正务，以兵船为辅助，因兵误商，非其本意。经蒲使从中多方开导，始得其外部公文……再四思维，使中国执政督责本国之地方官，与听任外国兵船要挟各省之督抚，两相较量，其得失可立睹矣。然现在总署办理交涉事务，本多难处。若不认真，外国必更有辞；若再以洋务督责各大吏，岂不更滋物议？若不及时明定国是，……则必至于日久因循，以至于决裂而不可收拾矣。

因兵误商非其本意

志刚所谓“明定国是”，就是要“使天下皆知与各国交际，所以筹国计而保民生者，实实出于事势之不得不然”，使各省封疆大吏和在廷大小臣工深明此理，“不准摭拾不切之陈言，徒为知病无方、有方无药之见，以误大局”。如此，“而国是可定，人心可定，从此以求自强之人，行自强之道，庶不挠于局外，而可捍灾患于无形矣”。

可笑地把“严夷夏之大防”（一百多年前它还在严厉镇压持这个口号的汉族知识分子）当作自己存亡关键的爱新觉罗王朝的“八旗世仆”，居然认识到了“与各国交际，所以筹国计而保民生者，实实出于事势之不得不然”这当然不能不算是一个显著的进步。

那么，承认这个道理，是不是就必然会走到“投降卖国”路上去呢？从志刚看也并非如此。《初使泰西记》卷三同治九年二月蒲安臣死后，志刚接任使事，与俄国外部谈判。俄方声言“现有应办数事”，提出一连串无理要求，志刚都针锋相对，一一予以驳回。

对俄交涉

俄方要求从黑龙江到中国东海岸设海底电线，要中国“指与无用闲地一段”。志刚说：“若遽允贵国，别国藉口催办，中国一时未能通办，岂不大费口舌？”

俄方提出：中国曾允许黑龙江商民卖粮食给俄国，现在当地政府限制商民不准多卖，这样不好。志刚说：粮食产量有限，如果让俄国尽量买走，本地军民便会缺粮。

俄方表示希望让俄商货物在中国陆路畅行，以抵制英美商人南洋水路之势。志刚说：中国的税制和关卡不能变更，不能使外商之路日宽，中商之路日窄。

俄方又要求应允俄人到科布多、乌里雅苏台等处通商。志刚说：此事要与中国派在当地的官员商议后，才能答复。

最后俄国提出一个纯属干涉中国内政的问题：新疆的变乱，使俄国边界受到滋扰，中国究竟准备如何处理？是否允许新疆独立？希望"及早定办"。志刚说：中国正在集兵调饷，一定要镇压叛乱，决不能将就了事，因为如果中国置之不理，俄国边界岂不是会继续受到滋扰吗？俄国人听了，只得点头称是。

在《初使泰西记》一书中，志刚还记下了他对当时西方社会政治的观感，有些亦颇有价值，如向美国总统递交国书后写道：

> 西国不讳名，故美国总统领专逊之名，国人皆称呼之。……因思讳名之典，始于中古，特为子孙自敬其先人，非欲其祖父之名没而无称也。故《记》有诗书不讳、嫌名不讳之说。西国不讳，亦犹行古之道欤。

到西班牙访问时，得知女主衣萨伯已经逊位，志刚又有一段议论：

> 泰西立君，不拘于男女。然为君而不能尽君道者，国人不服，则政令有所不行，不得安其位矣。故西国君主，治法不必尽同，而不敢肆志于拂民之情，则有同揆焉。

普法战后的同治八年十二月初四日，志刚在柏林郊外游观，遇到一位布（普）国妇女。她问志刚："中国亦爱其君上否？"并说："我国之君主，无不爱之者也。"志刚"闻此言而心动"，深有感慨地写道："此言虽小，关系甚大……因布人妇有爱其君主之言，而其君已能取威定霸于欧洲……是国家安危之机，未有不系民情之爱恶者也……西国之炮大船坚，不如此言之可以深长思也。"

炮大船坚
不如此言

难怪嘉庆、咸丰这些皇帝不肯让外国人到中国来，也不肯让中国人到外国去。他们其实并不愚蠢。但是,不管皇帝们如何杜渐防微,毕竟禁止不了社会向前发展,龙旗不能不变成五色旗,五色旗不能不变成青天白日旗,青天白日旗结果又变成了五星红旗。嘉庆和咸丰的“敕谕”徒供后人讪笑,倒是志刚这本小书,却给我们留下了一点“可以深长思”的东西。

5 张德彝《航海述奇》《欧美环游记》(《再述奇》)

□ 张德彝一八六二年以同文馆英文班学生随斌椿游历欧洲,著《航海述奇》。一八六八至一八七〇年又随志刚出使欧美,著《再述奇》(收入丛书时取名为《欧美环游记》)。二书稿本原藏于北京柏林寺,即据此整理。

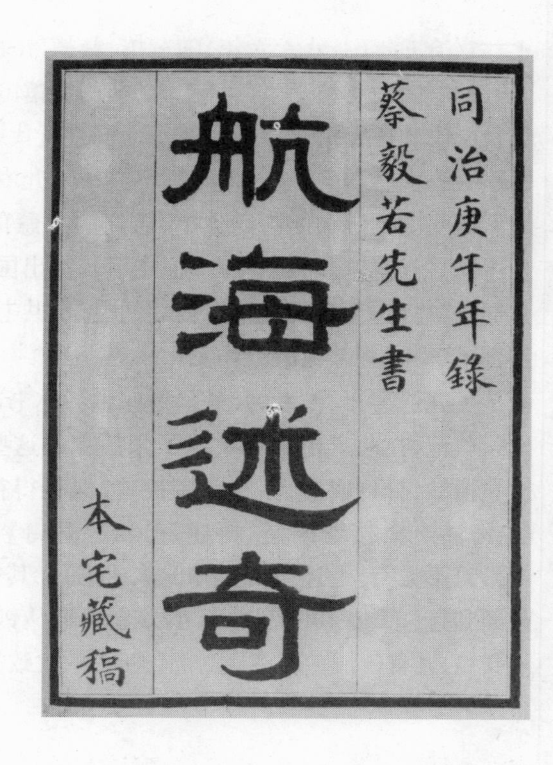

同治五年(一八六六年)随斌椿、赫德(Robert Hart)游历欧洲的同文馆学生共计三人,即英文馆(班)的德明(张德彝)、凤仪和法文馆(班)的彦慧。他们是近代中国第一所外语学校的第一届学生,年龄当时都不过十八九岁。

八次出国

在此次游历和此后一生中,凤仪和彦慧似乎都没有什么著述。只有张德彝特别爱写,他先后八次出国,每次都留下了一部以"述奇"为名的日记体裁的闻见录,共七十馀卷,二百馀万言,算得上一个大游记作家。

一九八〇年,作者为编辑《走向世界丛书》,四出访求清人出国载记,在北京柏林寺发现了张德彝的这些稿本。它们都按卷精钞,分订成册,用布函装护着,保存得很好。第一部题《航海述奇》,接着便是《再述奇》、《三述奇》……直至《八述奇》,只不见有"七述奇"(后知此未成书)。其中第一、四、八部曾经刊行(前二种并曾收入《小方壶舆地丛钞》),其馀的则是未刊稿,尤有价值。现将这八部《述奇》的大致情况列表如下:

题名及卷数	记述内容	曾否刊行	丛书所用书名
航海述奇 四 卷	同治五年游历欧洲	曾以《航海述奇》书名刊行	《航海述奇》
再述奇 六 卷	同治七至八年随蒲安臣使团访问欧美	未刊	《欧美环游记》
三述奇 八 卷	同治九至十一年随崇厚使法	未刊	《随使法国记》
四述奇 十六卷	光绪二年起随郭嵩焘使英,其间曾奉调使俄至六年归国	曾以《四述奇》《随使日记》《使还日记》书名刊行	《随使英俄记》
五述奇 十二卷	光绪十三至十六年随洪钧使德	未刊	《随使德国记》
六述奇 十二卷	光绪二十二至二十六年随罗丰禄使英	未刊	《参使英国记》
七述奇 (未成书)	光绪二十七年随那桐赴日本	自称"使命有辱国体辍而不述"	
八述奇 二十卷	光绪二十八至三十二年任出使英国大臣	曾以《八述奇》书名印行	《使英日记》

本篇只略述张德彝与同文馆的关系,以及其第一、二两次的出洋。对于张德彝以后继续"走向世界"的情形,拟留待以后再说。

最早的英文学生

国门初开,洋务初办,开始和洋人打交道,需要有熟悉西洋语言文字的人材,而这样的人材在当时却极其难得。

从孟夫子时候起,"华夏雅言"以外的语言就被贬为"鴃舌之音",意思是畜鸣鸟语,并非人言。读书人谁要学这类叽哩呱啦的话,就是"下乔木而迁于幽谷"——自甘堕落。周公不云乎:"夷狄是膺,荆舒是惩"。学"夷话"就会"变于夷",就至少也应该在社会舆论面前受到惩罚。

张德彝生于一八四七年。此时京师及各省之风气,仍与古代无多区别;传统士大夫阶级有“身家”的子弟,绝对无人肯学洋话洋文。当然,在上海、广州、宁波、厦门、福州这五个开放通商的口岸上,已经有少数像林鍼那样“受聘花旗”的“市民商贾”,在和洋人接触中学会了一点外语。西来的教士和商人,先在澳门、香港,后来在上海等地,也招致了一些贫苦儿童,“授以西国语言文字”。这些人的情况,用李鸿章的话来形容,叫做“流品甚杂,不齿乡里”。他们不可能担任中外交涉事务,更不可能起到沟通中西文化的作用。直到一八五九年,郭嵩焘还在奏摺中说:

无一人能熟习洋文

> 通市二百馀年,交兵议款又二十年,始终无一人通知夷情,熟习其语言文字者。窃以为今日御夷之窾要,莫切于是。(《请广求谙通夷语人才摺》)

李鸿章更指出,在洋务交涉中,依靠从“市井商贾”和“洋人义学”出身的“通事”,确实非常不妥。他说:

> 互市二十年来,彼酋之习我言语文字者不少;其尤者能读我经史,于翰章、宪典、吏治、民情言之历历。而我官员绅士中,绝少通习外国语言文字之人。外国公使、领事均有译员,而中国唯有通事传语。其人通洋语者十之八九,兼识洋字者十之一二;所识洋字,亦不过货名价目与俚浅文理。

更为严重的是,这些“通事”流品很杂,素质很差,“声色货利之外，不知其他，惟藉洋人势力，狐假虎威，欺压贫民，蔑视官长，以求其所欲”(《请设上海学馆摺》)。后来曾纪泽奉命出使，也说过这样的话：

> 通事、刚八渡(钟注：即 Comprador，买办的对音)等人，大半惟利是图，断无忠贞之悃，臣不敢轻易携带。

于是，培养“通习外国语言文字”的“官员绅士”人材，就成了当务之急。在张德彝十五岁的那一年，即一八六二年(同治元年)，近代中国的第一所外语学校——同文馆，终于在北京成立了。

同文馆

奕䜣等在请设立总理衙门的奏摺中，正式建议“设立文馆”，培养“认识外国文字、通解外国语言之人”。因为“与外国交涉事情，必先识其性情。今语言不通，文字难辨，一切隔膜，安能望其妥协?”故请“于八旗中挑选天资聪慧，年在十三四以下者各四五人，……专习英、佛、米三国文字，……如能纯熟，即奏请给以优奖”。

同文馆的师资，奏摺原说拟从“广东、上海商人”中挑选；结果当然挑选不出，而由英国使馆推荐了一位“通晓中文”的牧师包尔腾(Burdon)，先办起了英文馆(班)。学生则从“满洲、蒙古、汉军八旗”内招收。为了鼓励入学，学生可以“坐补马甲钱粮”；后来又改为每月发给“膏火银”三两，学习成绩优秀的另有奖金；三年期满，按考试成绩分别授予七、八、九品官职。一八六二年六月十一日(同治元年五月十五日)，好不容易招收到十名旗籍少年，宣布开学。籍隶汉军镶黄旗的张德彝，便是这十名入学少年之一。

张德彝

张家祖籍福建，后来到了关外，被编入汉军旗，入关后即世居北京。旗丁虽然有一份定额钱粮,但因为不事生产的原故,有些做不上官的,家境却谈不上宽裕,到后来甚至渐渐变成了城市贫民,张家便属于这种情况。《光禄大夫、建威将军张公集》(张德彝去世后编印的荣哀录)中,说他出生于柏林寺旁的龙王庙胡同,"彼时屋二间耳"。他祖父常常帮庙里的和尚做佛事,并得了个"佛张"的绰号。他早岁入塾读书,"学费每给于舅氏"。看来,如果不是家庭生活困难,张德彝也未必会进同文馆,去"坐补马甲钱粮"和领取那份"膏火银"的。

(张德彝,1847—1919)

张德彝在同文馆学习了三年,于一八六五年经总署大考,被奏保为八品官。一八六六年总署派同文馆学生出洋游历,他是入选三人之一。之后,他以译员身份迭随志刚、崇厚、郭嵩焘等出洋当差;一八八四年充同文馆英文副教习;一八八七年又随洪钧到柏林使馆;一八九〇年回国后任总署英文正翻译官,翌年并"侍德宗读英文",当上了光绪皇帝的英文老师。在这二三十年间,社会风气渐渐发生变化,曾国藩、李鸿章的儿子,都自学英语成才;翰林班中,也出现了吴子登"口不能作西音,列西字而以华音译读"的事例。光绪本是一位有维新思想的皇帝,他居然也带头学英文,影响就更大了。此时张德彝的地位始迅速

光绪帝的英文老师

上升,由“即选知府”而“即选道员”,一八九六年到伦敦使馆当参赞,一九〇一至一九〇六年间任出使英、义、比国大臣,登上了职业外交官晋升的顶点。

即使如此,张德彝对于自己“同文馆英文学生”的出身,却始终抱着强烈的自卑感。在《宝藏集序》中,他谆谆教导自己的儿孙:

自卑感

> 国家以读书能文(按指科举考试)为正途。……余不学无术,未入正途,愧与正途为伍,而正途亦间藐与为伍。人之子孙,或聪明,或愚鲁,必以读书(按指应科举考试)为要务。

潘士魁为他作的墓志铭也写道:

> 君虽习海外文字,或有咨询,每笑而不答,意非所专好也,悲乎!

关于同文馆

张德彝的出身经历,无一不和同文馆息息相关。一八九五年他为自己编著的《英文话规》作序,说希望本书能“使学者豁然贯通,瞭如指掌,庶不负余之在馆三十四年也”。可见他认为自己一八六一年以后三十四年的历史,都是“在馆”的历史。

事实确实是这样,如果没有同文馆,就不会有张德彝的八次“航海”,当然也不会有他二百多万字的《述奇》。所以,我们在介绍张德彝的航海述奇时,还得稍微讲讲同文馆的事情。

“洋务派”办同文馆的本意,并不限于培养翻译人员。冯桂芬为李鸿章起草的奏请设立学馆的奏稿云:

西人所长

> 彼西人所擅长者,推算之学、格物之理、制器尚象之法无不专精,务使洌有成书,经译者十才一二。必能尽阅其未译之书,方可探迹索隐,由粗显而精微。我中华智巧聪明,岂出西人之下?果有精熟西文者,转相传习,一切轮船、火器等巧技,当可由渐通晓,于中国自强之道,似有裨助。

奕䜣引述了李鸿章这个意见,加以引申道:“外国一切技艺,将来语言文字学成后,即可类而推知。”

当张德彝等首届学生学习三年届满时,奕䜣等人准备实行第二步计划,打算扩大同文馆的教学范围,逐步把“西学”的各项内容都包括进来;不仅要使张德彝等学生有继续深造的机会,还要招收“汉文业已通顺,年在二十岁以外”的举人、贡生,以及“正途出身五品以下满汉京外各官愿入馆学习者”,并要求翰林院的编修、检讨、庶吉士等也参加学习,讨论新学。

这是一个对旧式知识分子和年轻官吏进行再教育的计划。这个计划如果能够实现,无疑会对中国的近代化事业发生极大的推动作用。但是,旧派势力却坚决反对这件事。他们觉得,让几个贫家子弟学一点外国话,还无伤大雅;而要“正途出身”人员也去研究“西人所擅长”的学问,公然地“师法夷裔”,那就万万使不得了。请看翁同龢日记反映的情形:

> 正月二十九日　是日御史张盛藻递封奏,言同文馆不宜咨取正途出身人员。……

二月十三日　同文馆之设,谣言甚多,有对联云:“鬼计本多端,使小朝廷设同文之馆;军机无远略,诱佳子弟拜异类为师。”

二月十五日　今日倭相有封事,力言同文馆不宜设。……

二月二十四日　前日总理衙门尚递封奏,大约办同文馆一事未见明文也。京师口语藉藉,……或作对句:“未同而言,斯文将丧”;又曰:“孔门弟子,鬼谷先生”。

张盛藻的“封奏”,振振有辞地写道:“天文算法,钦天监天文生习之。制造工作,宜责令工部督匠役习之。文崇近臣,不当崇尚技能,师法夷裔。”奕䜣等人亦曾力驳旧派把“文崇近臣师法夷裔”说成是“国耻”的谬论,说:

天下之耻,莫耻于不若人。查西洋各国,数十年来,讲求轮船之利,互相师法,制作日新。东洋日本,近亦遣人赴英国学其文字,究其象数,为仿造轮船张本,不数年亦必有成。……独中国狃于因循旧习,不思振作,耻孰甚焉?今不以不如人为耻,而独以学其人为耻,遂可雪其耻乎?

何谓国耻

这些道理当然是对的。无奈此时还在戊戌前三十年,奕䜣他们要驳倒的不只是倭仁、张盛藻等几个顽固守旧的官僚,而是实际上的整个士大夫阶级,他们的力量就远远地不够了。结果,旧派得意扬扬地宣称:“天文算学招收正途人员,数月于兹,众论纷争,日胜一日。或一省中并无一人愿考者,或一省中仅有一二愿考者。有其人,即为同乡同列所不耻。”奕䜣也不得不承认:“自倭仁倡议以来,京师各省士大夫,聚党私议,约法阻拦，甚至以无稽谣言煽惑人心，臣衙遂无复有投考者。”

把同文馆办成西式学堂的计划，就这样夭折了。同文馆在这场争论中大受打击，这棵“西学”的幼苗，勉强插在从根本

汉英字汇

82
Imperial Resident in Tibet.
Assistant Resident.
Tibetan soldiery.
Commissary.
83
The Treasury.
Councillor of the Treasury.
Controller of Streets & Roads.
Superintendent of Police.
Chonir. Secretary of the council.

（张德彝编译的汉英字汇）

上排斥它的土壤里，自然无法长成郁郁葱葱的大树，结出繁茂硕大的果实。它虽然保留了教授外国语文的内容，后来还勉强开设了一些其他课程，但历任总管、专管大臣和提调，多是腐败的官僚，他们贪污公款，勒索学生，而置校务于不问。学生在馆三年，大考后保授八、九品官衔，如果真要做官，还得对八股时文进行补课。光绪九年，有个叫陈锦的官员揭露同文馆的弊端说：“开馆多年，而通晓洋文、汉文者寥寥无几，殊属有名鲜实。”学生与主持馆务的官僚教习“讲联络者，试则前茅也，食则全俸也，叩以算学则茫然无知也。其不讲联络者，虽文理优长，名次概行列后”。

这样办出来的同文馆,具有鲜明的两重性:一方面讲习西方语文,也算是“新学”;一方面继续搬演老一套,从上到下仍然笼罩着旧的气氛。它从一八六二年开办,到一九〇一年并入京师大学堂,这四十年中,并没有造就出像容闳、严复、马建忠那样真正“通晓西学”的人物,只不过为总理衙门培养了一批高级“通事”。其中虽然有二十八人先后做到了公使以上的外交官,但除了汪凤藻、陆征祥、颜惠庆等极少数人以外,他们的成就是有限的,在外交上也谈不到有什么建树。张德彝亦不例外,他在担任出使大臣时,曾慨叹自己“无异舌人”,仅仅起了一个译员的作用。

洋务运动的缩影

同文馆的全部历史,可以说是整个洋务运动的缩影。它说明了一个道理:在不允许触动旧的指导思想和统治机构的条件下,要想建立起新的经济和文化,那是徒劳的。洋务派的目的是改良一个旧的中国,而不是建造一个新的中国。他们的一切设施,无不是和旧势力妥协、调和的结果,狐揩狐埋,非驴非马。结果同文馆并没有办成真正的新式学校,同文馆的学生也没有被培养成有新文化、新思想的一代新人。张德彝死于民国八年一月八日,在“病势垂危”时,还用“宣统十年”的年号向他的“皇帝”上了一道“遗摺”,说什么:

> 臣八旗世仆,一介庸愚,……涓埃未报,溘露已零,瞻望阙廷,不胜依恋屏营之至。

完全是前清遗老的口吻。只有他所写的几部“述奇”,因为保存了一些中外交往的史料,还可以算是对后世的一番贡献。

航海述奇

张德彝第一次出国，是随斌椿游历欧洲。其时他只有十八岁，正是对新鲜事物容易留下深刻印象的年纪。他在《航海述奇》中的记述，比斌椿的《乘槎笔记》要生动、具体得多。

十九世纪中叶的欧洲，已经建立起以蒸汽机为主要标志的工业文明，轮船、火车、电报和各种制造机器，已经在广泛使用。所有这一切，对于这个十八岁的青年人来说，不仅是见所未见，而且也是闻所未闻。他一到欧洲，就对"一切皆用火机，不需人力"这一点极感兴趣。《航海述奇》记录了不少中国人对蒸汽机文明的"第一印象"，在文化史上是颇有价值的。

到欧洲的第一天，张德彝就详细记述了法国旅馆中使用煤气的情形：

煤气灯

> 住屋数百间，上下皆有煤气灯出于壁上，笼以玻璃罩，如花朵然。外国所燃之煤气灯，系在郊外设厂蒸煤，令其气从水中穿过而后燃之。其光倍于油蜡，其色白于霜雪。通城人家铺户，远近高下，皆以铁管通之。

他还讲到：煤气管口不使用时，必须用"螺丝"（现在我们还把螺纹连接处叫做"螺丝"，这个名词大概是从此开始见诸文字的）塞住，否则煤气漏了出来，"实为险事"。

这一天的日记，还介绍了中国人第一次见到的自动升降机，张德彝把它叫做"自行屋"：

> 如人懒上此四百八十馀步石梯，梯旁一门，内有自行

屋一间，可容四五人。内有消息，按则此屋自上，抬则自下。欲上几层楼时，自能止住。

火车

那时中国还没有铁路，中国人只能在外国见到火车。同治五年三月二十日，张德彝用一千五百馀字描写了他所见到的火车："一行五十辆或六十辆不等，咸以铁环联之"。"第一车系蓄火机，……上卧圆铁筒，长约八九尺，高五尺馀，内藏水火轮机，外树烟筒。……第二车载煤，随行添用。第三车沿途刊印新闻纸，携带信文。后则一、二、三等客车，再则行李货物。"上等客车"皆以印度之木制造，质极坚固。内分三间，每间左右二门。门旁各两窗，有活玻璃可上可下，蓝绸小帘，自卷自舒，机关甚奇。晚燃玻璃灯于车顶。四壁糊以洋绫。前后两木床，宽一尺五寸，分四槅，可坐八人。……至晚两床彼此抽出，并为一炕。"

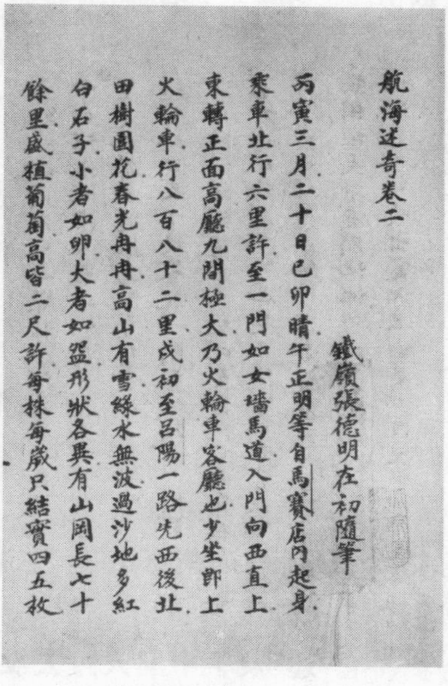

（《航海述奇》稿本一页）

张德彝的观察是十分细致的，例如他描写火车头打转的情形："车欲回转，照棚下有大圆盖，长三四丈。只将头辆移于盖上，下有机关，一转则车便倒回矣。因各车前后，皆有铁环也。"这些新鲜事物，给张德彝带来了新的认识。他发表了对火车铁路的感想："此举洵乃一劳永逸，不但无害于商农，且裨益于家国；西国之富强日盛，良有以也。”

此类记述，占了《航海述奇》全书的绝大部分。有一些我们现在早已习见习用的东西，张德彝当时“讶于初见”，都一一地作了记载。如四月十九日所记“铁裁缝”，就是脚踏式缝纫机。四月三十日所记“印度擦物宝”，就是初开始普遍使用的橡皮。三月二十八日所记“肾衣”，就是刚发明不久的阴茎套。所有这些记载，在一百二十年后看起来，都是饶有历史兴味的。

铁裁缝

除此之外，《航海述奇》所“述”的其他之“奇”，也往往具有文化史和民俗学的价值。

它“述”及了中国人最早所看到的“古埃及王陵”和陵前的“一大石人头”，即金字塔和人面狮身像；“述”及了法国“请天下郡国各将其土产、物色、器皿置于其内，以便民间壮观”的“考产厂”，即一八六九年巴黎万国博览会的会场；“述”及了“日月电云，有光有影；风雷泉雨，有色有声”的巴黎大剧院；“述”及了“每日出六万七千张”，“日有二百馀人在城市寻访事故”的“印造新闻纸处”；“述”及了“未化之国、已化之国土产服物无一不有”之“集奇馆”和“虫鱼之骨，大小不一，皆以铁条支起”的“积骨楼”……

新闻纸

它“述”及了中国人过去没有亲自观察过的欧洲人的生活。比如说饮料：“加非（咖啡）系洋豆烧焦磨面，以水熬成者。炒扣来（巧格力）系桃杏仁炒焦磨面，加糖熬成者，其色紫黄。”而欧人早餐的情形是：

西式早餐

> 桌上先铺大白布，上列许多盘碟。有一银篮，内置玻璃瓶五枚，实以油、醋、清酱、椒面、卤虾，名为五味架。每人小刀一把，面包一块，大小匙一、插（叉）一，盘一，白布一，红酒、凉水、苦酒各一瓶。菜皆盛以大银盘，挨座传送。

城市的道路情形是：

> 胥以小方石墁平，专行车马，宽约三丈许。两边石砌起高半尺，宽约丈五，皆煤油与白沙抹平。数武植树一株，如桐如杨，以便行人游憩。每两三树后置一绿油长凳，又两树间立一路灯。……每隔半里有一铜眼机关通于水道，每晨每午有人以皮筒插于铜眼，转则水出，遍涤街道。……

它还"述"及了西方各地的一些风俗。如巴黎教堂左右，"每逢双日早晨，支四方铁架布帐二十馀，内有老媪卖鲜花、草子"。又如伦敦每年二月和八月举行赛马会时，"游人皆买吹筒豌豆，无论男女，彼此对吹。女子有往车内掷金钱、纸球、草团者，左右追逐，举国若狂"。

有一天的日记，还记录了伦敦公园中儿童做种地游戏时所唱的儿歌，对音是："顿攸奴欧，顿攸奴欧；好都搜，好都搜；佛娄密，佛娄密；娄得搜，娄得搜。"译意是："你可知，你可知？如何种，如何种？随我来，随我来。大家种，大家种。"这很可能是农业时代遗留下来的古老儿歌，只怕在英国现时也难得听到了吧！

儿歌

在陌生人中间

一百多年前的欧洲人之视远东，正如当时中国人之视泰西，总是感到陌生和好奇。但无论是普通人民，还是国王和王后，对于第一次到那里去做客的中国青年，都表现了殷勤和友善。

三月十八日在马赛，“街市男女见明等系中国人，皆追随恐后，左右围观，致难动履”。四月初二日在伦敦游“水晶宫”时，“游人男女老幼以数千计，见我中国人在此，皆欣喜无极，前后追随”。五月二十六日在司铎火木(斯德哥尔摩)，“窗下男女老幼，如蜂拥蚁聚，群呼‘士呢司’，即瑞言中国人也”。特别是六月十三日在柏林到画店买画时，“店前之男女拥看华人者，老幼约以千计。及入画铺，众皆先睹为快，冲入屋内几无隙地，主人强阻乃止。”这些情形，比我国某些地方刚开放时围观外国游客的情形更“热闹”。但看得出，态度都是友好的。

在瑞典时，中国客人乘小船游湖，彦慧忽然腹痛，舟子立刻上岸去讨药酒。“主人见华人，便慨然允诺，乞诸其邻而与之”。游罢归来，舟子不要中国客人的钱，说：“贵国从无人至此，今大人幸临敝邑，愿效微劳。”“不收渡资，荡舟而去”。六月初六日在圣比德思北阁(圣彼德堡)，有一群俄国女郎，见到张德彝等留着辫发，把他们错认作女子，高喊“赛邦不的徐奴阿司”(中国姑娘)，追上来想和他们“携手交谈”，弄得他们很不好意思。

特别是在文化学术界人士中，对于中国古老文化表示钦佩和爱好者大有人在。还在出国的船中，就有一位日耳曼乘客请张德彝题中国字，他“磨墨草诗二章赠之，其人大喜，如获拱璧”。在法国，有位叫茹良的“法国翰林”，“读华书三十馀年”，虽然不懂得发音，但是已经“识字之义”，并且翻译了许多中国书，如《四书》、《礼记》、《三字经》、《千字文》和小说《玉娇梨》、《平山冷燕》等。他们还看到有的人家，满屋陈列着中国的字画文物，悬挂着北京城正阳门大街、东四牌楼、桂芳斋糕点铺等处的照片，“大皆盈尺”。在俄国，有一位家境清苦的老学者，“能缮写满汉文字，极其精通”，又“善华言”，也请中国客

汉学家

人到他家喝茶、吃饼。

但是，尽管各国人民互相友好，当时西方国家的帝国主义政策，却不可能不在彼此交往中投下阴影。张德彝等在旅游中，也遇到过几次不愉快甚至是挑衅性的事情。应该说，这几位不满二十岁的青年学生，表现出了中国人特有的谨慎和自制，并没有他们出国时有人所担心的那样“少不更事，贻笑外邦”。

有一次，一个英国人特地请他们到博物馆去看英法联军攻入北京时从圆明园抢去的“战利品”，其中有太后、皇帝的御用之物。他们“不胜恨恨”，立即“辞出”表示抗议。那个英国人还不识相，又把记载着“诸物价值”的簿子拿给他们看。他们忍耐不住，就给那个英国人一场没趣。

圆明园物

还有一次在芬兰首都游园，中国学生分别和一些外国朋友交谈。有个美国游客听到张德彝讲英语，就走近来轻佻地说：“你的同伴都在和漂亮姑娘谈话，你为什么要找两个老太婆呢？真是太不幸了。”张德彝正色回答他道：“我是一个中国人，我们中国人是尊敬年高有德的老年人的，你懂得这一点吗？”使得那个本来想使中国学生难堪的美国人自己很难堪地走开了。

在柏林“敖尔佛木园”中，中国学生碰到了一群妓女。有几个妓女特意来挑逗他们，还有一个男人也来劝他们“及时行乐”，说“请把你们看中的姑娘告诉我，我一定能使你们成其好事。”张德彝等不受勾引，“怒斥之”。那个男人只好尴尬地说：“予以一言相戏耳，君何悻悻如此。”连忙溜开了。

张德彝等当时还是青年学生，他们的国际知识和对西方文化的了解都很肤浅。但是，他们毕竟是有爱国心和传统道德观念的中国青年，对于不友好的表现，对于侮辱国格和人格的事情，都能够坚决抵制，不淫不屈。正因为如此，他们到处都受到了人们的敬重。各国国王、王后都予以接见。瑞典国王亲自敬香烟给他们，他们辞谢说不会抽，国王更为高兴，一直送他们到宫外。

当然，看到监狱管理文明，说是“饶有唐虞三代之风”；见了小儿骑的自行车，谓系“武乡侯木牛流马之法，贻传西土”：

幼稚之言

这类幼稚之言，书中也比比皆是。还有什么“西俗好兵喜功，贵武未免贱文”；“洋女读书，针黹女红一切略而不讲”：这些片面的批评，则恰恰反映了他们自己的准士大夫思想。至于把美国的国体称为“传贤不传子”，把结婚自由看作“男女各私数人，并无彼此争竞者”，就更加与事实不符了。

欧美环游

张德彝的第二次出国，是随志刚初使泰西。实际上他只经历了使程的一半，同治七年二月初二日（一八六八年二月二十四日）离沪，三月初八（三月三十一日）抵美，八月初四（九月十九日）由美抵英，十一月二十（一八六九年一月二日）由英抵法，同治八年六月十七（一八六九年七月二十五日）在巴黎坠马受伤，治疗痊愈后遂于七月二十八（九月四日）先行回国，九月十五日（十月十九日）抵沪，没有继续随往

光緒乙亥年録
蔡毅若先生書
再述奇
本宅藏稿

（《再述奇》稿本）

其他国家。(志刚等人到一八七〇年十月十七日才回到上海)。

再述奇

在《再述奇》即《欧美环游记》书中,张德彝津津有味地叙述了他在美、英、法三国的见闻。因为他是一个懂得英语的学生,同外国社会上各方面人的接触交往,远远超过其他早期出国的官员。初到纽约时,在一处游人会上,他就和二十多位曾经旅行东方的美国人作了交谈。在华盛顿,他又到过旅馆邻居麦汉家,以及三德兰、魏廉、陶达等美国朋友家作客,和美国青年们讨论过地球寒暑四季形成的原因,和旅行家阿丹讨论过旅行记的写作,并访问了男子学校和女子学校。到伦敦后,他接触过七十多岁的贵族、著名的诗人、大主教夫人、开业医生、饭店男女仆役,并应邀参加过教堂集会和人家婚礼。有一次"忽遇二哑人,指手延入其室",他因"曾习西洋手谈哑文,以指代字,遂与交谈甚得"。

进修英文

在伦敦,他还曾在"海大囿"(海德公园)北边柏灵坦街一家私人学馆进修了一段时期英文。这位英国教师除了张德彝外,还收了六个英国学生。张德彝在那里,"一切起居饮食,与他生徒等"。为了帮助张德彝熟习英国生活,掌握英国语文,英国教师经常带他参加社交活动,参观博物馆和公园,听音乐会,听说书,听故事会。如同治七年九月二十九日在卫溪班堂内听书,"所说者皆名人诗词小说,声音洪亮,字句清楚,能肖男女口音,一切喜怒歌泣,曲尽其情"。十一月初四日,至西敏德大学院中观剧,"剧文系古拉丁国语,因本院生徒学习拉丁文字,一年有成,借演剧以炫其能"。

到巴黎后,他的接触面更广,包括了教师、商人、职员及新闻记者、美国游客、英国牙医、意大利画家、奥地利妇女等各色人物。有一次他和几位侨胞在巴黎大街上,和一些不同国籍的青年人交谈,同时使用法语、英语、俄语、华语和拉丁语,"五国言语，互为翻译”。还有一次，“往蒲钦宪之友高安家少叙，座中有合众国之霍格、巴柏尔、佛福斯，英国之周安、阿立蒂格，法国之祖威、倭尔德等，男女共十馀人，彼此谈饮甚欢”。他因而发表感想道：世界各国之人，“衣服虽诡异，而喜则亦喜，忧则亦忧，情无或异。风俗虽不同，而好则皆好，恶则皆恶，性实大同。……固遐迩一体，天下一家矣。”

天下一家

对于他广泛接触的西方社会和文化，张德彝的观察是细致的，描写也颇为生动。但是，从同文馆出身的张德彝，在津津有味叙述引人注意的新鲜事物的同时，又念念不忘自己候补士大夫的身份，对许多事情的评价往往充满着矛盾。事物明明显示了资本主义文明对于旧式制度的优越性，他却往往从守旧的观念出发，对其吹毛求疵，加以指摘。

让我们看几个例子：

欧美人居处很讲清洁卫生，“虽浴室净房，每日必勤加洗涤”，这一点给张德彝留下了深刻的印象。但他对于西人“将新闻纸及书札等字，看毕即弃诸粪壤，且用以拭秽，未知敬惜”，却大为不满，发了一通牢骚。其实所谓“敬惜字纸”，不过是起源于原始社会巫术崇拜的迷信，是蒙昧状态下人们对符箓的敬畏心理的残馀。我们今天，不也常常将字纸“看毕即弃诸粪壤”，甚至不免“用以拭秽”吗？

在纽约“十四条胡同”（十四号街）参观男子小学，“十三条胡同”参观女子小学后，张德彝对美国学校“弦歌诵读，绝少佻达之风”，颇有好感。但当这两所学校请他演讲时，他却向学生大谈其“忠孝节义”，并且“宣讲中国圣教”。虽然据他自己说什么“诸生似有领悟”，其实美国的“幼童幼女六七岁初学者”，恐怕是难于“领悟”“忠孝节义”一类“中国圣教”的吧！

更有趣的是张德彝对避孕套的描写和议论。他在巴黎见到"外国人有恐生子女为累者,乃买一种皮套或绸套,贯于阳具之上,虽极倒凤颠鸾而一雏不卵。"这和《航海述奇》中所记的"英国衣"、"法国信",可说是中国关于西洋避孕工具最早的介绍,在科技史上自有其价值。可是接下去却有一段妙文:

避孕套

> 孟子云:"不孝有三,无后为大。"惜此等人未之闻也。要之倡兴此法,使人斩嗣,其人也罪不容诛矣。所谓:"始作俑者,其无后乎。"

这位刚满二十岁的小青年,一面细致刻画"皮套或绸套贯于阳具之上""极倒风颠鸾"的情形,一面喃喃背诵"不孝有三,无后为大"的教训,未免使人感到滑稽。其实,用东方宗法社会的伦理观念和性意识来看,他这倒是十分一本正经的呢。

张德彝的思想水平,决定了他的作品的价值。正如他自己命名的那样,他所写的《航海述奇》,也只能是"航海述奇"而已。

完全新鲜的印象

话虽如此说,张德彝毕竟不同于当时专攻八股的读书人。他学会了外语,又有机会环游欧美,直接接触到一种新的生活,一个新的世界。尽管在他脑子里还盘踞着那么多"敬惜字纸"和"不孝有三,无后为大"之类的陈腐观念,新鲜事物仍然一件接着一件跳进他的眼帘。而他又是那样的喜欢写,虽说是"航海述奇",毕竟还是记下了不少新事物和新印象。在这方面,《欧美环游记》的内容要比《航海述奇》更丰富一些。现略分几个方面,举例如下:

(一)关于中西文化交流。如同治七年二月在日本,见税关二位年轻日人读《桐叶封弟辨》。又同船日本医生能作汉诗,“殊清雅可喜”。双方语言不通,但可用古汉语笔谈。“询伊曾到中土否?伊云:‘有志未逮,以阮囊羞涩故耳。’”他们将自带的橘子赠给日人而日人不识。又如七月十八日在纽约藏书阁,见有英译《康熙字典》、《汉英合璧字汇》,又有《中华风土记》二册,“图画精细,注解详明,如拜佛诵经,婚嫁宴会,耕樵歌唱,以及儿童玩具,靡不完备”。八月初七在伦敦,见到一种中文报纸名《飞龙报》,内容有“国事人情、地图景致”以及广告,“镂版细致,刷印精工,而文法不甚佳,盖粗通笔墨者所撰也”。同治八年六月初二日在巴黎,见侯爵德理文家中收藏中文图书甚多,并“延川省李某为记室”,将《离骚》和《原道》译成法文。前一日在巴黎观剧名《茶花儿》,“男女装饰如粤人,屋宇器皿亦如粤式”。张德彝曾注意用比较的方法研究中英、中日文法,并系统介绍标点符号的用法,在这方面要算是最早的。此外,出于青年人对体育、游艺的特别爱好,书中还以不少篇幅介绍了西方的技巧运动、游泳和儿童游戏,这在体育史上也是颇有意义的。

(《述奇》的英译本)

标点符号

(二)关于使团的活动和当时中外贸易情形。如同治七年四月十二日在美国国务卿徐尔德家,见到和硕恭亲王(奕䜣)

和总理衙门各大臣的照像和各国国王、王后的照像悬挂在一起。七月初三日使团到达波士顿时，更是盛况空前：

> 城内外周游六十馀里，一路皆插花旗，间有竖中国黄旗者。男女开窗眺望，免冠摇巾，击掌飞花，口呼“贺来”（按即 Hurrah）。有举中国雨伞者，有摇中土绣花绸缎者，有铺红被列烟具、瓷盘于窗下者，有戴中土秋帽者，……。总之，凡有些须华物，无不炫之。沿途人多，竟有骑墙跨脊、攀树登梯者。……

翌日“通城商贾工匠，入堂参谒中国钦差。钦宪立于正面台上，台之左右有阶，左升右降。……自巳至未，升台谒见者已有五千馀人，而台下立待者仍不减少”。五月八日在纽约一家香水厂，见到专销中国的香水，“上罩银箔，下粘局票二：一系白纸，印有五彩水花洋字；一系红纸，金书华字三行，乃：

专销中国的花露水

> 孖黎烟林文付流梨地
> 上品花露水发客
> 奴约林文烟监制

笔画端楷，似经华人代写。所谓‘孖黎烟林文’者，局东之姓名也；‘付流梨地’者，香水名也；‘奴约’者，纽约也。”这和后来巴黎钟表厂、皮鞋厂请求中国钦差发给执照，“命为供奉中国官表局”、“命为供奉中国官靴局”一样，都是中外贸易史上的珍贵资料。

（三）关于外国的情况。如同治六年二月初到日本时，听华侨介绍日本情况说：“刻下市镇萧条，商贾裹足，缘日本各郡土王贰于大君,因而彼此鏖兵,……”即系一八六六至一八六七年日本“尊王”各藩反对幕府的战争。四月十四日在美国国务卿徐尔德家,听徐尔德谈三年前陪林肯总统观剧,目睹林肯遇刺,自己下颏受伤,在家养伤时又一次遇刺脱险的情形。七月二十日美国“分尊卑党”与“平行党”竞选总统:

> “平行”者欲举二人,一名戈兰达,一名寇法斯。“分尊卑”者欲举二人,一名希墨,一名布蕾。

美国两党

这恐怕是美国两党最早的中文译名。又如同治七年五月初二日(一八六八年七月一日)在巴黎记:

> 昨晚亥刻,马达兰大街有贫民二百馀名,齐声唱歌,喧哗作乱。……官兵前往弹压,被伤损者六七人,拆毁商铺、气灯若干。

初六日又记:

> 悍民作乱,连日被获者九百馀名。……官兵于各街巷阻止行人,约以三通鼓后,如有不散,无论良莠尽皆拿获。

可见在巴黎公社革命前三年,从东方远道来巴黎的客人,已经感觉到并且记录下“山雨欲来风满楼”的气氛了。

(四)关于工业技术文明的报道。如同治七年六月十三日起,在纽约参观各种生产事业:印刷厂“列火机四架,每架中一大轮,外绕六小轮,形似菊花。大轮敷墨,小轮置板,自刷自印自行叠折而送出。在上者一人送纸,在下者一人接纸而已。

一时可印二万馀张，每日得十万，得洋银五千圆”。毛织厂“自洗绒至烙毡，皆用火机”，“纺线以一手可纺六十馀条，极轻快”。农田机器，“有割谷器如车”，“车随行，则所割者自然成束而遗于地”；“打麦器形若巨箱，内含齿轮皮带”，“皮带随齿轮而转，自然粒出于左，而流入仓矣。梃净壳飞，各有所在，精巧之至”。此外如看显微幻灯，“蚊虫睛大如轮，六角形，花纹甚匀”；看化学试验，“以水气与生气和，……以火燃之，则轰声如爆竹”；看产科手术，“刀割其腹，以钳出其衣包，……以钢针银线缝之”。所有这些，都使同治初年的中国人大开了眼界。

水气生气

总括起来看，张德彝思想认识上的矛盾，确实妨碍了他接受新思想的洗礼，但是却没有妨碍他对新事物进行观察和作出记录。《述奇》的价值，不仅在于它记述了中外交往上许多有趣的事实，而且也在于它生动地反映了像张德彝这样的一个人，即使是在不自觉的情况下被历史潮流卷上了走向世界的道路，也就不可能不承认新的、多样化的世界确实是客观存在的事实。这就从更深刻的意义上说明：由闭关自守到实行开放，是不可抗拒的历史的必然，是不以任何个人意志为转移的。

FROM EAST TO WEST

6 容闳《西学东渐记》

□ 容闳一八四七年赴美留学，一八五四年毕业回国，几经往返，后定居美国。他一九〇九年用英文写成回忆录 *My Life in China & America*，由恽铁樵、徐凤石合译为中文，译名《西学东渐记》。兹按商务印书馆一九一五年初版分段标点。

容闳在近代“西学东渐”中的地位是公认的。一九一五年恽铁樵和徐凤石把他用英文写成的回忆录“*My Life in China & America*”(直译当作“我在中国和美国的生活”)译成中文,出版时取名《西学东渐记》。这个书名虽然并不忠实于原文,却一直没有什么人提出异议。

恽铁樵长于清末民初流行的“新民体”文字,曾主编《小说月报》,颇具影响。《西学东渐记》译文也用文言,但信而且达,无愧容氏原作。听说某出版社于八十年代初曾准备出一个容氏回忆录的新译本,卒因《西学东渐记》盛名难掩,遂作罢论,也足见这个书名的深入人心了。

容氏自称:“以中国人而毕业于美国第一等之大学校,实自予始。”其赴美留学在一八四七年,盖与林鍼同时,而早于斌椿、志刚诸人。但是,容闳并没有留下当时的记述,《西学东渐记》叙事止于一九〇一年,出版于一九〇九年,已在他去国六十一年以后了。

《西学东渐记》总结了容闳六十多年的经历。他的一生,是第一代留学西方的中国知识分子为了使中国现代化而努力的一生，值得后人永远怀念。

马礼逊学校

一九〇九年纽约原版“*My Life in China & America*”书前，有恽、徐二氏略去未译的容闳自序一篇，全文不长，却于人们了解《西学东渐记》其书和容氏其人的主导思想极有裨益，兹译录如下：

容闳自序

（容闳，1828—1912）

本书前五章缕述予赴美前初受教育，以及留美就读于孟松学校及耶鲁大学诸情形。第六章始叙及予学成归国之经历。因受西学故，予去国八年，思想行为已有极大改变，致使予之归国竟一似异域之来客，然予眷恋故国同胞之热情固未曾或减。故续叙遣送幼童留美诸事，此盖为中国复兴希望之所系，亦即予苦心孤诣以从事者也。而不旋踵间，留学事务所竟被解散矣，百二十之留学幼童竟被撤回矣，予之事业其亦告终而已乎。所幸者,首批幼童中,有二三子坚忍不拔,勤奋精进,卒成经世之才。因其呼号援引,始得使中国学生复能万里来航,研讨西学。中国之强,或在兹乎。

一九零九年十一月,于康纳特克省哈特福德阿特伍德街十六号。

由此可见,从一八四七年赴美,到一九〇九年写书,容闳的努力始终围绕着一个中心,这个中心就是“西学东渐”——要使西方现代文明传播于中国,使中国变成西方国家那样的现代国家。

容闳的家位于距澳门四英里的南屏镇。父亲死后,幼小的他必须从事劳动,维持家庭生活。他之所以能入学读书,并能于早年出国留学,其本身就是西学东渐的结果。

《西学东渐记》自述其幼年贫苦情形云:

予兄业渔,予姊躬操井臼,予亦来往于本乡及邻镇之间,贩卖糖果。……每日清晨三时即起,至晚上六时始归。……严冬忽至,店铺咸停制糖果,予乃不得已而改业,随老农后,芸草阡陌间,……稻田中之泥,深且没胫。……

马礼逊学校

澳门是西人最早在中国办学的地方。一八三四年,古特拉富夫人(Mrs. Gützlaff,即郭士立夫人)在澳门设立女塾。一八三五年,马礼逊教育会筹备开办一所学校,纪念已故的马礼逊博士(Dr. Robert Morrison),拟招收若干中国男童,先在古夫人塾中寄读。容闳的父母,便托人把七岁的容闳送到这里读书。容氏说:

> 是时中国为纯粹之旧世界，仕进显达，赖八股为敲门砖。……父母独命予入西塾，此则百思不得其故。意者，通商而后，所谓洋务渐趋重要，吾父母欲先着人鞭，冀儿子能出人头地，得一翻译或洋务委员之优缺乎？至于予后来所成之事业，似为时势所趋，或非予父母所及料也。

的确，当时即使在澳门这样的地方，比较有身家的人也是不愿意把子弟送到"西塾"读书的，因为读这样的书不能考秀才、举人，不能仕进显达。但是，外国人有钱，办洋务可以赚钱，这就对某些家庭有些吸引力。"忆予初入塾时，塾中男生，合予共二人耳。"可见这吸引力也并不是很大的。

一八四一年，容闳正式进入马礼逊学校，翌年又随学校由澳门迁至香港。在这里，他遇到了一位美国老师勃朗先生(Rev. S. R. Brown)。容氏之不致因家贫辍学，以及后来能去美深造，主要是由于勃朗先生及其朋友的帮助。H. N. Shore氏所著"*The Flight of the lapwing*"一书记述：

> ……有一个聪明伶俐的小家伙，人们把他送到学校来。勃朗先生认为他是一名有前途的学生，把他收下。这位小孩的母亲很贫穷，靠着上山打柴过日子。她的意思是让这孩子在学校里多呆些时候，学点儿英文的知识，将来好在英国人的家庭里当仆人。末后，这位贫穷的妇人，因生计完全不能维持，所以要把小孩领回。……有一人听到这事，保证要维持她的生活，以便使小孩留在学校。他继续维持她的生活到十七年之久。勃朗先生在领导这个学校七个年头之后，回到美国去，把班中最好的三个学

勃朗先生携同赴美

生带走，其中一人就是那聪慧矮小的学生容闳。……

容闳自己叙述他离家去美国时，心中充满了对母亲的留恋和对老师的感谢之情：

> 一八四六年冬，勃朗先生回国。去之前四月，先生……谓对于本校感情甚深，此次归国，极愿携三五旧徒同赴新大陆，俾受完全之教育，诸生中如有愿意同行者，可即起立。……予首先起立，次黄胜，次黄宽。第予等虽有此意，然年幼无能自主。归白诸母，母意颇不乐。予再四请行，乃勉强曰："诺。"然已凄然泪下矣。……由今思之，殆望予成器，勉强忍痛也，呜乎！……勃先生未宣言前，已与校董妥筹办法，故予等留美期间，不独经费有着，即父母等亦至少得二年之养赡。……资助予等之人，……解囊相助，俾予得受完全之教育，盖全为基督教慈善性质，并无他种目的。今则人事代谢，已为古人，即称道其名，亦已不及。……

一八四七年一月四日，容闳、黄胜、黄宽等三人，从黄埔港上了"亨特利思号"(Huntress)帆船，开始了到美国的旅程。

在美国的留学生活

"亨特利思号"是纽约"阿立芬特兄弟公司"(The Olyphant Brothers)一条到中国载运茶叶的帆船。它的航线，是向西经印度洋，绕好望角，再入大西洋北上而达纽约。容闳一行抵美时为一八四七年四月十二日，计居舟中凡九十八日。旋到勃

帆船航行九十八日

朗家小住，一星期后赴马萨诸塞州入孟松学校(Monson Academy)。此孟松学校为新英格兰最有名之预备学校，校长海门(Hammond)对容闳等三个中国留学生特加礼遇，“盖亦对于中国素抱热诚，甚望予等学成归国，能有所设施耳”(引文未注明出处者，均据恽铁樵、徐凤石合译《西学东渐记》，下同)。

在孟松学校之第一年，容闳等三人均列英文班中，所习者为算术、文法、生理、心理及哲学等课。容闳并在海门校长亲自教授下，诵习英国文集。一八四八年秋，黄胜以病归国，黄宽决定两年学习期满后赴苏格兰入爱丁堡大学学医，容闳则立志报考勃朗先生和海门校长的母校——耶鲁大学，并为此而努力学习拉丁文及希腊文。

勃朗先生和海门校长也极愿容闳入耶鲁大学深造，想为容闳申请孟松学校校董会为贫苦学生升学而设置的奖学金。但学校原有规定，欲取得此项奖学金的学生，必须先具志愿书，保证大学毕业后以传教士为职业。容闳虽然感激老师的好意，却坚决拒绝了为他安排的这种前途。他写道：

拒绝签字当传教士

> 予虽贫，自由所固有。他日竟学，无论何业，将择其最有益于中国者为之。纵政府不录用，不必遂大有为，要亦不难造一新时势，以竟吾素志。……传道固佳，未必即为造福中国独一无二之事业。……志愿书一经签字，即动受拘束，将来虽有良好机会可为中国谋利者，亦必形格势禁，坐视失之乎？……盖人类有应尽之天职，决不能以食贫故，遽变宗旨也！

这真是一段掷地作金石声的文字。它说明，尽管容闳到美国是为了接受西洋的新学，但是爱祖国、爱人民的感情，融化在炎黄子孙的血液里，决不是几阵欧风美雨冲洗得掉的。当然，每个民族都有不肖儿孙，都有不争气的子弟，总会有人羡慕外国的月亮好。早在容闳到美国之前二十九年即一八一八年，美国康州康威尔城的“国外布道学校”，即有来自中国广州的一名王姓学生入学（见哥伦比亚大学 1931 年出版的 *The Culture Contacts of the United States and China*”一书）。至于到欧洲去学习的中国人，更可以远溯到郑玛诺（？至一六七四），他“自幼往西国罗马，习格物穷理超性之学并西国语言文字……康熙十年来京，十三年甲寅，卒”（见韩霖、张赓《圣教信证》）。但是这些人已经被“西化”成连名字都“西式”了的“西籍华人”，被“教化”成了西方国家教会差遣来中国传教的教士。他们忘记了祖国和人民，祖国和人民当然也就把他们忘记了。

容闳跟郑玛诺之流完全不同。他爱自己的祖国，追求西学也是为了有益于中国。一八五〇年，他终于取得乔治亚州萨伐那妇女会（The Ladies Association in Savannah, Ca.）的资助，考进了耶鲁大学。入学后，他生活极为俭朴，一切洒扫拂拭、劈柴生火等劳动都自己干；“雪深三尺，亦必徒步”；还必须不断“为人工作”，如替同学办伙食，替“兄弟会”管理图书之类，以取得必需的零用钱。

耶鲁大学

中国有句古话说得好，“艰难困苦，玉汝于成”。容闳在困难的条件下坚持苦学，“读书恒至夜半，日间亦无馀晷为游戏运动”。因为预修不充分，他的数学成绩一直不太好，但是文科的成绩弥补了这个缺陷。第二、第三两学期，他的英文论说连续获得首奖，“校中师生异常器重，即校外人亦以青眼相向”。大家都充分承认这位优秀的中国青年的卓越的学习能力。

在一八四七至一八五四的七年间，容闳如饥似渴地吸收着新的知识。他并没有过多接触社会和政治问题。但是，对于一个思想敏锐而又刻刻关心着国家的进步和人民的幸福的青年来说,化学实验在玻璃仪器内显示的是一个全新的世界,微积分可以启发对合理化的思考和追求,古代雅典民主政治史也足以使他痛切地感觉到专制制度的违反人性和缺乏道德基础。他逐渐懂得:到外国留学,不能只学各科常识和外国的语言,那样做,"充乎其极,不过使学生成一能行之百科全书,或一具有灵性之鹦鹉耳,曷足贵哉!"

特韦契耳(Joseph H. Twichell)牧师一八七八年四月十日在耶鲁肯特俱乐部的一次演说中,对容闳在耶鲁的表现有极生动的叙述。他说:

> ……容闳终于闯了过来。他蓄着辫子、穿着中国长袍进入大学,但不到一年,就把两者都割弃了。
>
> 一八五四年容闳的毕业是那年毕业典礼上的大事件,至少许多人是这么看的。而有些人来参加毕业典礼,主要就是为了看一看这位中国毕业生。……

割弃辫子 脱却长袍

容闳的爱国心在大学毕业时受到了更加严重的考验。特韦契耳牧师写道:

> 容闳此时受到莫大的劝诱,让他改变终生的打算。他居留美国已久,具备彻底归化的资格。……而且,由于他的毕业引起人们的注意,一个很有吸引力的机会向他开放了:只要他乐意,他可以留在美国并找到职业。另一方面,对他来说,中国反倒像异乡。他连本国语言也几乎忘光了。在中国,没有什么需要他去做的事。那里除了卑微的亲属外,他没有朋友,不会得到任何地位和照

（耶鲁大学纪念册中的容闳像）

顾，可以说没有他立足之地。不仅如此，由于考虑到他在哪里呆过、成了什么人和想要干什么，他在本国人当中不可能不受到歧视、猜疑和敌视。摆在他面前的是一派阴郁险恶的前景。……

但是，长夜漫漫的祖国，不是正需要甘为爝火的新人吗？容闳拒绝放弃他终生为中国谋福利的打算，没有答应留在美国。他的这一决心，《西学东渐记》有一段至为感人的自白：

国民痛苦耿耿于心

> 当修业期内，中国之腐败情形，时触予怀，迨末年而尤甚。每一念及，辄为之怏怏不乐，转愿不受此良好教育之为愈。盖既受教育，则予心中之理想既高，而道德之范围亦广，遂觉此身负荷极重，若在毫无知识时代，转不之觉也。更念中国国民身受无限痛苦，无限压制。……予无时不耿耿于心，……以为予之一身既受此文明之教育，则当使后予之人亦享此同等之利益，以西方之学术灌输于中国，使中国日趋于文明富强之境。……

就是这样，“容闳终于闯了过来”，用他自己的话来说，成了"第一中国留学生毕业于美国第一等大学者"。一八五四年十一月十三日,容闳揣着羊皮纸的耶鲁大学毕业文凭,从纽约登上"欧里加号"(Eureka)帆船,踏上了归程。

对太平军的希望和失望

经过一百五十四天的长途航行,容闳终于回到了他的贫穷老病的母亲的身边。他依坐在母亲的膝下,让老母抚遍他的全身。母亲见他已经蓄了胡子,慈爱地对他说:"你哥哥还没蓄胡子呢。"容闳听后,立刻出门找理发匠剃掉胡子,再回到母亲身旁。母亲十分高兴,因为儿子虽然到外国这么久,成了"洋秀才",但是并没有变心,仍然是她的好儿子。

MY LIFE IN CHINA
AND AMERICA

BY
YUNG WING, A.B., LL.D. (YALE)
COMMISSIONER OF THE CHINESE EDUCATIONAL COMMISSION,
ASSOCIATE CHINESE MINISTER IN WASHINGTON,
EXPECTANT TAO-TAI OF KIANG SU

NEW YORK
HENRY HOLT AND COMPANY
1909

(《西学东渐记》原本扉页)

可是,这个好儿子回到母亲身边后的景况,远不是令人鼓舞的。正如特韦契耳牧师所说的那样,"摆在他面前的是一派阴郁险恶的前景"。

一八五五年的中国,清廷正在残酷地镇压太平军和各地的农民暴动。容闳在广州目击了两广总督叶名琛指挥的大屠杀,一个夏天竟杀了七万五千馀人。一个刚刚接受了《人权宣言》和《黑奴解放令》观念的耶鲁毕业生,对于这种大屠杀的印象是怎样的呢?《西学东渐记》写道:

广州杀人七万五千

一日，予忽发奇想，思赴刑场一觇其异。至，则但见场中流血成渠，道旁无首之尸纵横遍地。盖以杀戮过众，不及掩埋。……致刑场四围二千码以内，空气恶劣如毒雾。此累累之陈尸，最新者暴露亦已二三日。地上之土，吸血既饱，皆作赭色。馀血盈科而进，汇为污池。……掷尸沟中后，无须人力更施覆盖；以尸中血色之蛆，已足代赤土而有馀，不令群尸露少隙也。……人或告予，是被杀者有与暴动毫无关系，徒以一般虎狼胥役，敲诈不遂，遂任意诬陷置之死地云。似此不分良莠之屠戮，不独今世纪中无事可与比拟，即古昔尼罗(Nero)王之残暴，及法国革命时代之惨剧，杀人亦无如是之多。……予自刑场归寓后，神志懊丧，胸中烦闷万状，食不下咽，寝不安枕。日间所见种种惨状，时时缠绕于予脑筋中，愤懑之极，乃深恶满人之无状，而许太平天国之举动为正当，……几欲起而为之响应。……

前往南京访太平军

一八六〇年，容闳真的到了太平天国的中心南京，对他“许为正当”的太平军进行实地的考察。关于这次行动的缘起，《西学东渐记》第十章《太平军中之访察》云：

一八六〇年，有二美教士不忆其名，一中国人曰曾兰生，拟作金陵游，探太平军内幕，邀予与偕。予欣然诺之。太平军中人物若何？其举动志趣若何？果胜任创造新政府以代满洲乎？此余所亟欲知也。

这里说得十分明白，容氏此行之目的，实为对太平军作政治上之考察。他们一行于十一月六日自上海起程,九日抵苏州。苏州太平军首领对他们虽反复盘诘,但礼遇尚优,并给他们发了护照。续经无锡、常州、丹阳,于十一月十八日抵南京,首先会晤了在太平军中之美国教士劳白芝(Rev. Roberts),翌日遂晋谒太平天国干王洪仁玕。洪仁玕参加太平军之前,曾在香港任教职。容闳自美返国居留香港时,与之相识。故此次洪氏对容闳一行极表欢迎,当天彼此即作了诚恳的交谈。容闳向洪仁玕建议七事:

向洪仁玕建议七事

> 一、依正当之军事制度,组织一良好军队;二、设立武备学校,以养成多数有学识军官;三、建设海军学校;四、建设善良政府,聘用富有经验之人才为各部行政顾问;五、创立银行制度及厘定度量衡标准;六、颁定各级学校教育制度,以耶稣教圣经列为主课;七、设立各科实业学校。——此其大略,至若何实行,自非立谈所能罄。倘不以为迂缓而采纳予言,愿为马前走卒。

这七条,除了"以耶稣圣经列为主课",可能是迎合太平军天父天兄的信仰以外,都是建设现代军事、政治、经济、教育的方针大计,是容闳长久以来深思熟虑的结果,是一个身受西方文明教育的人所能贡献给人民的最好的建议。洪仁玕曾和容闳详细讨论过这七条。据容闳说,洪仁玕"居外久,见识稍广,故较各王略悉外情;即较洪秀全之识见,亦略高一筹。凡欧洲各大强国所以富强之故,亦能知其秘钥所在。故对于予所提议之七事,极知其关系重要"。但是,"一薛居州无能为役",洪仁玕并没有掌握太平天国的实权。结果,对容闳的严肃建议的正式答复是:

又数日，干王忽遣使来，赠予一小包袱。拆而视之，则中裹一小印，长四英寸，宽一英寸，上镌予名。又有黄缎一幅，钤印十三，上书予官阶，曰“义”字。按太平军官制，王一等爵，“义”字四等爵。

容闳对这样的答复，简直啼笑皆非。他写道：“以此授予，意果何居？其以是为干旌之逮欤？……岂谓四等荣衔，遂足令人感激知己，抑亦隘矣！”他在从苏州到南京的途中，对太平军的印象多半是好的。他说：“太平军之对于人民，皆甚和平，又能竭力保护，以收拾人心”；而“官军之残暴，实无以愈于太平军”。但是，到南京以后，他“每见太平军领袖人物，其行为品格与所筹画，实未敢信其必成”。本来嘛，给这位来建议开办各类学校、组织人才政府的耶鲁毕业生一颗长方官印和一个四等爵位，这是何等荒唐的儿戏，又是何等深刻的悲剧！

容闳后来在《西学东渐记》第十一章中对太平军的分析，在当时来说是十分深刻的。他说：

革命起于政治腐败

太平军战争之起，则视中国前此鼎革有特异之点。……以此粗笨之农具，而能所向无敌，逐北追奔，如疾风之扫秋叶……予意当时即无洪秀全，中国亦必不能免于革命。……恶根实种于满洲政府之政治，最大之真因为行政机关之腐败，……官吏既人人欲饱其贪囊，遂日以愚弄人民为能事，于是所谓政府者，乃完全成一极大之欺诈机关矣。

容闳将太平军革命比为埃及之石人，“埃及石人首有二面，太平军中亦含有两种性质”：一面是革命的正义性和合理性；一面是游民分子大量加入和宗教迷信造成的落后性和破坏性。因为太平天国后期，“所招抚皆无业游民，为社会中最无知识之人。以此加入太平军，非独不能增加实力，且足为太平军之重累。……迨占据扬州、苏州、杭州等城，财产富而多美色，而太平军之道德乃每下而愈况”。但尽管如此，太平军一役的“良好结果”，则是“天假此役以破中国顽固之积习，使全国人民皆由梦中警觉，而有新国家之思想。观于此后一八九四、一八九五、一八九八、一九〇〇、一九〇一、一九〇四、一九〇五等年种种事实之发生，足以证予言之不谬矣”。

容闳希望通过太平军“为中国谋福利”的尝试失败了。这与其说是容闳个人的失败，毋宁说是太平军的失败。

幼童留美计划的失败

容闳寄意于太平军之结果既如此，遂转而于一八六三年找到了曾国藩，希望通过曾来实现自己使“西学”得以“东渐”的计划。应该说，这一次他在开头得到了某种程度的成功。他至少办成了两件事：第一件是在中国建成了第一座完善的机器厂——江南制造局；第二件是在中国组织了四批官费留学生——一百二十名幼童出洋赴美留学。这两件事，被称为中国办“洋务”的两大盛举。容闳本人也因为经办这些事，成了中国在美国设立的“留学事务所”的监督和中国政府驻美的“副使”。

称曾国藩为真君子

在《西学东渐记》中，容氏对曾国藩的评价极高，谓曾“可称完全之真君子，而为清代第一流人物”，“一生之政绩、忠心、人格，皆远过于侪辈，殆如埃浮立司脱高峰，独耸于喜马拉雅诸峰之上”。

如何评价曾国藩，这是另外一个问题。曾国藩其人在今天中国大陆上似乎仍有争议，而在二十世纪二十年代，毛泽东却“独服”曾国藩，称之为近世唯一探得“大本大源”的人。他在一九一七年八月二十三日给黎锦熙的信中写道：

毛泽东论曾国藩

> 今之论人者，称袁世凯、孙文、康有为而三。孙、袁吾不论，独康似略有本源；然细观之，其本源究不能指其实在何处。……愚于近人独服曾文正，观其收拾洪杨一役而完满无缺，使以今人易其位，其能如彼之完满乎？

既然如此，那么在十九世纪七十年代，容闳称曾国藩为“完全之真君子”，为“清代第一流人物”，也就是容易理解的了。

MY LIFE IN CHINA AND AMERICA

CHAPTER I

BOYHOOD

I was born on the 17th of November, 1828, in the village of Nam Ping (South Screen) which is about four miles southwest of the Portuguese Colony of Macao, and is situated on Pedro Island lying west of Macao, from which it is separated by a channel of half a mile wide.

I was one of a family of four children. A brother was the eldest, a sister came next, I was the third, and another brother was the fourth and the youngest of the group. I am the only survivor of them all.

As early as 1834, an English lady, Mrs. Gutzlaff, wife of the Rev. Charles Gutzlaff, a missionary to China, came to Macao and, under the auspices of the Ladies' Association in London for the promotion of female education in India and the East, immediately took up the

1

（《西学东渐记》原本首页）

曾国藩替清朝出力，打败太平军，辛亥时期就被排满的人骂为汉奸。后来因为蒋介石标榜过他，问题牵涉到现实的政治斗争，谈到他时，大家的感情往往更加不能平静。但无论如何，他接受容闳的建议，设立制造局，派学生出洋，这两件事情总是做得对的。

问题恰恰在于，即使得到了像曾国藩这样的大人物的支持，容闳的“为中国造福”的大计划——派遣幼童留学的教育计划，在勉强推行一段之后，也终于还是完全破产。《西学东渐记》十六、十七、十九等章，对这件事的全过程有详细的介绍。一百二十名学生，从一八七二年即同治十一年起，分四批逐年赴美，原定十五年学成回国。可是由于受到坚持闭关自守、反对学习外国的保守势力的疯狂攻击，继曾国藩后主持"洋务"的李鸿章为德不卒，一八八一年这些学生便全部被撤回了。

幼童留美

一八七三年第二批赴美的幼童中，有一个叫温秉忠的，后来成为宋氏三姊妹的姨丈。温氏一九二三年十二月二十三日，曾向北京税务专门学校D班同学演讲五十年前幼童留美的经过。讲词系英文，今据高宗鲁氏译文节录如下：

> ……一位广东青年新自美国耶鲁大学毕业返抵上海，此位青年即容闳先生。……在他初入社会后，深感大学教育对他自己的裨益，而立一愿望，即游说中国政府派遣学生赴美接受西式教育。……他说，派官费学生出国，由于学生接受西方教育之知识及经验，增进与外国人民之接触，将有助中国在外交、商务及工业上之发展。
>
> ……李鸿章身为北洋大臣、直隶总督，总管大权；但对首倡幼童出洋之事，犹豫不决，且存戒心，因为毕竟此一计划在保守的中国是太激进了。因此，他联络两江总督曾国藩、江苏巡抚丁日昌会奏朝廷，最后终于得到清廷之批准。容闳被任命为委员。……容闳原订计划是连续四年，每年派遣三十名幼童。一八七〇年在上海设立预备学校，招收学生学习中、英文，每半年举行考试，合格者送往美国留学。……
>
> ……幼童(在美国)进入学校后，打棒球，玩足球，有

时不惜用拳头与挑战者较量。很快,这些呼吸自由独立空气的幼童完全适应了美国的环境。……

幼童在学校的功课是日益进步。当时有两位委员,其中一位是翰林(按即吴嘉善,字子登),深感幼童因环境蜕变之速,且正方兴未艾,他们将成为“美化”(Americanized)之人,不复卑恭之大清顺民矣。他上奏朝廷,如不迅速行动,幼童均将成“洋鬼”(Foreign Levils)矣。皇帝照准其请,立刻下令全体幼童即日撤局回华。

幼童将成“洋鬼子”

《西学东渐记》第十九章《留学事务所之终局》,叙述幼童被撤回华的原委,尤为详尽。除吴子登外,正委员及清政府驻美公使陈兰彬,所起作用亦甚大。容闳写道:

盖陈之为人,当未至美国以前,足迹不出国门一步。故于揣度物情,评衡事理,其心中所依据为标准者,仍完全为中国人之见解。即其毕生所见所闻,亦以久处专制压力之下,习于服从性质,故绝无自由之精神与活泼之思想。而此多数青年之学生……既离去故国而来此,终日饱吸自由空气,其平昔性灵上所受极重之压力,一旦排空飞去,言论思想,悉与旧教育不侔,好为种种健身之运动,跳踯驰骋,不复安行矩步,此皆必然之势,何足深怪?……因有以上种种原因,故其(陈兰彬)平素对于留学事务所,感情极恶。……盖陈对于外国教育之观念,实存一极端鄙夷之思想也。……(陈)极力欲破坏予之教育计划,而特荐吴子登为留学生监督。……

陈兰彬和吴子登危言耸听地夸大“全盘西化”的危险,极力主张撤回留美幼童。而“为曾文正所荐举以自代”之李鸿章,“此时不愿为学生援手,即顺反对党之意而赞成其议”。“留学事务所之运命于是告终,更无术可以挽回矣。此百二十名之学生,遂皆于一八八一年凄然回国。”

一八七五年赴美留学的幼童之一梁丕旭(诚),和全体幼童一道被撤回国后,于一八八二年三月六日从天津写给美国朋友 Shaw 一封信。信中叙说他回国后所受的待遇和苦恼道:

幼童回国后的失望

> 我们回到中国后,真的感到失望和沮丧。苛刻的待遇使我难以形容。……
>
> 十月六日,我们返抵中国,到达上海,乘独轮车去上海内城,被送往一个长年封闭的、潮湿的旧楼房中。……中国官吏靠贪污为生,层层克扣,(给我们的补助和食宿费用)转到我们时,已经只剩下极少的数目。几位同学已在那大楼中病倒,因为疟疾立刻流行起来。
>
> ……高级官员给我们两次考试。他们之中只有一两位懂英文。……十一月二日,我们一行九人来到这所海军学校,是因为考试官觉得我们最适合学海军,却不问我们个人的志愿如何。……(这里的)中国教习不知如何施教,……我们常发现他做几何及代数时也造成不必要的问题,他照书本一字一字往下念。……学校及天津兵工厂均有土墙围绕,我们在五年之内只许外出三次……
>
> ……将在此地受到的强横待遇与当年在美国所受到的朋友们的细心照顾相比,我只有叹息:上帝呀!这还要有多久!?

失望和沮丧的回国学生们把容闳视作能够解救自己的唯

专制政权不能真正实行开放

FIRST TRIP TO THE TEA DISTRICTS 83

when room is needed for cargoes. These boats ply between Hangchau and Sheong Shan and do all the interior transportation by water between these entrepôts in Chêhkiang and Kiangsi. Sheong Shan is the important station of Chêhkiang, and Yuh-Shan is that of Kiangsi. The distance between the two entrepôts is about fifty lis, or about sixteen English miles, connected by one of the finest macadamized roads in China. The road is about thirty feet wide, paved with slabs of granite and flanked with greenish-colored cobbles. A fine stone arch which was erected as a land-mark of the boundary line separating Chêhkiang and Kiangsi provinces, spans the whole width of the road. On both sides of the key-stone of the arch are carved four fine Chinese characters, painted in bright blue, viz., Leang Hsing Tung Chu:

兩省通衢

This is one of the most notable arch-ways through which the inter-provincial trade has been carried on for ages past. At the time when I crossed from Sheong Shan to Yuh-Shan, the river ports of Hankau, Kiukiang, Wuhu and Chinkiang were not opened to foreign trade

（原本中的中文）

一的希望。但是，容闳这时已无可为。经过这次教训，他终于认识到：一个对自己没有信心的、害怕人民的专制政权，本质上是不可能实行真正向世界开放的政策的。

一百二十名没有完成学业而被撤回国的留美学生中，后来仍出了一些优秀的人物。如詹天佑第一次不假外力，设计并领导修成了京张铁路；吴应科在甲午中日海战中表现英勇，得到了“巴图鲁”的荣誉称号；蔡廷幹所译的唐诗，即“*Chinese Poems in English Rhyme*”一书，至今仍为英美流行的唐诗译本；梁敦彦在清末当了外务部尚书；唐绍仪在民国初曾任国务总理；……。但总的说来，这件事情远远没有达到容闳预期的结果，他又一次遭到了失败。

远托异国　埋骨天涯

《西学东渐记》第二十章开始就写道：

学生既被召返国，以中国官场之待遇，代在美时学校生活，脑中骤感变迁，不堪回首可知。以故人人心中，咸谓东西文化判若天渊，而于中国根本上的变革，认为不容稍缓之事。此种观念，深入脑筋，无论身经若何变迁，皆不能或忘也。

这是一个极可宝贵的认识。为了建设现代国家,教育当然是重要的。但是,如果没有政治上的民主化,而听任叶名琛之类的酷吏、陈兰彬之类的官僚来领导一切,那末教育计划既不能认真施行,教育出来的人也不能真正发挥作用。

于是,容闳走上了和康有为、谭嗣同、唐才常等一道谋求变法维新的道路。第二十二章简单地记述道:"予(在北京)之寓所,一时几变为维新党领袖之会议场。"戊戌政变发生,他逃出北京,到上海继续活动,参加唐才常组织的张园"中国国会",被推为会长。结果因清政府指名通缉,逃往香港、台湾。在台湾,清政府又行文给日本总督,请日本当局把他捕送中国。于是一九〇二年他被迫再度去美国避难,一直到死。

容闳并不乐意做美国人。虽然在《西学东渐记》第十四章中他说他"曩曾入美籍",但一八九八年美国国务卿雪曼公开宣布:"容闳从未合法地归化为美国公民"。一九〇二年容氏去美避难,还是通过在美国的社会关系及耶鲁同学帮忙,才得以实现的。他的儿子容觐槐也说过:

予父虽为华人,而予则生于美,长于美。……或有叩予以感情之所向,究为中国,抑为美国者,予殊无以应。……此或以我母之隶美籍,……以是而感慨之情发于不自觉,未可知也。

逝世

一九一二年(中华民国元年)四月二十日,容闳病逝于美国康州哈特福德城。第二天,《哈城日报》刊登了如下一条消息:

> 身为学者、政治家及今日新中国运动的先驱者容闳博士，昨日上午十一点三十分，在他的沙京街二百八十四号寓所去世。……
>
> 他对过去一年来中国的急剧进步变动密切注视，因为他毕生曾努力于此目的。星期六(四月二十日)他刚收到新中国领袖孙逸仙博士赠送给他的一张照片，惜已太晚，因容闳博士早已昏迷不醒。……

容闳逝世时，他的儿子容觐槐正在中国接受孙中山和黄兴的委任，到胡汉民当都督的广东省担任制造局(兵工厂)总工程师兼总理，并被授予少将军衔，因此后来被袁世凯逮捕监禁，险遭杀害。〔详情见《东方杂志》第十一卷第二、三号(民国三年八、九月)译载美国《世界杂志》刊载的《容觐槐(容闳之子)在华遭际之自述》一文。〕孙中山亲自寄赠照片给容闳，说明中国人民和这位居住在美国的同胞息息相关。

容觐槐

一个自始至终热爱祖国的人，却不得不"远托异国"，直至埋骨在海角天涯，这是容闳个人的不幸，也是中国的不幸。

所幸的是，容闳以他的精神和贡献，为"西学东渐"铺下了路基，同时也为中国人在外国树立了名誉。英国 H. N. Shore 氏一八八一年在叙述容闳的事迹时写道：

> 一个能够产生这样人物的国家，就能够成就伟大的事业。这个国家的前途不会是卑贱的，虽然从事物的表面上去看，这个国家也许有一些困惫与后退的迹象。和西方的国家以及人们在过去半世纪内的巨大进步相比较，中国的景象是不能令人鼓舞的；但是我们应该记住，我们今天所看到的中国文化是许多世纪以前的文化——

那时英国和欧洲还在野蛮的状态之中。至于中国是否退步？它的人民是否在腐化之中？它的才能是否已经发展到了极限？这些问题都还需要证实。

从这些例子又可以看到，中国自己拥有力量，可以在真正完全摆脱迷信的重担和对过去的崇拜时，迅速给自己以新生，把自己建成一个真正伟大的国家。

葬地

容闳已矣！他长眠在哈特福德城西带山公墓（Gedar Hill Cemetery）的绿阴深处。一块方础圆顶的墓碑上，刻着一个由中文"容"字构成的心形图案，说明墓中人虽然死葬在异邦绝域，他的心却一直眷恋着自己的祖国，一直牢记着自己是炎黄子孙。

（容闳晚年像）

在一九七二年我国政府与美国建交之前，台湾"教育部长"蒋彦士在容氏墓前立了一块纪念碑，碑文如下：

先生字纯甫，德才朗识，淹博多通，为我国学生留学美国之第一人。归国后力主遣幼童留学国外，当轴者纳其言，一八七二年乃遴选学生三十三人，由先生携以赴美，遂开我国派遣留学生之先河；而中美文化交流，亦以此为嚆矢也。自先生初次携学生赴美，至今适届一百周年。寻声考迹，想高躅于当年；振铎扬芬，播景行于终古。维兹俊哲，实系人思；爰泐碑文，藉申虔慕。

文章还算典雅，写刻得也不错。但是，短短一篇碑文中，却出现了两处重要的史实错误。

其一，和容闳一同去美留学的，有黄胜、黄宽二人，前面还应该加上一八一八年那位王姓学生。可见碑文称容氏“为我国学生留学美国之第一人”是弄错了，应该按容氏本人的说法，改称为“第一中国留学生毕业于美国第一等大学者”。

其二，一八七二年清政府派学生赴美留学，名额总数定的是一百二十名，“分为四期，按年递派，每年派送三十人”。一八七二年夏陈兰彬带往美国的第一批学生即为三十人，以后一八七三、一八七四、一八七五三年，每年也都是三十人，分别由黄平甫、祁兆熙、邝其照带往，（第二批有七名、第四批有三名“自备资斧”的学生同往，不能计数在“当轴者”遴选送往的学生之内。）碑文所云“一八七二年乃遴选学生三十三人，由先生携以赴美”，也是错的。

7 祁兆熙《游美洲日记》

□ 祁兆熙一八七四年十月奉委护送第三批留美幼童出洋，一八七五年初归国，著有《游美洲日记》并附《出洋见闻琐述》一卷。稿本原藏上海南洋公学，后作为“王培孙纪念物”归于上海图书馆，即据此整理。

王培孫紀念物

同治十有三年歲次甲戌八月兆熙奉
欽差爵閣督部堂李 欽差兩江督部堂李 札委護送第三批幼童出洋肄
業美國計來往行程共六萬五千四百里至十
二月初一日回滬計一百十一天鄺春畢其照
號容階佐余護送也孫茂才雲江駐洋容幫辦
幕友也三弟兆熊伴余往游十二齡次子祖燕
則在幼童三十人中也月之九日三十四人同
發申江是日也巳卯晴禮六午刻有細雨即止
九點鐘同客陪到萬昌輪船公司寫定艙位計
三十四人船名稜而客南值艙而六間每間住

说到中国人留学西洋，人们都把容闳尊为先驱。虽然早在一八四七年容闳抵达美国之前，即已有过中国学生在欧美学习的记录，但是中国开始用官费派遣学生出洋，则是开始于一八七二年间的事情。

一八七二至一八七五四年中，每年都有三十名幼童远涉重洋，到美国新英格兰地区留学。这是中国在现代化道路上向前跨出的重要的一步。虽然跨出的这一步很快又缩了回来，出洋肄业幼童的百分之九十以上，都未能按预定计划在美国修完学业，而于一八八一年被撤退回国，但这件事情仍然在许多方面留下了它的影响。例如说，第一位得到国际承认和高度评价的中国工程师詹天佑，便是一八七二年留美的幼童之一。

留美幼童史料很少

遗憾的是，迄今为止，国内发现的幼童留美的中文史料一直非常之少。学者所能看到的当时的记述，除了数量有限的官方档案外，只有下列几种英文著作：

“*My Life in China and America*”，容闳于一九〇九年写成的回忆录（中译本名《西学东渐记》，有部分内容述及幼童留美事）。

"*The Memory of a Boy's Studying in America*",一八七三年赴美幼童之一温秉忠六十一岁时(一九二三年)的演讲辞。

"*The Senior Returned Students*",美国 Arthur G. Robinson 氏一九三二年发表。

"*The Chinese Educational Mission and Its Influence*",一八七二年赴美幼童之一容尚谦七十六岁时(一九三九年)发表。

"*China's First Hundred*",美国 Thomas La Fargue 氏一九四二年发表。

难道就没有一份当时的中文记载流传下来吗?

王培孙氏捐赠稿本

一九八三年,上海图书馆任光亮君,从王培孙捐赠给该馆的原南洋中学藏书中,发现了一册稿本《游美洲日记》(以下简称《日记》)。写日记的人叫祁兆熙,是一八七四年护送第三批幼童出洋的职员。他们一行三十四人(幼童三十人,护送人员及随行者四人),于同治甲戌八月初九日(一八七四年九月十九日)乘轮离沪,九月十三日(十月二十二日)航抵美国金山,二十七日(十一月五日)到达四泼林飞尔(Springfield,即春田,今译斯普林菲尔德)。祁兆熙将学生安顿好后,十月间复至金山上船,十二月初一日(一八七五年一月八日)回到上海。《日记》逐日记载往返经过情形,十分详细具体,正好补上了文献不足的这一段"缺环"。

幼童留美的由来

正如"幼童"容尚谦后来所说的那样,"在未与西方接触以前,中国是闭关自守的,而且又是'自我满足'的"(一九三六年在上海交通大学"容闳堂"纪念铜牌揭幕仪式上的讲话)。那时候的中国,完全没有国际交流的观念,当然更不会想到要向外国派出留学生。直到一八四〇至一八六〇年间，在不断挨打吃亏之后，才有少数先觉的知识分子，逐步感觉到有向外国学习的必要。

魏源

魏源于一八四二年刊行《海国图志》，其《筹海篇》议“攻夷之策二，曰调夷之仇国以攻夷，师夷之长技以制夷”，并引俄皇彼得留学他国藉图自强为例，云：

> 俄罗斯之比达王，聪明奇杰，因国中技艺不如西洋，微行游于他国船厂、火器局，学习工艺，反国传授，所造器械，反甲西洋。由是其兴勃然，遂为欧罗巴洲最雄大国。

然而魏氏接着提出来的办法，却只限于在广东设厂，招致法美二国匠师，仿造坚船利炮，认为只须二百五十万金，便可“尽得西洋之长技为中国之长技”，把问题看得太简单了。

姚莹

一八四三年，任台湾兵备道的姚莹有机会“亲赴英船”，直接和来华英人接触。数年之后，他在《康辖纪行》一书中写道：

> 余尝至英夷舟中，见其酋室内，列架书籍殆数百册，……而尤详于记载及各国山川风土，每册必有图。其酋虽武人，而犹以书行。且白夷泛海习天文算法者甚众，似童而习之者。……吾儒读书自负，问以中国记载，或且茫然；至于天文算数，几成绝学。对彼夷人，能无泚然愧乎？

这里指出夷人于天文算数亦有其所长，泛海读书者甚众，联系到学习上面来了。

郭嵩焘

一八五九年，郭嵩焘到天津办理夷务，疏请广求谙通夷语人才，云：

> 通市二百馀年，交兵议款又二十年，始终无一人通知夷情，熟悉其语言文字者。窃以为今日御夷之窾要，莫切于是。

而真正要“通知夷情，熟悉其语言文字”，便非遣人向夷人学习不可。到一八六一年，冯桂芬刊行有名的《校邠庐抗议》，正式提倡“鉴诸国”——向世界诸国学习。他写道：

冯桂芬

> 夫学问者，经济所从出也。太史公论治，曰“法后王”（本荀子），为其近己而俗变相类，议卑而易行也。愚以为在今日，又宜曰“鉴诸国”。诸国同时并域，独能自致富强，岂非相类而易行之尤大彰明较著者？如以中国之伦常名教为原本，辅以诸国富强之术，不更善之善者哉？且也通市二十年来，彼酋之习我语言文字者甚多，其尤者能读我经史，于我朝章吏治、舆地民情类能言之；而我都护以下之于彼国，则懵然无所知，相形之下，能无愧乎？

就在这一年（一八六一），清政府设立“总理各国事务衙门”，“夷务”从此改称“洋务”。第二年，又在北京办“同文馆”，培养“通洋文、习洋务”的人才。

正是在这样的历史背景上，洋务运动的领袖人物曾国藩、李鸿章、丁日昌等，得到了“熟习泰西各国语言文字，往来花旗最久，颇有胆识”（曾国藩《出洋委员容闳请奖片》）的容闳的帮助，于六十年代末开始酝酿派遣学生出洋留学。

容闳一八五四年毕业于耶鲁大学时，即已立志回国努力，使更多的中国青年能和自己一样“远涉重洋，身受文明之教

机器局厂附设学校

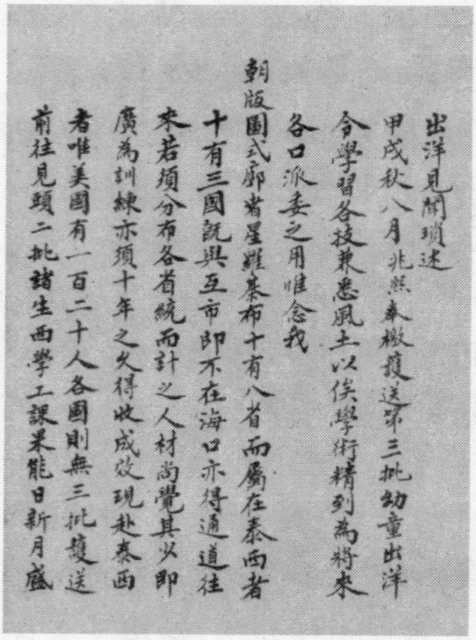
出洋見聞瑣述
甲戌秋八月兆熙奉檄護送第三批幼童出洋
令學習各技兼悉風土以俟學術精到為將來
各口派委之用惟念我
朝版圖式廓當星羅棊布十有八省而屬在泰西者
十有三國既與互市即不在海口亦得通道往
來若須分布各省統而計之人材尚覺其少即
廣為訓練亦須十年之久得收成效現赴泰西
者惟美國有一百二十人各國則無三批護送
前往見頭二批諸生西學工課果能日新月盛

（祁兆熙手稿一页）

育，……以西方之学术，灌输于中国，使中国日趋于文明富强之境”（《西学东渐记》第五章）。回国以后，容闳于一八六三年投入曾国藩幕中，首先接受了到美国购办机器建设上海机器局的任务。一八六七年，曾氏到沪视察上海机器局时，容闳“乘此机会，复劝其于厂旁立一兵工学校，招中国学生肄业其中，授以机器工程上之理论与实验”（《西学东渐记》第十五章）。同治七年（一八六八年）九月，曾国藩向朝廷报告制造局及学馆筹办情形，说：“中国自强之道，或基于此。”

兵工学校的成功，容闳“向所怀教育计划，可谓小试其锋；既略著成效，前者视为奢愿难偿者，遂跃跃欲试”（《西学东渐记》第十六章）。于是，他首先向江苏巡抚丁日昌，随后又通过丁向两江总督曾国藩提出了自己“由政府选派颖秀青年，送之出洋留学”的计划。曾国藩同治九年（一八七〇年）九月在《调陈兰彬江南差遣片》中，向朝廷报告说：

> 外国技术之精，为中国所未逮。如舆图算法、步天测海、制造机器等事，无一不与造船练习相表里。其制则广立书院，分科肄业；凡民无不有学，其学皆专门名家。……其国家于军政船政，皆视为身心性命之学。如俄罗斯初无轮船，国主易服微行，亲入邻国船厂，学得其法。

> 乾隆间，其世子又至英国书院肄业数年。今则俄人巨炮大船，不亚于英法各国，此其明效。江苏抚臣丁日昌屡与臣言：宜博选聪颖子弟，赴泰西各国书院及军政船政等院分门学习，优给资斧，宽假岁时，为三年蓄艾之计。行之既久，或有异材出乎其间。精通其法，仿效其意，使西人擅长之事，中国皆能究知，然后可以徐图自强。且谓：携带子弟前赴外国者，如该员陈兰彬及江苏同知容闳辈，皆可胜任……

正式建议选派子弟赴泰西各国留学。

李鸿章

其时，新任直隶总督李鸿章，对于留学计划亦极为热心。他同年闰十月廿一日写信给曾国藩，请曾坚定信心，不可因朝廷不置可否而放弃努力。信中说：

> ……陈荔秋与容闳建议选派聪颖子弟赴西国学习，尊疏前已略陈。内无可否，其懵然不知，非不为也。此事先须议订条款，预筹经费，南中熟悉外情者尚多，乞令集议通筹。若有眉目，请尊处挈敝衔会奏，断不可望事由中发。……

曾李会奏派遣留学

同治十年(一八七一年)七月十九日，终于由大学士曾国藩领衔、李鸿章等会衔奏请国家资遣子弟出洋肄业。奏摺一开头就指出：派遣留学，是继斌春(椿)、志刚、孙家谷之后，中国走向世界的又一次尝试。蒲安臣所订中美新约，业已允许中国人“入美国大小官学习学各等文艺”，美、英驻华公使，又表示深愿接受中国学生前往留学，这样做的外部条件已经成熟。奏摺驳斥了所谓京师已设“同文馆”，上海已开“广方言馆”，欲习西学已“无须远涉重洋”的议论，说：

> 一旦遽图尽购其器，不惟力有不逮，且此中奥窍，苟非遍览久习，则本原无由洞彻，而曲折无以自明。古人谓“学齐语者须置之庄岳之间”，又曰“百闻不如一见”，比物比志也。况诚得其法而归，触类引伸，视今日所为孜孜以求者，不更扩充于无穷耶？

最后并“酌议章程，恭呈御览”，主要内容为在上海设局，于沪、甬、闽、粤等处挑选幼童，至局考试，齐集出洋；每年以三十名为率，四年计一百二十名；十五年后，每年回华三十名，分别派事；此系官生，不准在外洋入籍、逗留，及私自先回，遽谋别业。

奏上，不久即获得清廷批准。于是成立“总理幼童出洋肄业沪局”，派刘翰清负责。同时在美国成立“选带幼童出洋肄业局”（《西学东渐记》译为“经理留学事务所”），派陈兰彬和容闳共同负责，地点原设麻省春田（Springfield，祁兆熙称为四泼林飞而，《西学东渐记》称为斯丕林费尔），后来迁至康省哈特福德（祁兆熙称为哈富）。两地均位于新英格兰中心地带，而新英格兰正是美国历史最悠久、教育最发达的地区，同时也是容闳“身受文明之教育”的故地。《游美洲日记》九月二十六日云：“四泼林飞而即诸生馆地，与哈富公馆远百里地，一点钟可到。”二十七日又记护送第三批幼童到达四泼林飞而的情形云：

初到春田

> 五点起，同人俱起整衣服，捡物件。六点半，到四泼林飞而火轮车棚下矣。风大而冷。晤曾兰生（按即出洋肄业局翻译曾恒忠）、容渭泉。于是搬下物件，孙云江与三弟（按即随同赴美之二人）守望，余与兰生叙谈。未几，

衣箱等亦至棚下。较对铜牌记号,兰、渭两兄经管。

诸同人乘马车进寓,寓视金山略小。在寓会见容副办纯甫(按即容闳)暨容元甫(按即容增祥)、叶树东(按即出洋肄业局教习叶源浚)两先生。诸生既谒见,即派衣箱等,各归卧房。物件未大破烂。既至大餐房,畅谈外菜。外国亦有剃工,人辫则自梳。

一日间,前二批诸生,接踵相见。虽连日劳劳,而精神尚健。晚间与叶树东、容元甫畅谈一是。……

祁兆熙护送出洋

祁兆熙(一八九一年去世)是上海人,早岁于"法兵驻沪之时,初习洋务",开始学法语;"未及一年,与兵头往还,事能顺手"。一八六五年,入江海北关办公,再学英文"三年之久,能将关单自译,无用通事"。一八七四年第三批幼童出洋,即由他护送,幼童中并有他自己十二岁的儿子祁祖彝。

洋务人员的子弟

据《徐愚斋自叙年谱》所附出洋幼童名单统计,第一、二、三批幼童之中,至少有三十一名的父兄是洋务人员。盖当时风气未开,传统士大夫家庭多不愿子弟出此一途,只有像祁兆熙这样的人,才会比较相信西方教育的优越性。《日记》九月十六日云:

中土庠序之设,惜少真实工夫。西法:子弟六七岁入小学,犹中土读四书也;十岁后开经书,换一大学堂;至舞象之年,譬之中土开笔之时,即问本人愿习何事。于是,读书、兵法、机器、贸易等,各分门类,各立大书院,送进再学几年，自然成就，法至善矣。

幼童家长送幼童出洋，都必须亲笔具结。下面便是詹作屏送子天佑入学时所具切结：

詹天佑

（詹天佑像）

兹有子天佑，情愿送赴宪局（按指幼童出洋肄业局）带往花旗国肄业学习技艺，回来之日，听从差遣，不得在国外逗留生理。倘有疾病，生死各安天命。……童男詹天佑，年十二岁，身中，面圆白，徽州府婺源县人氏。……

接着还要开列祖宗三代本名，俨然是一纸卖身文书。但尽管如此，这些家长因为相信出洋是一条捷径，“他日学成而归，宾王利用，其荣名所被，固有更胜于一衿一第者”（徐润《送扆臣、笏臣、赞臣诸弟赴美国肄业未园饮饯图记》），他们还是照办了。

幼童们首先在“沪局”（温秉忠称之为“预备学校”）集中，接受初步的训练。关于“沪局”的情形，温秉忠说：

……当时他们没有网球、足球及篮球，也没有这么多假日。……在学校读书时间多，而游戏时间少。

学校监督是一位暴君，他力主体罚，而且严格执行。但多少年后，幼童们仍然怀念他。他们恐惧他手上的竹板。但是他强迫大家读写中文，在幼童回国后，都能致用不误。

今日中国学校制度已大为改进。在他们那时，课程不多；但每科必需精念细读，强迫背诵古书。他们没有科学课程，故拉开嗓门高声朗诵，被认为是最佳的学习方法。因此，在教室中，噪音震耳欲聋，但相信对学生的肺活量必有裨益。

（着中式服装出国的幼童）

幼童出国时的装束

幼童出洋均由公款备装。《日记》八月十八日记："出新小缎帽于大箱，分派诸生……"九月初七日记："午后启箧，检出蓝绉夹衫、酱色绉长褂、缎靴等，为到金山上岸光辉，预派诸生自掌之，幼者归其衣于我房。"当年这一队穿着蓝色长袍、酱色马褂，头戴缎帽，脚登缎靴的中国幼童在金山登岸，乘火车横

过美洲大陆来到新英格兰，一路上“从而观者如云”，“中外之人，咸属耳目。”(九月十三日记)

孩子们毕竟是天真的。在上海登上“矮尔寡南”号的第一天晚上，轮船还没有启碇，见到“船尾洋泾浜一带，自来火灯簇簇匀排，荡漾波心，诸生俱乐”。但是，轮船出口以后，天气变坏，风浪一起，舱间便“多啼哭声，不得安睡”了。

祁兆熙对幼童的照拂十分周到。风浪起时，“遍视诸生，各加慰藉，几疲于奔命”。到横滨换船，“嘱水手人牵抱诸生，(使)幼者先上梯，鱼贯入”。横过美国时，铁道列车上还没有餐车，“每日早六点、午十二点、晚六点停车饭所，仅停廿五个‘米粒’(分钟)”，“人至食店，食已陈，不及辨而食”。祁兆熙“保护诸生下车”，“点诸生上车”，自己则“坚不下车，冷硬馒头，以苹果润喉”，甚至饥不得食，渴不得饮，吃了不少苦头。

孩子们的适应性

可是孩子们的适应性和模仿性也真强。出海之初，一有风浪，他们便“呕吐大作，俱睡而不能起”。经过十来天锻炼以后，轮船在太平洋中心区遇到了“两年来所未见”的大风暴，“箱笼被浪簸掷，旋整旋翻”，“在船行走，两脚如醉人，东摇西掷，身不由主”；幼童们却“嬉戏自得，毫无恐怖”。入夜风浪少平，祁兆熙“浑身酸痛，思欲早睡”；而“诸生在大菜间游行，莫之监必哗，仍迟至十一点钟皆睡乃睡”。翌日天晴，“西人男女在舱面上，以囊沙如枕七八，互相抛掷，作消闲舒筋骨，诸生亦效之”，又学西人“甩绳圈，以西字划界，约距丈馀，甩中者为佳”，现出了一派活泼泼的生气。

生活习惯方面，起初幼童只能吃中国饭菜，祁兆熙自备治喉痛用的咸西瓜皮，也被大家分食过半。但是，航程还没有结束，过半数的幼童便喜欢吃牛乳、面包了。随祁兆熙往游美国的他的三弟兆熊，原来宁愿用开水淘米饭果腹，后来也居然能大吃其生鸡蛋，自诧云："前所不能食者，今亦能之矣，不亦怪乎？"祁兆熙自己和洋人同处一室，朝夕相见，"臭味几合同而化"，结论是："海外男女皆兄弟。"他的观念肯定影响到了幼童们，不过，也可能是幼童们影响了他。

海外男女皆兄弟

在护送途中，祁兆熙还很注意幼童的学习。《日记》八月十三日记："诸生学习家信，指示一二。"二十六日记："将《三训合刊》三十本，书诸生名，教之读。"二十七日记："九点后，在大菜间教读《感应篇》二页。……晚饭后，温理诸生外国书。有差误者，责手心三下。诸生无事，或寻口舌。余行理书之政，午后读熟，晚饭后背，遂安静。"二十八日记："早餐后宣讲《三训合刊》，晚课西书。"熟读背诵，差误打手心，很可以看出"沪局"教学方法的痕迹，而最有趣的则是将《三训合刊》、《感应篇》和"西书"结合起来教授。《三训合刊》是一本什么样的书，日记并未说明，大概总有一"训"是《圣谕广训》吧。一面不得不开始教"外国书"，一面仍念念不忘宣讲圣谕，这样的"中西结合"，当然不免使现代人感到滑稽。

对于幼童们的言行举止，祁兆熙也管得十分严。行为失检，和背书不出一样要打手心。九月十一日记："有二生骂人，责以警后。"十二日又记：

> 诸生或拾西人所遗地景图，见而责之，使归故所。遂遍戒诸生：苟取一物于船，知必责，匿必阅。并告之曰："凡物既用，当复其所，勿忘；精细易损者，勿损；人则谓尔敏，不尔厌，小子识之。"

体罚的办法虽不可取，要求幼童行为检点注意影响则是对的。

将幼童护送到春田的第三天，"外国先生接踵到寓，来受诸生”。祁兆熙“奔走其间,训勉之馀,不觉有黯然之情”。如果说,告诫诸生,看出他的方正,那末在这里又看到了他的温情。

完成护送任务后,祁兆熙只在春田、哈城一带停留几天,便动身回国了,没有随邝其照(容阶)绕道欧洲。曾恒忠(兰生)邀他到纽约“盘桓二日,以畅游兴”,他因怕耗费,也固辞了。祁氏自称:

> 去国二万三千里,涉履艰难,波涛危险,旷古所未闻,况瘁渴饥,乃其常事。……所冀者偕偕士子,自天佑之,他时濯足扶桑,不失为国储才之意耳。

表现了一定的责任心和爱国心。

祁兆熙回国,没有再和教育发生关系,而到广东做官。民国七年刻《上海县续志》卷十八本传谓其:

上海县志介绍祁氏

> 官粤十七年,历办督署洋务,辑《通商约章》、《洋务成案》,与香港英官妥定中国电局事宜,中外翕然。其他筹赈、禁赌,查洋面缉私船之扰,解廉州常洋关之事,……皆尽心力。光绪辛卯,积劳卒粤寓。

幼童在美国

由中国遣送学生到美国留学的总的历史背景已如上述,但当时各方面办这件事情所抱的具体目的,则又颇不相同。容闳的目的是:

使予之教育计划果得实行，借西方文明之学术以改良东方之文化，必可使此老大帝国，一变而为少年新中国。（《西学东渐记》第十六章）

奕䜣、曾国藩、李鸿章、丁日昌等人的目的是：

拟选聪颖幼童，送赴泰西各国书院学习军政、船政、步算、制造诸学……使西人擅长之技中国皆能谙悉，然后可以渐图自强。（《同治十年七月十九日奏》）

选送留学的目的

而一般官僚（包括部分洋务官僚）的目的，则只是为了培养一些翻译人材，以便和洋人打交道。正如温秉忠所说的：

一八七〇年天津教案发生，许多外国教士被杀。中国官员在处理这项教案时，最大的困难就是难觅训练有素的翻译为政府服务，因此有时不得不依靠洋员，而在与外国领事谈判的过程中，徒增许多困难。

（一九二三年十二月二十三日的演讲）

这便成了这些人（以及受这些人影响的朝廷）赞同派遣留学的直接原因。

容闳从充分接受西方文化的目的出发，力主选送幼年学生出国。曾、李诸人，于此本有怀疑。李鸿章同治十年四月初一日（一八七一年五月十九日）写信给曾国藩，主张派“二十岁内外通习中国文义者”出洋，认为派出十五岁以下幼童“多费而少益”，请曾考虑“可否再令妥商改订”。由于容闳坚持，加上多数人认为学习外国语言应从幼年开始，结果定出来的办法是：挑选十二岁至十六岁（系按中国习惯算法，实际上是十一岁至十五岁）的幼童出洋，但幼童在出洋前，须经沪局“查考中学、西学，分别教导”；出洋后又须“兼讲中学，课以《孝经》、小学、五经及国朝律例等书”，“每遇房、虚、昴、星等日，正副二委员传集各童，宣讲《圣谕广训》，示以尊君亲上之义，庶不致囿于异学”。

兼讲中学课以孝经

好一个“囿于异学”！在某些人看来，几万万中国人囿于五经四书、“国朝律例”是理所当然的，并没有什么不好；而一百二十名远适异国的幼童，如果丢开了《孝经》和“国朝律例”（即使是暂时的），那就会“囿于异学”，就有亡种亡国亡头的危险。

因为只有容闳熟悉美国的环境和教育情形，政府不能不委派他为“选带幼童出洋肄业局”（以下简称“出洋局”）的副委员，但同时又派陈兰彬为正委员，位在容闳之上。“出洋局”自一八七二年九月成立，至一八八一年九月结束，九年之中，先后派充正委员的共四人，即陈兰彬（荔秋）、区谔良（海峰）、容增祥（元甫）、吴嘉善（子登），容闳始终只是一个“副委员”。陈、区、吴都是“翰林”出身，为传统文化之代表。一八七五年清政府发表陈兰彬、容闳为驻美正、副公使，不仅陈氏之位仍居容氏之上，而且正好藉口容氏“常驻美京”，遂得“令其不必多管”出洋局的事情了。

幼童抵美后的安排，开始完全由容闳主持。他接受耶鲁大学教授 Hadley 及康省教育司 Northrop 的意见，先“将学生分处于新英国省之各人家，每家二三人”，使能习于英语与西方生活方式。关于这方面的情形，《日记》颇多有价值之记载，如九月三十日（礼拜日）记：

分散住入美国家庭

早膳后，外国先生接踵到寓，来受诸生，容帮办、兰生接待之。先生男女皆有。……朱锡绶与曹茂祥同馆。彼师亦女子也，见二生，喜。其亲爱之情，旁观者亦鉴貌得之。……

十月初二日，详记三十名幼童分住各处情形，如朱锡绶、曹茂祥住信司白尔野书馆，从阿尔福学习；祁祖彝、朱宝奎住叟亥得聂夫阿尔司书馆，从慕阿学习；梁如浩、唐绍仪住四北岭非尔书馆，从格阿登学习；薛有福、徐之煊住四北岭非尔书馆，从弥那学生；等等。十月初四日记：

在教师家中的生活

同兰生乘马车，换火车至祖彝塾师家，路十五麦(里)。祖彝与朱宝奎有喜色。师家有苹果树，连日畅吃苹果。其家在山上，屋上下八间。家凡四人，女师姊妹二人，老母年近六旬左右。无旁房，后即园林也，依山傍水，大有秀气。

祖彝与宝奎谓我曰："自到馆，目见不满二十人。"余曰："读书之处，得此清静琊嬛也。"

方到之日，女师为理衣箱，派书几，有大抽屉。二人同一大榻，被褥全备。夜俟其睡，熄灯。

余见其师将二人所用洋布手巾缝边，嘱二人取苹果馈余与兰生。取携能应对。现即将日用起居，随时随地教一句，写一句。其读书之时，亦九点起，四点止。……

十月初八日记：

……初，有四生，第一批二人，第二批二人，龌龊而顽，拟撤去，从余回。后容君面试之，西话甚熟。并念其有兴而来，当使得一技之长，以尽栽培之愿。现拟派往学习机器等事。前二日，见退生师来送别，赠银一圆，为之下泪。赠银下泪，师弟之情亦厚矣！

师生感情

应该说，大多数中国幼童和他们的美国老师及其家庭成员之间，确实是建立了深厚的感情。幼童们迅速地学会了英语英文，同时也开始习惯了西方的生活方式。温秉忠回忆第一批幼童抵达春田后的情形，和《日记》所记的也差不多：

第二天，容闳先生分配他们给来自各地的美国老师。老师带他们回去。在以后留美的岁月中，这些美国老师负起教养监护的责任。每一个美国老师家庭负责两个或四个幼童。英文合格的幼童直接送入美国学校，不合格的在老师家接受个别补习，做入学的准备。

以为他们是女孩

最初，幼童均穿长袍马褂，并且结着辫子，使美国人当他们是女孩。……为了减少困扰，数月以后，幼童向“出洋肄业局”委员呈准改穿美式服装。当时幼童平均不及十五岁，对新生活适应很快，迅速接受了美国的观念及理想(American Idea & Idseals)……

中国幼童们与一同食宿的美国家庭及中学、大学同学们，均建立了深厚之友谊。……美国老师及监护人那种家长式的爱护(Parental Treatrnent)，使幼童们久久铭感不忘。

一八七六年八月二十二日，李圭在美国费城万国博览会上，见到中国幼童一百多名到会参观：

诸童多在会院游览，于千万人中言动自如，无畏怯态。装束若西人，而外罩短褂，仍近华式。见圭等甚亲近。吐属有外洋风派。幼小者与女师偕行，师指物与观，颇能对答。亲爱之情，几同母子。(《环游地球新录》)

李圭《环游地球新录》还介绍了博览会上展出的中国幼童学业成绩："绘画、地图、算法、人物、花木，皆有规格"；"洋文数页，西人阅之，皆啧啧称赞"；随行翻译云，"幼童在哈佛攻书二年，足抵其当日在香港学习五年，诚可见用心专而教法备焉"。

"出洋局"办事处原设春田，旋迁至哈城森孟纳街(Sumner Street)。祁兆熙护送第三批幼童即到此处，《日记》称之为"哈富公馆"：

洋房上下廿馀间，租金岁一千七百两。楼下客位一间、书室一间。书满六架，凡学堂书尽备，……并有汉书几种及唐诗、官板《三国志》、《胡文忠公集》。对面两间，诸生读书之处。顶上一层，孔子神位。幕友与局主，房于第二层。……

哈富公馆

幼童平时分住美国老师家中，"以三个月一次来局习华文，每次十二人，十四日为满。逾期则此十二人复归，再换十二人来。以次轮流，周而复始"。这样做是为了执行政府的指示，"庶不致囿于异学"。殊不知"异学"对幼童的吸引力是如此之强，三个月一次课以《孝经》和宣讲圣谕的办法，终于难以抗拒"美国的观念及理想"。尽管容闳请求政府出资在克林街(Collins Street)建造了一所规模更大的楼房，作为"出洋局"的永久住址，阴影终于落到了这栋三层楼房上，中国的留学计划终于功败垂成。

但是,在美国的学习和生活,对幼童们的影响是很大的。在美国曾经发现中国幼童薛友福(一八七五年十一岁时赴美,一八八一年撤回,一八八四年十九岁时在中法之战中殉国)归国前后写给美国女同学凯蒂(Kathline)的两封信。一八八一年九月一日写于旧金山的信中说:

薛友福和 Kathline

> 在这遥远的天边,多么希望听到你的信息、以便得悉朋友们在世界那端的情形。

一八八二年一月十日写于厦门的信中说:

> 九月六日下午,我们乘"北京城"号启碇回中国。……同航旅客很多,也有很多传教士。他们都去过中国,故我很乐于与他们交谈。……
>
> 我常常独自看海。那海鸥或前或后,争啄船上抛下的残食。我常想:它们长飞竟日不息,入夜必然栖息在海上了。……
>
> 此间天气不冷,正如美国八九月季节。现在你们那里一定冰雪交加,而此处正是春暖花开时候。我真希望你能来此,共赏快乐的季节。……我也盼望我能再溜冰,即使几小时也满足了。……

请读者们想想,这位十六岁少年对世界、对朋友、对自己、对生活的观念,岂是光绪七年国内的一般少年所能企及的吗?在光绪七年的时候,宣统皇帝的本生父醇亲王载沣(一八八三至一九五二)还没有出世,中国的"小小蒙童"还在背诵八股文章、《太上感应篇》和“男女七岁不同席”的教条。

“出洋局”的结局

幼童们在美国的学习和生活,在容闳看来一切都很正常;但在另外的委员们看来,却越来越带有离经叛道的色彩。于是他们设法进行干预,试图扭转事情的进程,“出洋局”内部的争执激烈起来了。

出洋局内争执激烈

“出洋局”创办之初,曾国藩奏派容闳(纯甫)、陈兰彬(荔秋)同为委员,“盖以纯甫熟谙西事,才干较优;荔秋老成端谨,中学较深,欲使相济为用也”(李鸿章光绪七年二月三十日致译署函)。

殊不知“西学”和“中学”在这里很难相济,容、陈二人一开始就互相牴牾。容闳在《西学东渐记》第十九章中历述陈兰彬对学生的种种限制,“例如学生在校中或假期中之正杂各费,又如学生寄居美人寓中随美人而同为祈祷之事,或星期日至教堂瞻礼,以及平日之游戏、运动、改装等问题”,陈皆表示反对,靳而不允。容闳云:

> 每值解决此等问题时,陈与学生常生冲突,予恒居间为调停人。但遇学生为正当之请求,而陈故靳不允,则予每代学生略为辩护。以是陈疑予为偏袒学生,不无鞅鞅。……而此多数青年之学生,既至新英国省,日受新英国教育之陶镕,且习与美人交际,故学识乃随年龄而俱长。其一切言行举止,受美人之同化而渐改其故态,固有不期然而然者,此不足为学生责也。……但在陈兰彬辈眼光观之,则又目为不正当矣。

受美国人之同化

（留美两年后的幼童，在新英格兰学校中）

一八七九年（光绪五年），“出洋局”委员容增祥（元圃）丁忧回国，即向李鸿章禀告容闳“偏重西学，致幼童中学荒疏”，云：“纯甫（容闳字）意见偏执，不欲生徒多习中学。即夏令学馆放假后，正可温习，纯甫独不谓然。”（见《李文忠公全书》卷十九《复陈荔秋星使》）而李鸿章也就据此“寓书诫勉”容闳，“不啻至再至三”。

一百二十名幼童出洋，除原拨经费银一百二十万两外，后来又陆续添拨二十八万馀两。已经很穷的中国政府，拨出这么多经费，难道就是为了让一百多名幼童飘洋过海，到美国东海岸去“温习中学”吗？对于这一百多名学生来说，如果不是要他们“偏重西学”，又何必送他们出洋？容闳乃复书李鸿章，力驳他人谬论。而继容增祥为委员之吴嘉善，仍然坚持“偏重西学，利少弊多”的观点，不断向北京报告：

吴嘉善的报告

> 学生在美国，专好学美国人为运动游戏之事，读书时少而游戏时多。或且效尤美人，入各种秘密社会。此种社会有为宗教者，有为政治者，要皆有不正当之行为。坐是之故，学生绝无敬师之礼，对于新监督之训言，若东风之过耳；又因习耶教科学，或入星期学校，故学生已多半入耶稣教。此等学生，若更令其久居美国，必至全失其爱国之心；他日纵能学成回国，非特无益于国家，亦且有害于社会。……　　（《西学东渐记》）

起初，李鸿章还“随时函告荔秋、纯甫、子登，劝令销融意见，尽心公务，以收实效”。甚至嘱令容闳“不必多管”学生的事，由吴嘉善“设法整顿，以一事权”。但吴、陈之于学生，怨毒已深，必欲使留学事业毁于一旦。光绪七年二月六日（一八八一年三月五日），陈兰彬用“出使美日秘国大臣”的名义奏称：

> 上年十一月，吴嘉善特来华盛顿，面称：“外洋风俗，流弊多端；各学生腹少儒书，德行未坚，尚未究彼技能，实易沾其恶习。即使竭力整饬，亦觉防范难周，极应将局裁撤。惟裁撤人多，又虑有不愿回华者，中途脱逃，别生枝节”等语。……诚恐将来利少弊多，则照其所言，将各学生撤回内地，严加甄别……至所虑中途脱逃一节，即责成该总办督同教习各员，亲行管带回华交代，自免意外之虞。

奏上，下总理各国事务衙门议复。恭亲王奕䜣这时已经失势，凡事只敢看慈禧太后脸色行事，遂奏称：

> 查该学生以童稚之年,远适异国,路歧丝染,未免见异思迁。……如陈兰彬所称,是外洋之长技尚未周知,彼族之浇风早经习染,已大失该局之初心。四月二十六日,准李鸿章来咨,现调出洋学生二十名赴沪听候分派,是亦不撤而撤之意。臣等以为与其逐渐撤还,莫若概行停止,较为直截。

全体幼童辍学回华

全体幼童即日撤局回华的命令下达,用温秉忠的话来说,“对幼童言乃一忧伤之日,大多数再过一两年即可毕业,中途荒废学业,令人悲愤异常”。事实上,全体幼童中,只有詹天佑、欧阳赓两人大学毕业;另有约六十人在大学肄业,其馀的还是中学生。总计四批学生一百二十人中,有三人在美去世,数人因故先行撤回,数人抗拒回国命令,其馀遂于一八八一年九月六日离美返华。

留美学生回国后的境遇和心情如何,黄开甲(一八七二年首批赴美幼童)一八八二年一月二十八日从上海写给他在美国的居停主人和老师的妻子 Fannie Bertlett 夫人的信很能说明问题。信中说:学生们在归国时,“曾幻想有祖国伸出温暖的手臂来拥抱我们”,结果“却不见一个亲友,也没有微笑来迎接我们这失望的一群”。“为防我们脱逃,一队中国水兵,押送我们去上海道台衙门后面的‘求知书院’”。这所书院关闭已经十年,“当你跨进门槛,立刻霉气扑鼻”。夜间,“潮气由地上砖缝中冉冉升起,使我们衣衫尽湿”。“这种侮辱刺痛着每一个人的心”。而尤其使人伤心的是,政府强行分派归国学生到各地去工作或重新学习,“完全不按个人志趣及在美所学”。“我们的饥寒与否,政府是漠不关心的”;“对于我们家人是否冻饿,政府更不予理会了"。

黄开甲愤怒地质问道:"这就是东西双方影响下,中国政府的'进步政策'吗?"他说,像这样的政府是不值得同情的,只有一个经过"彻底清除再改革的政府,才适合治理它的万千子民"。

愤怒质问

请看,"历史"这位严厉而高明的老师就是这样在给人们上课的。愚蠢的开倒车的行为,结果总是适得其反。清朝政府撤回留美幼童,是因为怕幼童接受 American ldea & Ideals,成为"不复卑恭之大清顺民";结果它得到的仍然不是卑恭的顺民,而是强烈要求"彻底清除"旧政府和进行改革的愤怒的一代。

"幼童出洋"的理想和试验就这样烟消云散了,愤怒的情绪却深埋在人们的心间。

黄开甲的信中即已报告:"在我们留美返华的幼童中,已有少数被旧习腐化;有人已散漫不堪、生活颓废;但大多数对恶势力、对官僚习气的抗拒仍坚定不移。"

随着时间的推移,幼童们由青年而渐入中年、老年。但"幼童"(Boy)始终是他们引以为荣的称号。一八九四年三月二十四日,美国 Bartlett 女士写信给吴仰曾道:"即使有朝一日你满头白发,我们仍然叫你'幼童'。"容尚谦一九三二年十月二十二日写信给美国 G. Robinson 时也说:"我们多年来都自称'我们幼童'(Our Boys),虽然到今天我们都已超过七十岁,而且只剩下二十九人了。"

"幼童"中活得最久的是周寿臣(原名长龄,一八六一至一九五九年)。他在回忆他在新英格兰的学生生活时说:

> 那里的岁月,对我是充满欢乐和鼓舞的回忆。在那里,我第一次有机会接触到西方的文化及文明,亲身目睹美国

人民共同生活中的民主方式及无数其他有意义的活动。

在“幼童”中，后来出现了詹天佑（第一位在国际上得到承认和高度评价的中国工程师）、吴仰曾（第一位中国著名矿冶工程师，为建设开滦煤矿作出了卓越贡献）、蔡绍基（北洋大学校长）、张广仁（第一位获准在美开业的华裔律师）、梁敦彦（清末曾任外务部尚书）、唐绍仪（民初国务总理）等许多人物。前面提到过的那位写信给美国女同学的薛友福，于一八八四年中法战争中英勇殉国。另一位“幼童”梁应科，也在一八九四年中日战争中表现勇敢，得到了“巴图鲁”的称号。他们都在历史上留下了自己的名字。而只要顺民不要人材的清朝政府，却确实被自己的“万千子民”所“彻底清除”了。

只要顺民不要人材

在一八七二至一八八一中国幼童留美这件事情中，祁兆熙不过是一位不太重要的当事人。《日记》的发现和刊行，给研究这段史事的人增添了一份有价值的资料。至于从这件事情中引出什么样的历史教训，那就不属本文讨论的范围了。

8 张德彝《随使法国记》(《三述奇》)

□ 张德彝一八七〇年随崇厚往法国(为天津教案谢罪),一八七一年三月在巴黎目击公社起义,八月末离法往英美游览,年底回国。所著《三述奇》书稿藏于北京柏林寺,经整理收入丛书,并取名《随使法国记》。

巴黎公社的目击者

亲历西方的中国人的载记，不仅对中国近代史研究有重要价值，即对西方史的研究也有其价值。张德彝目击巴黎公社后写成的《三述奇》——《随使法国记》即是一例。

一八七一年即清朝同治十年，和法兰西远隔重洋的中国，最早的产业工人还刚刚从乡下出来，巴黎公社的火光还没有来得及将他们的眼睛照亮。就在这一年，中国专使崇厚为了了结天津教案而到了法国。张德彝是崇厚的随行译员。巴黎公社革命爆发前一日，张德彝奉崇厚之命先入巴黎，因而目击了这 一场惊天动地的事件。《三述奇》原稿八卷，有五卷记述了有关法兰西内战和普法战争的事情，作为一个东方人的观察，具有重要的史料价值。

据陈叔平研究，一八七一年中国对巴黎公社的报道，仅有外国人所办《中国教会新报》和王韬所编《普法战纪》，各译了几条欧洲报纸上关于“法京民变”、“巴黎乱事”的新闻。以致当代法国历史学家贝尔热夫人，在纪念巴黎公社一百周年的论文和讲演中，宣称中国在一九二七年以前，几乎未见到任何有关巴黎公社的反映（《法国史研究·巴黎公社专辑》）。《随使法国记》的发现和出版，改变了史学界的看法，很快便引起了法国的巴黎公社史和巴黎史学者的注意。

一八七一年在法国

一八七一年一月二十五日（清同治九年十二月初五日），“斯戛莽达”号轮船在法国马赛靠岸，有十来位中国官员和他们的随从人等一行下船。为首的是头戴红顶大帽、后拖双眼花翎的“太子少保、三口通商大臣、兵部左侍郎”崇厚——中国政府派往法国的专使。在崇厚身旁，跟着一位面目清秀、身材颀长的年轻人。他对于离船上岸这些事和码头上的一切，好像显得比旁人更为熟悉。这就是崇厚的英文译员、“兵部候补员外郎”张德彝。这个二十三岁的年轻人，已经是第四次进入法国了。

崇厚的译员

（崇厚的译员张德彝）

一八六六年，张德彝以同文馆学生的身份首游欧洲，写下了他的第一部游记《航海述奇》，讲述了他接连两次旅经法国的经过。一八六九年，他随中国第一个到西方的外交使团出国期间，再一次到法国,写了一本《再述奇——欧美环游记》。这一回他第四次来到法国,从一月二十四日到十二月十日,呆了差不多整整一年,从头到尾亲闻亲见了普法交兵、法国投降、巴黎起义、凡尔赛军队攻占巴黎,以及对革命者进行大规模镇压等等历史场面,以一个目击者的身份,写下了一部《三述奇》——《随使法国记》。这是现在所知唯一的东方人所写的巴黎公社目击记,否定了“中国人没有直接观察并记述过巴黎公社”的说法。

张德彝事先并不知道会在法国碰上战争和革命。但他是一个关心外界事物、随时注意作出记录的有心人。到达法国的当天晚上,他住在旅馆,就呼吸到了当时法国的紧张空气。“亥初,忽闻楼外乐声一阵。出而视之,共兵百馀名,乱步而行。有唱者,有泣者,有疾驱者,有缓行者,行人皆击掌而贺。盖当时法郎西与德义志两国鏖兵数月……”他的笔墨就立刻开始记述这一场战争了。

张德彝与崇厚及其他人不同,他懂得外语,又曾多次出国,比较了解西方的政情和社会。因此,当他有心观察和记录外国的情况时,他就能够找得到门径和方法。

普法战争

《三述奇》在收入《走向世界丛书》时,除了取名《随使法国记》外,还按内容重新分卷,并给各卷加上了新的篇名。在第二卷即《普法战事记》中,张德彝追述了普法战争的经过和法国政局的变化,写得井井有条,而且十分具体,比起《中国教会新报》那些转抄改写的报导来,生动具体得多,例如(这一节张德彝系用西历记事,故在括弧内加文字说明):

> (西历一八七〇年九月)初二日,法、德大战于水塘(色当)城七昼夜,互有胜负。是役也,德军六十万,用枪炮百二十万。至是俘虏法军三十五万,夺获大炮四千七

百门,枪三十万杆,据地二省。

至初六日,法军欲与德议和,德君不允。当日午刻,法君手举免战白旗,欲见德君;乃先遣一官,往送宝剑,以示相投之意。德君答云:“不能与剑对语。即欲议和,可令拿破仑(三世)自来。”未初,法君亲诣德营。德帅毕驷马(俾斯麦)与其大将何楠暗约,调军三十万,乘间窃发,与法军八万复大战于水塘城。法旋败绩,拿破仑遂被俘焉。……

初七日,巴里(巴黎)闻各处失守,国君被俘,众议改为民政(共和):……外部发福尔(法夫尔),外以冈北达(甘必大)为帅,内以屠额许(特罗胥)操兵,而民主(总统)执国政焉。君后(拿破仑三世的皇后)问众:“可仍居巴黎否?”众云:“不可”。遂携世子逃往比利时,寻又入英吉利。

《普法战事记》主要叙述两军交战,但也反映了法国民众斗争的情形。如叙西历九月十八日,俾斯麦提出苛刻的休战条件,“法不能从其议,于是西南北三面愤起义兵”。二十五日,“法东乡来援巴里,遇德兵。战,德败”;巴黎城中“官兵二十万,乡勇四十万,每日出城引战,德不得入”。可以看出,这时“乡勇”即国民警卫队的人数,已经多于正规军了。旋复叙十月十八日“石头洞”村村民抗战情形,以及二十九日著名的蒲日村(今译布耳日村)之战。这个距巴黎十二里的村子抵抗住了德国大军的进攻,战况异常惨烈,“尸填沟壑,血满田畴”。

布尔日村之血战

张德彝沿用国内对广东农民起义武装的称呼,把以红旗为标志的巴黎人民自卫武装称为“红头”,记载了“红头”的许多活动。虽然他站在维护正统的立场,带有“犯上作乱即为贼”的政治偏见,但他的记载毕竟还有客观的一面,为巴黎人民革命留存了一些史料，如：

称起义者为“红头”

(西历)十月初九日，有戴红帽之乡勇十万名为“红头”者，齐赴外部，伪以击退德兵为名，欲藉改民政而作乱，遂调各部兵将击退之。

(西历)十月三十一日，……有“红头”数万，围守提督公署，声言要改“红头民政”。廷臣集议，示以翌日宣告，须通城人民保结，再为酌定(按此指国民议会决定实行巴黎全民投票)。十一月初三日，巴里百姓保者五百五十万七千九百九十六名，不保者六万二千六百三十八名，改否未定。

《普法战事记》之后为《马赛波尔多纪事》。第一天记：“法邦外部大臣发福尔亲到卫洒(凡尔赛)德营，与毕驷马商议停战二十一天。毕对云：如欲停战，须依德营十五款。”而在丧权辱国的投降条约签字之前，“红头”已经“满街喧闹”，并将拦阻的“看街兵”“投诸河中”。同治九年十二月初九日记：因为“红头时时反乱”，会堂(国民议会)和外部都迁移到波尔多，“各国驻扎公使亦多因而移去焉”。此外，并记载了遆尔(梯也耳)被国民议会选举为“伯理玺天德”一事。一星期后，崇厚率张德彝等一行也以外交人员身份，从马赛到达波尔多。

张德彝在波尔多住了四十来天。从他的记载看，法国外省的官吏、军官和商人，此时生活还比较平静。这说明对德战争的失败，并没有给统治阶级带来多少痛苦，这个阶级也并没有投入“全民抗战”的浪潮。在马赛时他就有过这样一段记事：

前日来拜之武官名傅达义者，系奉命来此与兵购买鞋袜者。彼尚游玩看剧,不以官事为重。斯时城(巴黎)虽被困,王虽被擒,而闾阎市廛,仍是朝朝佳节,夜夜元宵,鼓乐喧天,车马震地,可谓燕雀不知大厦之倾也。

可是,普通法国人民的情况却与此不同。在波尔多,张德彝到旅馆对面人家小坐,就见到了从巴黎逃出的难民。房东的儿子原在巴黎从军,也已经四个月没有家信;房东太太讲到儿子,便忍不住伤心哭泣。这样的情景,在他平时接触的达官贵人中是见不到的。后来,在波尔多竟有巴黎难民向中国官员求乞,想起过去在北京见到乞丐向洋人讨钱的情形,张德彝这位旁观者,也不禁感慨系之了。

三月十八日前后

一八七一年三月十七日

同治十年正月二十七日,张德彝奉崇厚之命从波尔多到巴黎觅租行馆,和他同行的是法国驻华代办罗淑亚(Rochechouart)派遣的译员、汉学家德威理亚(Devéria),拟先找侨居巴黎经商的华侨王子显(承荣)。当时巴黎已是暴风雨即将来临的前夕,张德彝虽有一些不平常的感觉,但仍在寻看房屋:

卯初抵巴里,与德威理亚分袂。见征车虽多,鲜有马车。遂雇小儿一名,令持手箱、衣包,步至妥朗晒巷第六号王子显(承荣)铺内,相见甚喜。……旅馆大半歇业,虽开,亦恐内藏“红头”,遂于午初步至居福巷内第五号霍福家借房小住。未初,同德威理亚乘车……先至娄氏巷看房……。酉初回寓,……禀呈星使。

第二天,同治十年正月二十八日,即公元一八七一年三月十八日,一场惊天动地的革命就在巴黎爆发了。

可与信史参看

巴黎公社参加者、法国历史学家普·利沙加勒所著《一八七一年公社史》,被马克思誉为“第一部真实可信的公社史”(《一八七六年九月二十三日给白拉克的信》),其德译本附有《大事年表》(以下简称《年表》),三月十八日这一天所记大事是:

> 维努亚企图在拂晓的时候夺取蒙马特尔的大炮,军事占领巴黎。巴黎人民起义。士兵们拒绝射击,同人民联欢。克列芒·托马和勒康特两将军被他们的士兵枪杀了。
>
> 晚上,梯也尔命令政府的一切机关撤出巴黎。
>
> 国民自卫军中央委员会掌握政权。东布罗夫斯基从里昂回到巴黎。

如果我们拿张德彝当日和次日的日记和《年表》作一对比,立刻可以看出张德彝日记的价值:

> 二十八日戊午,晴。午初,同德威理亚、费亚柏步至丹胆街,租寓已定,并告以如何安排修饰。……闻是日会堂公议,出示逐散巴里(巴黎)各乡民勇(按指巴黎人民组织的国民自卫军);又各营派兵四万,携带火器,前往北卫、比述梦、苇莱暨纲马上下四路,拟取回大炮四百馀门,因此四处皆系乡勇看守。官兵到时,乡勇阻其前进。将军出令施放火器,众兵抗而不遵,倒戈相向。将军无法,暂令收兵。叛勇犹追逐不已,枪毙官兵数十人。武官被擒二员,一名腊公塔(勒康特),一名雷猛多(克列芒·托

五兩、訂于翌午送信。酉初回寓。即將間數地趾距其外部遠近，繪圖貼說，稟呈星使。

二十八日戊午，晴。午初同德威理亞、費亞柏步至丹膽街，租寓已定，並告以如何安排修飾。房主欲先收租銀三月，屢向辯駁不允，後德威理亞代改兩月。其妻猶況思良久始允，乃訂于次日開明一切物件，及將來某物失損作何計算，畫押立據等事。酉正，德威理亞邀晚飯，同坐有其母、妹、戚友八人。亥初回寓，聞是日會堂公議出示逐散巴里各鄉民勇，又各營派兵四萬，攜帶大器前往北衛、比述蒙、蒙莱暨綑馬山下四路，擬取回大礮四百餘門。因此四處皆係鄉勇看守，官兵到時，鄉勇阻其前進，將軍出令施放火器，眾兵抗而不遵，倒戈相向。將軍無法，暫令收兵，叛勇猶追逐不已，搶斃官兵數十人，武官被擒二員，一名臘公塔，一名雷猛多，亦皆以槍斃之。戌正叛勇下山，欲來巴里，一路民勇爭鬪，終夜喧聞，彝飛稟星使，請仍在波耳多暫駐數日，俟軍務稍定，再稟移入法都。

二十九日己未，晴涼。聞昨夜叛勇已入巴里，至王宮左萬洞坊之銅柱下，約千萬人，譁然鼓噪，聲言將吏兵二部大僚并民勇將軍、巴里提督、按察司皆改用其黨。各官畏懼，皆避往衛灑等處。巴里遂無主矣。叛勇行令，官兵皆倒舉火槍，以示無與戰意。人心惶恐，畏其搶奪殺害。富者已經他徙，貧者無以自衛。王霍二家亦不日即逃去。彝恐大亂無可避居，即擬出巴里，苦無車馬，萬難步奔，遂函稟星使，擬回波耳多，再為料理。正繕稟間，忽聞礮聲大起，急投信於信局，而信局已閉門不納，欲改送電信，而電局亦暫停止。欲往向德威理亞計較，據洋僕

《三述奇》稿本三页，记同治十年正月二十八日即一八七一年三月十八日和第二天在巴黎的见闻

（此为独一无二的中国人亲历巴黎公社起事当时的实录，请注意与正文和有关引文参看）

马),亦皆以枪毙之。戌正,叛勇下山,欲来巴里。一路民勇争斗,终夜喧阗。彝飞禀星使,请仍在波尔多暂驻数日,俟军务稍定,再禀移入法都。

旺多姆广场

二十九日己未,晴,凉。闻昨夜叛勇已入巴里,至王宫左万洞坊(旺多姆广场)之铜柱下,约千万人,哗言鼓噪,声言将吏、兵二部大僚,并民勇将军、巴里提督、按察司皆改用其党。各官畏惧,皆避往卫洒(凡尔赛)等处,巴里遂无主矣。叛勇行令,官兵皆倒举火枪,以示无与战意。人心惶恐,畏其抢夺杀害;富者已经他徙,贫者无以自卫。王、霍二家,亦不日即逃去。彝恐大乱无可避居,即拟出巴里,苦无车马,万难步奔,遂函禀星使,拟回波尔多再为料理。正缮禀间,忽炮声大起。急投信于信局,而信局已闭门不纳。欲改送电信,而电局亦暂停止。欲往向德威理亚计较,据洋仆云:江北各港口,皆以车轮石木堆筑炮台,行人往来皆有暗号,不可遽往。只能函雇送往,以候回音。不意其人回云:德威理亚因故他出。及至火轮车局,始知戌刻方有车来。欲留行李局内,以待海车(高座马车)前往;而海车之有无,亦难预定。……幸有王子显送至河干,恰遇一火轮舟,急行抢渡。行十馀里登岸,步行三四里,至火轮车客厅买票登车,与王子显作别。当时,沿途老幼男女,拥挤喧哗,络绎不绝。……

翌日,张德彝从动乱中的巴黎来到波尔多后,“谒见星使,面禀一切。星使甚喜,温语慰之”。

张德彝的这些记述,不仅与信史完全相符,更可贵的是提供了不少只有亲历者才能知道的细节。他对事件的发生并无思想准备,又是一个外国客人,同斗争双方并没有利害关系。

尽管他沿用官方口吻，把人民起义称为“叛乱”，但看得出他对起义者并无深仇大恨。所谓旁观者清，这些私人记载，自然相当可信。

巴黎革命后，张德彝随崇厚于二月初十日（一八七一年三月三十日）到达政府所在地凡尔赛，并且先后见到了梯也尔、法夫尔等人。在《凡尔赛纪事》一篇中，他只能从凡尔赛的角度来看巴黎；但他在记述官兵（凡尔赛军队）与“红头”（巴黎起义军）的战斗时，既写了官兵的得胜，也写了官兵的失利。如二月十九日记纳里（讷伊炮台）之战，说“红头”四万七千，枪炮六万馀具，颇属利害；官兵过桥时，“误触”炸炮（地雷），伤数百人，提督（将军）也阵亡了二员。三月十六日又记官军利用奸细偷袭巴黎失败，“先与党中数人定计；暗中开城；不意谋泄，俟兵到时，‘红头’连施炸炮地雷，所伤甚多。”

凡尔赛

对于凡尔赛方面的情况，他也能够不予隐饰地直书。在到凡尔赛第一天的晚上，就记了旅馆外边“兵马云集，人语喧哗”，原因是“官兵不与叛勇战，故调水师来此”。第二天又记载凡尔赛的市容，“有卖马肉、狗肉者。甚至下等人不靧面，不整容，衣服蓝褛，……女子则首如飞蓬，小儿则坐于涂炭”，活生生一幅流民图。三月十一日记凡尔赛“正殿改为官署，戏园改为会堂，大厅皆以木截成小屋，外挂一牌，云某号某司，专理何事，内设床榻火炉”。三月二十二日记述他目睹巴黎战况，“浓烟冲突，烈焰飞腾，似焚房屋数千间状，亦一浩劫也”。此时正值两军激战，胜负未定之际，这当然是凡尔赛军队炮火轰击巴黎的结果。在最后听到巴黎“克复”的消息时，他又写到，“缘德知法久战，所费不赀，恐赔款不能如期以偿，故协助而速克之”，讲出了凡尔赛政府勾结敌国镇压人民的真相。

慷慨就义的公社女战士

“五月二十一日，凡尔赛分子利用叛变经由克鲁门侵入巴黎。”(《年表》)

张德彝当天(中历四月初三)就记载了这件事。三天之后，巴黎巷战仍然十分激烈。他“入夜北望，烈焰飞腾，炮声不绝。盖巴里虽克，而‘红头’仍据城外炮台数座，故火器犹不时施放也。’”法文翻译庆常(霭堂)和其他国家的外交人员，由法国外交部发给“入城之据”，“往看巴里”。只见“枪炮子飞腾遍城，其急如矢，其密如星”。意大利的一位副使，当场竟被流弹打死。

“五月二十八日，最后的街垒陷落。凡尔赛分子大批执行死刑，一直继续到六月初。”(《年表》)

张德彝(此时尚在凡尔赛)于第二天(中历四月十一日)写道：“巴里通城克复，炮台亦皆收回。自申至戌，见马、步队三、四万归队，有面目黧黑而步履彳亍者，有身体疲惫而卧于当途者。土人(指凡尔赛居民)则施水、施酒、施药、施钱、施烟卷、施面包者甚众。又见叛勇之被俘者，男女老幼，有三四百人。”

尽管凡尔赛在欢迎扑灭了公社的军队，这支军队却看不出有丝毫的欢欣鼓舞；这确是一支刚刚投降过敌国，随即又拿起武器来对付本国“男女老幼”的军队的最正常的表现。

公社战士视死如归

公社战士面对屠刀视死如归的英雄本色，是《燹后巴黎记》刻画得最出色的部分。如四月初五日记：

> 未刻见有兵万馀人，随行鼓乐而归，虽列队而步伐不齐，更有持面包、饮红酒者。其被获叛勇二万馀人，女皆

载以大车，男皆携手而行，有俯而泣者，有仰而笑者。……

四月十五日记：

申初，又由楼下解叛勇一千二百馀人，中有女子二行，虽衣履残破，面带灰尘，其雄伟之气，溢于眉宇。……

下面便是(四月)十五日记的全文：

十五日甲戌晴見本巷鋪中有綢幅不甚寬而極厚色
則兩面一藍一紅不知若何組織也申初又由樓下解
叛勇一千二百餘人中有女子二行雖衣履殘破面帶
灰塵其雄偉之氣溢于眉宇夫鄉勇之叛由于德法已
和蓋和局既成勇必遣撤撤則窮無所歸衣食何賴因
之挺而走險弄兵潢池故叛勇不惟男子獷悍即婦女
亦從而助虐所到之處望風披靡居則高樓大廈食則
美味珍饈快樂眼前不知有死其勢將敗則焚燒樓閣
一空奇珍半成灰燼現擒女兵數百訊明供認一切放
火指捕多出若輩之謀昨由會堂審斷其女中之主謀
者以槍斃之餘皆發往牛夏列丹呢島充軍贖罪按是
島在赤道南二十度澳大利亞西十六度距法國西南
二百餘度地甚褊小周約五六百里天氣雖然炎熱土
脈尚屬膏腴

十六日又记：

晚，又解过叛勇二千五百馀人，有吸烟者，有唱曲者，盖虽被擒，以示无忧惧也。

十九日又记：

> 未正，由楼下解去叛勇一千八百人，妇女有百馀名；虽被赭衣，而气象轩昂，无一毫袅娜态。……

同文馆出身的“兵部员外郎”，当然不可能理解巴黎公社革命战士是为何而战，为何而死；但他客观记录下来的英雄形象，却在百载而后仍然凛凛有生气，能给今天的读者以强烈的感染。至于在张德彝的主观认识上，起初不过是普通的同情心，如说：

同情心

> 其始无非迫胁之穷民，未必皆强暴性成而甘于作乱；今俱伏罪受刑，睹之不禁恻然。

后来分析了起义的原因，说：

> 夫乡勇之叛，由于德法已和；盖和局既成，勇必遣撤。撤而穷无所归，衣食何赖？因之铤而走险，弄兵潢池。

这时的张德彝，已经不完全认为起义穷民是受“迫胁”而“作乱”了，而在一定程度上指出了“乡勇之叛”是由于反对“和局”即法国政府向德国妥协投降的结果。

但是，不管怎样，在刚刚镇压了太平天国革命，专制朝廷号称“同光中兴”的中国，一个“兵部员外郎”能够有这样的态度，留下这样的记述，总要算是难得的了。

在《凡尔赛纪事》和《燹后巴黎记》中，还有不少其他关于巴黎公社的史料，可与《年表》对照（楷体字为《年表》的记事，用西历；括弧内为张德彝的记述，用中历）：

拿日记来对照史书

俾斯麦提出停战和投降条件 （同治九年十二月初六日及同治十年正月初六日记）。

巴黎被围缺粮 （“猪鸭鸡鱼及干鲜菜蔬皆无”，“牛、马、骡、驴、猫、犬、鸽、鹊纳官分卖，有定价每人一两五钱，持牌领肉……。”）

官军“协助”德军占领巴黎 （正月十六日记：“德兵列队入巴里，齐唱凯歌，……各街巷口皆有本国兵弁持械严守，以阻人民观看。”）

三月二十二日旺多姆广场上的反革命示威游行 （二月初三日记：“巴里良民数千，于午正至万洞坊民勇将军衙门，与其头目商议平定之事。‘红头’不允，即时枪毙人民数十，众皆惊散。”）

四月三日公社三个纵队向凡尔赛进军 （二月十三、十四等日记：“叛勇三路出巴里，拆断水道，官军迎至鸥洒地方对阵”……。）

四月六日公社颁布关于人质的法令 （二月十九日记：“‘红头’在巴里捉获主教、神甫百名下狱。”）

四月七日东布罗夫斯基任前线司令 （二月二十七日记：“有法人戴色里者，本系元帅亢贝达营勇将，因德法已和，稍有觖望，竟改名邓波斯纪，投入叛勇营中，参谋一切。”）

五月上旬凡尔赛军队以数百门大炮轰击巴黎 （三月十七、十八、二十等日记：“夜来枪炮齐发，震地惊天”，“枪炮之声，阗阗震耳”，“昼夜火器之声不绝。”）

巴黎街垒

巴黎人构筑街垒 （四月十六日记燹后巴黎云：“路皆拆毁，叛勇在各巷口多筑土石墙，几案墙；又有木筐墙，系以荆柳编筐，内盛零碎杂物，堆累成台，炮子虽入，含而不出”。又“有叛勇所掘之河〔按：此指战壕〕，筑以石壁，将浸水之毡布裹于其上，以御枪炮。”）

拆毁旺多姆圆柱 （“见万洞坊之铭胜柱，已被叛勇打坏。……是柱系其先王拿破仑第一战胜他国，将所获之铜炮改铸者也……”“至得米石地方，有一石台，上建拿破仑第一石像高二丈许，亦被叛勇打去。”）

处决巴黎大主教 （四月十九日记：“接法外部讣云：‘巴里大牧师达卜瓦，昨为叛勇所戕。现定于翌午在巴里城内那欧他达木礼拜堂内诵经出殡，恳请光临往吊……’”）

……………………

如果将张德彝关于公社的记述和《中国教会新报》的报道作一比较，则前者详尽具体，后者错谬甚多；特别是对公社的观点，显见有所不同。

教会新报的报道

《教会新报》在同治十年五月二十一日，才开始报道法国“官军戡乱，八万人入法京，执其乱党六百人”的“新闻”。如说巴黎妇女“甘从叛逆”，“法京中富丽繁华及奇珍法物半成灰烬者，多由此辈娘子军肆虐焉。兹由法司定罪，将此众女发往乌加烈顿呢亚埠（张德彝称为牛戛列丹尼岛，即新喀里多尼亚岛）充军，以肃典章，而除凶孽”。这比张德彝所记，不仅迟了很久，对公社女战士的态度，也显有不同。

其所以有区别，一则由于展转传译不如直接观察接近真实，二则由于西方传教士和帮他们润色文字的中国文人比张德彝思想更不开明。张德彝虽然也是满清朝廷洋务机构培养出来的人，但毕竟年纪轻轻就学会了外语，又连年出洋，眼界和思想都比较开阔；再加上养成了每天记事述奇的习惯，主客观条件一凑合，就使他这个同治年间的中国人，居然为天隔地远的巴黎公社留下了这么些难得的史料,真是所谓"无巧不成书"了。

教案、鞋子式样及其他

张德彝此次随崇厚出使法国,本来是为了"天津教案"去向法国政府"表示可惜之意",也就是道歉。这在中国外交史上,是不光彩的一页。

天主教从明朝万历年间开始传入中国,作为一种外来的宗教,它一直没有为更多的中国人所接受。一八四〇年以后,西方国家的鸦片商人、人口贩子,在中国干了不少坏事。中国人的心目中,不可能不将西方传教士和这些坏人坏事联系起来。于是,有许多天主教会进行活动的地方,都出现过反洋教的风潮,也就是"教案"。

应该承认,反洋教的并不全是进步分子。某些地方的落后宗法势力,害怕"洋人"夺取他们的地盘,损害他们的利益,也反对洋教。他们尽量利用群众的保守心理和对"天地君亲师"的迷信,竭力把水搅浑,企图把反洋教运动引向维护旧的统治、反对民主文明的歧路上去。天主教"拐骗童男童女"、"剜眼取心合药"等谣言,一时传播甚广。鲁迅也听到过所谓"洋鬼子把眼珠像小鲫鱼那样一坛坛腌起来"的鬼话,并且拿来当作笑料,天津教案就是在这样的背景下发生的。

天津教案

同治九年五月(一八七〇年六月),天津抓获了一个"迷拐幼孩"的"拍花"王三,供词中牵涉到天主堂。当地群众本来对法国教士的嚣张气焰和教民"为虎作伥"、"认贼作父"的行径十分不满,纷纷要求彻查,并且自发采取行动。后来又听说,天主堂内查到了人眼人心(当然并无其事),于是群情激愤,砸掉了教堂。法国领事丰大业(H.V.Fontanier)于五月二十三日找天津的中国官员交涉。这位“洋大人”平日对满清官吏颐指气使惯了，这次又如法炮制。旁观群众忍无可忍，愤起制止。丰大业竟持手枪开枪威胁，以致酿成巨变，结果丰大业本人和一批法国教士、修女在混乱中被人打死。事件发生后，法国政府借题发挥，压清政府迅速作出处理。清廷派大员到天津“查办”，将“滋事犯人”二十名处死、二十五名充军；将“办理不善”的天津知府、知县革职发往黑龙江；给死者以优厚的抚恤；又派崇厚为专使，携带同治皇帝的国书，去向法国“代达衷曲，以为真心和好之据”。

崇厚一行于同治九年十月初二日出京，到达法国后，正碰上法国军事溃败，政局大变，只好在马赛、波尔多、凡尔赛等地逗留等候。以梯也尔为首的法国政府，在凡尔赛曾派热夫类与崇厚接洽；及至镇压巴黎公社、建立全国统治之后，一时还无暇接见崇厚。于是，崇厚一行于同治十年七八月间，还曾到英、美两国小游，本意想就此归国。经法国驻美公使再三相请，才重至法国。直到十月十一日，梯也尔始正式接见崇厚，接受国书，并互相致词。这个屠杀巴黎人民的刽子手，竟在答词中辱骂中国人民“愚昧”，气势汹汹地责问：“如何将大国领事官打死？洵属获咎不浅。”他公然要求中国皇帝谕告地方官“优待”传教士，“百姓也必敬重之”，充分暴露了帝国主义者的横蛮面目。

梯也尔的态度

张德彝仅仅是一个年轻的翻译，他在《三述奇》的凡例中说：“虽辱承译事，而一切密勿，阙而不书，亦金人缄口之意也。”故本书中于使事所叙不多。值得注意的是：这次出使法国是为了了结“教案”，张德彝却不止一次向法国人表示自己是孔子的信徒，说天主教不适合于中国。在《使事记》卷中，他还特地译录了法国限制罗马教廷教权的条约，其中包括有主教及传教人员犯法应由官署究办等规定，显示了他拒绝天主教的立场。

当然，无论是“辟教”还是“纪乱”，都没有改变也不可能改变张德彝的基本思想。写《三述奇》(《随使法国记》)的张德彝，还是那个写《航海述奇》和《再述奇》(《欧美环游记》)的张德彝。他有开通的一面，又有保守的一面。大约正因为自己是同文馆出身，生怕别人指责自己会“变于夷”，同时又觉得自己是“八旗世仆”，必须随时表现忠于大清朝廷的缘故吧，他常常在一些芝麻绿豆大的事情上跟外国人抬杠，比如在由西贡开出的轮船上发生的一件事：

芝麻小事大抬其杠

> 饭后，有洋人讷武英者谈云：“今日本国学习各国文武兵法，效验极速。贵国亦宜有备，方可无虞。即以诸公所着鞋底论之，足见其蠢笨不灵矣。”彝曰：“即以鞋底观人，其真假虚实，亦可略见一斑。贵国鞋底，必先薄而后厚，虽厚亦只四分之一。日本鞋底，前后实而中空，虽实不足四分之一。皆不如我国鞋底首尾一律，以之待人亦必始终如一，不致易辙改弦也。”其人不对而去。

老实说，当时张德彝等所着厚底官靴，确实不如西式鞋轻便；洋人所言，不为无理，且态度也颇诚恳，不像是在“反华”。张德彝硬要把鞋底的前后一般厚，说成是“待人始终如一”的表现或者象征，反而显得牵强附会。“其人不对而去”，在张德彝笔下是弃甲曳兵，其实，很可能倒是他觉得这位高靴大帽的年少先生不足与谈，因而不辞而别。

从文化思想史的角度看，关于公社战士慷慨就义的记述是重要的，但关于鞋子式样的争论也自有其价值。

述奇稿本的经历

张德彝的七部《述奇》，只有三部曾经印行，《三述奇》不在其列。所有的《述奇》，在张氏生前，已经钞成清稿七十四卷，分装成若干函，牙轴布封，十分讲究。张德彝死后，全稿由他的次子仲英保存。北京解放之初，张仲英也年过七旬，为了不使先人手泽在社会变动中遭受损失，便叫自己的儿子（张德彝的孙子）祖铭将其送给了公家，几经辗转，最后入藏北京柏林寺书库。一九七九年冬，著者搜寻清人出国载记，在柏林寺内发现了这批稿本，始得将其列入《走向世界丛书》，整理出版。

《三述奇》即《随使法国记》于一九八二年初版后，出版社曾收到张德彝几位后人的来信，对这些稿本能够整理出版表示高兴。其中有天津美术学院巫时珍的一封信，写道：

> 记得在我们年轻的时候，只在叔祖父（张仲英）家的玻璃书柜里，看到过一本一本的《述奇》，可是却没有去翻看过内容，更不知道里面还有关于巴黎公社的记载。……事隔多年，经过这么多动乱，这些书居然得到了出版的机会，使我深深感到叔祖父当年把稿本送给公家，他是做对了。……

9 罗森《日本日记》

□ 罗森一八五四年随美国柏利(Perry)舰队到日本,泊横滨,至下田、箱馆,并曾访问琉球。其《日本日记》载于香港《遐迩贯珍》杂志一八五四年第十一、十二号及一八五五年第一号。今据此整理。(图版为《遐迩贯珍》第三号)

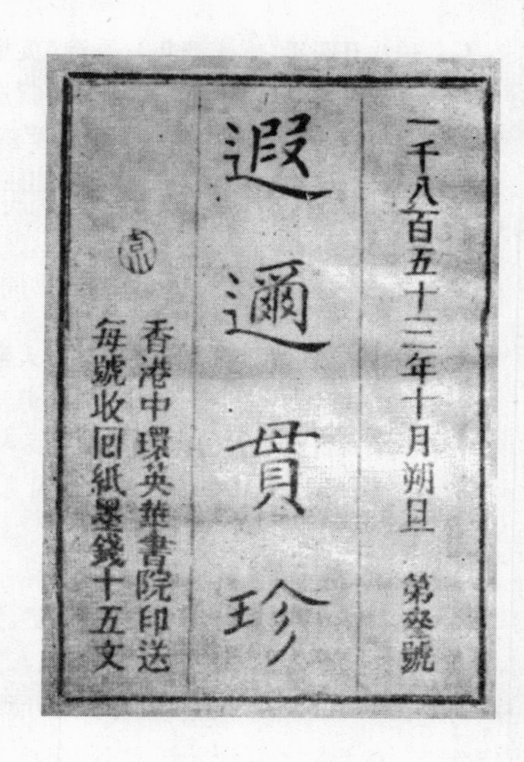

一千八百五十三年十月朔旦　第叁號

遐邇貫珍

香港中環英華書院印送

每號收回紙墨錢十五文

在一八五四年(咸丰四年),香港"英华书院"(Anglo——Chinese College)发行的中文月刊《遐迩贯珍》(*Chinese Seriel*),从第十一号起开始连载中国人罗森写的《日本日记》。月刊编者(此时当为奚礼尔,即 C. B. Hiller 氏)在文前有一按语云:

遐迩贯珍

《遐迩贯珍》数号,每记花旗国与日本相立和约之事,至第十号,则载两国所议定约条之大意。今有一唐人,为余平素知己之友,去年搭花旗火船游至日本,以助立约之事。故将所见所闻,日逐详记,编成一帙,归而授余。兹特著于《贯珍》之中,以广读者之闻见,庶几耳目为之一新。……

所谓"花旗国与日本相立和约之事",指美国海军准将被里(Perry,今译柏利,一七九四至一八五八)率领的舰队,于一八五三年七月和一八五四年二月两次开到江户湾(东京湾),

强迫德川幕府结束二百年来的锁国政策，同美国签订通商条约。“搭花旗火船游至日本，以助立约之事”的“唐人”，便是《日本日记》的作者罗森。

一衣带水十重雾

中国和日本在东亚是近邻，把两国隔开的海面并不特别辽阔，两地居民之间很早就有往来。十九世纪中叶以前，两国对于从远西来的“夷人”，同样采取了闭关不纳的态度。柏利舰队在江户湾的行动，正与英国十三年前在珠江口和长江口的作为相同。但是，被迫开放以后，日本改弦易辙，学习西方，学得非常之快，非常之好，在短短的时间内便建成了一个资本主义的现代国家。从此以后，日本虽在地理上仍旧属于东方，它的政治、经济、社会、文化却迅速地“西化”，并且成了近代中国接受西学和认识西方的一条主要渠道。因此，罗森“搭花旗火船游至日本”，可以认为是中国人在近代从东方到西方的又一个标志。

为了把中国和日本的事情略为说清楚，我们首先得简单地回顾一下两国间往来的历史情况。

中日交往的历史

考古证明，在公元前三世纪以前，日本即已通过朝鲜半岛，学会了中国大陆上以青铜冶炼制作及金属器农耕为代表的先进技术。《汉书》记载：“乐浪海中有倭人，分为百馀国，以岁时来献见。”乐浪为汉朝设在朝鲜半岛上的郡名。《汉书》的记载说明，日本北九州岛上为数众多的氏族集团，利用季风和海流，横渡对马海峡前来乐浪互市，已经有了相当长久的历史。

中国国土辽阔，人民众多，物产蕃庶，自然在孤立海中的日本岛民的心目中造成了深刻的印象。公元五十七年（后汉

光武帝建武中元二年),“倭奴国”派使者到洛阳,接受“汉委奴国王”的封号和金印。日本史家井上清叙述此事时写道:

> 这种长途旅行的困难是出乎想象之外的。日本社会就是这样的恰如婴儿追求母乳般地贪婪地吸收了朝鲜和中国的先进文明,于是从野蛮阶段,不久进入了文明阶段。 (《日本历史》)

后来,日本“邪马台国”的女王又曾向中国曹魏王朝遣使,接受“亲魏倭王”封号。“倭王武”则被刘宋皇帝封为“使持节,都督倭、新罗、任那、加罗、秦韩、慕韩六国诸军事,安东大将军,倭王”。可见到公元五世纪时,日本已经在朝鲜南部(任那等地)建立了自己的据点。这时,日本并且通过朝鲜(百济)学者接受了汉字和儒家经典。

到中国隋唐时期,日本开始了建立中央集权封建国家的过程,更是把中国作为效法的模式。此时日本已经有了直航中国的交通,从六〇七年小野妹子开始,“遣隋使”和“遣唐使”舳舻相属,同时并有大批僧侣和学生到中国留学。七〇二至七七七年期间六次的“遣唐使”,每次都有四、五百留学者同来。在日本的留学者和“学问僧”中,出现了高向玄理、南渊请安、空海等著名人物,他们为创建日本文化、推动日本进步起了巨大的作用。

日本人大批来唐

在漫长的中日文化关系史上,中国总是在给予,——但只是被动地给予而不是主动的传播。和日本人热心来中国相反,中国人很少去日本旅行(鉴真东渡也是应日本之请,而且一去不归,没有带回关于日本的信息),更谈不到了解和吸收日本的文化了。唐朝有许多诗人,包括李白、王维、贾岛,都有写赠来华日本人的诗。但诗人们对日本的人情、风土甚至地理方位却很茫然，诗中的日本，无非是“山在虚无缥缈间”的“海上三神山”罢了。

唐朝的兴盛过去以后，封建统治者对外国总是神经衰弱的时候居多。朱元璋大杀功臣，往往给被杀的人加上“通日本”或“通高丽”的罪名，实际上当然完全没有这么回事。《皇明祖训》正式把日本列入“不征诸国”，“不征”也就是“不理”，即断绝往来之意。但是，你不“征”他，不等于他不“征”你。由日本浪人组织的“倭寇”，从明朝中叶起就不断侵袭东南海疆。丰臣秀吉的大军，也曾深入朝鲜，威胁中国东北边境。断绝往来，事实上已经难于做到了。

到明代，中国商人也有到日本贸易的了。长崎有所谓“唐馆”——指定给中国商人居住的地方。郑成功的生母，便是生长在长崎的日本女子。在中国也开始有了关于日本的记述：薛俊的《日本考略》，记录了三百五十八个日本词语的汉语对音；郑若曾的《日本图纂》，根据商人的叙述，图画了一些日本的风物；还有郑舜功的《日本一鉴》、侯继高的《日本风土记》、李言恭的《日本考》等几种小书。

明亡以后，有些文人逃往日本，像朱舜水就是很有名的一个。清朝的文人，因而对日本渐渐发生兴趣，朱彝尊、戴名世、尤侗都留有诗文。但他们既未亲去日本，也少调查研究，写的不是过于简略，就是颇多错谬。陈伦炯的《海国闻见录》，竟说日本是由长崎、萨峒马（萨摩，即今鹿儿岛）和对马三岛组成的国家，简直近乎“瞎子摸象”了。

瞎子摸象

倒是乾隆年间有个汪鹏，曾随商船到过长崎。他的《袖海篇》记录了当时一条谚语：“日本好货，五岛难过。”又说长崎“风土甚佳，山辉川媚；人之聪慧灵敏，不亚中华儿女”。还有福建人沙起云,有《日本杂咏》十六首,专咏长崎风物,算是无鸟之乡的蝙蝠。

统治阶级对日本情况的无知,可以由下面这个故事充分显示出来:乾隆年间全国查禁私钱,在沿海某地发现了一枚日本的“宽永通宝”,竟成了震惊朝廷的事件。因为中国并无“宽永”年号,建号铸钱又是造反立国才有的事情,朝廷以为有人图谋“大逆”,严令各省大吏彻查,居然没有一位大吏知道这不过是一枚普通的日本铜钱,结果闹得“守令仓皇,莫知所措”。

这种情形,直到罗森时代,仍无多大改变。光绪十三年(一八八七年)黄遵宪在《日本国志·自叙》中写道:

海外的三神山

> 昔契丹主有言:“我于宋国之事纤悉皆知,而宋人视我国事如隔十重云雾。”以余观日本士夫,类能读中国之书,考中国之事。而中国士夫好谈古事,足己自封,于外事不屑措意;无论泰西,即日本与我仅隔一衣带水,击柝相闻,朝发可以夕至,亦视之若海外三神山,可望而不可即,若邹衍之谈九州,一似六合之外,荒诞不足论议者,可不谓狭隘欤?

只一衣带水,便隔十重雾。这种情形,过去确是如此。直到“花旗火船”开来,才终于发生了变化。

柏利舰队的远征

中国和日本这两个“同文同种”的东亚国家,其现代化(Modernization)的进程竟如此之不同,究其原因,当然是由于两国的条件在许多方面存在着差异,例如说:

中日两国的差异

(一)中国地方宽广,拥有丰富的气候、土壤、生物和矿产资源,“足乎已无待于外”,经济上从来是自给自足的。但是,“和中国相比,日本简直是一个囚笼”(见 Dennett 氏《美国人民在东亚》第二十三章)。孤立在海岛上的日本民族,不能不依赖广大的外部世界,不能不向外看,以求得自己的生存和发展。

(二)中国的传统文化土生土长、源远流长。它是世界上人数最多的民族的本位文化,是几大文明发源地的古老文化中唯一“世袭罔替”的文化。它的凝集力是极强的,因而保守性也极强。日本文化在本质上却是多元而非一元的,在胚胎期就融合了蒙古利亚——通古斯和马来——波里尼西亚的血统;它的第一次飞跃,又是由于大量吸收外来(朝鲜和中国)先进文明的结果。它无法以多少千年的历史自夸,因而也较少“异体排斥”的倾向。

(三)当面临西方入侵的时候,中日两国都还在把自己的皇帝视为“天下共主”,这一点是相同的。不同的是,清朝皇帝是“入主中原”的少数民族爱新觉罗氏的后裔,中国国内的民族主义觉醒和民主主义要求,已经开始汇合而成潮流,爱新觉罗皇室的统治已经快要成为被潮流吞没的沉船了。而日本帝国所受的内外压力,却集中在实际掌握政权的幕府身上,“万世一系”的天皇反而成了人民爱国精神归附的偶像。“尊王攘夷”和“王政复古”,居然成了日本维新运动最早的口号,这在中国是不可思议的。

(四)中国以八股文试帖诗取士的考选制度,抑制了新的政治人才的成长。日本德川幕府后期,许多藩国在政治上处于一种竞争的地位。其取士之方,据《日本日记》记载,系“文、武、艺、身、言皆取,而诗不以举官;所读者亦以孔孟之书,而诸子百家亦复不少;所谓读书而称士者皆佩双剑,殆尚文而兼尚武”。事实上，正是“萨、长、肥、土”和水户等藩国中涌现的一批尚武任侠、勇于进取的武士，成了在内部推动日本走上现代化道路的中坚力量。

以上几点，当然远远不是一个全面的分析。不过，在介绍一八五三至一八五四年间“花旗火船”到日本事件的历史背景时，简单地指出这几点却是非常必要的。

日本锁国之严密

在“花旗火船”到来之前，日本和中国一样，基本上是一个封闭的国家。一六三五年德川幕府全面锁国，比康熙皇帝重新禁海还要早八十多年。幕府对出国、信教和接触西学的惩罚，比中国厉害得多。锁国期间，被允许到长崎在严格管制下通商的只有荷兰和中国两个外国。一七九九年，美国帆船“佛兰克林号”第一次访问日本，船长奉命当海岸一旦在望的时候，立刻悬起荷兰旗，冒充荷兰船只。给船长的还有下列指示：

> ……(船上的)一切书籍，特别是宗教书，在临近日本的时候，必须装箱钉死。岸上来的官员会在箱上加贴他们的封条，起运上岸；俟船舶离埠时，再原封搬运到船上。

仅此一条，即足见锁国之严密了。

一八三七年，美国商船“马礼逊号”以送回遇难日本船民为由驶到江户湾，希望和日本建立联系。日本的答复是用大炮对船只开火，七名日本船民，一名也没有被允许上岸回国。

尽管如此，美国染指西太平洋的决心却没有动摇。此一则由于美国商业需要新的市场，二则在北太平洋的捕鲸船也迫切希望得到可供停泊的港口。一八四四年，美国和中国签订了《望厦条约》。受到这个条约的鼓舞，纽约州的商人于一八四六年向参议院提出请愿书，正式请求国家派遣使节团前往日本。同年，海军准将皮特尔率领兵船到达江户，询问日本政府是否愿意开放口岸并和美国缔结一项条约，却仍然遭到了拒绝。

这时候，英、俄、法、荷等国，也都想打开日本的市场（对荷兰来说是进一步打开市场）。荷兰国王威廉二世在一八四四年写信给日本幕府大将军指出：欧洲各国已经为他们的臣民打开了一切贸易渠道，蒸汽航行术的采用已经缩短了国与国之间的距离，一个继续闭关自守的国家已经不能避免其他国家的敌视，中国最近所遭到的祸患已经在威胁着日本。

美国对亚洲感兴趣

当美国领土扩大到太平洋东岸以后，美国对亚洲的兴趣更大了，并且特别害怕在日本又像在中国那样，被英国人占了头筹。用蒸汽机作船舶动力的新方法，此时亦已开始用于通商。美国要在东亚和英国竞争，必须解决蒸汽机动力即燃煤的问题。正如《日本日记》开头所说：

> 合众国金山名驾拉宽（加利福尼亚），近今人多往彼贸易。洋西面远阔，欲设火船，而石煤不足。必于日本中步之区，添买煤炭，能设火船，便于往来。是故癸丑三月，合众国火船于日本商议通商之事。……

这就是一八五三至一八五四年柏利舰队远征日本的历史背景。

“黑船”上的人物

一八五一年，美国决定派遣驻中国分遣舰队司令奥利克海军准将率领舰队前往日本议约。后因奥利克患病和被控，改派了东印度舰队司令（已接掌中国分遣舰队的指挥权）马

舰队司令柏利

登·柏利(罗森称为“合众国钦差大臣、驻中华日本天竺等海权官、本国师船提督被里”)。

柏利是一个热心的扩张主义者,他认为必须用军事力量取得美国过去未能取得的东西。他说:

> 我决不允许我国的国家权利受到任何侵害;相反,我相信这正是时机,在东方采取这样一种立场,来宣扬美国的威势,以期使那些权利受到更大的重视。因为在东方国家之中,权利通常是按照所显示的军力而加以权衡的。
>
> (《美国人在东亚》)

除了日本以外,柏利还鼓吹美国应当控制台湾、琉球和小笠原群岛,他在一封公函中写道:

> 我敢负责力陈,在世界的这带地方建立一个立脚点,以作为支持我国在东方的海权的肯定必要措施,实为得计。
>
> (美国参议院档,三四:三三)

(马登·柏利)

柏利甚至还主张美国应该伸张它的“国家友谊和保护”到暹罗、柬埔寨、交趾支那、婆罗洲、苏门答腊及其以东的许多岛屿,以致后来的美国历史学家在评论他时写道:“具有像他这样大野心的美国人,真是前无古人,后无来者”。美国政府选择这样一个军人来执行打通美日交通的任务，可谓得人。

代理国务卿康拉德颁给柏利的训令中有一段话，概述了十九世纪以来太平洋上发生的变化：

> 最近的一些大事，诸如在海洋上的蒸汽行轮、本国在太平洋沿岸取得广袤领土和迅速在那里定居，以及在横亘间隔两洋的地峡上建立便捷的交通等，实际上已使东方各国越来越靠近我们本国。虽然这些大事的后果，还没开始被感觉到，可是两国间的交往已经大为频繁，其日后的扩展是不可限量的。

训令要柏利告诉日本人，"总统甚愿和皇帝和平友好相处"，但是，"除非日本改变它视美国人民为仇雠的政策，则两国之间自无友谊可言"。这就是说，日本必须放松锁国政策，应该开放一处或几处口岸通商，给美国船只以购买煤斤的权利，并给美国遇难水手提供保护，否则就"一定要受到严厉的惩罚"。但柏利在被赋有很大的便宜行事权的同时，也被告诫避免不必要的挑衅行为，除非自卫，不得使用武力。

柏利第一次率往日本的舰队，包括两艘轮船和两艘军舰。由于美国船的船身多涂黑漆，日本史籍把这些船称为"黑船"。

黑船

舰队两次都是从香港启碇的。鉴于过去前往日本的船上没有称职的翻译人员的教训，柏利在香港特邀卫廉士(S. W. Williams，华名卫三畏，一八一二至一八八四年)担任自己的译官(罗森称为"通理国师")。卫廉士是精通汉语和日语的美国传教士，一八三三年来华，在广州为美国公理会开办印刷所，与创办英华书院的马礼逊、编辑《遐迩贯珍》的麦都思、奚礼尔等人均极熟识。这些英美教士在中国人中广交朋友，罗森就是其中之一。

罗森其人

关于罗森的生平，我们别无了解，只从《日本日记》中得知他字向乔，“产广东”。他曾写过一本名叫《南京纪事》的册子，自称“避乱夷船亦一奇，吴中鼙鼓不闻知”，证以他和日本人笔谈中所谈关于太平军的事情，推想他或曾亲历太平军事。《遐迩贯珍》编者称他为“平素知己之友”，日本人又曾问他：“子乃中国之士，何归鴂舌之门？”看来他也可能懂得一些英语，并有可能是基督教徒。他虽然在日本“不通言语倍伤神”，但可以用汉文和日本人“笔谈”。当时日本的读书人和官吏多通汉文，带了罗森这样一个人同去，无疑很有用处。

罗森的文字并不高明，尤其是诗，带着非常庸俗的市井气。《日本日记》对日本的历史文化很少记述，而于物产、贸易、市容却很注意。舰队返回途中，柏里的旗舰“密西西比号”（罗森称为“美士摄被”）先回香港，罗森又和卫廉士同船到宁波。他在镇海收购了一批生丝，因为那里的丝“价略低于粤省”，足见他随时都在想着和干着经商的事情。

（当时日本人画的罗森像）

根据这些材料看，

罗森可能和林铖一样,是一个略通翰墨的商人,也可以算是近代中国资产阶级最早的活动分子之一吧。日本人赠诗中恭维他是"黄帽金衣客",而日本松平康民子爵所藏当时著名画工锹形赤子所画《米利坚人应接之图》,其中的"清朝人罗森",却是科头皂服,完全一副商人的形象。

《日本日记》云:"伊泽氏之侍儿桂正敏,年纪虽小,身佩双剑,志气昂昂,能于公堂之上描绘亚国(即美国)各官之像。"现在我们只找到了锹形赤子所画的罗森像,照想桂正敏在描绘美国各官之像时,一定也会给罗森画了的,希望今后能有新的发现。

除了《日本日记》外,还有罗森与日本人笔谈的记录在日本流传。笔谈的内容,是答复日本人所询中国太平军战事的情况。从中看出,罗森的政治态度是中立的,并不站在清廷立场上,如——

> 问:太平王得志,复衣冠之旧文物乎否?
> 答:能得志则复。
> 问:成败之势如何?
> 答:随天意。
> 问:天道今将属谁?
> 答:未可知也。
> ……
> 问:中国过半随贼乎?
> 答:以仁义乃可使民服。

这也大体上符合当时同西方传教士和商人接近的某些中国市民的观点。

“锁国”的开放

罗森参加的是柏利舰队的第二次日本之行，此次舰队“共合火船、兵船九只”。在这次以前，这支舰队曾于一八五三年七月八日到江户湾停留了九天。柏利按照既定方针，采取了炫耀武力的方式。他不理地方官要美国船只开往长崎的命令，坚持要日本天皇的代表前来接受美国总统致天皇的书信；否则他就要率军登岸，自行投递。这时候，日本活跃而有力的地方势力已经开始反对德川幕府的威权，有后顾之忧的幕府将军在美国的炮口前屈服了。于是，柏利通知日本方面，他将在来春率领“一支更大的舰队”，前来领取对总统书信和立约建议的答复。

琉球

罗森日记记载，“(癸丑)十月二十二，有某友请予同往日本，共议条约，予卜之吉，十二月十五(按即一八五四年一月十七日)扬帆”。在前往日本的途中，舰队曾在琉球(也是柏利的一个目标)停泊。罗森随柏利、卫廉士等乘轿至王宫，接受了琉球总理大臣尚宏勋的款待。一八五四年二月十一日，舰队再入江户湾，泊于横滨。

幕府这一次已经作了妥协的准备。十年以前，幕府大将军在回复荷兰国王的信中说：锁国政策是“祖宗成法”，不能变更。这次致美国总统的复函却承认：“对我们来说，继续泥守古法，似乎是误解时代的精神。”但是，对于美国舰队，日本的基本态度仍然是严密戒备。罗森日记写道：

> 初事，两国未曾相交，各有猜疑。日本官艇亦有百数泊于远岸，皆是布帆，而军营器械各亦准备，以防人

之不仁。

美方谈判人员住进公馆后，日方又以馈赠为名，“以粟米数百包，每包约二百馀斤重，遣肥人九十馀名，俱裸体，一夫获举二三包。不一时，而数百包之粟米，尽迁于海畔。再后，复使肥人清服赤体，以武力角于公馆之墀，胜者赏酒三卮”，以显示“日本之多勇力人也”。

日美谈判

幕府大将军（罗森称为“京城大君”）派了大学头林鹣殿等人和柏利谈判立约事宜，罗森也参加了这一工作。日本人建议美国接受原来荷兰通商的条件，到长崎互市；柏利则拿了中美《望厦条约》给日本人看，要求立刻开放三至五个口岸。

日本人对中国发生的事情非常关心。有个叫平山谦二郎的，向罗森询问中国情况，看了罗森写的《南京纪事》及《治安策》二册子后，用汉文给罗森写了一封信。从这封信看，平山谦二郎是站在和中国保守派同样的立场上，主张“绝交于外邦”，和罗森的观点是对立的。信中说：

> 呜呼！利者，人之所共欲，而万害所由胎也。“子罕言利”，常杜其源也。我祖宗绝交于外邦者，以其利以惑愚夫，究理之奇术以骗顽民。顽民相竞，唯利是趣，为奇是趣，骎骎乎至于忘忠孝廉耻，而无父无君之极也。……全地球之中，礼让信义以交焉，则太和流行，天地惠然之心见矣。若夫贸易竞利以交焉，则争狠狱讼所由起，宁不如无焉。……向乔寓合众国火船，而周游乎四海，有亲观焉者乎？若不然，请足迹到处，必以此通说各国君王，是继孔孟之志于千万年后，以扩于全世界中者也。

日本有人责问罗森

还有一位叫明笃的日本人责问罗森:“子乃中国之士,何归鴂舌之门?孟子所谓‘下乔木而入幽谷’者,非欤?”罗森用一首诗作了回答,结尾四句是:

从古英雄犹佩剑,当今豪杰亦埋轮。
乘风破浪平生愿,万里遥遥若比邻。

思想和眼界倒是比这两位日本人开阔得多。

谈判终于于三月廿五日达成协议,日本“允准箱馆(在北海道,今称函馆)、下田(横滨东南)二港以为亚国取给薪水、食料、石炭之处,由是两国和好,各释猜疑”。次日,柏利在舰上宴请林鹈殿,有日本官员数十人参加。美国方面向大君赠送了礼品,计有“火轮车、浮浪艇、电理机、日影像、耕农具等物”。所谓火轮车,“即于横滨之郊筑一圆路,烧试火车,旋转极快,人多称奇”。电理机“以铜线通于远外,能以此之音信立刻传达于彼,其应如响”。日影像“向日绘照成像,毋庸笔描,历久不变”。原来,所谓“火车”是一具能开动行走的蒸汽机车的模型,“电理机”是早期的电话,“日影像”则是原始的照相机。在一八五四年,这些近代工业文明的产物,对于日本人来说,似乎比中国人更为生疏。

比中国人更为生疏

尽管在日本也有平山谦二郎和明笃那样的人物,但是谈判代表们却高兴地收下了美国的礼物,而且并不掩饰他们对这些“究理之奇术”的兴趣。这和《望厦条约》签字后赠给中国谈判代表耆英的礼物——几座火炮模型和一批军事技术书籍——的命运,形成了有趣的对照。耆英表示中国对这些“利器”不感兴趣,说他相信“中国的和平已经确保无疑了”。

毫无疑问,在锁国二百馀年的封建社会中生活过来的日本普通人民，对于一八五四年的开放，也和中国人民同样没有思想准备。立约后，“火船”开至箱馆，当地“人民不知何故，是先逃于远乡者过半”。但这种情形毕竟是暂时的，“用温语安抚百姓”后，人们就“还港贸易”了。在下田，“亚国官兵排列队伍，历游各町，男女人民观者如堵”了。

至于对也是外国人的中国人罗森，日本人却一开始就表示欢迎。罗森日记云：

> 日本人民自从葡萄牙滋事，立法拒之，至今二百馀年，未曾得见外方人面，故多酷爱中国文字诗词。予或到公馆，每每多人请予录扇。一月之间，从其所请，不下五百馀柄。

题写扇面

以后又云：“所写之扇不下千馀柄矣。”可见在当时，“酷爱中国文字诗词”的日本人，是把罗森当作“同文同种”的客人来欢迎的。

据日记：“夏五念二日，林大学头、都筑骏河守等会议附录条约十三款，彼此恪遵永久，并准箱馆步游五里之遥，明年通商贸易。”近代史上日本的“鸦片战争”，就这样未放一枪地结束了。

日本开国的见证人

中国人罗森是这次历史事件的见证人。《日本日记》篇幅虽则不多，其价值却超过了中国以往关于日本的一切记述，更不要说那些坐在书斋中遥想海上三神山的作品了。

一八五四年至今不过一百三十年。一百三十年前的日本人，见了美国人拿来的火车模型、电话机、照像机，诧为得未曾见的“奇术”；一百三十年后的今天，日本的汽车、相机、电子产品，却牢固地占领了相当一部分美国的市场，抚今思昔，能不慨然。

FROM EAST TO WEST

10 何如璋等甲午以前日本游记五种

□ 何如璋、张斯桂一八七七年出使日本，随后李筱圃、傅云龙、黄庆澄等又前往游历考察。兹将何张李黄四人纪行之作加上傅著《游历日本图经》所附《馀纪》三卷，合编并取名为《甲午以前日本游记五种》。

在日本开国和维新以后，中国和日本的交往逐渐多了起来。

日本向西方学习的成效越显著，它对中国的影响就越强烈。顽固守旧的人，继续用“天朝上国”的态度鄙视这个“数典忘祖”的“东夷”；赞成维新的人，则主张中国学习西方，应该走日本的路子。

去日本比去欧美多

因为地理和历史两方面的原因，在中国慢慢地走向开放以后，知识分子到日本去的，要比到欧美去的多。在这些人中，有由清廷特派出使和游历的官吏，有地方当局为了办理洋务推行新政资遣参观考察的人员，也有自费出游的士子。他们的观点各不相同，但往往都能摅其感受，发为文章。不管是保守的人也好，进步的人也好，持中间立场的人也好，他们的记载，都或多或少反映了日本现代化的过程，同时也从不同的角度反映了中国人对现代化问题认识的逐步提高和深化。

本文从甲午（一八九四年）以前的游日记载中，选择具有代表性的五种加以研究，它们是：

何如璋《使东述略》附《使东杂咏》(一八七七)
张斯桂《使东诗录》(一八七七)
李筱圃《日本纪游》(一八八〇)
傅云龙《游历日本图经·馀纪》(一八八七)
黄庆澄《东游日记》(一八九三)

甲午以后,到日本去的人和他们的记述,数量都有很大的增加,拟另予论列。

《使东述略》(一八七七)

锁国政策的失败,直接导致了日本封建政权——德川幕府的瓦解。一八六七年,执政二百多年的德川家最后一位"将军"德川庆喜,不得不把"大政"奉还给维新派奉为偶像的明治天皇。一八六八年,一批有新思想和新办法的中青年政治家(年纪最大的岩仓具视四十六岁,而有名的伊藤博文刚刚三十岁)掌握了中央政权,以明治天皇的名义宣布了"五誓"(五条誓词),内容包括:"广兴会议,决万机于公论";"打破从来之陋习";"求知识于世界"。这就是有名的"明治维新"。从此以后,日本开始把学习西方、走向世界定为基本的国策,自上而下地全面推行现代化。

这样做的结果,真是所谓"立竿见影"——在"明治维新"之前十四年,罗森随柏利舰队到日本,看到的情形是:

百姓卑躬,敬畏官长。人民肃静,膝跪路旁。不见一妇人面。铺户多闭。因亚(美)国船初至此,人民不知何故，是先逃于远乡者过半。

美国人“于横滨之郊筑一圆路”，“烧试”特地带去显示的模型火车，日本上下见所未见，“人多称奇”。而在“明治维新”后不到十年，何如璋一行乘中国江南第五号“海安”兵轮到日本时，却只见：

> 日本“春日”舰海军少佐矶边包义来谒。……登其舟，军练而法严，船坚而炮利……。东京距横滨七十里，有铁道，往返殊捷。……浃旬中，酬应纷纭，……各握手问道途，询风土，意殷殷然。

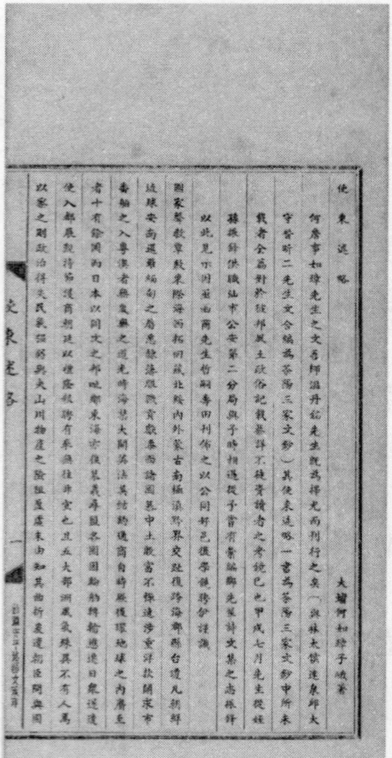
使東述略
大埔何如璋子峨著

（《使东述略》首页）

何如璋

何如璋，字子峨，广东大埔人，光绪七年成进士，入翰林院，以庶吉士授编修。明治维新之明年（一八六九年），日本即遣柳原前光出使中国，会谈修好；一八七一年，复派伊达宗城来议通商、定税则。中国却迟至一八七六年才向外国遣使，第一批为郭嵩焘、许钤身（后改刘锡鸿）使英，陈兰彬、容闳使美。一八七六年九月（光绪二年八月），许钤身由使英副使改使日本，何如璋升翰林院侍讲、加三品衔副之。

一八七七年一月,许钤身罢,何升正使,另派张斯桂(鲁生)为副使,正式出使日本。

何如璋的《使东述略》,自叙其与副使率从官十馀人(其中有参赞黄遵宪)和跟役二十六人等,"自(光绪三年)八月五日出都……十月杪乘轮东渡,历日本内海、外海,冬至前五日乃至横滨;又迟之一月,始移寓东京行馆"。这一段时间内,"海陆之所经,耳目之所接,风土政俗"的情况,"就所知大略,系日而记之;偶有所感,间纪之以诗,以志一时之踪迹"。全文约万四千字,附《使东杂咏》六十七首,篇幅虽少,却是罗森以后中国关于日本的第一篇正式报告,因此值得重视。

何如璋的地位和身份与罗森迥然不同。他是朝廷大员、词林学士,思想是传统的思想,文章也是传统的文章。但他却很重视自己担负的使命,也很知道"参稽博考,目击身历"的重要。《使东述略》结语云:

> 若得失之林、险夷之迹,与夫天时人事之消息盈虚,非参稽焉,博考焉,目击而身历焉,究难得其要领。宽之岁月,悉心以求,庶几穷原委、洞情伪,条别而详志之,或足资览者之考镜乎?是固使者之所有事也。

虽然《使东述略》只是初到日本不到两个月时间的报告,"或察焉而未审,或问焉而不详,或考之图籍而不能尽合",篇幅也不多,但作者能有这样的指导思想,则亦必有可观者矣。

介绍日本基本情况

何如璋在《使东述略》中,比较注意介绍日本的基本情况。他的座轮于十月丁未日达长崎港。关于长崎,过去陈伦炯《海国闻见记》把它和萨峒马(即萨摩)、对马说成是"日本三岛",徐继畬和魏源,也都承袭了这种与实际不符的说法。何如璋

“目击身历”之后，指出“日本三岛”其实是“西海道”（九州）、“南海道”（四国）和“中央一大岛”（本州），还应该加上“东北一大岛曰北海道”，实际上是“日本四岛”；长崎不过是“西海道”岛上的一处港湾，萨摩是“西海道”西南一境，对马则是“西海道”北方海中的小岛，《海国闻见记》的说法是完全弄错了。他记长崎地貌云：

港势斜趋东南，蜿蜒数十里，如游龙戏海，尽处名野母崎。北则群岛错布，大小五六，山骨苍秀，林木森然，雨后岚翠欲滴。……

翌日登岸，诣华商会馆，询之老者云：

华商在此已数百年

中土商此既数百年，画地以居名“唐馆”。估货大者糖棉，小则择其所无者；反，购海物，间以木板归，无他产也。荷兰船岁亦一二至。吾民流寓，有历数世、长子孙者，既莫辨主客矣。……

同时，还察看了长崎本地人民的生活情形：

俗好洁，街衢均砌以石，时时扫涤。民居多架木为之，开四面窗，铺地以板，上加莞席，不设几案，客至席坐。……男女均宽衣博袖，足蹑木屐。……其女子已嫁，必薙眉黑齿以示别，近弛其禁矣。

己酉日，留饮会馆，席次谈及本年萨摩之乱，记云：

西乡隆盛者，萨(摩)人也，刚很好兵。废藩时，以勤王功擢陆军大将。台番之役，西乡实主其谋。役罢，谋攻高丽，执政抑之。去官归萨，设私学，招致群不逞之徒。今春，以减赋锄奸为名，倡乱鹿儿岛，九州骚然。日本悉海陆军赴讨，阅八月始平其难，费帑至五千万。

庚戌日启程出长崎，晚泊平户后港，复记当地史事云：

元至元中，范文虎、阿塔海帅舟师十万，以高丽为向导，渡海东伐，克对马、壹岐，乘胜进攻平壶(户)。遇风舟覆，范文虎等弃其众，乘坚舰遁还。考之地势，盖此岛云。

元军东征之遗迹

这样，长崎及附近地方的地理、历史、民俗、国政各方面的基本情况，都涉及到了。此后历经日本各地，如周防内海、神户、大阪、西京、纪伊内海、横滨……，描写莫不如此。其介绍之全面，超过了罗森；而论内容的详细和具体，又为后来黄遵宪的《日本国志》开了先路。

尤其值得注意的是，从明治维新到何如璋“使东”，时间不到十年。这不到十年时间中日本发生的巨大变化，在《使东述略》和《使东杂咏》里也颇有反映。如咏取消锁国后之长崎海市云：

东头吕宋来番舶，西面波斯闹市场；
中有南京生善贾，左堆棉雪右糖霜。

南京生

咏神户诗及注云：

极目茅渟海市通，蜃楼层叠构虚空。

半是欧风半土风

街衢平广民居隘，半是欧风半土风。

[注]未初到神户口，一名茅渟。海港口南敞，山岭北峙。番楼鏖肆，依山附隰约里许。东人所居皆仄隘，通市以来，气象始为之一变。

于铁路、火车、电报、邮便等新事物，亦均有诗。咏铁路云：

……云山过眼逾奔马，百里川原一晌来。

[注]大阪距神户六十里，铁道火轮四刻即至。烟云竹树，过眼如飞……

咏“电气报”云：

……一掣飞声如电疾，争夸奇巧夺神工。

电气报

[注]电气报以铜为线，约径分许，用西人所炼电气。或架木上，或置水中，引而伸之，两头以机器系之。所传之音，傅线以行，虽千万里，顷刻可达。

虽然中国得知西人铁路、电报比日本早，可是日本一见这些“奇巧夺神工”的东西，立刻拿来为其所用；中国却视之为不祥之物，深闭固拒，迟迟不予引进。何如璋的吟咏，即使不算高声赞美，却也没有皱着眉头、扭过脸去，而能这样如实地介绍一番，这就很不容易了。

《使东述略》总括日本维新效法西方的情况道：“近趋欧俗，上至官府，下及学校，凡制度、器物、语言、文字，靡然以泰西为式。”其记呈递国书之经过云：

……出入皆三鞠躬，王答如礼。……其礼简略，与泰西同。日本前代仪文，尊卑悬绝；其王皆深居高拱，足不下堂，上下否隔。明治之初，参议大久保市藏上表，有曰："请自今不饰边幅，从事于简易。"后用其议，至易服色，改仪制，质胜于文矣。

这里对于"易服色，改仪制"，也没有加以贬斥。明治天皇"西服免冠，拱立殿中"，和何如璋互行三鞠躬礼，日本国家并不因此而示弱。返观中国在和外国通使之初，一再坚持外国人见皇帝必须跪拜，甚至不惜以此和外国兵戎相见，真是太可笑，也太可悲了。

明治天皇互相鞠躬

何如璋不过是一个平庸的官僚，远没有如郭嵩焘、曾纪泽之器识。但他也并不以卫道攘夷自命，而是把日本的变化归之于"风会所趋"，用今天的话来说，也就是不以人的主观意志为转移的历史规律在发生作用的意思。他参加外务省公宴，见"筵馔西式，奏乐亦仿欧洲"，写道：

日本虽僻处东隅，汉唐遗风，间有传者，一旦举而废之。初与米利坚通商，继欲锁港拒之，后又仿其法之善者，下至节文度数之末，日用饮食之细，亦能酷似。风会所趋，固有不克自主者乎？

风会所趋不克自主

在总论日本历史时，何如璋讲到：过去幕府专政，天皇徒拥虚名，德川氏"据江户传子孙者殆三百年"；后来天皇想夺回政权，"楠氏仗义兵，赴国难，举族捐糜而不克，何其难也。"而近二十年，"强邻交逼，大开互市。忧时之士，谓政令乖隔，不足固邦本、御外侮”，拥护明治天皇的政治势力遂得一举而推翻德川幕府，“强公室，杜私门，废封建，改郡县，举数百年积弊，次第更而张之，如反手然，又何易也。”而后发表感想：

> 讵前者果拙，而后者果工耶？抑时事之转移，固自有其会耶？此不可得而知矣。

当时中国的守旧派，不仅坚决反对在国内兴办洋务、讲求西学，而且也攻击日本的明治维新，把这看成是严重的传染病。一八七四年陈其元编写《日本近事记》，把推翻德川幕府说成是奸臣“篡夺”，“废其前王，又削各岛主之权”；对日本仿行西法尤为不满，谓“彼昏不悟，……使国中改西服，效西言，焚书变法。于是通国不便，人人思乱”。这位陈其元居然异想天开，建议清廷派兵跨海征东，以帮助德川氏复辟。何如璋虽然并没有正面驳斥守旧派的议论，但他的观察和记载，有助于澄清一部分事情的真象。

陈其元想跨海征东

何如璋也有两次从中国立言的时候。一次谈到和西洋互市，他主张在西北用机器开垦灌溉；“洋布最为输入大宗，亦宜依其法以织”，以堵塞入超漏卮。还有一次则是在横滨见到外国兵船，从国际形势论及中国亟待自强，曰：

> 欧西大势，有如战国。……各国讲武设防，治攻守之具，制电信以速文报，造轮船以通馈运，并心争赴，唯恐后时，而又虑国用难继也，上下一心，同力合作，开矿治器，通商惠工，不惮远涉重洋以趋利。夫以我土地之广，人民之众，特产之饶，有可为之资，值不可不为之日，若必拘成见、务苟安，谓海外之争无与我事，不及此时求自强，养士

储才，整饬军备，肃吏治，固人心，务为虚饮，坐失事机，殆非所以安海内、制四方之术也。……

什么“肃吏治，固人心”等等，固然是老生常谈，但他所说中国“有可为之资，值不可不为之日”，却是一句非常中肯的话，恐怕直到一百多年后的今天也还是中肯的呢。

张斯桂

何如璋的副使张斯桂，也留下了一部《使东诗录》，共诗四十首。王锡祺氏于光绪癸巳（一八九三年）年将其收入《小方壶斋丛书四集》，已是张斯桂“返节后一任广平府，赍志遽殁”以后很久的事情了。

（左四为何如璋，右四为张斯桂，右一为黄遵宪）

张斯桂的诗，王锡祺称其与何如璋《使东杂咏》、黄遵宪《日本杂事诗》“堪称三绝”，其实这是不符事实的。诗文的好坏，从来不与官职高低成正比。《日本杂事诗》虽然出自随员之手，却确是有思想、有见解的好诗，叙事抒情，自成一家之言。《使东杂咏》比起杂事诗来已经低了不止一头，但毕竟还是翰林公的笔墨。《使东诗录》和二者放在一起，只能算是“龙虎狗”罢了。像第二首写初出大洋，颈联云“入市去寻徐后裔，平倭还记戚元戎”，尾联云“多谢封姨齐着力，送行兼助一帆风”，立意、用典都不免庸滥，甚至连文句也不够妥帖，这还不过只是一个例子。

更糟糕的是，张斯桂有时竟公然站在守旧的立场，对维新事物大加指摘，如《易服色》一首：

椎髻千年本色饶，沐猴底事诧今朝。
改装笑拟皮蒙马，易服羞同尾续貂。
优孟衣冠添话柄，匡庐面目断根苗。
看他摘帽忙行礼，何似从前惯折腰。

使东诗录

《使东诗录》的价值就在于，它保存了旧士大夫出洋时内心活动的若干“镜头”。除此以外，有些写风俗名物的诗，反映了当时异国人眼中的日本生活，也略微有点意思，如《荒物类》（原注：荒物，草器也）一首：

草衣草帽草铺茵，草草生涯色色新；
更有筐篮轻且巧，一层层扎细丝匀。

当然，像咏《玉子场》（原注：玉子，鸡卵也；场，买处也）“多子从来称德禽”、“一经剖食无完卵”等句子，仍然散发着一股“书生气味酸”的怪味。

《日本纪游》（一八八〇）

何如璋在日本驻留了三年，于光绪六年十一月（一八八〇年十二月）被召回，由许景澄接任。就在何如璋使日最后一年的暮春时节,原来在江西做过官、后来在上海“隐于市”的李筱圃到日本旅游,于四月十六日到使馆拜会了何如璋和张斯桂、黄遵宪诸人。

李筱圃

李筱圃自称他“海外游踪,未携冠服,本不欲投刺公门”。他从上海到长崎,由华商泰记号招待;续至神户,华商鼎泰洋布号、德澄号、鼎发号诸家“先得上海号信”,给他预备了“洋楼式”的住处,“几净窗明,颇为轩敞”;绕至大阪,有德兴隆号东童明辉作陪;到西京,又有“以工书善画客游于此”的浙江人冯雪卿、江宁人王冶梅等作陪;“游踪所至,每即有人相迓者,以先得其号中电报也。”上海“新载生洋行”的洋东步迈司岱,也曾写信给神户和横滨的日本、西洋商行,托为照应。看来他完全是靠商界的关系,自费到日本旅游,并没有公务在身。大阪“德澄号”“房亦西式,较神户尤宽大”;随后送李筱圃到东京,商号还派专门厨夫照料他的饮食。这些商号的规模和李筱圃的排场,于此可见一斑。

商界人物自费旅游

据李筱圃《日本纪游》记载,此时华商之在日本者,约共五六千人。以前中日通商,只限长崎一港。“同治初年,美国兵船至港,日人拒之不得,始允通商;各国踵至,又开神户、横滨、箱馆等处,共八码头,我华人亦随洋商而往”。从接待李筱圃的情况看,华人商号的生意做得很大。有的“号友”“工书善医,诗亦清逸”,显然不是贩夫估客,而是读过书的。同时,除了“以工书善画客游于此”的中国士人以外,还有馆于日本世家巨室、“专论诗文”的王黍园等人,说明两国民间的文化往来此时也很活跃。书中还记载说:“有宁波人张楚传名锡荣,在上海开龙飞马车行者,云因腿疾,特赴东洋”治疗,可见私人旅行这时也逐渐多起来了。

李筱圃到日本的时间只比何如璋晚三年。在短短的三年中，日本又有了很大的进步。何如璋初到时，长崎只有一机器厂，“工匠仅数十人，以萨乱经费支绌之故”，东京还不见新式工厂。李筱圃却在东京王子山看到了机器纺纱，“一人之工可当数十人”；又在三田看到了机器造纸，“不须一分时工夫，浆已成纸”。何如璋初到时，各大城市的游观场所还只有些名胜古迹，如长崎孔子庙、大阪丰臣旧垒、西京故宫、楠公神社等处。李筱圃却在长崎看了博物院，在西京、横滨都参观了博览会，东京则“博物院共有四处，最盛者曰教育院，入游者并不取资”。

反对维新

尽管李筱圃看的地方不少，他的文笔也善能状物，但是他的观点却是反对维新的。四月十五日，他在东京游了德川氏历代坟茔后，发了一番感慨：

> 德川氏为日本诸侯，号曰大将军，世掌国政历三百年，国王徒拥虚位而已。早年米利坚求通商……国王乘此夺其政，并废藤、橘、源、平各诸侯，收其采地归公，但给岁俸，大权一归于国，曰维新之政。今则非但不能拒绝远人，且极力效用西法，国以日贫，聚敛苛急，民复讴思德川氏之深仁厚泽矣。

大河内辉声

“讴思德川氏之深仁厚泽”的日本人确实有的，但那是李筱圃专程去拜谒的“故侯”源辉声（即大河内辉声）一类人。《日本纪游》记与辉声会见情形云：

> 辉声号桂阁，为日本世袭诸侯，封地在西京高崎。今王新政，概废藩封，令各诸侯俱迁往东京，所有采地全行归公。……桂阁年仅三十馀，澹泊不仕，以诗文自娱。

……笔谈半时许，同游上野博物院，至“小西湖”酒楼午餐。……

小方壶斋舆地丛钞

《日本纪游》没有单行本，只刊于“南清河王氏”编辑，“上海著易堂”印行的《小方壶斋舆地丛钞》之中。近年在日本发现的《大河内文书》中的《庚辰笔话》，保存有源桂阁同李筱圃笔谈的原文，文后复有源氏补记的陪李筱圃参观“上野美术馆”，并到“小西湖三川屋”小酌一段文字。正是根据这个旁证才弄清，《小方壶斋舆地丛钞》所辑刊的《日本纪游》的作者，原来署作“阙名”的，其实就是李筱圃。

（著易堂印行的《小方壶斋舆地丛钞》）

被“明治维新”剥夺了世袭爵位和“所有采地”的旧贵族，不管如何“澹泊”，也是不会讲维新的好话的。还有一些顽固守旧的“遗老逸民”，由于思想意识上的敌意，也对维新持反对态度。《日本纪游》记述了一个这样的人物：

日本遗老

> 有日本尾张国爱知县人中村道太来,投其友人名关根录三郎号"痴堂生"近诗二册求题。翻阅一过,皆嫉世痛时之语。日本自维新政出,百事更张,一切效法西洋,改岁历,易冠裳,甚欲废六经而不用。遗老逸民,尚多敦古以崇汉学。痴堂盖逸民之贤者,爰拈四绝以贻之。

可惜这四首诗没有保存下来,不然倒也是一份有趣的资料。

"日本自维新政出,百事更张,一切效法西洋,改岁历,易冠裳,甚欲废六经而不用",究竟是做对了还是做错了呢?历史早就做了结论。李筱圃自己的某些记载,其实也回答了这个问题。工厂和博物馆不必说了,他由神户乘火车至大阪,"计程七十里,行半个时辰;若非中间搭客、卸客停顿四次,两刻工夫便到矣。……轮路之旁,如有人站立,车过时骤然视之,面目模胡,不辨老少……"这样便利的交通工具,在中国却还没有,不然的话,李筱圃坐在火车上,便不会有如此新奇之感了。

李筱圃对日本"一切效法西洋"愤愤不平。除了看博物院是为了猎奇,看工厂也许是为了应"号东"、"号友"的请托外,他对维新带来的新事物和新气象很少注意,更矢口不予赞美。于是,他自称的"虽不敢言壮游,亦聊以扩眼界而已",所扩的"眼界",无非是"名妓游会"、"男女同浴"、"雌雄瀑布"、"少妇小姑,招人驻饮"、"侍酒劝餐,皆以妇女"等东洋景,也就毫不奇怪了。

但是,即使李筱圃在思想上非常反对维新,他所写的《日本纪游》(如上所述)却仍然在一定程度上反映了维新在日本带来的进步。客观规律比人的主观意志强,的确一点也不错。

《日本纪游》有些记述日本文化风俗的地方,也颇有意思,如在东京猿若町观剧一段：

猿若町观剧

> 戏园之屋仿佛中华，但坐客之地皆以板隔作方槽，每一槽内可席地而坐四人，上下可容千馀人。戏台甚大，优人但说白而不唱。左首小楼坐弹弦者二人，着大红半臂，偶或大声喝唱三二句，不知何辞，不知何调。右首小楼内有数人击鼓吹笛鸣小钲，亦无音节。大约观者专看伶人之扮演情形，能肖能妙，则喝彩齐声，不计曲词腔调。其所演之戏并非故事，皆出新编，全本可演一月。编成，先将戏名、目录、情节、扮演形状分为数十出，刻作小本出卖。故坐观者，多手一本也。

又有东京博物院展览中国鸦片烟具和旧式兵器的一段：

展览中国鸦片烟具

> 架上置坏竹鸦片烟枪两根，破瓷烟缸两个，中竖一挑烟棒，烟盒烟竿数件，坏铜水烟袋一枝，破钱板一块，破旧篾纸灯笼一个，破帽零星各件，俱极肮脏。又于其所陈军械、刀枪、盔甲、旗帜处，置锈蚀鸟枪数杆，破布九龙袋两个，中插装火药小竹筒十数根，俱标识曰“中国物”。

对此，李筱圃“阅之不胜愤懑”，他大呼日本人“可恨”，说：

> 我中国连年赴美、法各国赛奇会之物品，西人且加夸奖，岂无工艺珍贵之物以冠他邦？乃独以此为形容，虽鬼蜮之见不足较，而其居心已显然可见，尚足与之论邦交哉！

说日本当局有意夸示中国的落后面，存心煽动日本人民轻视中国的狭隘民族情绪，以图实现对中国的侵略，当然是不错的。但如果在愤懑之馀，反求诸己，找一找中国烟毒流行、武备窳劣的根源，想一想如何才能自强，岂不更有用一些？

《游历日本图经馀纪》(一八八七)

到十九世纪八十年代，因公因私出国到西洋东洋的人渐渐多起来了。所有出国的人，都看到了外国“并心争赴，唯恐后时”的情形。思想进步的人，觉得中国应该急起直追，以求自立于世界；思想保守的人，也感到了外国的威胁，觉得不能泰然处之。于是渐渐形成了一股需要了解外国的舆论，反映到朝廷的政策上，就是终于决定比较大规模地派员游历外洋。

这一次派员游历外洋，和二十年前斌椿带同文馆学生去“游历”有很大的不同，是颇为郑重其事的。

先是，光绪十年(一八八四年)有御史谢祖源奏请“收奇杰士游历外洋”。十一年二月，总理各国事务衙门议由翰林院、六部核实保荐，提出游历人员名单，报可。十二年十二月，传旨迅保。十三年四月，总理衙门议奏遣员游历章程十四条，朱批“依议”。接着，六部共保荐七十五人。闰四月廿一、廿二两天举行考试，试题是《海防边防论》、《通商口岸记》、《铁道论》、《记明代以来与西洋各国交涉大略》，考取二十八人，兵部郎中傅云龙名列第一。

考选官员游历外洋

这二十八名考取的官员，由总理各国事务王大臣接见，“核记载，觇器识”后，再带领引见，最后朱笔圈出一十二名分赴东西洋游历，傅云龙被派往日本、美利加(附坎拿大)、秘鲁(附古巴)和巴西四国。傅氏于光绪十三年八月出发，先游日本，再游美洲，于十五年十月十七日回到北京。在两年时间内，他共纂辑了《游历各国图经》八十六卷，主要用图和表的形式，分别介绍了各国国纪、职官、外交、政事、文学、兵制、考工、河渠等方面的基本情况。此外，他还把游历日程和本人见闻感想等，写成“馀纪”一十五卷。

《游历日本图经》(以下简称《图经》)三十卷，《游历日本图经馀纪》(以下简称《馀纪》)三卷，分为《前编上》、《前编下》和《后编》；前编记首至日本游历情形，后编记游美后返回日本继续活动的情形。

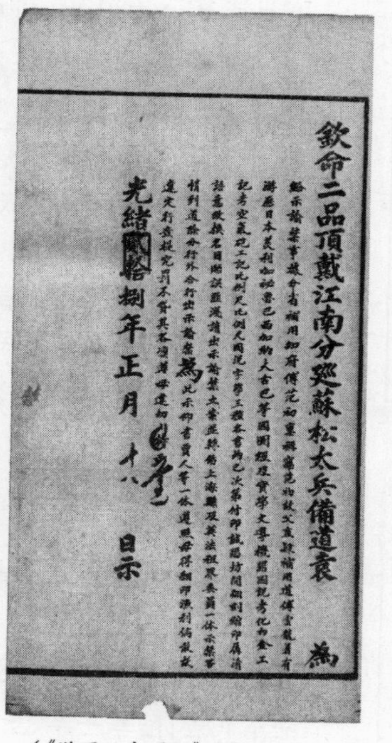
欽命二品頂戴江南分巡蘇松太兵備道袁 為
光緒拾捌年正月 十八 日示

(《游历日本图经》的“版权页”)

傅云龙的《游历各国图经》，是十九世纪末中国人开始系统调查研究外国情况的一份巨大工作，本文作者另有专文进行研究，兹不多赘。仅从《馀纪》三卷中，亦可窥见其对日本进行调查研究的规模。现将《馀纪》所载《图经》篇目照录如下：

游历图经之篇目

凡例；日本经纬表；中国日本月朔表；中国日本较时里差表；晴雨寒暑表；沿海气候表；偏多风方向表；沿海偏盛风表；潮候表；疆域；四至八到表；沿革表；府县分疆表；郡村系国表；疆域险要；海道险要；港湾测深表；灯台表；昼标表；民设旧灯明台诸标表；暴风信号标表；国都表；宫室表；城市；府县厅至东京里表；府县厅孔道支道表；北海道辟路表；商港系年表；中外名港里表；联约国里表；岛

表；山表；火山表；水道；水道分合表；东京神奈川引用水道表；矿泉表；湖沼；瀑布；桥梁；世系表；权臣柄政年表；藩国表；风俗；前代人口表；户口表；北海道土人；北海道屯田兵表；官民地表；地租表；物产；货币表；造币金银料表；造币机器表；货币铸发表；货币出入表；纸币表；通商物值增减表；中国出入日本物值表；日本出入物值系地表；八港税关物值表；银行表；民立银行分类表；商贾数表；商标表；许专卖表；农表；蚕丝表；盐法表；茶表；酒表；糖表；淡巴菰工商表；舟表；车表；瓦斯灯表；渔猎表；矿表；官矿表；官矿工表；官矿售数年表；官矿出入表；民矿金属非金属表；日本官民矿行合表；计里总图；各府县厅图；备荒表；保险表；博物馆、博览会、共进会表；土木费表；日本国债表；岁计出入表；岁计比较表；考工；官工表；工器表；工值表；罪人工表；制度量衡工表；横须贺造船所表；铁道费计里表；铁道资本表；官立铁道局费表；民立铁道会社费表；停车里数表；铁道车数表；铁道计入表；铁道年表；兵制沿革；征兵已未入伍表；征兵分类表；征兵志愿表；征兵身格表；征兵本业表；陆军分管表；陆军人属表；陆军队表；陆军士卒、生徒表；预备、后备士卒合表；预备、后备兵分数表；宪兵表；军马表；海军人属表；海军士卒、生徒表；兵船表；炮台表；职官旧制；官制；官禄表；武官禄表、爵表；有位人表；中国交涉前事；往籍交际条目；交际文；中外订约通商年表；中国使臣表；别国使日本表；使别国表；中国流寓表；别国人在日本表；日本人在别国表；互受勋章表；大事编年表；度量衡比较表；邮便表；电信局数、线路表；刑略；学派源流；日本文表；异字音表；学校合表；已、未入学表；小学校师弟子表；寻常中学校表；寻常

中国出入日本物值

中国交涉前事

师范学校表；专门学校表；杂学校科表；幼稚园表；书籍馆表；日本人留学别国计费表；公学费岁入表；公学费岁出表；艺文志；中国逸艺文志；金石文；印志；刀剑志；金石年表；日本文征。

这一百六十九项内容，有一半（八十六项）在傅氏去美洲之前，即已在日本纂辑完成。从美洲回来后，他从十五年五月三十日开始，继续纂辑剩下的一半；一面编辑、定稿，一面付印、校对。九月初一日结束全部编辑工作，九月十七日《图经》三十卷就全部印好了。因为篇幅大，材料多，开始时"旁观者匿笑曰：'恐非三十年不成也。'"而傅云龙"晨昕为之，有进无退"。《馀纪》自述辛勤执笔的情形，总是"鸡鸣草犹未脱"，"脱稿鸡再鸣矣"，"每至墨枯笔秃，力难可支，辄自责曰：'期逼矣。'自是，四鼓辄起伏案。旁观者曰：'何自苦乃尔？'"在抓紧编写定稿的同时，傅云龙对资料的可靠性也极为重视。为了"补视船工、炮工"，他在百忙之中，还抽时间"往还航海六百六十三里"，去实地踏看。所以他有把握说："其海军图，皆从实测。云龙就实测要隘，躬历目验，非臆说也。"充分表现了不怕艰苦、求真务实的精神。

辛勤纂辑的情形

但是，傅云龙务实有馀，务虚不足。他调查掌握了日本"明治维新"二十年来在现代化方面取得巨大成就的大量资料，却没有从中总结出必要的经验和教训。《图经》纯粹是一部资料汇编，《馀纪》中也少见议论。这一点，当然是和傅云龙的思想倾向，以及他"花翎二品衔、直隶即补道、游历使臣"的身份分不开的。

傅云龙到日本，已在李筱圃之后七年，何如璋之后十年。中国驻日使臣经过了许景澄、黎庶昌、徐承祖三任，此时又换上了黎庶昌。何、李在时,日本的铁路建设虽已开始,但通车的线路还只有神户到大阪、横滨到东京短短两条。而据《馀纪》记载,傅云龙在日本各地游历,“去来铁道,皆乘快车”;他还从各地看到“铁轨渐引而伸”,铁路越修越多,越修越密。十三年十二月十日,“访爱知县知事胜间田稔,据云县境铁道已成百二十里,将成之轨百五里”。十四年正月初一,“闻山阳铁道会社议修铁道,由兵库至神户、冈山县之冈山、广岛县之广岛、山口县之赤间关,欲鸠银五百五十万圆”。在编写《图经·日本车表》时,他自述所见铁路工程进展之快:

> 云龙于光绪十四年冬,游其西京,乘人力车行风雪中,而铁轨断续见崖略耳。今则神户、长崎,渐通渐拓。

但是,他的话却只讲到此处为止。

傅云龙其人

傅云龙是浙江德清人,在做京官之前,曾周游云、贵、川、鄂、豫、鲁、冀各省,参加修纂《顺天府志》。他的兴趣,主要在舆地之学和金石古籍方面,对政治并不特别关心,更没有提倡维新的见识和勇气。虽然他很愿意出游,也知道中国要了解洋情“不得不以日本为中外之枢纽”,却只是为了解而了解,很少考虑将了解到的日本的好经验拿到中国来运用。他在《馀纪》开篇时交代自己作《图经》的指导思想道:

> 以彼(指日本)学唐而后至于今,已一千二百年有奇,事事以中国为宗。同治七年(一八六八年,即日本明治元年),效西如不及;当变而变,不当变亦变。——据事直书,按而不断。以为感,可也;以为惩,无不可也。

这就是说，他想使自己对日本的“效西”和“变”，做到无爱无憎，亦爱亦憎，不爱不憎，当一个中间派。

兴趣多在金石古籍

《馀纪》中记游历学校二十馀处，工矿设施亦二十馀处，大多一笔带过，语焉不详。像十三年十月四日参观长崎三菱造船厂，五日参观三菱会社石炭厂，十月十八日在东京参观帝国大学，这些在中日经济、文化交流史上，都是十分有意义的事情，我们真希望他当时能够稍微多作一些报道。相反地，他对在日本发现的汉文古籍、唐人写经、金石文物，却不厌其详，记了又记。《馀纪》所录傅云龙游历期间写的十六篇文章，除了两篇游记、五篇应日本人之请而作的题记而外，其馀九篇全是给《唐卷子本论语》、《宋本历代帝王绍运图》、《高丽古碑》……所作的序跋，仅《高丽古碑》碑文和跋即有六千多字，比记叙学校、工厂的全部文字还要多；如果再加上在西京智恩院看空海手迹，在大德寺观赏宋徽宗画鸭、仇十洲《汉宫春晓图》之类记载，在全书中所占比重就更大了。毫无疑问，这些材料在文化史上也是有用的，但在中国“值不可不为之日”，不远千里跑到日本去研究唐人写经、宋人画鸭，总使人有一种离题太远的感觉。不知究竟是傅云龙有意这样做呢？还是王大臣们看中了他的书呆子气，特地“考选”他来这样做的呢？

《东游日记》（一八九三）

黄庆澄

黄庆澄，字愚初，浙江平阳人，于光绪十九年（一八九三年）五月初往游日本，七月初回国。其《东游日记》刻成于第二年，也就是中日开战的甲午年，有孙诒让所作序文，首称：

国家自道咸以来，始大弛海禁，与东西洋诸国开榷

（燕京大学旧藏《东游日记》）

场，互市海上。校其疆理，多张骞、甘英所未窥者。……士大夫游历外国者，斐然有述，往往著为游记。其佳者奇闻创见，足裨輶轩之采，视唐玄奘、宋徐兢、元邱长春所记录，倜乎远过之矣。

这段话概括了五十年来东西洋游历载记的历史地位和价值，要言不繁，确实是大学者的手笔。接着又讲到黄氏之东游：

沈秉成和汪凤藻

余友平阳黄君愚初，振奇士也。以学行淹粹，为沈仲复中丞所赏异，修书俾游日本，而我驻日使臣汪芝房编修复佽金以助其行。……日本与我国同文字，其贤士大夫多通华学，邦域虽褊小，然能更其政法，以自振立。愚初之行也，盖欲咨其政俗得失，以上裨国家安攘之略，顾不获久留。其归也，仅携佛氏密部佚经数十册，又为余购彼国所刊善本经籍数种，皆非其初意也。……

可见黄庆澄和傅云龙不同，一则他出国不是受朝廷派遣，而是由于沈秉成（时任安徽巡抚）和汪凤藻（一八九二年起继李经方为驻日使臣，李经方则是一八九〇年接黎庶昌第二次使日之任的）的资助；二则他的目的在于“咨其政俗得失，以上裨国家”，“初意”并不在搜求什么佚经善本。

黄庆澄是一位钻研过西学的新派人物。五月十二日，他在长崎寻常师范学校见到一套几何教具，说："几何形体器具，最便于学算之用。庆澄向习几何时，即闻西人有此器，无处觅购，现得全阅一过，为之一快。"他又曾和汪凤藻、伍光建等多次研究"读洋文之法"，讨论过英文拼法的变例，认为《尔雅》所载"阏逢"、"摄提格"等词语，"均系巴比伦古时土音，华人不谙其故，肆意穿凿，殊属无谓"。《东游日记》节录他自己写的《见所见录》文稿两条，一条是：

几何教具

> 古今有三界，唐虞以前为一界，夏以后为一界，秦以后为一界。呜呼！自兹而往，其将四矣。

证以其过日本外务省所发的感叹："噫！天将于地球之上，以轮船、火器，而别开一局乎！"说明他已经有了历史分期的观念和新时代来临的感觉。另一条是：

> 或曰："基督云，'驯如鸽，智如蛇'，能斯二者，其可任事乎？"庆澄曰："未也。"请益，庆澄曰："勇如虎，仁如驺虞，四者备，可与任事矣。"

说明他懂得一些基督的道理，却又并不认为基督所云都是真理。

以这样一个人，在甲午的前一年到日本，当然是可以看到一些东西的。

黄庆澄和前三人一样，到日本首先是到长崎。这时已在傅云龙来后六年，李筱圃来后十三年，何如璋来后十六年，上距罗森之到日本更已整整四十年。在这四十年中，日本学西方有成效，已经学成为一个东亚强国。长崎的情形，也和前人所见大不相同了：

长崎新貌

> 长崎街道整洁……虽系通商码头，无嚣尘湫隘之气。……其东为华人暨西人占居之；西则山峦连属，有造船场，有制铁场……。县署全仿西式……署内设风雨表，遇大风雨，高竖一红球，先期示众，使知趋避。……县署不理刑案，居民口角细故，均由裁判所判决。……东人户外设邮便箱及邮便收纳箱，以便书札往来及取纳新闻纸之用。……电杆绵亘，各口岸有总局，有支局，电价视中国较廉。……（劝工场）铺设百物，平价估卖，肃有定规；执其业者，男女各半。……庆澄周观学校，统计校长（按指教师）十八人，男女学徒百馀人。……有习华文者，习东文者，习英、法、德文者，习国史者，习外事者，习算学者，习化学者，习光、热等学者，习制造者，习乐者，习画者，习作字者。种种书籍器具，听学徒取用。学堂外有应接所，有会议所，有养病所，有沐浴所。房舍焕烂，规制井井。

最有意思的是他问长崎华商："东人交谊若何？"答云：

> 三十年前，华人旅居者，备承优待，其遇我国文人学士，尤致敬尽礼，今则此风稍替矣！

铁路是每个到日本的清朝人都很注意的东西。四十年前，罗森记载日本人见到火车模型"旋转极快，人多称奇"。四十年后，黄庆澄却看到"日本铁路由东京起，东北达青森湾"，"西达神户"，"未成者惟由三原达门司关之百数十里。据日人云，五年内必能造就，使全国联络矣。（原注：此以干路言，其支路尚多,不能备列。)”

汪凤藻告诉黄庆澄:日本“维新以来仅二十馀年,虽未能事事尽归实际,然规模粗具,不可谓国无人也”。又告诉黄:“日本办外交之事颇得法。”黄氏写道:

> 庆澄查日相伊藤(博文)氏,曩时曾为西人躬执贱役,游历外洋,借以咨访欧美之底蕴。此外,以只身游泰西,归而与闻国政者,亦不一而足。然则其办外交之事之稍得法也,固宜。

伊藤博文

中国此时,“游历外洋”的人也已有不少了。《东游日记》中所记载的,即有:

> 罗君叔羹……通西文,习律例学,曩在西国学校中以法科擢取高等,现在译述西律,尚未脱稿。……
>
> 陶君杏南……通东文。庆澄以译书劝,陶君曰:“译书大不易。”……
>
> 伍昭扆大令(光建)……年才二十七耳,向游学泰西,精通英文;而于中国经、子、史各书,亦复苦心研索,独具宏识,……与庆澄纵谈时事及中兴诸公长短,均按切时势,能窥其隐而观其大。
>
> 郑君苏龛(按即郑孝胥。此人于四十年后,在伪满洲国做了“国务总理”,但在当时还不失为一个讲求新学的人物。)……年三十四,根器清峭,胸次广博,尤长孟子之学。……现延一泰西女师,从事洋学,盖所志远矣。
>
> 王君海如……年五十馀,习西文,晓算学,曩曾受业李氏(善兰)之门……

伍光建

郑孝胥

"饮金"邀黄庆澄东游的汪凤藻,也是在同文馆培养出来后又考列翰林的,可算学贯中西,识通新旧,尤其难得的是深明自然科学,其译著在当时颇得中外人士赞誉。可是,所有这些人,没有一个能够得到日本对伊藤氏那样的重用,都不能"与闻国政"。汪凤藻虽然做了出使大臣,也郁郁不得志。六月初一日,他和黄庆澄谈心,说:

"浊流"

> 我辈身任外事,均世俗所谓"浊流"者。……
>
> 今日之谈洋务者,仅可著书而已。坐言起行,戛戛其难。

为什么日本开放得比中国迟,"起行"得却比中国早而出色呢?个中消息,黄庆澄也知道一点。五月二十日,他发表了很长一篇议论,首云:

> 日本自德川末造,美兵逼境,一隅被扰,举国鼎沸,人心皇皇,靡有宁岁。当时开锁分党,曰勤王,曰佐幕,曰攘夷,各执所见,卒乃为背城借一之计,诛杀异议。以一国论,屡战失利,始悟螳臂不可挡车,幡然自悔,尽涤宿见,仿行新法;甚至改正朔,易服色,虽贻千万邦之讪议而不之顾。……夫琴瑟不调,则改弦而更张之。豪杰谋国,其深思远虑,非株守兔园册子者所可与语……嗟乎!古来国家当存亡危急之秋,其误于首鼠两端者,何可胜道,日人其知所鉴矣。

改弦更张

接着便将中国和日本作了一番比较:

夫予之东游，虽为时未久，然尝细察其人情，微勘其风俗，大致较中国为朴古。而喜动不喜静，喜新不喜故；有振作之象，无坚忍之气。日人之短处在此，而彼君若相得以奏其维新之功者亦在此。若夫中国之人，除闽粤及通商各口岸外，其缙绅先生则喜谈经史而厌闻外事，其百姓则各务本业而不出里闾。窃尝综而论之：中国之士之识则太狭；中国之官之力则太单；中国之民之气，如湖南一带坚如铁桶、遇事阻挠者，虽可嫌，实可取。为今日中国计，一切大经大法无可更改，亦无能更改；但望当轴者取泰西格致之学、兵家之学、天文地理之学、理财之学及彼国一切政治之足以矫吾弊者，及早而毅然行之，竭力扩充；勿以难能而馁其气，勿以小挫而失其机，勿以空言而贻迂执者以口实，勿以轻信而假浮躁者以事权。初创之举，局面不宜过大；已成之事，提防不得稍松；从之愈推愈广，以彼之长补吾之短，则不动声色而措天下于泰山之安，以视东人之贻笑外邦者，不大有间欤！盖治天下者，有法有意，此则但师彼之法，而不师彼之意也。虽然，匪言之艰，行之维艰。方今中国当轴诸公，阅历变故，通达洋情，洞谙国势者，实不乏人；乡僻下士，何足言此。手记至此，掷笔而起。

师彼之法
不师彼意

这时候，中日国家间的关系已经十分紧张，学习日本经验已经成为带忌讳的话题。孙诒让序中即意味深长地说过：“夫中外政治，得失异同，其精微之故，文字不能宣；其奇伟广远者，又非下士所敢言。”所以，黄庆澄只能说自己的主张是“但师彼之法，而不师彼之意”；只能说“坚如铁桶，遇事阻挠”的“民气”“虽可嫌，实可喜”；还只能说一说“东人之贻笑(！)外

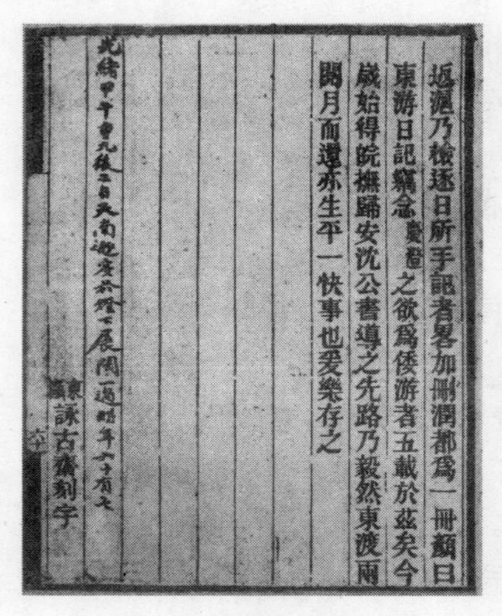
返滬乃檢逐日所手記者畧加删潤都爲一冊顏曰
東游日記竊念之欲爲倭游者五載於茲矣今
歲始得皖撫歸安沈公書導之先路乃毅然東渡兩
閱月而還亦生平一快事也爰樂存之

東瀛詠古齋刻字

（王韬阅《东游日记》后题）

邦”。不然的话，他真怕北京城里那些以“清流”自命的人，简直会把他投诸浊流呢！

但无论如何，只要我们知道，在甲午前一年，中国已经有人讲过这么一番话，亦“不可谓国无人也”了。

可惜的是，黄庆澄虽然等于在振臂高呼，他所寄以厚望的“中国当轴诸公”，却不仅不曾采纳，甚至连听也不曾听到。于是乎，历史的教训，就只能由鸭绿江边和黄海海上的炮声来宣示了。

11 黄遵宪《日本杂事诗》广注

□ 黄遵宪一八七七年随何如璋出使日本，留东五年，作有《日本杂事诗》、《日本国志》。“广注”为钟叔河所辑，以《志》注《诗》，注文亦可视为《日本国志》的部分选录。诗据光绪二十四年长沙富文堂所刊最后定本，并辑入刊落各首。

在近代中国，第一个对日本有真正了解，其关于日本的研究在国内产生真正大影响的人，应该算是黄遵宪。

光绪八年(一八八二年)春，黄遵宪由驻日参赞调任美国三富兰西士果(旧金山)总领事时，有诗云：

吟到中华以外天

> 海外偏留文字缘，新诗脱口每争传。
> 草完明治维新史，吟到中华以外天。……

这里说的“明治维新史”，指自己的著作《日本国志》；“吟到中华以外天”，则说的是他在日本写成的《日本杂事诗》。

《日本国志》是中国人所写的第一部日本通志，它叙述了日本古往今来各方面的情况，尤其是“明治维新”后所发生的巨大变化，是一部名副其实的“明治维新史”。

《日本杂事诗》专咏日本的国政、民情、风俗、物产，写的确实是“中华以外”的另一个天下。它“写物如绘，妙趣横生，以悲悯之深衷，作婵嫣之好语”(狄平子)，用的是文学体裁，立意却是想达到让中国人了解日本,特别是了解日本维新的目的;在某种意义上说来,也是一部“明治维新史”。诗的小注,常云“详见《日本国志》”、“别详《日本国志》中”,可见作者也是把它和《日本国志》视为姊妹篇,希望读者将两部书参照着来读的。

儒生不出门,勿论当世事

关于黄遵宪,过去往往只把他看作一位诗人。《辞海》在“黄遵宪”名下,就只有“清末诗人”四个字。其实,黄遵宪决不仅仅是一位诗人,他首先是一个维新运动家,一个启蒙主义者,一个爱国的政治人物。他的诗,也主要是政治的诗。

(黄遵宪,1848—1905)

黄遵宪

黄遵宪确实很能诗。十岁时,塾师令赋“一览众山小”,他起句云:“天下犹为小,何论眼底山”,见者无不推重。他平生也颇以诗自许,《人境庐诗自序》谓己诗“未必遽跻古人,其亦足以自立矣”,但“以奔走四方,驰驱少暇,几几束之高阁”,仅因笃好深嗜之故,始“每以馀事及之”。这里很清楚地表明,他认为写诗只是自己的“馀事”。

逝世前一年,黄氏在给梁启超的一封长信中,回顾自己整个的一生,说:

志在变法在民权

> 自吾少时，绝无求富贵之心，而颇有树勋名之念。游东西洋十年，归以告诗五曰："已矣！吾所学，屠龙之技，无所可用也。"盖其志在变法，在民权，谓非宰相不可为；宰相又必乘时之会，得君之专，而后可也。既而游欧洲，历南洋，又四五年，归见当道者之顽固如此，吾民之聋聩如此，又欲以先知先觉为己任，借报纸以启发之以拯救之，而伯严苦劝之作官。……及戊戌新政，新机大动，吾又膺非常之知，遂欲捐其躯以报国矣。自是以来，愈益挫折，愈益艰危，而吾志乃益坚。……再阅数年，加富尔变而为玛志尼，吾亦不敢知也。

这里谈的也全是政治，而不是诗。

黄遵宪于清道光二十八年(一八四八年)出生于广东嘉应州一个商人家庭。他的祖上因经商致富，竭力送子孙读书。

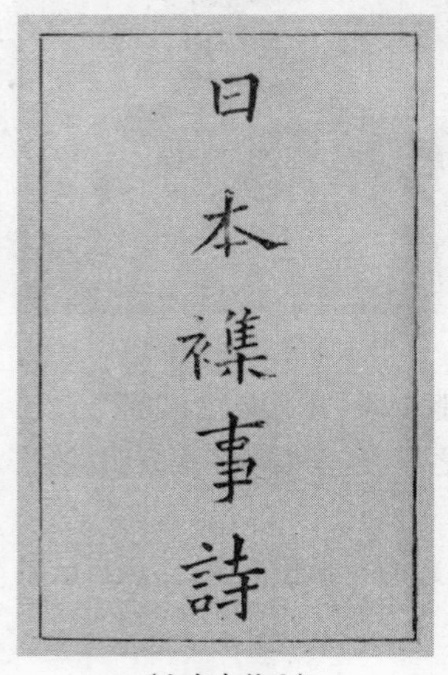

(初印本封面)

他出世时，父亲已经进学，他自己二十岁也成了秀才。老话云："秀才不出门，能知天下事。"这句话反映了一般读书人的心理，他们不研究实际问题，不关心天下大事，只知盲目搬演教条，求取功名利禄。黄遵宪却与众不同。他从读书识字起，便一直关心书房以外的广大的世界，不愿只做一个从古书中讨生活，牟取功名利禄的庸人。《人境庐诗草》的第一首诗，为他十七岁时所作，就是讽刺食古不化的秀才们的：

世儒诵诗书，往往矜爪觜；昂头道皇古，抵掌说平治。
上言三代隆，下言百世俟；中言今日乱，痛哭继流涕。
摹写车战图，胼胝过百纸；手持井田谱，画地期一试。
古人岂我欺，今昔奈势异；儒生不出门，勿论当世事。

人们的观点是“秀才不出门，能知天下事”；黄遵宪却斩钉截铁地说，“儒生不出门，勿论当世事”。他虽然也在“诵诗书”，却认识到了历史在发展，形势在变化，“古人岂我欺，今昔奈势异”。这一首诗，表达了少年黄遵宪的进步观点，是传统社会浑浑噩噩的秀才群中难得听到的清醒呼声。

读时务书作香港游

同治九年，黄遵宪下决心“出门”去接触“当世事”。他首先到广州，遍读了《万国公报》和江南制造局关于“时务”的书，接着又到香港游历。他看到香港“弹指楼台现”、“帆樯通万国”* 的情形，赞叹道：“人力信雄哉”；但是想起祖国河山破碎，望着边界山头迎风猎猎的龙旗，又不禁自问“九州谁铸错”，一腔悲愤，“洒泪纵横”。

经过“出门”，黄遵宪的眼界开阔了。“乌知今日稗瀛环海还有大九州”，“要抟扶摇羊角直上九万里”。回到广州时，他特地去凭吊了虎门抗英的遗迹，在战台祠庙前，心情久久不能平静。“驱鳄难除海大鱼”，“谁似伏波饶将略”？他意识到祖国正处在危急存亡之秋，有志之士应该投袂而起。

同治十三年，黄遵宪继续“出门”北上，在烟台、天津和北京，他先后认识了丁日昌、张荫桓、陈兰彬、郑藻如、李鸿章等

* 引文未注明出处者，均引自黄遵宪本人的诗文。

讲时务、办外交的人。对于这个有才华、有见解的青年,这些人都另眼相看,跟他"抵掌当世务"。他们谈到中国对外关系发生了从古未有的变化,"七万里戎来集此,五千年史未闻诸";谈到在西方影响下开始出现的新鲜事物,"考工述物搜奇字","借筹幸辟同文馆";谈到列强环伺,咄咄逼人,"今年问周鼎,明年索赵璧";也谈到了外交工作的重要性,"海疆东南正多事","和戎难下绝秦书"。黄遵宪深深感到个人对国家的责任:"国耻诚难雪,何雠到匹夫";"荷戈当一兵,吾亦从杀贼。"从小就有的"树勋名之念"和求报国之心,在他的身上很自然地结合起来了。

随何如璋出使东洋

黄遵宪在京师以拔贡身份参加光绪二年顺天乡试,中式成了举人。但由于上述多方面的影响,他舍去了登进士、入翰林的出身正途,投身外交界。就在他中举同年,清政府开始向东西洋国家派驻使节,何如璋任出使日本大臣。黄遵宪接受何的邀请,去日本担任使馆参赞,从而开始了他"游东西洋十年"和"历宦四十年"的政治生活。

介绍日本的维新

日本四年

从光绪三年(一八七七年)十二月起,黄遵宪在日本度过了四年多时间。这时距美国柏利舰队访问日本不过二十来年,明治维新也刚刚开始十来年,但是要革新、要进步的潮流已经席卷日本全国,日本的面貌已经开始发生深刻的变化。正如梁启超、薛福成替《日本国志》作序时说的那样,日本是"以祸为福,以弱为强","富强之机,转移颇捷,循是不辍,当有可与西国争衡之势"了。这个情况,在黄遵宪的头脑中,造成了深刻的印象。

quotable

毛泽东有段话我是很同意的，那就是在论述一八四〇至一九一九时期的历史时所说："那时的外国只有西方资本主义国家是进步的，他们成功地建设了资产阶级的现代国家。日本人向西方学习有成效，中国人也想向日本人学。"黄遵宪便是主张学习日本的最早的代表。《日本国志》凡例便说，日本"变法以来，革故鼎新，旧日政令，百不存一；今所撰录，皆详今略古，详近略远，凡牵涉西法，尤加详备，期适用也。"

在向西方学习这件事情上，日本的起步并不比中国早。现在把日、中两国与西方关系史上的大事，列成一张比较表如下：

中日开放之比较

事件	日本	中国
欧人来通商	葡萄牙（南蛮）人始至日本种子岛 （1543）	葡萄牙（佛郎机）人始至中国澳门 （1535）
传教士东来	西班牙人耶稣会士方济各（Francisco）东来日本 （1549）	意大利人耶稣会士利玛窦（Mateo Ricci）东来中国 （1531）
全面锁国和厉行禁海	德川幕府全面锁国，严禁人员船只出海，违者处死 （1635）	康熙皇帝重新禁海，出外留居外国者，"解回立斩" （1717）
最早翻译和介绍西学	杉田玄白等译成《解体新书》 （1774）	徐光启等译成《几何原本》 （1606）
最早去西方留下的记述	渔民津太夫漂流到俄国（1793），十一年后由欧洲回国，其见闻经人记述成《环海异闻》一书 （1807）	水手谢清高因海难被"番舶"救起，十四年中遍历海外，归国后其见闻经人笔录成《海录》一书 （1820）
最早研究西方的著作	新井白石（1657—1725）审讯潜入日本的意大利教士，写成《西洋纪闻》、《采览异言》	魏源（1794—1857）取材于鸦片战争中的英国俘虏，写成《英吉利小记》，并辑入《海国图志》
初次来使求通商被拒绝	俄国派使臣拉克斯曼到日本要求通商，不许 （1792）	英国派使臣马戛尔尼来中国要求通商，不许 （1793）
被迫开放	美国舰队扬言"立即开战"逼迫日本立约开国通商 （1852—1854）	英国发动鸦片战争，压迫中国订约开放五口通商 （1840—1842）

从这张表上可以看到，中国和日本过去跟西方的接触的水平是大体接近的。令人感到奇怪的是，两国后来的发展却是如此不同。日本人接受西学不比中国早，起步以后却走得快得多，其中的奥妙，一直成为研究者感兴趣的问题。黄遵宪在百年前，当然不可能对这个问题作出全面的科学回答。不过，《日本国志》和《日本杂事诗》作为两编“明治维新史”，仍然在一定程度上接触并解释了这个问题。

日本特别善于学习

（一）两书都着重说明日本民族特别善于学习。《日本国志·邻交志序》说日本：

> 中古以还瞻仰中华，出聘之车冠盖络绎，上自天时、地理、官制、兵备，暨乎典章制度、语言文字，至于饮食居处之细，玩好游戏之微，无一不取法于大唐。近世以来结交欧美，公使之馆衡宇相望，亦上自天文、地理、官制、兵备，暨乎典章制度、语言文字，至于饮食居处之细，玩好游戏之微，无一不取法于泰西。

日本雜事詩卷一

廣東黃遵憲公度著

立國扶桑近日邊。外稱帝國內稱天。縱橫八十三洲地。上下二千五百年。

日本國起北緯線三十度。止四十三度。起偏東經線十三度。止二十九度。地勢狹長。以英吉利里數計之。有十五萬六千六百零四方里。全國瀕海。分四大島九道八十三國。戶八百萬口。男女共三千三百萬有奇。一姓相承。自神武紀元至今歲己卯。爲二千五百三十九年。內稱曰天皇。外稱曰帝國。隋時推古帝上煬帝書自名曰日出處天子。今此詩亦援諸書。曰皇。曰帝。悉從舊稱。用公羊傳名從主人之例也。

（日本明治十三年印本）

《日本杂事诗》涉及古代中国文明对日本的影响者近四十首，写近代西洋传入日本的新事物者亦近四十首。日本人能够如此锐意学习外国先进文化，与日本民族背的历史包袱比较小是有关系的。黄遵宪指出过：“持中国与日本较，规模稍有不同。日本无日本学，中古之慕隋唐，举国趋而东；近世之拜欧美，举国又趋而西。……若中国旧习，病在尊大，病在固蔽，非病在不能保守也。"这正和当代日本史学家井上清的看法相同。井上清《日本历史》书中说：

> （日本）和美索布达米亚、埃及、印度和中国的人类文明发祥时代比较，落后了二千年到四千年。……日本人贪婪地学到了朝鲜、中国、印度以及后来的欧洲的先进文明，就使得日本历史的发展异常迅速。……日本经常是模仿先进的文明，这件事似乎应以自卑的口气加以叙述；但是……吸收先进文明这件事，恰恰证明了日本人的生活能力。

自上而下的改革

（二）从两书都可以看出：明治维新主要是一次自上而下的改革。《日本杂事诗》叙述日本天皇自"源、平"* 以还，如周之东君，拥虚位而已"。《日本国志·国统志论》论明治维新的口号"尊王攘夷"时说："前此之攘夷，意不在攘夷，在倾幕府也；后此之尊王，意不在尊王，在覆幕府也。"这就说明，明治维新的改革矛头，针对的不是"拥虚位"的天皇，而是拥实权的幕府。从上而下的做法，破坏和折腾较少，经济和文化的发展也就较快。尽管由于政治民主化落后于经济现代化，"维新"后的日本仍然是一个专制国家，并不能满足进步的政治要求，但在一个时期内却确实取得了较快的进展。正如美国的"日本通"赖肖尔在《日本人》一书中所说：

* 源、平：一一七六年，平清盛任太政大臣，独揽政权；一一八〇年，源赖朝举兵推翻平氏，自任"征夷大将军"，建立幕府统治。

> (日本人相对迅速地取得成功的)另一个重要因素是,整个这次巨大的变革,在日本人思想当中是可以接受的。这并不是因为他们新学了一些外国的概念……而是因为他们自己古老的天皇统治制度能够接受这一变革。由于利用了本国的思想,无疑减轻了这次剧烈变革可能造成的痛苦和创伤。

知识分子作用巨大

(三)两书都突出提到了教育的作用,也就是日本知识分子在引进先进文明上的作用。《日本杂事诗》云:“化书奇器问新篇,航海遥寻鬼谷贤;学得黎鞬归善眩,逢人鼓掌快谈天。”“欲争齐楚连横势,要读孙吴未著书;缩地补天皆有术,火轮舟外又飞车。”都是写的这方面的情形。《日本国志·学术志》详述日本学西方的情况:

> 明治元年海外留学者五十人,二年至百五十人,至五年大抵千馀人。又争延西人为之教师,明治六、七年间,各官省所聘、府县所招,统计不下五六百人。……今之当路诸公,大率从外国学校归来者也。

这些“当路诸公”,也就是明治维新的核心领导人物,大都是到欧美留学、考察归来的青年人和中年人,如岩仓具视、大久保利通等当时只有四十来岁,木户孝允、山县有朋等只有三十来岁,伊藤博文刚刚三十岁,年纪都和中国的康、梁、黄遵宪“锐意改革”时差不多。井上清《日本历史》特别指出这一点,他说:

(日本的明治维新)对于外国文化,……是由知识分子通过书本来学习的。直到现在为止,这仍是日本吸收外国文化的主要的甚至是唯一的方法。

黄遵宪第一个把明治维新时期日本人学西方的情况和经验教训介绍到中国。后来的事实证明,这在中国近代史上发生了很大的影响。

泰西之强悉由变法

一八八二年从日本到美国后,黄遵宪进一步接触了资产阶级的政治主张和政治制度,渐渐开始形成了追求"变法"争取"民权"的政治思想。当时民主革命之说开始盛行,黄遵宪"初闻颇奇怪,既而取卢梭、孟德斯鸠之说读之,心志为之一变,知太平世必在民主"。(见《新民丛报》)当然,在很长一个时期内,他的"太平世"还只是一个模糊的远景。由于历史和时代的局限,他总是怀疑人民独立自治的能力,"仍欲奉主权以开民智,分官权以保民生",也就是想要学日本那样,奉一位"明治天皇"来实行自上而下的"变法"。他还只是一个君主立宪论者。

卢梭
孟德斯鸠

在美国,黄遵宪对西方民主较之专制政体的优越性和局限性这两个方面,都有了从感性到理性的认识。一八八四年美国选举总统,他写了一首长诗叙述这件事情,诗中首先肯定了美国的平等和自由:

自由平等

红黄黑白种,一律平等视;人人得自由,万物咸遂利;
民智益发扬,国富乃倍蓰;泱泱大国风,闻乐叹观止。

以总统选举来说，“究竟所举贤，无愧大宝位”。但是，选举中两党互相进行人身攻击，又不免使他觉得有些过火：

> 彼党讦此党，党魁乃下流：少作无赖贼，曾闻盗人牛；
> 又闻挟某妓，好作狭邪游；聚赌叶子戏，巧术妙窃钩；
> 面目如鬼蜮，衣冠如沐猴；隐匿数不尽，汝众能知不？

于是他慨叹：“至公反成私，大利亦生弊”，“倘能无党争，尚想太平世”。这些认识进一步助长了他的君主立宪主张。平心而论，这种对外国事物有批判、有分析、既不全盘肯定也不全盘否定的态度，在当时是十分难能可贵的。

作为一位外交官，黄遵宪尽忠职守，做了不少事情。比如，刚到旧金山时，得知当地政府为了排华，以住处“不卫生”为借口，逮捕了数千名华人。他立即要求到关押处看望，见到那里十分污秽拥挤，便严词质问美方：“这里的卫生，难道比华人住处好吗？”当地政府只好将关押的华人全部释放。他痛苦地直抒自己的胸臆：“呜呼民何辜，值此国运剥”；“有国不养民，譬为丛驱雀”。就这样，他从外交工作的实践中，同样得出了自己国家确实需要变革的结论。

回国以后，黄遵宪将《日本国志》定稿付诸刊行，然后于一八九〇年随薛福成赴英任参赞，“游欧洲、历南洋，又四五年”。

君主立宪

在这段时间中，他认为英国的君主立宪政体最宜中国仿效，主张中国“上自朝廷，下至府县，咸设民选议院，为出政之所”；但同时也仍然主张向日本学习，因为“日本已开议院矣，进步之速，为古今万国所未有”。他在伦敦将《日本杂事诗》改订成定本，随后又到新加坡担任了几年总领事，一直到甲午中日开战后才回国。

甲午之战，变法维新的日本，打败了顽固守旧的清朝，对中国人是一次极大的震动。黄遵宪关于日本的研究立即受到人们普遍重视。袁昶对黄氏说："你的书如果早一点让大家看到，价值可以抵得二万万两银子。"（中国向日本赔款二万万两）。黄遵宪自己的思想，这时也起了一个飞跃。他看到李鸿章等人竭力经营的北洋海陆军全军覆没，写下了《东沟行》、《悲平壤》、《哀旅顺》、《哭威海》、《马关纪事》、《降将军歌》等诗篇，歌颂"躬蹈烈火沉重渊"的邓世昌等英雄，痛斥了"手书降表黄龙笺"的叶志超一流败类；指出："有器无人终委敌"，光有坚船利炮并不能免于败亡。第二年，他就参加了文廷式、康有为在京师发起的"强学会"，以实际行动投入了中国的维新运动。

强学会

《日本杂事诗》和《日本国志》都曾经特别提到报纸鼓吹文明开化的作用。为了利用报纸推动维新变法，黄遵宪自己筹款在上海创办《时务报》，请梁启超担任主笔，成为维新派的重要喉舌。这时候，年轻的光绪皇帝下决心学明治天皇，希望找到自己的伊藤博文、木户孝允，于光绪二十二年九月下旨召见黄遵宪。光绪问黄遵宪："泰西政治，何以胜中国？"黄遵宪答："泰西之强，悉由变法。臣在伦敦，闻父老言，百年以前，尚不如中华。"光绪乍听颇感惊讶，随即点头表示理解；第二年（也就是戊戌前一年）便派黄遵宪到湖南，先任长宝盐法道，后署按察使（臬台），和巡抚陈宝箴一道试行新政。

时务报

为官湖南试行新政

这时的湖南，可以说是维新运动的"实验省"。主持省政的陈宝箴、黄遵宪、江标、徐仁铸等，都是有名的新派人物；黄遵宪又邀了梁启超来湘倡办南学会、主讲时务学堂；谭嗣同也回省协助工作。一时湖南涌现了许多新政新人新事，而黄遵

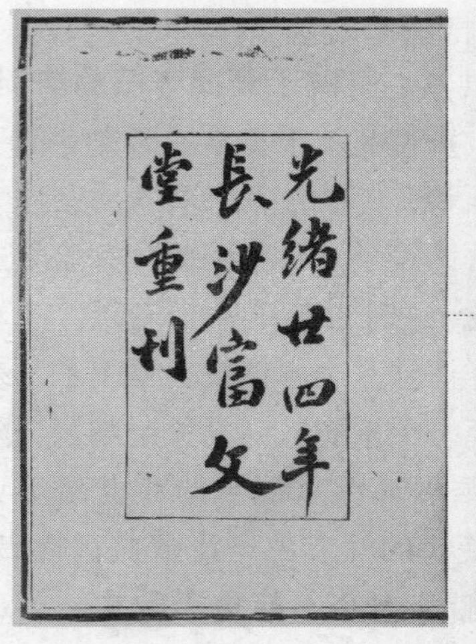

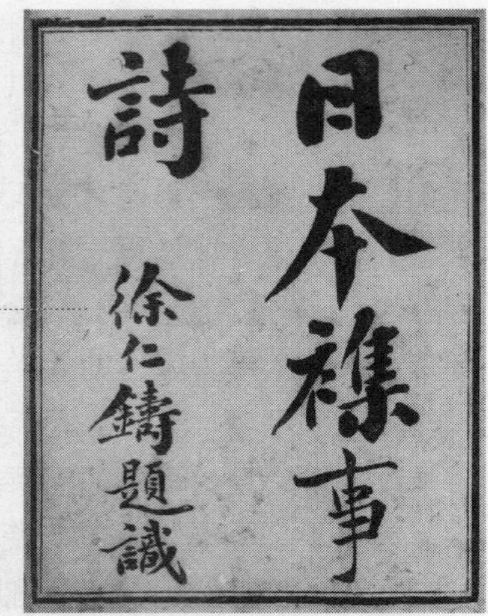

（在长沙刊刻、徐仁铸题识的“定本”的扉页和书牌）

宪在新政诸人中，所任实际工作最多。陈三立（伯严）《散原文集》内《先君行状》云：

时务学堂

> ……时务学堂、算学堂、湘报馆、南学会、武备学堂、制造公司之属，以次毕设。又设保卫局，附迁善所，以盐法道黄君遵宪领之。又属黄君设课吏馆，改定章程。……黄君遵宪来任盐法道、署按察使，皆以变法开新治为己任。……（政变后）荡然俱尽，独矿务已取优利得不废；保卫局仅立数月，有奇效，市巷私沿其法……

“保卫局”便 是后来警察局的雏形。黄遵宪在《日本国志》中详细介绍过日本和西洋的警政，认为“欲治国安人，其必自警察始”，主张裁撤中国的衙役、汛兵，易以警察，作为推行新政的基层组织。《日本杂事诗》注也称警察为“西法之至善者”。可见黄遵宪在湖南的维新实践中，充分借鉴了他对日本新政考察的收获;《日本国志》和《日本杂事诗》二书,也不是徒托空言的文章,而是意欲见诸行事,亦能见诸行事的。

但黄遵宪在湖南又是一个启蒙的宣传家。《日本杂事诗》的定本即是在长沙刻印的。《湘报》上刊载过黄氏在"南学会"的一篇演说,锋芒直指封建帝王:

指斥帝王

> ……所谓"生于深宫之中,长于妇人之手",骄淫昏昧,至于不辨菽麦,亦扞然肆于民上,而举国受治焉,此宜其倾覆矣。……所求于诸君者,自治其身,自治其乡而已矣。以联合之力,收群谋之益,由一府一县推之一省,由一省推之天下,可以追共和之郅治,臻大国之盛轨矣。

这样的言论,出自君主专制国家一省大员之口,确实很不平常。难怪当时反对变法的顽固分子,破口大骂黄遵宪是"乱臣贼子"、"罪大不可逭"。其实,这不过反映了黄遵宪进一步明确起来了的"民权"观念,也就是他后来在诗中流露的:"人言廿世纪,无复容帝制"的思想罢了。

这时候的黄遵宪,有了"游历东西两洋"的阅历,又有了地方行政工作的经验;只要出现机会,他就完全有可能"膺非常之知","捐其躯以报国"了。

馀事作诗人

光绪皇帝

戊戌这一年是黄遵宪政治生涯的顶点。正月,光绪皇帝向翁同龢索取《日本国志》。二月,枢臣进《日本国志》一部,但光绪接着又要了一部。四月,下诏定国是:"国家振兴庶政,兼采西法,今将变法之意,布告天下……"正式宣布学习日本,实行变法。二十六日上谕:“黄遵宪着该督抚送部引见。”不巧黄遵宪在长沙喝多了白沙井的凉水,得了痢疾,进京时绕道上海医治,以致迁延。光绪皇帝深知学习日本、联络日本的重要,认定黄遵宪是出使日本的最佳人选,于六月二十三日任命黄氏为出使日本大臣,接连三次下诏,令他“攒程迅速来京”。据《黄公度——戊戌维新运动的领袖》(作者正先,载民国廿五年《逸经》杂志第十期)一文云:

> (此时)光绪已以谭嗣同、杨锐、刘光第为章京,军机大臣之职则拟以公度任之,俾得总领中枢,实施新政。复虑公度官衔不高,不足以当军机大臣之任,特简公度出使日本以提高其资格,兼使在外作外交上之联络。预计公使留日本半载,所办之事已有头绪,即调之返京也。

这一说法虽出自稗官,要亦不失为一种解释,说明光绪何以如此迫不及待催黄氏进京。黄遵宪也极其愿意赶快进京,施展他平生的抱负,“病中泣读维新诏,深恨锋车就召迟”。

如果光绪皇帝真的成了中国的明治天皇,康有为、黄遵宪等人成了中国的木户孝允、伊藤博文,中国近世的历史也许有另一种写法。然而世道就是那样无情,顽固派绝不会自动退出历史舞台,当变法维新损及他们力求继续享有的特权时,他们就狰狞毕露地向维新派举起了屠刀。八月,慈禧太后发动政变,光绪成了瀛台之囚,六君子血染菜市口。顽固派掌握政权后,立即将黄遵宪“开缺”,接着又旨令两江总督到黄遵宪在上海居住的旅馆中“查看”康梁是否匿居其内。上海道蔡钧派兵围守,实际上已经把黄氏“监护”起来了。仅仅是因为不敢树敌太多,特别是考虑到黄遵宪是日本已经正式表示接受的

戊戌政变后的黄氏

出使大臣,有国际影响,才予以"从宽处理",将他"放归"。

所谓"放归",就是放逐归家,等于现在的"开除公职"。黄遵宪"劫馀惊抚好头颅",从此躲进他在家乡构筑的"人境庐",开始了"蛰居吟咏"的诗人生活。

黄遵宪有诗才,能写诗,但他所追求的本来并不是诗。"穷途竟何世？馀事作诗人",就是他的自白。可是,戊戌以后,他却只能"作诗人"了。从五十岁到五十八岁,他在"人境庐"里写下了数百首诗。其中有一些是自遣自宽的作品,如:

馀事作诗人

> 天下英雄聊种菜,山中高士爱锄瓜;
> 无心我却如云懒,偶尔栽花偶看花。

从貌似澹忘中仍然使人感觉得到"英雄失路,托足无门"的悲哀,然而更多的仍旧是观点鲜明的政治诗,如"十七史从何处说,百年债看后来偿。""箧藏名士株连籍,壁挂群雄豆剖图。""四亿万人黄种贵,二千馀岁黑甜浓。"都愤怒地谴责了顽固派的倒行逆施。他始终在紧跟着历史的潮流,关心着天下的大事。尽管自己名列株连黑籍,却始终对未来抱有信心,相信四亿万人民是一定会从二千多年的"黑甜乡"中醒来的。

戊戌年的反动,到庚子年终于结成了苦果。搞"自天下降愚黔首"的人,弄到"党人狱起又黄巾",结果是"皇京一片变烟埃"。黄遵宪早已被夺去了政治生命,但他觉得个人处境只不过区区小事,"一身网罗不足惜,巢倾卵覆将奈何？"他痛斥衮衮诸公"断狱总应名国贼";谴责慈禧太后"揖盗开门终自误,虐臣衅鼓果何心";对"老来失计亲豺虎",一味主张利用沙俄牵制日本的李鸿章也深致不满。

《黄公度——戊戌维新运动的领袖》文中还介绍了黄遵宪

“放归”后继续钻研西学的情形：

> 乡居无事，常浏览汉译声、光、电、化、生物、生理诸学，辄延请梅州黄塘乐育医院德、瑞国籍医生，讲解人体构造，解剖猪羊鸡犬以供实验。闻其未完之著作《演孔篇》，参考书目有培根、达尔文等书云。

辛丑以后，朝不保夕的清廷，不得不稍微放松党狱和文网。黄遵宪仍然蛰居嘉应，但又开始和梁启超、严复等人书信往还；讨论起中国的前途和政治来了。他说：“中国之进步，必先以民族主义，继以立宪政体，可断言也。……虽然，或以渐进，或以急进，或授之自上，或争之自民，何途之从而达此目的？则吾不敢知也。”光绪皇帝想学明治天皇的失败，使他终于考虑到中国的变革也许应该采取另外一条道路，也就是“急进”的、“争之自民”的道路。他心目中的理想人物，已经开始由加富尔变成玛志尼。可惜这时他既老且病，身体越来越不行。光绪三十一年(一九〇五年)正月，他还扶病写信给梁启超说：“一息尚存，尚有生人应尽之义务。……孔子所谓君子息焉，死而后已。未死，则无息已时也。”可是到二月二十三日，他就不幸去世了。据说他病笃时，自叹“生平怀抱一事无成，惟古近体诗能自立耳，然亦无用之物，到此已无可望矣。”对于他只能作为一个诗人而“自立”，他到死也是不甘心的。

民族主义
立宪政体

黄遵宪留下的最后一首诗是《病中纪梦述寄梁任父》，诗中一唱三叹，仍然念念不忘“变法”，不忘“民权”；

> 呜呼专制国，今既四千岁。岂谓及余身，竟能见国会？
> 以此名我名，苍苍果何意？人言廿世纪，无复容帝制。

举世趋大同，度势有必至。怀刺久磨灭，惜哉吾老矣。
日去不可追，河清究难俟。倘见德化成，愿缓须臾死。

黄遵宪没有能够“缓须臾死”，中国在人民没有真正自主之前，也根本不可能“见德化成”。于是，他只好在寂寞中死去。其实，西太后早已在政治上杀死了他，他完全可以说是以身殉戊戌变法，只不过比谭嗣同缓死了七年。

寂寞死去

竟作人间不用身，
尺书重展涕沾巾。
政坛法界俱沉寂，
岂独词场少一人？

（黄遵宪画像）

狄葆贤（平子）这首挽诗对黄遵宪的评价，似乎是比较全面的。

终黄遵宪的一生，在爱新觉罗王朝的“人间”，尽管他念念不忘国家的富强，又确实算得上一个先知先觉，却仍然只能成为“不用之身”；在“政坛”和“法界”中，他都只可能“沉寂”。只有他留给后人的著作，提供了值得重视的历史经验，总算足以使他永垂不朽；其中，《日本国志》和《日本杂事诗》，占有尤其重要的地位。这在当时进步的知识界中，即已差不多成为共识了。正如黄遵宪自己在咏这两部书的诗句中所云：

千秋鉴借《吾妻镜》*,四壁图悬人境庐。

在中国如何甩脱"二千馀岁黑甜浓"的封建包袱,迅速走上现代化的发展道路这个问题上,黄遵宪和他这两部书是确实可以作为千秋的鉴戒。

关于《志》和《诗》

日本国志

《日本国志》凡四十卷,二百馀万言。它实在可称为中国研究日本的空前的著作。除了系统介绍日本的天文(历法、纪年)、地理、国统(历史)等基本情况外,其价值尤在邻交、职官、学术、食货、礼俗诸志。作者对日本的近代化有深刻的观察和分析,从中引出了可供借鉴的结论。如《国统志》述明治元年大保久利通疏请日皇降等威、去繁文一节,云:

> 中世以还,天子深居九重,民之视君,尊如帝天;君之视臣,贱如奴隶。至将军窃政,犹作威作福,妄自尊大。卒之君臣乖隔,离德离心,效已可睹矣。夫普天率土,莫非王臣,此而以帝号自娱,以示天无二日之尊,犹之可也。今天下万国,正不知几人称帝,几人称王,乃盛仪卫、修边幅,与井底蛙何异?

这不能不认为是对中国封建朝廷的"井底蛙"式的世界观的一番针砭。又如《礼俗志》介绍日本集会、结社时,论曰:

---

* 《吾妻镜》:日本古史名,一名《关东通鉴》,日本古称关东地方为"吾妻国"。

世界以人为贵，则以人能合人之力以为力，而禽兽不能故也。举世间力之最巨者，莫如联合力。何谓联合力？如炽炭然，散之数处或数十处，一童子得蹴灭之；若萃于一炉，则其势炎炎不可向迩矣。……余观泰西人之行事，类以联合力为之。自国家行政，逮于商贾营业，举凡排山倒海之险，轮舶电线之奇，无不借众人之力以成事。其所以联合之，故有礼以区别之，有法以整齐之，有情以联络之，故能维持众人之力而不涣散。其横行世界莫之能抗者，恃此术也。尝考其国俗，无一事不立会，无一人不结党；众人习知其利，故众人各私其党。虽然，此亦一会，彼亦一会；此亦一党，彼亦一党；则又各树其联合之力，相激而相争。……

立会结党

《邻交志序》认实行开放政策实于国家有益，尤多精义：

余闻之西人，欧洲之兴也，正以诸国鼎峙，各不相让，艺术以相摩而善，武备以相竞而强，物产以有无相通，得以尽地利而夺人巧。自法国十字军起，合纵连横，邻交日盛，而国势日强，比之罗马一统时，其进步不可以道里计云。……一统贵守成，列国务进取；守成贵自保，进取务自强；此列国之所由盛乎？……日本一岛国耳，自通使隋唐，礼仪文物居然大备，因有礼义君子之名。近世贤豪，志高意广，竞事外交，骎骎乎进开明之域，与诸大争衡。向使闭关谢绝，至今仍一洪荒草昧未开之国耳，则信乎交邻之果有大益也。

开放有益

在当时中国维新派的著作中，《日本国志》当之无愧地占有很重要的地位。因为它的论点是建立在对日本和整个西方国家具体情况的分析之上的,所以它就比泛泛而谈的政论有着更大的说服力,更能够在中国知识界起到启蒙的作用。

《日本杂事诗》成书比《日本国志》早,定本比《日本国志》迟。这些诗最初写于黄遵宪东度后最初两、三年内,“时值明治维新之始,百度草创,规模尚未大定”。黄氏自谓当时所交多日本旧学家,微言讥刺,咨嗟太息,充溢于耳,故“新旧同异之见时露于诗中”。光绪五年冬,《日本杂事诗》由同文馆以聚珍板印行(是为初印本,也就是本篇首页上介绍的本子),王韬也在香港印了第二种本子,均分作上下两卷,共诗一百五十四首。但是,随着他对明治维新的进一步了解,黄遵宪的思想感情渐渐起了变化。他“阅历日深,闻见日拓,颇悉穷变通久之理,乃信其改从西法,革故取新,卓然能自树立。故所作《日本国志》序论,往往与诗意相乖背”。及至光绪八年“游美洲,见欧人,其政治学术竟与日本无大异”。光绪十六年到伦敦后,又“时与彼国穹官硕学言及东(日本)事,辄敛手推服无异辞”。这使得黄遵宪更加相信日本“改从西法,革故取新”是正确的,而自己某些诗中的“微言讥刺,咨嗟叹息”是不恰当的了。于是他对一部分诗篇作了较大的修改,删掉了好几首,又增写了数十首。定本共诗二百首,光绪十六年所写序中说:

杂事诗的定本

> 嗟夫!中国士夫,闻见狭陋,于外事向不措意,今既闻之矣,既见之矣,犹复缘饰古义,足已自封,且疑且信;逮穷年累月,深稽博考,然后乃晓然于是非得失之宜,长短取舍之要,余滋愧矣。

戊戌年间,黄氏在长沙刊印了这个定本,在后记中追述了

九次刊印

杂事诗以前的八种版本，然后写道：“今此本为第九次刊印矣。此乃定稿，有续刻者当依此为据，其他皆拉杂摧烧之可也。”充分体现了一个真理追求者敢于面对现实、扫除偏见的真正的勇气。

（周作人题识）

对《日本杂事诗》原本和定本作比较研究的人，最早要算周作人。民国廿五年三月，他写了《日本杂事诗》一文（载当年四月号《逸经》杂志，后收入《风雨谈》集中），文里举了两个例子。其一为原本卷上第五十咏新闻纸诗云：“一纸新闻出帝城，传来令甲更文明；曝檐父老私相语，未敢雌黄信口评。”定本改作：“欲知古事读旧史，欲知今事看新闻；九流百家无不有，六合之内同此文。”注也改过了，强调新闻纸使人不出户庭而能知天下事，“其源出于邸报，其体类乎丛书，而体大用博则远过之”。周氏说：

周作人的评价

> 以诗论，自以原本为佳，稍有讽谏的意味，在言论不自由的时代或更引起读者的共鸣。但在黄君则赞叹自有深意，不特其除旧布新意更精进，且实在以前的新闻纸亦多偏于启蒙的而少作宣传的运动，故其以丛书（Encyclopedia）相比，并不算错误。

其二为原本卷上第七十二论诗云：“几人汉魏溯根源，唐宋以还格尚存；难怪鸡林贾争市，白香山外数随园。”注云日本人做汉诗,“大抵皆随我风气以转移”。定本却完全改过,作:“岂独斯文有盛衰,旁行字正力横驰;不知近日鸡林贾,谁费黄金更购诗?”注仍如旧,但在末尾加了一句:“近世文人变而购美人诗稿,译英士文集矣。”周氏说:

> 日本人做汉诗,可以来同中国人唱和,这是中国文人所觉得顶高兴的一件事,大有吾道东矣之叹。……这种意思,定本却全改了。……上文所举出的两例,都可以看出作者思想的变换。盖当初犹难免缘饰古义,且信且疑;后来则承认其改从西法,革故取新,卓然能自树立也。……杂事诗一编,当作诗看是第二着,我觉得最重要的还是看作者的思想,其次是日本事物的纪录。……定稿编成已四十六年,记日本杂事的似乎还没有第二个,此是黄君的不可及处,岂真是今人不及古人欤。

今人不及古人

12 郭嵩焘《伦敦与巴黎日记》

□　郭嵩焘一八七六年出使英国，后兼使法国，一八七八年离任。其出使日记近六十万言，仅以《使西纪程》为名刊行过大约两万字，即未再继续发表，《纪程》亦被迫毁版。兹据湖南图书馆藏未刊手稿整理并新取书名。

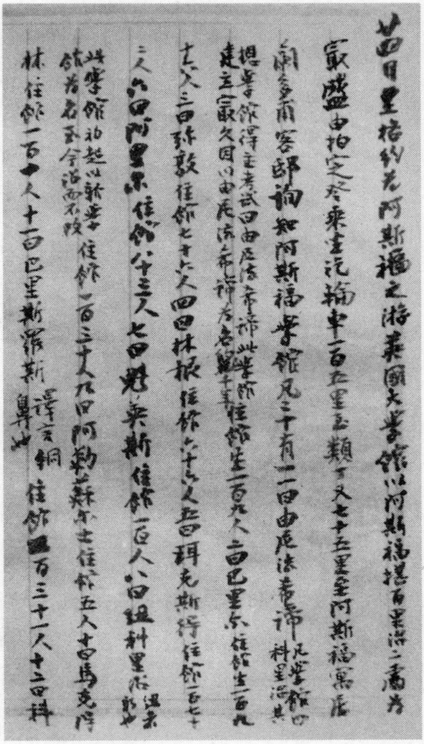

引　言*

马克思在谈到一八四〇至一八四二年的中英鸦片战争时，指出这场战争造成的结果之一，就是“英国的大炮破坏了中国皇帝的威权，迫使天朝帝国与地上的世界接触。”（《中国革命与欧洲革命》）而代表“天朝帝国”走向“地上的世界”的第一位高级代表，便是《伦敦与巴黎日记》的作者郭嵩焘。

天朝帝国的代表

郭嵩焘不同于在他以前去西方国家的人。他是“文馆词林”出身的“少宗伯”，是传统士大夫阶级的上层人物。他的亲历西方，代表的不仅是这个摇摇欲坠的“天朝帝国”，而且是源远流长的中国传统文化。

作为一位杰出的历史人物，郭嵩焘的真正价值，就在于他

---

* 本文原题《论郭嵩焘》，曾发表于《历史研究》一九八四年第一期，有增删。

不仅超越了“天朝帝国”朝廷交给他的使命，而且还能够超越几千年封建专制主义形成的观念和教条，能够比较客观和实事求是地去考察和发现这个陌生的“地上的世界”里的新事物和新道理，从而作出了西方不仅有“坚船利炮”，而且在“政教”“文物”等方面都已经优于当时的中华，中国若要自强，就必须向西方学习的这样一个极为重要的结论。

伦敦报纸的挖苦话

一八五八年中英天津条约缔结时，马克思曾在文章[①]中举出伦敦《每日电讯》的一句挖苦话，说是这样一来，“英国公使将常驻北京，而某一位满清大官将驻在伦敦，也许他还会邀请女王参加在阿尔伯特门举办的舞会呢”。

郭嵩焘并没有在英国报纸预先摹绘的这一出滑稽戏中露面，却因为走向“地上的世界”，讲了一些关于这个新世界的真话和好话，而在他所属的“天朝帝国”的士大夫阶级中演出了一场悲剧。

梁启超在六十年前便讲过下面的故事：

梁启超讲的故事

> 光绪二年，有位出使英国大臣郭嵩焘，做了一部游记。里头有一段，大概说：现在的夷狄和从前不同，他们也有二千年的文明。嗳哟！可了不得。这部书传到北京，把满朝士大夫的公愤都激动起来了，人人唾骂，……闹到奉旨毁板，才算完事。[②]

这里所说的“一部游记”，便是郭嵩焘出使英国时从上海到伦敦五十天的日记，由他本人整理后钞寄总理衙门，以《使

① 《中国和英国条约》，《马克思恩格斯选集》第二卷。

② 梁启超《五十年中国进化概论》，原载《申报五十周年纪念文集》。

西纪程》书名刻板印行。谁知这本两万来字的小书，竟像一颗炸弹投入死水潭中，激起了轩然大波。“满朝士大夫的公愤”，可以从《越缦堂日记》中略见一斑：

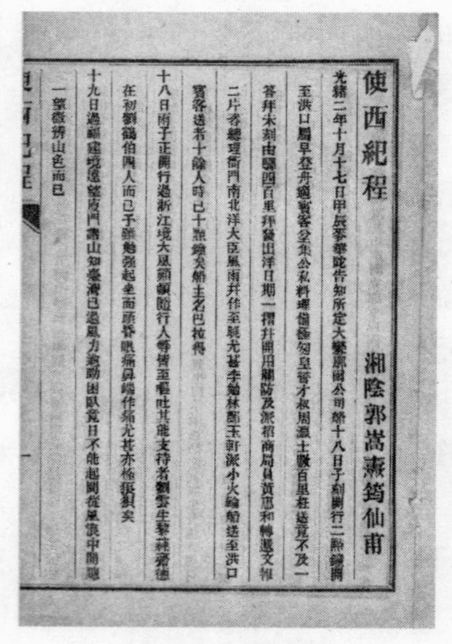

使西紀程　　湘陰郭嵩燾筠仙甫

光緒二年十月十七日甲辰李丹崖告知所定大輪船公司船十八日子刻開行二點鐘開至洪口屬早登舟蠲賓客公私料理俱備匆皇晉才叔周瀛士駿百里程送竟不及一答拜未刻由驛四百里拜發出洋日期一摺并附用關防及派招商局員黄惠和轉遞文報二片咨總理衙門南北洋大臣風雨并作至晚尤甚李勉林觀察玉軒派小火輪船送至洪口賓客送者十餘人時已十點鐘矣船主名巴拉得

十八日雨子正開行過浙江境大風頭眩噁行人等皆至嘔吐其能支持者劉雲生黎蒓齋德在初劉錫伯與人而已予雖勉強起坐而頭昏眼痛鼻端作痛尤甚亦極狼狽矣

十九日過福建境逐經廈門靖山知臺灣已過風力逐勁困臥竟日不能起聞在風浪中觸聽一望微露山色而已

（《使西纪程》首页）

（《使西纪程》）记道里所见，极意夸饰，大率谓其法度严明，仁义兼至，富强未艾，寰海归心。……迨此书出，而通商衙门为之刊行，凡有血气者，无不切齿。于是湖北人何金寿以编修为日讲官，出疏严劾之，有诏毁板，而流布已广矣。（钟按：何金寿原疏未见。据王闿运《湘绮楼日记》光绪三年六月十二日记：“何金寿本名何铸，昨疏劾郭筠仙‘有二心于英国，欲中国臣事之’。有诏申斥郭嵩焘，毁其《使西纪程》板。”）嵩焘之为此言，诚不知是何肺肝，而为之刻者又何心也。

使西纪程引起公愤

现在这五十天的日记和《使西纪程》的原稿具在，都一字不漏地印在郭嵩焘《伦敦与巴黎日记》里，显然不能成为“有二心于英国”的罪证，然而有诏申斥、传令毁板却是千真万确的事实。据郭氏言，“初议至西洋，每月当成日记一册呈达总署，可以讨论西洋事宜，竭所知为之；得何金寿一参，一切闟弃，不复编录”。[①] 从此这部有价值的日记遂被埋没，直到今天才得以和世人见面。

《使西纪程》毁板后不到一年，郭嵩焘即从公使任上被撤回，从此未再起用。光绪十七年他病卒，疆臣援例奏上学行政绩，请予立传赐谥，奉旨：

> 郭嵩焘出使外洋，所著书籍，颇滋物议，所请着不准行。

又过了十年，到庚子年间搜杀“二毛子”时，还有京官上疏：“请戮郭嵩焘、丁日昌之尸以谢天下”[②]。

和旧派的三点分歧

郭嵩焘为什么会被“圣上”和京官们切齿痛恨到如此地步呢，主要是由于他和他们在以下三点上产生了深刻的分歧。

（一）清朝统治阶级的主流认识，是希望使中国保持与外界完全隔绝的状态。郭嵩焘却说，西洋技术发达，“七万里一瞬而至”[③]，要隔绝也无从隔起；“而其强兵富国之术、尚学求艺之方，与其所以通民情立国本者，实多可以取法”[④]，反对他们的主张。

（二）清朝统治阶级中一部分人，认为用一点“羁縻之术”，买一点洋炮洋枪，学一点洋人技艺，便可以使旧中国保持下去。郭嵩焘却说，这是“治末而忘其本，穷委而昧其源”[⑤]，盖“西洋立国，有本有末，其本在朝廷政教，其末在商贾”，造船制

---

① 《养知书屋文集》卷一三《致李傅相》。

② 《清鉴纲目》卷十五，光绪二十六年五月，郎中左绍佐奏。

③ 《养知书屋文集》卷一一《伦敦致伯相》。

④ 《清末外交史料》卷四，光绪元年十一月，《请将黔（滇）抚岑毓英交部议处疏》。

⑤ 光绪五年三月十九日记。

器之类的事情仅仅是“末中之一节”[1];而所有这一切,“非民主之国,则势有所不行”[2],反对他们的做法。

(三)清朝统治阶级的精神支柱,是所谓“天朝上国”“政教”(政治制度、文化思想)优于“夷狄”(外国)的神话。郭嵩焘却认为:在清朝快要完了的那个时候,已经不是中国政教优于西洋,而是西洋政教优于中国;英国“巴力门(parliament,国会)议政院有维持国是之议,设买阿尔(mayor,民选市长)治民有顺从民愿之情”,而“中国秦汉以来二千馀年适得其反”[3],故而西洋称中国为“哈甫色维来意斯得”(half - civilized,半开化的),“其视中国,亦犹三代盛时之视夷狄也”[4],彻底揭穿了这种自欺欺人的神话。

天朝已经沦为夷狄

反对派从来是不受欢迎的。郭嵩焘本身虽是清朝统治阶级中的一员,但他一生都在统治阶级内部充当反对派的脚色。他既反对守旧派,又在很多做法上反对“洋务派”[5],甚至还反对了统治阶级的某些根本观念。因此,他之引起士大夫的“公愤”,受到当权派的打击,也就无怪其然了。

尽管郭嵩焘在讥笑怒骂中度过了一生,他却从来未向环境屈服。光绪三年九月初三日,他在伦敦写信给自己的朋友朱克敬(香荪)道:

谤毁遍天下,而吾心泰然。自谓考诸三王而不谬,俟

---

① 《洋务运动》第一册,《条议海防事宜》。
② 光绪三年二月廿七日记。
③ 光绪三年十一月十八日记。
④ 光绪四年二月初二日记。
⑤ 胡绳《从鸦片战争到五四运动》第十章第六节指出:郭嵩焘提出的主张与洋务派的主导观点的分歧,“带有本质意义”,郭氏“可以说是(洋务派遇到的)带有资产阶级倾向的反对者”。

诸百世圣人而不惑，于悠悠之毁誉何有哉！[1]

晚岁《自题小像》诗云：

流传百世千龄后，
定识人间有此人。

（郭嵩焘木刻小像）

他认为理性一定会纠正偏见，常识一定会克服偏见，相信后人一定会公正地作出关于他的评价。作者躬自参加郭嵩焘日记的整理出版，深为郭氏孤独的先行者的精神所感动，谬托知己，辄撰本文，如有不当，着依《使西纪程》之例，毁板可也。

孤独的先行者

影响郭嵩焘思想的个人因素和地方历史文化背景

讨论郭嵩焘思想（包括他的洋务思想）的形成，研究他为什么会同统治阶级当权派（包括洋务运动中的主流派）在思想上发生如此深刻的分歧，需要从以下几个方面进行分析：

（一）个人因素，包括他的家庭出身，个人的性格和气质。

（二）学问渊源，以及作为一个近代湖南人，社会环境特别是地方历史条件对他的影响。

① 《中和月刊》第一卷第十二期《郭筠仙手札》。

(三)西方的影响。

先谈第一个方面:

郭嵩焘于一八一八年(嘉庆二十三年)出生于湖南湘阴县城,十七岁进学成秀才,十九岁中举,二十九岁成进士,点翰林,完全是按照旧式社会作育人才的程式而成为士大夫阶级上层人物的。

并不轻商

但是郭嵩焘却有一个异乎寻常旧式士大夫的特点:没有传统的轻商思想。同治元年,他在写给曾国藩的信中说:"用才各有所宜。利者儒生所耻言,而汉武用孔仅、桑弘羊皆贾人,斯为英雄之大略。"[①] 光绪八年退休还乡后,他还在省城禁烟会上讲演"商贾可与士大夫并重"之义,致为王闿运等绅士所批评。[②]

郭嵩焘的这个表现,与他的家庭出身有关。郭家是湘阴有名的富室,致富的原因主要是由于经营商业和利贷。从现有关于他的家族史的不多的材料来看:

他的曾祖父(号望湖)"善居积,富甲一邑,岁尝施贷于人,逾年一会计之。……曰:'吾以有馀应人之缓急而取偿焉,幸矣,何多责乎?'"[③]

祖父(字括矩)"然诺一语,千金不惜,人以乏告,必有以应";据说当时湘阴县的县令曾向他"贷重金",以致无力偿还。[④]

父亲(字春坊)仍营借贷,"或日费数十万钱";"他人相称贷,要君一言为质";"岁中为人理宿逋,率三四役"[⑤];但收取

---

① 《养知书屋文集》卷十《致曾中堂》。
② 《湘绮楼日记》第十一册,光绪八年九月朔。
③ 《养知书屋文集》卷廿六《书湘乡易龙长先生轶事》。
④ 《梓湖文录》卷七《郭氏家传》;《湘阴郭氏家谱》卷九《杂述》。
⑤ 《曾文正公文集·湘阴郭府君墓志铭》。

田租的土地,似乎并不很多。[①]

同时,这三代人虽然都读过书,但最多读到贡生(曾祖)、秀才(祖父)为止,没有走上读书做官的道路。

到十九世纪初,湘阴所在洞庭湖区的商业和手工业已经比较发达,城镇已经集中了一定的居民和财富,借贷资本已经同商业资本一道在经济中出现并发挥作用。郭家的情形,与通常"耕读传家"(以地租为收入来源,以做官为发展方向)的地主不同[②];其封建性可能较少,而具备着向资产阶级转化的条件。

这种情况,不可能不对郭嵩焘的思想发生影响。

兄弟三人

郭嵩焘和他的弟弟崑焘、崙焘三人都"生而颖异",家里决定让他们多读一些书。据《郭嵩焘先生年谱》记载,道光十一年嵩焘十四岁(年谱所记为虚岁,实岁为十三岁)时,有过这么一件事情:

> 一日暑甚,先生默坐斋中,钧台公(嵩焘之伯父)与二三执友纳凉阶下,相与言曰:"龄儿遇事恂恂,独其读书为文,若猛兽鸷鸟之发。后来之英,无及此者。虽少,然观其意志,无几微让人,岂徒欲为诸生之雄哉!"龄儿为先生乳名。先生窃闻所言,大喜过望。

---

① 据台湾中央研究院近代史研究所专刊(二九)《郭嵩焘先生年谱》,道光十一年辛卯:"田租无所出,先生家往往不能举餐。"如果有很多土地,收成再差,也不至于到"不能举餐"的地步。

② 郭氏一八八二年与赵焕联书称:"以'太和'倒闭,积存一空。"这说的是他把积蓄投资于商号(或银号)的情形。他到一八九〇年以遗言处分产业时,仍有存款一万两,均见《年谱》。

这段短短的记述，勾画了一个有鲜明个性的读书少年的

个性特征

形象，其特征是：

外貌温恂，但思想非常活跃，精神活动属于“进取型”（“若猛兽鸷鸟之发”）。

好胜心强，“无几微让人”。

才识出群，但不免急于求名，过于自负。

另外崑焘曾说他“心直口快，往往面责之处，直与人以难堪”[①]，说明他的脾气不好，在别人眼里就是傲慢。

封建社会里赋有如上性格的读书人，得志可能踔厉风发，纵横如意，不得志则往往入于狂狷者流，所谓“狂者进取，狷者有所不为”，像历史上的屈原贾生那样，在政治上或学术上成为反对派。郭嵩焘走的有点近乎第二条道路。

道光十六年（一八三六）十八岁读书长沙岳麓书院时，郭嵩焘与刘蓉、曾国藩换帖订交。曾、刘都是“笑谈都与圣贤邻”[②]，立志要建功立业的人物，郭的志向却与他们颇有不同。刘蓉曾在一封信中以曾国藩为榜样对他规劝：

> 涤兄（指曾国藩）迩日进学可畏，顷寄书论为学之方，体认殊深；他日建树，殆非科名之士所及。……吾弟（称郭嵩焘）词翰之美，将为文苑传人；顾某所以期于吾弟者，不在是也。[③]

二十六年之后，三人早入中年，同治元年（一八六二）李鸿

① 《云卧山庄尺牍》卷八《致伯兄家书》。

② 《养知书屋诗集》卷十五《临终枕上诗》：“及见曾刘岁丙申，笑谈都与圣贤邻。”

③ 《养晦堂文集》卷三《复郭伯琛孝廉书》。

章意欲保奏郭嵩焘到江苏做官时，曾国藩却表示反对，说：“筠公（郭嵩焘号筠仙）芬芳悱恻，然著述之才，非繁剧之才也。”[①]这年八月，曾还书联赠郭进行箴规，云：“云仙仁弟亲家性近急遽，纂联奉赠。”

（曾国藩赠郭嵩焘联）

“芬芳悱恻”是形容屈原词赋的用语，“性近急遽”则是多牢骚常愤激的委婉说法。颇有知人之明的曾国藩，早已发现郭嵩焘的气质喜议论，好批评，经常不满现实，近乎屈贾者流，不是能够替专制朝廷担任匡扶社稷的“繁剧”重任的材料。

再谈第二个方面：

一八五二年（咸丰二年），太平军出广西，过湖南。这场暴风骤雨，成了以曾国藩为代表的一大批湖南“在野”士人登上政治舞台的契机。湖南这块地方，也一变历史上长期沉寂、“少人多石”[②] 的状态，出现了“楚境一隅，经营天下”[③] 的局面。

楚境一隅
经营天下

近代史上的湖南，在全国舞台上一直占有奇特而重要的位置：一方面以保守、“霸蛮”而出名，另一方面，又在各个时期

① 《曾文正公书札》卷一八《复李少荃》。
② 柳宗元《小石城山记》。
③ 同治元年二月十三日记，自作《湘中竹枝词》。

都出了一些最大胆、最活跃的“开风气之先”的人物。这些人物在敌意的环境、尖锐的冲突里冒尖，以一种“异己”的精神面貌和惊世骇俗的言论行动，使得举国上下都为之侧目。甚至可以说，正是这种敌意的环境作育了不世出的才人，有如暗黑的冬夜将灿烂的明星反衬得更加夺目。

地域文化史的原因

这种现象有它地域文化史上的原因。在古代，正如曾国藩所说，“湖南之为邦，北枕大江，南薄五岭，西接黔蜀，群苗所萃”①，位于中原和江淮文化向岭南和苗僮地区传播的过渡地带，实际上已是“蛮荒”的边缘，保守色彩是十分浓厚的。近代洋人从广东入侵，湖南又首当其冲。新旧观念在这里互相冲突，新旧思想在这里激烈交锋。新形势带来的问题在这里显得格外尖锐，旧制度固有的毛病在这里表现得格外分明。对于大小事都十分认真而又容易走极端的“蛮气”，在这里的人们包括知识分子的身上又特别强烈。这就是湖南在十九世纪中叶突然由“少人多石”一变而为“惟楚有材”的历史背景。

在与曾、刘订交以后，青年郭嵩焘又陆续结识了左宗棠、江忠源、罗泽南诸人。这一批人的传统主义立场是十分鲜明的，但他们在讲求“格致正诚修齐治平”时，却从宋明理学、乾嘉汉学和顾炎武、王夫之、魏源的“经世致用之学”中，广泛地吸收营养，形成了曾国藩借姚鼐的话称为“义理、考据、词章三者不可偏废”而又特别注重现实政治研究和实践的所谓“经世之学”。时机一到，际会风云，这批人便发展成为以“曾左彭胡”为代表的湘人集团，替封建主义的坏殿颓楼充当了最后一排支柱。

曾左彭胡

郭嵩焘也是同“曾左彭胡”一同登上社会政治舞台的。他

① 《曾文正公文集·〈湖南文征〉序》。

和曾、刘是换帖之交，和曾、左又是儿女亲家，关系不可谓不深。他的聪明才学，也决不在曾左之下。可是他后来的际遇，则不要说比不上"曾文正"、"左文襄"，就同廪生出身的曾国荃也远不能相比。一八七九年，他回忆自己一八七四年间与国荃（沅浦）一同被诏出山，结果是：

沅浦受山西艰剧之任，嵩焘得海西清逸之游；沅浦惠泽遍及亿万生灵，嵩焘骂名穷极九州四海；沅浦俎豆汾晋而秉德益谦，嵩焘尘秽湖湘而执词愈亢；沅浦功施社稷生民而无有暇豫，嵩焘身兼衰颓疾病而方幸退休。[1]

一个成了"国家柱石"，一个却成了山野逸民。此固由于他的气质"非繁剧之才"，但更重要的却是由于他的学问根源不完全是"曾左彭胡"一路。刘蓉嫌他偏重"词翰"，曾国藩评他"芬芳悱恻"，都带几分客气，实际上是说他行必由径，不走正道。

在政治上不满现实

翻阅咸丰六年的郭嵩焘日记，可以发现他对政治有许多尖锐批评，可以说是相当不满现实的，如：

天下受敝之由，必官吏先失其职，冤苦之积，戾气乘之，古今一辙也。……以无为有，以枉为直，违法徇情，灭亲害义，无所不有。……自古及今，未有穷其下而能无危者也。[2]

又如：

---

① 光绪五年五月初七日记。
② 咸丰六年三月二十日记。

唐文宗之言，[去]河北贼易，去朝廷朋党难。予亦曰，肃清江路易，肃清官[吏]之路难。未有官吏之路不清，而能勘定乱离者也。……今致乱之原，官耳，吏耳。不此之治，而又附益之，而曰"吾能弭乱"，吾不信也。①

当时清朝的政治腐败到了极点，官吏贪暴，人民怨怒，已经到了统治不下去的程度。"曾左彭胡"也熟悉民情，也深知这种情况；但他们却要"知其不可而为之"，拚命去"戮力澄清"，其态度是儒家和法家的。郭嵩焘的根本立场虽然与他们并无二致，态度却颇有些近于异端——反主流。翻开同治年间的郭嵩焘日记，可以发现他的这样一些观点：

反主流的观点

托法而治谓之暴，不戒致期谓之虐，不教而诛谓之贼，以身胜人谓之责。责者失身，贼者失臣，虐者失政，暴者失民。②

自秦任法吏矫虔天下，民之受其迷者二千馀年。《节南山》之诗曰："俾民不迷。"王者之政，务此而已。③

明主谨于尊天，慎于养人。……今出令如反汗，用贤如转石，去佞如拔山，如此望阴阳之调，不亦难乎？……汉唐以来，末流之世，覆辙相仍。宋明诸儒，崇奖言路，眩乱朝廷，能知此义者鲜矣。④

当然不能只凭几段日记，就说郭嵩焘"反法反儒"；但他的

---

① 咸丰六年四月廿九日记。
② 同治五年八月初一日记。
③ 同治五年八月初三日记。
④ 同治八年正月初一日记。

哲学思想的确接受了一些非主流的因素，有一些“异端”的气味。中国封建社会的主流思想是“孔孟之道”的儒家，秦汉以来法家的专制主义理论也上升到统治地位。不得志的、对现实持批判态度的知识分子，“不入于杨，则入于墨”，“不入于老，则入于佛”，只能从杨墨佛老那里找寻精神上的出路。这种情况，到近代开始发生变化。一种新的、能够拿来对抗传统思想的精神武器，随着洋人洋货输入进来了，这就是“西学”。魏源、谭嗣同好谈佛学，王韬喜欢老庄，康有为认为耶稣近于墨子，都说明固有的非主流思想容易与“西学”相通，也说明“西学”容易为本来具有非主流思想的人所接受。这是近代思想史上一种值得注意的现象，当我们研究郭嵩焘的思想发展时也是不能忽视的。

思想史上值得注意的现象

在曾左诸人的所谓“中兴”事业中，郭嵩焘曾出过一些重要主意，如劝左出山佐张亮基幕，劝曾夺情出办团练（太平军起事时曾氏在籍居丧，诏命其不俟守制期满出来办事，这就叫做“夺情”），建议开厘捐筹军饷，办水师保交通，这些都是关系全局的大关键。但是，他的兴趣只限于出主意，对于实际的军事政治活动并不积极。留存至今的几封信札，颇能说明这一点。如江忠源咸丰三年三月从武昌写给他的信：

> 奉手教，……岂以为竖子不足与谋耶？兄纵不为弟出，独不为天下计邪？①

曾国藩咸丰四年七月廿七日致诸弟的信中也说：

> 兵凶战危之地，……平日至交如冯树棠、郭云仙尚不

① 《江忠烈公遗集》卷一《致郭筠仙书》。

肯来，则其他更何论焉。”[①]

湘军初出省时，郭嵩焘也曾帮带过几个月的兵，但很快就离队了。当时他有诗致江忠源：

此生戎马真非分

> 觅得疲驴试短衣，尺书屡召敢频违？
> 此生戎马真非分，夜半星辰尚合围。[②]

把“戎马”、“合围”看成是“非分”之事，表示自己不想多干。

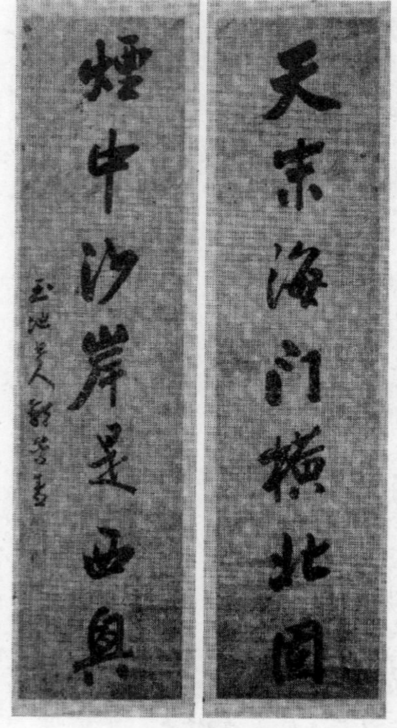

（郭嵩焘的书法）

郭嵩焘在曾国藩集团中，论才、学、识都是出类拔萃的，却始终只被认为是个“著述之才”，只是个与人落落难合的游离分子。功是别人在立，官当然也只好让别人去当。而他又耻居人下，除了曾国藩外对谁也不佩服，于是别人也就越来越不欢迎他。咸丰九年，他随僧格林沁办理天津海防，赴山东查办事件，被僧弹劾，受到降三级处分，旋即告假回家。同治元年，经李鸿章保奏出任苏松粮道，翌年擢两淮运司，署（代理）广东巡抚，又被左宗棠纠参丢了官。到镇压

① 《曾文正公家书》卷五。
② 《养知书屋诗集》卷七《奉呈江廉使忠源三首》。

太平军“大功告成”时，曾左诸人封侯授爵，一品封疆，他却还是个“赋闲三品”。

由于在统治集团中不得志，对政治现实不满意，郭嵩焘“行必由径”的思想和性格更加发展；这就使他有可能离开传统的“大经大法”，去探索一条摆脱封建制度危机和个人思想危机的出路。

以上分析了郭嵩焘思想形成在个人和地方历史两方面的原因，至于第三个方面即西方的影响，则需要在以下各节中作稍为详尽的分析。

对于洋务的基本观点

不是说“自从一八四零年鸦片战争失败那时起，先进的中国人，经过千辛万苦，向西方国家寻找真理”吗？为什么向西方去寻找呢？道理很简单，还不是因为“那时的外国只有西方资本主义国家是进步的，它们成功地建设了资产阶级的现代国家”吗？

向西方寻找真理的代表人物

郭嵩焘便是近代向西方寻找真理的代表人物。

也许有人会说，郭嵩焘不是“洋务派”吗？把“洋务派”说成是“向西方寻找真理”的人物，是不是有“拔高”之嫌呢？

“洋务派”现在已经成了一个有特定涵义的历史名词。究竟什么人算“洋务派”？是办过洋务、谈过洋务的人算洋务派？还是主张“投降卖国”的人算洋务派？是十九世纪八十年代以前赞成开放的人都算洋务派？还是只买洋器不谈西学的人算洋务派？对于这些问题，作者不愿参加“以论代史”的讨论，只能做一点微观研究，用事实说明郭嵩焘确是“向西方寻找真理”的“先进的中国人”。

(一)对“洋人”的看法

郭嵩焘自称“年二十二,即办洋务”。这是指他一八四〇至一八四二中英战争期间,在浙江学政罗文俊幕中“亲见海防之失,相与愤然言战守机宜”①。奕经宁波战败后,郭氏写过这样一首诗:

> 三年沧海有奔鲸,烽火喧阗彻夜惊。
> 复道金缯归浩劫,枉从狐鼠乞残生。
> 鲁连无语摧梁使,季布何心续虏盟。
> 欲袖铁椎椎晋鄙,从谁改将信陵兵。②

“自谓忠义之气,不可遏抑”③,但这只是对晋鄙式的边帅和用金缯乞盟的国耻表示悲愤,于“沧海奔鲸”的形势谈不到有什么了解。道光二十三年(一八四三年)“馆辰州,见张晓峰太守,语禁烟事本末,恍然悟自古边患之兴,皆由措理失宜,无可易者。嗣是读书观史,乃稍能窥知其节要,而辨正其得失”④。

读书观史

战争失败使郭嵩焘开始思索“洋患”这个大问题。他是个中国的读书人,最初的思路是“读书观史”,从中国的历史中去推求处理“夷务”的得失。他认为“自南宋以来,议论多,而控御夷狄之道绝于天下者五百馀年”⑤,于是悉心考察“秦汉以来下讫于明边防战守之宜,著其得失”⑥。这个时期他读书研

① 《养知书屋文集》卷三《罪言存略·小引》。
② 《养知书屋诗集》卷二《丰乐镇题壁诗》。
③ 《养知书屋文集》卷三《罪言存略·小引》。
④ 《养知书屋文集》卷三《罪言存略·小引》。
⑤ 《养知书屋文集》卷十《与陈懿叔》。
⑥ 《绥边征实·序》。

究的成果，体现在后来写成的《绥边征实》一书里(书未刊行，今湖南博物馆存有《军情纪略》稿本一种，疑即其初稿之一部分)，而其精义则可见于以下一段日记中的议论：

和与战

> 故中外之相制，强则拓地千里，可以战，可以守，而未始不可以和；汉之于匈奴，唐之于回纥、吐蕃是也。弱则一以和为主，南宋之犹赖以存是也；而终南宋之世二百馀年，亦未尝废战。……计战与和二者，因时度势，存乎当国者之运量而已。未有不问国势之强弱，不察事理之是非，惟瞋目疾呼，责武士之一战，以图快愚人之心，如明以来持论之乖戾者也。[①]

郭嵩焘主张根据力量对比、审度利害得失，来确定对外政策的总方略究竟是"和"还是"战"这样的大问题，这是针对咸丰皇帝荒谬错乱的外交方针而发的。当英法两国按上年签订的条约入京换约时，咸丰派怡亲王载垣到大沽令僧格林沁(此时郭氏在他营中)于洋人进口时"悄悄击之，只说是乡勇，不是官兵"[②]；又在京中传旨"将夷酋或领事之首级枭其一二，以寒贼胆"[③]，这当然不可能不把事情弄糟。在大沽冲突以后的谈判中，咸丰又"荒谬地以为英法派到通州的谈判代表巴夏礼是他们的'谋主'，把他扣留下来就是一个大胜利"[④]，终至战局扩大，"一败而至通州，再败而遂远出古北口；二万馀之兵，数

---

① 咸丰十年八月初五日记。

② 咸丰九年三月初八日记。

③ 《东华续录》咸丰卷六十四，八月丙子。

④ 胡绳《从鸦片战争到五四运动》上册一七三页。

百万之饷,一败无馀”[1] 了。

因为“与外界完全隔绝曾是保存旧中国的首要条件”[2],所以当这种隔绝被外国的侵略粗暴地打破时,中国的抵抗难免“带有这个民族的一切傲慢的偏见、蠢笨的行动、饱学的愚昧和迂腐的蛮气”[3]。郭嵩焘在这方面比统治阶级中其他人(包括咸丰)要高明一些,他直截了当批评朝廷的外交方针道:

批评朝廷外交方针

> 中国之于夷人,可以明目张胆与划定章程,而中国一味怕。夷人断不可欺,而中国一味诈。中国尽多事,彝[夷]人尽强,[当]一切以理自处,杜其横逆之萌,而不可稍撄其怒,而中国一味蛮。彼有情可以揣度,有理可以制伏,而中国一味蠢。真乃无可如何![4]

有人也许会反感,为什么不骂外国,反而骂中国呢?其实,怕、诈、蛮、蠢说的都是咸丰皇帝和执行皇帝旨意的僧格林沁之流,“中国”在这里不过是“皇上”的代词而已。

郭嵩焘认为自己是既不怕、也不蠢的。他不怕和洋人接触,又知道有可能通过接触去“揣度”和“制伏”洋人。当一八六三年(同治二年)他到广东办过一些交涉事件(如阻止英商擅自到海南岛开矿,照会港英当局截留被卖出洋贫民,引渡太平天国森王侯玉田)以后,他的态度就更加明确了。后来,他总结自己这一段认识过程道:

---

① 咸丰十一年九月初九日记。

② 《中国革命与欧洲革命》,《马克思恩格斯选集》第二卷。

③ 恩格斯《波斯和中国》,《马克思恩格斯选集》第二卷。

④ 咸丰十一年七月二十日记。

> (咸丰年间)有谓嵩焘能知洋务者;其时,于泰西政教风俗所以致富强茫无所知,所持独理而已。癸亥(同治二年)秋权抚粤东,就所知与处断事理之当否,则凡洋人所要求皆可以理格之,其所抗阻又皆可以礼通之,乃稍以自信。①

"彼有情可以揣度,有理可以制服"。——这便是郭嵩焘对"洋人"的基本看法。

(二)对"洋务"的看法

既然知道"彼有情可以揣度,有理可以制服",重要的问题就是怎样去"通其情,达其理"。

通其情
达其理

比郭嵩焘大二十四岁但是同科(道光乙巳)进士的魏源,在《海国图志》中说过一段有名的话:"同一御敌,而知其形不知其形,利害相百焉;同一款敌,而知其情不知其情,利害相百焉。"郭嵩焘对此极为赞赏,誉为"至论"②;并且身体力行,通过各种渠道去求"知"。在这方面,他的条件比魏源好,做得也比魏源多。

仅从咸丰六年游沪和咸丰八年初入值南书房两段不长时间的日记中,我们即可看到:他与友人"谈西洋测天之略"③;从李善兰处觅得西人所撰《数学启蒙》;从王韬(兰卿)处得到西人刊行之《遐迩贯珍》数部,"即所谓新闻报也"④;与何秋涛(愿船)讨论俄罗斯史地,索观其《朔方备乘》⑤;记《海国图志》近增一百卷及俞正燮《癸巳类稿》、邓复光《镜镜诠痴》,皆"多详

① 《养知书屋文集》卷三《罪言存略·小引》。
② 《养知书屋文集》卷七《书〈海国图志〉后》。
③ 咸丰六年正月廿五日记。
④ 咸丰六年二月初九日记。
⑤ 咸丰八年八月初十、咸丰八年十一月初七、初九、初十等日记。

西洋制器之法”[1];记俄罗斯“进呈”图书仪器共三百馀种,有《发明西洋各国通例》、《行兵战守论》、《管船事宜论》各书[2];又与人讨论中外语文异同[3];……求“知”的范围十分广泛。

广泛求知

咸丰六年,郭嵩焘替湘军到浙江筹饷,因至沪上“观海并火轮船之奇,兼为涤公(曾国藩)觅洋器”[4]。他在上海拜访了英、法和大西洋国(葡萄牙)的领事,参观了“利名”、“泰兴”等洋行和火轮船,还访问了麦都事(即 W.H.Medhurst,一译麦都思)所办的“墨海书馆”,会见了伟烈亚力(Alexander Wylie)和艾约瑟(Joseph Edkins),以及在那里“助译”的王韬和李善兰。在墨海书馆见到机器印刷,云“西人举动,务为巧妙如此”。在途中遇见前数日所见洋人,与握手相款曲,云“彼此言语不相通晓,一面之识而致礼如此,是又内地所不如也”。[5]

同治初年,他在上海、广东等地,继续接触西人、西学。从与李鸿章“言军事战守方略”、“议论纵横”的英国军官身上,看到了“彼国有人[6]”;从英法军队“会攻嘉定,克期下之”,感到洋人“兵精而器利,此可虑也”[7];至“得利洋行”观火轮磨及“传书铁线”(电报),认为“直夺天地造化之巧”,“足以称雄中国”[8]。

应该看到,在咸同之际开始形成的所谓“洋务派”中,能够像郭嵩焘这样注意了解“洋情”的人是不多的。咸丰九年他曾指出:“通市二百馀年,交兵议款又二十年,始终无一人通知夷

---

① 咸丰八年九月廿五日记。
② 咸丰八年十一月初七日记。
③ 咸丰八年十一月廿八日记。
④ 咸丰六年正月廿三日记。
⑤ 咸丰六年二月初七、初八、初九、初十等日记。
⑥ 同治元年五月初三日记。
⑦ 同治元年九月初二日记。
⑧ 同治二年二月初七日记。

情,熟悉其语言文字者”①。第二年他又说:“中国与西夷交接二十馀年,至今懵然莫知其指要,犹谓国有人乎?京师知者独鄙人耳”②。咸丰十一年底,在赋闲家居时,崑焘给他寄来了一些关于“内江洋务”的文件,他“阅之愤懑终日”,写道:

> 国家无人久矣!国体、事要、商情、地势四者无一能知,外人亦遂加之以愚弄。在事者徒知据为私利而已。……国家之无人,无一有人心者也!③

上述口气、神情,固然表现了郭嵩焘目无馀子的个人风格,但也确实反映了他对国家利害的关心。洋(夷)务已经办了二十来年,办洋(夷)务的人却还“无一人通知夷情”,这难道还不是使国家不断吃亏上当的一个重要原因吗?

竟无一人通知夷情

办洋务必先“通其情,达其理”,——这便是郭嵩焘讨论洋务的出发点。

(三)赞成开放,学习西洋

提倡“通情达理”,就是赞成开放,不赞成封闭;赞成交往,不赞成隔绝;赞成进步,不赞成保持马克思所说的“野蛮的、闭关自守的、与文明世界隔绝的状态”。④

郭嵩焘在十九世纪五十年代和六十年代能够这样做,是基于以下两点认识:

(一)“洋人之入中国,为患已深,夫岂虚憍之议论,嚣张之

① 《四国新档》英国档八五四至八五五页。
② 《陶风楼藏名贤手札》第五册,《郭嵩焘致曾国藩》。
③ 咸丰十一年十二月十九日记。
④ 《中国革命与欧洲革命》,《马克思恩格斯选集》第二卷。

（郭嵩焘，1818—1891）

意气所能攘而斥之者？但幸多得一二人通知其情伪，谙习其利病，即多一应变之术。”①

（二）“其强兵富国之术，尚学兴艺之方，与其所以通民情而立国本者，实多可以取法。”②

在这个认识基础上，郭嵩焘提出了与当时“洋务派”的主导观点颇为不同的一整套主张。这些主张，集中体现在光绪元年（一八七五年）他所写的《条议海防事宜》（以下简称《条议》）一文里。

条议海防

先是，“洋务派”的总机关——总理各国事务衙门（简称“总署”、“译署”）“奏上海防六事”，即办洋务、谋自强的六项措施，曰练兵、制器、造船、筹饷、用人、持久，奉旨“下各督抚详议”。在帝制时期，也有“廷议”的传统。这次“条议”，实际上就是在统治集团内部组织一次关于洋务方针的大讨论，《条议》便是郭氏参加这场讨论的一份意见书。

“洋务派”把“船坚炮利”看成西洋强盛的主要因素，以为只要筹到大笔款项，买来坚船利炮，便可以巩固海防。《条议》迎头痛驳了这种主张，诘问道：

① 《养知书屋文集》卷三《罪言存略·小引》。

② 《清末外交史料》卷四，光绪元年十一月，《清将黔滇抚岑毓英交部议处疏》。

> 诚使竭中国之力,造一铁甲船及各兵船布置海口,遂可以操中国之胜算,而杜海外之觊觎,亦何惮而不为之?而……果足恃乎?此所不敢知也。

那末怎么办呢?《条议》写道:"窃以为中国与洋人交涉,当先究知其国政军政之得失、商情之利病,而后可以师其用兵制器之方,以求积渐之功。"这就是说,首先要学西方的政治和经济。

主张扶植私人资本

在具体措施上,《条议》主张扶植中国的私人资本,让"商贾"效法洋人,在中国发展资本主义工商业。"造船、制器,当师洋人之所利以利民。其法在令沿海商人广开机器局,……使商民皆能制备轮船"。在"急通官商之情"一条中,郭氏自陈:

> 嵩焘前署广东巡抚,与英领事罗伯逊筹商制造轮船之方。罗伯逊言:西洋机器,惟舟车外轮机器最巨,各国多者不过数具;国主不能备,则富商备之;国主兵船,亦多借商人机器用焉。丁韪良亦言:英人铁路通至缅甸,俄人铁路通至伊犁,皆商人为之。……

从扶植"商贾"的观点出发,《条议》很反对"洋务派"的做法——由专制政府垄断新式工业。他指出:官办企业办不好,"官督商办"也因"商人与官积不相信,多怀疑不敢应,固不如使商人自制之情得而理顺也"。"通筹公私之利"一条提议:海运和外贸也应交由商办,"宜在各海口设市舶司,由商人公举,经营商船贸易";因"洋人本以商贾之利与中国相交接,正当廓然处以大公而使商人应之,明示天下所以与洋人交接之意"。"急通官商之情"一条还强调:商人"有计较利害之心,有保全身家之计,因而有考览洋人所以为得失之资”。也就是说,只有商人才会认真学习外国资本家的长处,也才能真正把这些长处学到手。

郭氏的这些意见,肯定与他和罗伯逊(B.Robertson)、丁韪良(W.A.P.Mantin)等人的接触不无关系,亦即是他“通情达理”的结果。《条议》“兼顾水陆之防”一条特别强调“学”的重要:

> 西洋之法,通国士民,一出于学;律法、军政、船政,下及工艺,皆由学升进而专习之。……能通知洋人之情,而后可以应变;能博考洋人之法,而后可以审机;非但造船制器,专意西洋新法,以治海防者之宜急求也。

《条议》将西洋的情形拿来和中国比较后,着重提出要“先明本末之序”,批评了“洋务派”本末倒置的不当。谓“必纪纲法度先弛于上,然后贤人隐伏,民俗日偷,而边患乘之。故夫政教之及人,本也;防边,末也。……敬绎六条之议,如练兵、制器、造船、理财,数者皆末也”。此处明指政教用人为改革图强之本,一反十馀年船坚炮利之说,实为主张变法之先声。对此《条议》中不厌反复,三致意焉,最重要的一段议论是:

西洋立国
有本有末

> 西洋立国,有本有末。其本在朝廷政教,其末在商贾;造船制器,相辅以益其强,又末中之一节也。……彼之所长,循而习之;我之所短,改而修之。……以中国之大,土田之广,因地之制,皆可使富也;用民之力,皆可使强也;即吾所谓自治也。舍富强之本图,而怀欲速之心,以急责之海上,将谓造船制器,用其一旦之功,遂可转弱为强,其馀皆可不问,恐无此理。

就这样，郭嵩焘在十九世纪七十年代中期，就已经突破了“办洋务”的水平，首先在封建庙堂上创议“循习西洋政教”，成为清朝末世士大夫阶级中最早主张向西方寻找真理的人物。

对欧洲政治的考察和对中西文化的比较研究

郭嵩焘在广东被参，家居八年之后，由于文祥向恭亲王奕䜣推荐①，于光绪元年元旦前奉诏入京，二月初授福建按察使。于按察使任上，因为上《条议》，他在京师的名气越来越大，恨他的人也越来越多。

马嘉理案赴英谢罪

这年春天，英国驻华使馆翻译官马嘉理（A. R. Margary）在云南被杀，引起交涉，当派大员赴英“通好谢罪”。朝廷遂于七月命郭嵩焘为出使英国钦差大臣，随后并令其“署兵部侍郎，并在总理各国事务衙门行走”。但荐引他的文祥不久去世，其馀总署大臣如沈桂芬、董恂诸人，都不愿意他插手洋务，“不免上下牴牾，必挤去之而后已”②。郭氏接受使命后，上疏主张将云南巡抚岑毓英议处，更被一般士大夫视为辱国。当时流传一首“赠别”他出国的联语：

出乎其类，拔乎其萃，不见容尧舜之世；
未能事人，焉能事鬼，何必去父母之邦。③

---

① 光绪元年正月初八日记：“（恭王）以精透洋务相推许，至于数四。”初十日又记云：“此行由文相荐引无疑。”

② 李鸿章《朋僚函稿》卷一五《复沈幼丹制军》。

③ 联语见《清季外交史料》卷一一《使英郭嵩焘奏喀什噶尔剿抚事宜请饬左宗棠核办片》。

对郭氏之攻击漫骂

便是骂这位“出类拔萃”的翰林公，不在舜日尧天底下享福，偏要远离“父母之邦”去跟“洋鬼子”打交道的。湘籍人士，攻击尤多，刘坤一至谓郭氏“未审何面目以归湖南，更何以对天下后世”①。湖南乡试诸生竟在玉泉山集会，商议捣毁郭氏的住宅②。在京友人，多劝他辞谢使命。而他“意以为时艰方剧，无忍坐视之理”③。当然，出使可以进一步“通察洋情”、探究西学和西洋政教的真理，也应该是郭氏以望六之年多病之躯毅然命道的重要原因。友人之中惟有李鸿章称其“七万里之行，似尚慨慷”④；其他人则或叹惜他“文章学问，世之凤麟，此次出使，真为可惜”⑤；或同情他“费力不讨好，亦苦命也”⑥；再没有一个人表示理解和支持。

郭氏系专为马嘉理案而赴英，一八七七年一月二十一日抵伦敦，在四月三十日始补颁国书充驻英公使，七月二十一日即被何金寿奏参，随后又有副使刘锡鸿密劾⑦，已知事不可为，一八七八年五月六日自己奏请销差，八月二十五日诏派曾纪泽继任，一八七九年一月三十一日便离伦敦回国，在英时间仅仅两年，他在外交事务上的建树是不多的。《伦敦与巴黎日记》在文化思想史上的价值，远远超过了外交史上的价值。

郭嵩焘精通传统文化，熟悉专制政治，了解“洋务”内情。正因为具备这样的“条件”，当他走上向西方寻找真理的道路以后，便有可能将资本主义的货色和封建主义的货色进行比

---

① 《刘坤一遗集》书牍卷之六《复左中堂》。
② 《湘绮楼日记》第五册。
③ 光绪二年二月初一、三月廿二、闰五月初二等日记。
④ 李鸿章《朋僚函稿》卷一五《复沈幼丹制军》。
⑤ 《桃花圣解庵日记》丁集第二集第十五页。
⑥ 《湘乡曾氏文献》第九册第五四二一页。
⑦ 光绪四年十一月初一日记。

较，在逐步认识资本主义优越性的同时，逐步看清封建主义的落后性。《伦敦与巴黎日记》以及郭氏出国期间的书札、奏稿等文字，对于研究近代文化思想具有十分重要的价值，其原因正在于此。

关于这一点，拟分以下几方面进行评述：

巴力门
买阿尔

(一)郭嵩焘考察了以“巴力门”(Parliament，议会)和“买阿尔”(Mayor，民选市长)为特征的西方民主政治的现状和历史，接触了以亚当·斯密为代表的资产阶级经济理论，了解了英国发展资本主义经济的实际情况，认识到“非民主之国，则势有所不行”，对中国的封建专制主义提出了批评。

在出国以前，郭嵩焘已经看到“西洋立国以政教为本”。出国以后，他虽然也注意欧洲的技术文明，如与著名铁路专家斯谛文森（Sir Mac Donald Stephenson）接触[1]，至斯达佛(Stafford)访问煤铁各厂[2] 之类，但是却更为关心整个的社会经济生活，并且能够从国家制度、经济理论等方面来探索英国繁荣兴盛的原因，比那些只知震骇于“泰西富甲天下”的观察者要高明得多。

还在赴欧途中，郭氏听禧在明（W. Hillier）谈到英人在澳洲、印度进行开发的情形后，即谓：

> 西洋赋敛繁重，十倍中国。惟务通商贾之利，营立埔头，使其人民有居积之资，交易数万里，损益盈虚，皆与国

① 光绪三年二月初二、廿四、廿八、六月廿九、九月廿八等日记。
② 光绪三年七月十六、十七日记。

家同其利病，是以其气常固。[①]

参观伦郭邮局后，又写道：

> 英国行政，务求便民，而因取民之有馀以济国用。……远至数万里，近至同居一城，但粘信票其上，信局即为递送，每岁所入千数百万镑。……此专为便民也，而其实国家之利即具于是，此西洋之所以日致富强也。[②]

亚当斯密的国富论

封建专制国家只求“富国”，资本主义国家却懂得先要“富民”。郭嵩焘不仅发现了这个区别，而且还研究了产生这个区别的原因，对西方的经济理论很感兴趣。他到英国不久后，即向井上馨、马格里等询问研究财政经济当读何书，得知阿达格斯密斯（Adam Smith 即亚当·斯密，刘锡鸿《英轺私记》作挨登思蔑士）的“威罗士疴弗呢顺士”（*Wealth of Nations* 即《国富论》，严复译作《原富》）刭蔑儿（James Mill 即詹姆士·密尔）的“播犁地加儿伊哥那密”（*Political Economy* 即《经济学》）等经典著作。[③] 后复与英、日学者及官员多次讨论，有“中国要务在生财，宜以开采制造等事委之于民，而官征其税”[④]；“日本仿行西法，尤务使商情与其国家息息相通”[⑤] 等记载。有次诸人讨论英国税法，知科税无论官民，税则一律平等，官吏“俸

① 《使西纪程》十一月初八日。
② 光绪三年四月初二日记。
③ 光绪三年二月十五日记。参看刘锡鸿《英轺私记》（《走向世界丛书》本）《井上馨谈西学》一节。
④ 光绪四年二月廿九日记。
⑤ 光绪四年十月初八日记。

入三百镑以上，亦一例输税”，因谓：

> 此法诚善，然非民主之国，则势有所不行。西洋所以享国长久，君民兼主国政故也。[1]

非民主国则不行

这在当时算得是一个大胆的结论。

对于英国“君民兼主国政”的情形，郭氏尤其注意研究。日记中有关的记载颇多，如光绪三年二月三十日“赴下议院听会议事件”，听议员阿定敦、阿葛尔得与兵部尚书哈尔谛辩论，“诘政府因循坐视，不能出一计、定一谋，其言颇强坐以无能”。十一月十六日记“西洋一切情事皆著之新报。议论得失，互相驳辩，皆资新报传布。执政亦稍据其言之得失以资考证，而行止一由所隶衙门处分，不以人言为进退也。所行或有违忤，议院群起攻之，则亦无以自立，故无敢有恣意妄为者。当事任其成败，而议论是非则一付之公论”。这里涉及到行政、立法分权和言论自由的问题。十二月十四日又讲到两党制度，谓专制政体“随声附和，并为一谈，则弊滋

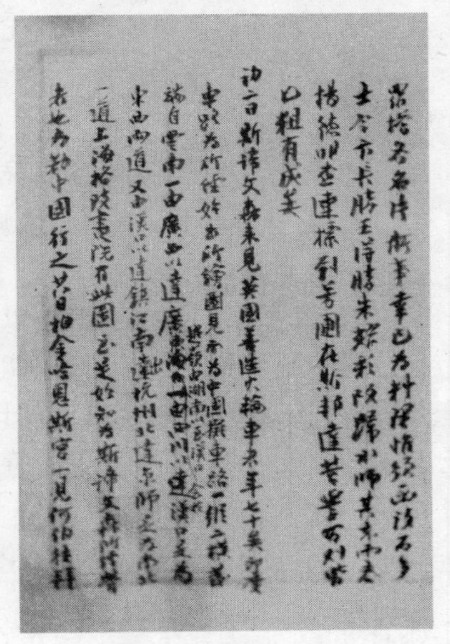

（日记记斯谛文森来见）

① 光绪三年二月廿七日记。

多。故二百年前即设为朝党、野党,使各以所见相持争胜,而因剂之以平”。十九日又同李丹崖(凤苞)评论英国的政治风气,李氏问道:两党的人平日相处很好,对于国政却各持己见,互不相让,辩论以人多为胜,败者“亦遂敛然退听,无挟气以相难者”,“不知其何以能然”?郭氏回答时,发表了一段十分精彩的议论,指出这是政治制度的问题,而不是政治人物个人品质的问题。他说:

> 西洋君德,视中国三代令主,无有能庶几者;即伊、周之相业,亦未有闻焉。而国政一公之臣民,其君不以为私。其择官治事,亦有阶级、资格,而所用必皆贤能,一与其臣民共之。朝廷之爱憎无所施,臣民一有不惬,即不得安其位。自始设议政院,即分同异二党,使各竭其志意,推究辩驳,以定是非,而秉政者亦于其间迭起以争胜。……朝廷又一公其政于臣民,直言极论,无所忌讳;庶人上书,皆与酬答。其风俗之成,酝酿固已久矣。①

国政一公之臣民

“国政一公之臣民,其君不以为私”,郭嵩焘认为这个保证比“君德”更靠得住一些。何以能如此呢?郭氏进而研究英国由君权到民权的历史,有几天的日记长达数千言,实际上等于写了一章英国政治简史。其中特别提到“一千二百六十四年,令诸部各择二人,海口择四人入巴力门会,为今下议院所自始”;“一千一百八十年后,设立伦敦买阿尔衙门,令民自选”。结语云:

---

① 光绪三年十一月十八日记。

……其初国政亦甚乖乱。推原其立国本末,所以持久而国势益张者,则在巴力门议政院有维持国是之义,设买阿尔治民有顺从民愿之情。二者相持,是以君与民交相维系,迭盛迭衰,而立国千馀年终以不敝,人才学问相承以起,而皆有以自效,此其立国之本也。

议政院

限制君权不容易做到,争取民权却容易得到人民拥护:

……巴力门君民争政,互相残杀,数百年而后定;买阿尔独相安无事。亦可知为君者之欲易逞而难戢,而小民之情难拂而易安也。中国秦汉以来,二千馀年,适得其反,能辨此者鲜矣!

秦汉以来适得其反

就这样,郭嵩焘肯定了英国的"巴力门"和"买阿尔衙门令民自选",否定了"中国秦汉以来二千馀年"的封建专制政体。这时候(一八七七年),王韬虽然已经到过英国,但尚未来得及对英国政治进行深入研究[①];孙中山还没有"始见轮舟之奇,沧海之阔"[②];康有为也要到两年之后才到香港,"始知西人治国有法度,不得以古旧之夷狄视之"[③] 哩!

(二)郭嵩焘从欧洲看到了教育在建设物质和精神文明中的关键作用,言泰西学校"一皆致之实用,不为虚文",比中国专门崇尚"时文小楷"(八股文)的办法要优越得多,从而力主

教育所起的作用

① 王韬《漫游随录》只在《游览琐陈》一节中用一百来字记述英国"集议院""垣墙高峻,栋宇宽宏"的情况。

② 孙中山《上李鸿章书》。

③ 《康南海自编年谱》。

开办学校、多遣留学，像日本那样大规模向西方学习。

在出国之前，郭氏已知“西洋之法，通国士民，一出于学”。船过香港，仅留两天，他便“周历学堂数处”[①]。到英国后，参观各类学校，深感中国专以“时文小楷”取士之误，“学校之不修二千馀年，流极败坏，以至于今日”[②]。在阿斯福书院（Oxford，牛津）见到“仕进者各就其才质所长，入国家所立学馆如兵法、律法之属，积资任能，终其身以所学自效”，谓“此实中国三代遗制，汉魏以后士大夫知此义者鲜矣”[③]。游牛津两天的日记长达四千馀言，我们特地将它的第一页作为本篇开头的图片，读者可以参看。在苏格兰某“类里斯科里治”（Ladies' College，女子学院），见到课堂满悬挂图，皆地理、植物、动物、机器、工艺、数学、簿记各科教学内容，又不禁慨叹：“乃中国士大夫所未闻见者也”。[④]

牛津大学

于是，他在伦敦写信给沈葆桢，力言当以教育为急务：

> ……人才国势，关系本原，大计莫急于学。……至泰西，而见三代学校之制，犹有一二存者。大抵规模整肃，房屋精详，而一皆致之实用，不为虚文。宜先就通商口岸开设学馆，求为征实致用之学。……此实今时之要务，而未可一日视为缓图者也。[⑤]

除了学校以外，博物馆、图书馆、各种学会、各种科学实验

① 光绪二年十月廿一日记。
② 《养知书屋文集》卷一一《致沈幼丹制军》。
③ 光绪三年十月廿四、廿五日记。
④ 光绪四年九月廿一日记。
⑤ 《养知书屋文集》卷一一《致沈幼丹制军》。

表演，都是他热心参观的地方。他对各种新知识都很有兴趣，初到英伦的光绪三年二三月间，即先后应物理学家斯博德斯武得(Spottiswoode)之约观看光电实验[①]；会见罗亚尔苏赛意地(Royal Society，皇家学会)会员，其中包括珥勒客得利西地(electricity，电学)、马提麻地客斯(mathematics，数学)、铿密斯得里(chemistry，化学)、阿思得格伦罗格尔(astronomy，天文学)、波丹尼(botany，植物学)、玛林来弗(marinelife，海洋生物)、海得洛喀刺非尔(水道测量)、波拍利喀赫尔斯(Publichealth，公共卫生)等学科的学者[②]；在罗亚得英斯谛土申(Royal Institute，皇家学院)听化学家定大(Professor Tyndal)讲学并作实验后，谓“此邦学问日新不已，实因勤学而乐施以告人，鼓舞振兴，使人不倦”[③]；又至罗亚尔久戛尔登(Royal Kew Garden，皇家植物园)，由植物学家虎克(Dr. Hooker)介绍各种植物及木材标本[④]；又应天文学家铿尔斯之约，到其处看显微镜(千里镜)及太阳光谱，“黄者为铅，青者为铁，向日照之，知日中所产与地球略同”[⑤]；又到物理学家谛拿尔娄(Warren Delarue)的实验室，见“收贮电气八千八百瓶”，进行电学实验，深恨自己“于此等学问全不能知”，但仍详细记录了实验过程和科学家的解说[⑥]。光绪四年四月十九日，他还在伦敦参观了爱谛森(爱迪生)表演刚刚发明的留声机。

爱迪生演示留声机

郭嵩焘在伦敦度过了他六十岁的生辰。这位年届“退休”

---

① 光绪三年二月初十日记。
② 光绪三年二月二十日记。
③ 光绪三年二月廿九日记。
④ 光绪三年三月初三日记。
⑤ 光绪三年三月十一日记。
⑥ 光绪三年三月十四日记。

的老人，在中国早有“学问文章，世之凤麟”的声誉，学位居翰林，官任少宗伯，等于教育部副部长，却能孜孜不倦地寻求新的知识，每日所记有时长达五六千言，都用毛笔作蝇头细字，看了真使人不能不肃然起敬。有次他在与一些英国科学家接触后写道：“所愧年老失学，诸事无所通晓，不能于此取益，有负多矣！”有时他又因自己不懂英语、译员亦不能胜任而深感痛苦。对于懂得外文的马建忠（眉叔）、罗丰禄（稷臣）等人①，以及通汉语的外国学者，他总是如饥似渴地向他们请教，表现了一种学人虚受的风格。

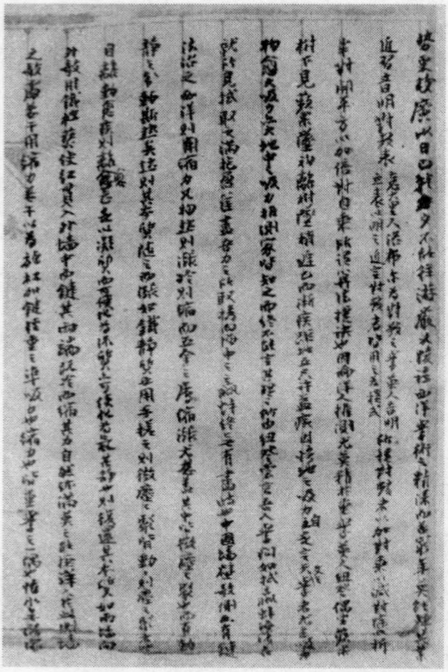

严复介绍西洋学术

值得特别提到的是郭嵩焘在伦敦和严复的交往。严复（又陵）当时用严宗光的名字在英国留学海军，同学的还有方伯谦、萨镇冰等，都是二十岁上下年纪的青年。郭嵩焘对这些青年人十分关心，而特别赏识严复的才学。严复则不止一次向郭介绍西洋学术，还曾为郭抄录格林里治学馆考问课目，译示蒲日耳游历日记和报纸评论。从严复的

（“严又陵语西洋学术之精深”）

① 光绪三年十一月十四日记：“罗稷臣留谈化学，极可听”，以下详记化学原质（原素）六十二种及物质三态。光绪四年二月初七日记：“严又陵议论纵横，因西洋光学、声学尚在电学之前”，而谈及某些物理原理。

传记资料[①] 中知道，郭氏曾与严"论析中西学术政治之异同，往往日夜不休"。严曾入英国法庭观其听狱，出语郭曰："英国与诸欧之所以富强，公理日伸，其理在此一事。"郭深以为然[②]。郭曾告严："吾观英吉利之除黑奴，知其国享强之未艾也"[③]。可见这一老一少、年龄相差近四十岁、身份也相隔悬殊的中国人，由于同在向西方寻找真理，是很有一些共同语言的。可惜郭嵩焘既被何金寿奏参，又怕刘锡鸿构陷，没有在日记中记下他们进行讨论的详细情况。[④]

当时中国在英国的留学生不过数人，全是学海军的，郭氏却已注意到：

中日留学之不同

> 日本在英国学习技艺者二百馀人，各海口皆有之，而在伦敦者九十人。嵩焘所见二十人，皆能英语。有名长冈良芝(之)助者，故诸侯也，自治一国，今降为世爵，亦在此学习律法。其户部尚书恩娄叶欧辜(Inoe Kaoru，即井上馨)，至奉使讲求经制出入，谋尽仿效之。所立电报信局，亦在伦敦学习有成，即设局办理，而学兵法者甚少；盖兵者末也，各种创制，皆立国之本也。[⑤]

因而深深感到"日本大小取法泰西，月异而岁不同，泰西言者

① 《碑传集补》卷末陈宝琛《清故资政大夫海军协都统严君墓志铭》、王允皙《侯官严先生行状》。
② 严译《法意》卷十一第八页案语。
③ 严译《法意》卷十第五页案语。
④ 光绪四年六月十七日记云："又陵才分，吾甚爱之，而气性太涉狂易。吾方有鉴于广东生(指刘锡鸿)之乖戾，益不敢为度外之论。"
⑤ 《养知书屋文集》卷一一《伦敦致伯相》。

皆服其求进之勇”；转念“中国寝处积薪，自以为安”①，不禁深为忧惧。

郭嵩焘认为推行西法，关键在于要有通西学、行西法的人才；即使是像“洋务派”那样“办洋务”，也应该考虑到“事事须洋人为之，必不可常也，当先令中国人通晓其法”；否则，“即倾国考求西法，亦无裨益”。因此，他除了建议“通商口岸开设学馆”外，还建议“各省督抚多选少年才俊，资其费用，先至天津、上海、福建各机器局，考求仪式，通知语言文字，而后遣赴外洋，各就才质所近，分途研习”。他特别反对李鸿章迷信“坚甲利兵”，只许出洋学生学习军事的做法，“欲令李丹崖携带出洋学生改习相度(勘探)煤铁及炼冶诸法及兴修铁路及电学，以求实用”。②

结果李鸿章的答复是：开矿、筑路和“添洋学格致书院以造就人才”等事，“无人敢主持”；“数百年积弊，未易一日更新”；“学生至英法，……未便遽改别图”；“鄙人职在主兵，亦不得不考求兵法”③，从头到脚泼了郭嵩焘一盆冷水。

了解西方历史文化

(三)作为杰出中国传统学人的郭嵩焘，是从中国到欧洲系统考察西方文化历史的第一人，也是对中西哲学思想和政治伦理观念进行比较研究的第一人。因为他从旧垒中来，对中国传统的东西十分熟悉，如今又比较深入了解了西方的东西，拿了新的观念来批判旧的观念，自然比较中肯。

中国人走向世界起步本来迟，西洋人来华可以追溯到一

① 光绪三年二月十五日记。
② 《养知书屋文集》卷一一《伦敦致伯相》。
③ 李鸿章《朋僚函稿》卷一七《复郭筠仙星使》(光绪三年六月初一日)。

千八百多年的大秦使者安敦,用文字作记载的即使不算马可波罗,也是七百年前的事。而中国在郭氏以前亲历欧美并留有记述的人,樊守义(一七〇七至一七二〇年)[①]、谢清高(一八二〇年)[②] 文化低,见闻有限;斌椿(一八六六年)、志刚(一八六八年)、张德彝(一八六六年、一八六八年、一八七一年)思想水平不高;容闳(一八四七至一八五四年)只通西学不通中学[③];王韬(一八六七至一八七〇年)也许是才学差可比肩的人物,但是他"佣书"异国[④],接触的范围和观察的深入亦远不如郭氏。这些人都谈不到对文化历史作系统考察和比较研究,只有郭嵩焘才有可能开始这样做。

远远超过了前人

郭嵩焘看到了外国也有几千年的文明史,"犹太、巴比伦尼亚、亚述利亚、埃及、希腊、罗马、印度及中国凡八国,并立国数千、万年"。其述古希腊贤哲,于历叙古麦虞(荷马)、退夫子(泰勒斯)、毕夫子(毕达哥拉斯)诸人后,复陆续介绍道:

……有琐夫子名琐格底(Sokrater,苏格拉底),爱真实,恶虚

苏格拉底

---

① 樊守义,山西平阳人,康熙四十六年偕泰西教士艾约瑟往葡萄牙、西班牙、意大利等国,五十九年回国,有《身见录》,原稿藏梵蒂冈。在此以前,生长北京的巴琐马(Bar Sauma)曾于元世祖时被伊儿汗派遣去罗马教廷,关于此事的记述原文为古波斯文,至今尚无中文译本,在中国并无影响。可参看拙著《走向世界》(中华书局出版)第三章。

② 谢清高,广东嘉应州(今梅县)人,少时从贾人走海南遇险,被外国商船救起后留船"随贩",十四年中遍历世界各地,后因盲目流寓澳门,曾将其海外见闻口述成《海录》一书。可参看拙著《走向世界》第三章。

③ 容闳《西学东渐记》第六章《学成归国》自述其归国时"于本国语言,几尽忘之";"予之汉文,乃一八四六年游美之前所习者,为时不过四年,以习汉文,学期实为至短,根基之浅,自不待言。"

④ 王韬《漫游随录·新埠停桡》一节自述其出国原始云:"余至香海,与西儒理君雅各译十三经;旋理君以事返国,临行约余往游泰西,佐辑群书。

古希腊诸贤哲

（介绍古希腊贤哲，请参看引文）

妄，言学问是教人有聪明、德行、福气，作有用之事，教别人得益处。有巴夫子（Platon，柏拉图）言凡物有不得自由之势，……。巴夫子有一学生，为亚力山大先生，名亚夫子（Aristoteles，亚里士多德），……言天地万物原来的动机就是神，这个动机不能自立，有一个自然之势，教他不得

柏拉图

不然。……耶稣前四百二十年,有安夫子(Antishenes,安提西尼),言福气不在加在减,常减除心里所要的,就是德行,所以常轻视学问知识、荣华富贵。其学生杜知尼(Diogenes,第欧根尼)名尤著,常住木桶中,……亚力克山太王来见……言:"请告诉我何事可以帮助你?"杜知尼言:"我求你闪开一步,莫遮我的日光。"……其后又有叹夫子(Epikouros,伊壁鸠鲁),言天地万物是从无数原质配合起来,自然成了所有的诸形。——近世格致家言,希腊皆前有之。——希腊学问从亚力克山太(Alexander the Great,亚力山大大帝)以后传播天下,泰西学问皆根源于此。[①]

求你闪开一步莫遮我的日光

国人译述古代希腊哲学思想,盖以此为嚆矢,文词亦复简洁可喜,要言不烦,实在可以称为早期的西学文献。

十九世纪七十年代西方的观念已经是现代的观念。这种观念,四十多年以后大规模介绍到中国来时,被形象化地称为"德先生"和"赛先生",亦即 Democracy(民主)与 Science(科学),这正是现代观念区别于中世纪专制主义统治下的所谓正统观念的两大标志。

郭嵩焘通过"巴力门"和"买阿尔",初步接受了西方的民主观念;又通过对文化学术的考察,初步接受了西方的科学观念。他的日记中有如下的记述:

培根

英国讲实学者,肇自比耕(Bacon,培根)。始时,亦习剌丁、希腊之学。久之,悟其所学皆虚也,无适于实用,始讲求格物致知之说,名之曰新学。当时亦无甚信从者。

① 光绪五年二月十六日记。

伽里略

> 同时言天文有格力里渥(Galileo,伽里略),亦创为新说,谓日不动而地绕之以动。比耕卒于一千六百二十五年,格力里渥卒于一千六百四十二年。至一千六百四十五年始相与追求比耕之学,创设一会名曰新学会。一千六百六十二年,查尔斯第二崇信其学,特加敕名其会曰罗亚尔苏赛也得(Royal Socity,皇家学会)。……而天文士纽登(Newton,牛顿)生于一千六百四十二年,与格力里渥之卒同时,英人谓天文窍奥由纽登开之:此英国实学之源也。相距二百三四十年间,欧洲各国日趋于富强,推求其源,皆学问考核之功也。①

为了弄清欧洲实学(科学)的源流,郭氏听"瓜得利类非有"("Quarterly Review",《每季评论》)编辑卜刊颉斯讲过"刚莫特学问"(Comtism,孔德哲学)②;请马建忠(眉叔)讲过嘎尔代希恩(René Descartes,笛卡儿)的哲学思想:

笛卡儿系统的怀疑

> 其言以为古人所言无可信者,当自信吾目之所及见,然后信之;当自信吾手足所涉历扪摩,然后信之。既自信吾目矣,乃于目所不及见,以理推测之,使与所见同;既自信吾手足矣,乃于手足所未循习者,以理推测之,使与所循习同。于是英人纽敦因其言以悟动学(力学),意大利人嘎里赖因其言以悟天文——日绕地不动而地自动,德人来意伯希克(Leibniz,莱布尼茨)又有性理之学。③

① 光绪三年十月廿九日记。
② 光绪三年四月十九日记。
③ 光绪四年七月二十日记。

这些都是中国介绍欧洲科学哲学思想的最早材料。难得的是郭嵩焘的认识能够达到一定的水平，比如对笛卡儿的"系统的怀疑"方法论表述便相当准确具体，从中也可以看出宋明理学对他的影响。

郭嵩焘是精通中国传统学问的人，但他食古而不泥于古，本来就具有一定的批评精神。旅欧期间，他在接受西方政治、经济和哲学思想的同时，并有机会和外国学者讨论东方的文化。如法国立瀚(里昂)东方会堂(东方学会)即曾邀郭氏入会[①]，并请其准备论文，题目之一为"中国孔子之前何教？老子学问与今道士绝异，何以道士皆宗老子？"郭氏为此做了认真的准备[②]。这些接触，当然也有助于推动郭氏对中西文化思想的比较研究。

西方的伦理哲学是以基督教精神为基础的，与中国儒家伦理观念颇有差别。郭氏研究的结论是：

研究儒家与基督教的差别

> 中国圣人之教道，足于己而无责于人；即尼山诲人不倦，不过曰"往者不追，来者不拒"而已。佛氏之法，则舍身以度济天下，下及鸟兽，皆所不遗。西洋基督之教，佛氏之遗也。孟子之攻杨墨，以杨墨者，佛氏之先声也。而其言曰，"逃墨则归于杨，逃杨则归于儒"，以杨氏之为已，尤近于儒也。……圣贤不欲以兼爱乱人道之本，其道专于自守。而佛氏之流遗，至西洋而后畅其绪，其教且遍于天下，此又孔、孟之圣所不能测之今日者也。[③]

---

① 光绪四年七月初八日记。

② 据日记，郭氏曾就道家的历史、中国钞法、黄帝周公孔子、中国蚕业、古代中西交通等方面作了参加讨论的准备。

③ 光绪四年五月二十日记。

又云：

> （耶稣）为教主于爱人，其言曰，“视人犹己”，即墨氏兼爱之旨也。因推而言之曰：……人之生世，继绍乎天以成其事业，实有继事述志之责。故其自视常若天之子；而凡同为人以并生于天地之间者，皆兄弟也。其旨亦近于《西铭》，……固不能逮佛氏之精微，而其言固切近而可深长思也。[①]

这里指出儒家思想“专于自守”，是内向的，保守的；基督教精神“主于爱人”，是外向的，进取的；后者“较之中国固差胜矣”[②]。这可以视为对中国传统伦理观念的尖锐批评。接着又在政治哲学的范畴内作了同样的比较：

比较中西政治哲学

> 三代有道之圣人，非西洋所能及也。即我朝圣祖之仁圣，求之西洋一千八百七十八年中，无有能庶几者。圣人以一身为天下任劳，而西洋以公之臣庶。一生之圣德不能常也，文、武、成、康，四圣相承，不及百年；而臣庶之推衍无穷，愈久而人文愈盛，颇疑三代圣人之“公天下”，于此犹有歉者。秦汉之世，竭天下以奉一人。李斯之言曰：“有天下而不恣睢，命之曰以天下为桎梏。”恣睢之欲逞，而三代所以治天下之道于是乎穷。圣人之治民以德，德有盛衰，天下随之以治乱。德者，专于己者也，故其责

① 光绪四年二月十四日记。
② 光绪四年五月二十日记。

天下常宽。西洋治民以法，法者，人己兼治者也，故推其法以绳之诸国，其责望常迫。其法日修，即中国之受患亦日棘，殆将有穷于自立之势矣。[1]

民主政治远胜专制

这里分析了“以一身为天下任劳”的专制政治和“公之臣庶”的民主政治的根本区别。专制政治即使有“明君贤相”进行治理，也只可能是一种随机的、偶然的现象；如果出现了如秦皇之君、如李斯之相，那就“竭天下以奉一人”，也填不满他们的“恣睢之欲”了。只有使政治“公之臣庶”，才会“推衍无穷，愈久而人文愈盛”。实际的效果，便是现在西洋日强，而“中国之受患日棘，殆将有穷于自立之势矣”。封建政治的最高理想是所谓“三代之治”，郭嵩焘却直指“三代圣人之‘公天下’，于此犹有歉者”，对专制君主制批判的深刻，大大超过了以前的黄梨洲和李卓吾[2]，这当然是因为他开始从西方思想武库中拿来了新的思想武器的缘故。

反对自大反对排外

（四）郭嵩焘强烈地反对传统士大夫“竭力以天朝尽善尽美的幻想来欺骗自己”[3]，反对把外国看作“夷狄”的顽固排外思想。他主张开放，主张向西方学习，在这方面被误解受打击而无悔。

中国传统社会在本质上是封闭的社会。它极力维持马克

① 光绪四年五月二十日记。

② 李贽最激烈的话是“人人皆可以为圣”，只反对了“天生圣人”的说法。黄宗羲强烈控诉了“后之人主”“敲剥天下之骨髓，离散天下之子女”的罪过，认为“天下不能一人而治”，但没有也不可能提出用新的政治制度来代替君主专制的主张。

③ 马克思《鸦片贸易史》，《马克思恩格斯选集》第二卷。

思形容为“野蛮的、闭关自守的、与文明世界隔绝的状态”[①]。在延续千年之久的这种状态下形成的传统观念中长成的士大夫阶级，思想上一直认为中国就是整个的文明世界，而把境外一切民族都称之为“蛮貊”和“夷狄”，一律给加上虫豸和犬部偏旁，意思就是说他们都不是人，至少不是和我们一样的人。到民国初年还被袁世凯聘为国史馆总裁的王闿运，便曾批评郭嵩焘道：

王闿运的批评

> 人者万物之灵，其巧敝百出，中国以之一治一乱。彼夷狄人皆物也，通人气则诈伪兴矣。使臣（指郭）以目见而面谀之，殊非事实。[②]

王闿运的老气横秋，正代表了当时士大夫阶级的典型性格。这是一种貌似自尊实为自卑、害怕竞争害怕开放的性格。

孔子曰：“夷狄之有君，不如诸夏之亡也。”孟子曰：“吾闻用夏变夷者，未闻变于夷者也。”这些在爱新觉罗氏初入关时忌讳过一阵子的“圣贤之言”，到了清朝末年，又被搬了出来，一方面作为抵御外来影响的精神武器，一方面作为训诫臣民不得逾越的教条。郭嵩焘奉命出使英国，明明是“为国家任此一番艰难”（慈禧太后召见时语）[③]，却被舆论斥为“下乔木而入于幽谷”、“不容于尧舜之世”的丑行。何金寿的奏参、《使西纪程》的毁板，都是在“严夷夏之大防”的口号下发动的对于这个甘愿“事鬼”的异端的围剿。

---

① 《中国革命与欧洲革命》,《马克思恩格斯选集》第二卷。

② 《湘绮楼日记》光绪六年二月初二日。

③ 光绪二年七月十九日记。

郭嵩焘通过自己两年多的实际观察，深知对西洋各国决不能再以“夷狄”视之。拿大事来说，如与非洲达和米（达荷美）酋长立约，“禁止其国贩卖黑奴出口”，“杀人祀神不得强各国商民往观”，可算“以爱民之心推类以及异国无告之民”①。拿小事来说，如英国王宫“跳舞会动至达旦”，“以中国礼法论之，近于荒矣，而其风教实远胜中国，从未闻越礼犯常，正坐猜嫌计较之私实较少也”②。

其风教实远胜中国

文明是社会进步的标志。十九世纪的西方社会比东方的旧的社会进步，自然也比东方的旧的社会更为文明。郭嵩焘敢于承认这个事实，他写道：

> 西洋言政教修明之国曰色维来意斯得（civilized，文明的），欧洲诸国皆名之。其馀中国及土耳其及波斯，曰哈甫色维来意斯得（hlafcivilized，半开化的）。哈甫者，译言半也；意谓一半有教化，一半无之。其名阿非利加诸回国曰巴伯比里安（barbarian，野蛮的），犹中国“夷狄”之称也，西洋谓之无教化。三代以前，独中国有教化耳，故有“要服”、“荒服”之名，一皆远之于中国而名曰“夷狄”。自汉以来，中国教化日益微灭；而政教风俗，欧洲各国乃独擅其胜。其视中国，亦犹三代盛时之视夷狄也。中国士大夫知此者尚无其人，伤哉！③

谁文明谁野蛮

对于当时封建士大夫故步自封、盲目自大的情形，郭氏斥

① 光绪三年十二月廿七日记。
② 光绪四年四月廿二日记。
③ 光绪四年二月初二日记。

之为“井干之蛙,跃冶之金,非独所见小也,抑亦自甘于不祥”。他说:“秦汉以后之中国,失其道久矣”,“苟得其道,则固天心之所属也”;“茫茫四海含识之人民,此心此理,所以上契天心者,岂有异哉?而猥曰东方一隅为中国,馀皆夷狄也,吾所弗敢知矣。”①

秦汉以来失道久矣

所谓“中国有道,夷狄无道”,不过是由“天朝尽善尽美的幻想”造成的偏见。郭嵩焘批评持这种偏见的人们道:有道与无道并不是固定不变的;茫茫四海,许多国家,进步快的则为得道,不进步的则为失道;中国只占整个世界的东方一隅,而且“失其道久矣”;古代“中国”和“夷狄”的概念现在已经颠倒过来,应该是中国向西方学习的时候了。这说明郭嵩焘已经在向社会进化的现代观念靠拢。

(五)郭嵩焘对西洋事物进行实际考察以后,对当时“洋务派”所办“洋务”的腐朽性、落后性有了更深刻的认识,进一步提出了更尖锐的批评。

在国内的时候,郭嵩焘的主张和“洋务派”的主导观点即有很大不同,但那时他主要是以书生论政,最多参加过一些交涉事件,对“洋务派”津津乐道的“造船、制器、练兵”并没有很多实际了解。出国以后,他才知道“洋务派”办的“洋务”在真正洋人的眼里是些什么货色:

傅兰雅所见之洋务

> 傅兰雅(J. Fryer)言,在上海目睹两事:同治十三年,日本兴师台湾,沿海戒严,因派一轮船驻扎吴淞江口,以备不虞。凡共管驾兵弁三百馀人,令甫下,以病告者六七

① 光绪五年二月廿六日记。

十人。迟久乃开行,而告退者半,逃逸者亦半。比至吴淞,存者二十馀人而已。……

一日,至铸枪厂,见用开通内膛机器,一童子司之,惟用车口机器,长二寸许,轮转不息。因诘童子:"此当开通内膛,舍长用短,是不求通也。"童子……曰:"不过挨延岁月而已,横直总办不能知,莫吾诘也。"①

郭嵩焘听了傅兰雅这番话,心情异常沉重,对"洋务派"的腐败作风痛心疾首。他说:

痛心疾首

泰西制造机器所应取效者,岂直枪炮而已哉?人心风俗偷敝至于此极,即有枪炮,亦资寇兵而赍盗粮而已。然且相为欺诬浮滥,处之泰然。闻傅兰雅之言,为之悼叹。

出国之前,郭嵩焘虽不满绝大多数洋务官僚,却还把李鸿章、沈葆桢、丁日昌看成"洋务派"中少有的明白人②。出国以后,他的看法渐渐不同了,光绪三年九月初五日在伦敦致书朱克敬云:

往常论近日考求洋务之人,合肥(李鸿章)能见其大,沈尚书(葆桢)能得其实,丁中丞(日昌)能致其精,吾无能为役,……(今)体察各国之情伪,与其所见为利病避就者,……自信于此确有所得。——孟子曰:"当今之世,舍

当今之世舍我其谁

① 光绪五年二月十四日记。

② 《翁文恭公日记》光绪二年正月十三日:"郭筠仙来,其言欲天下皆开煤、铁,又欲中国皆造铁路。又云,方今洞悉洋务者止三人,李相国、沈葆桢、丁日昌也。"

我其谁也”,诚亦无所多让。[①]

这时沈葆桢向顽固派屈服,拆毁吴淞铁路,郭“两次寓书陈论”,沈“竟不一回报”[②]。至于李鸿章,如前所述,尽管郭劝他不要专门只注意买枪炮、买兵船,李却说他的职责是搞军事,不能不这样做。对于开设学堂之说,李认为“绝不能办,办亦无用”[③]。甚至干脆劝郭道:

此等文字可以不作

> 以后此等文字,可以不作。闻枢(军机处)、译(总署)友人均嫌尊处条陈过多。直道之不行久矣。[④]

于是,郭嵩焘对李鸿章也不能不渐感失望。他在伦敦见到李氏评论英、德枪炮的摺件及丁日昌译刻枪炮图说之后,感慨不已,认为枪炮谈得再多,也是“考求洋人末务而忘其本”[⑤]。他在伦敦写给李的一封信中意味深长地说:

批评当时洋务人员

> 窃谓中国人心,有万不可解者。西洋为害之烈,莫甚于鸦片烟,……中国士大夫甘心陷溺,恬不为悔。……钟表、玩具,家皆有之;呢绒洋布之属,遍及穷乡僻壤。……一闻修铁路电报,痛心疾首,群起阻难。……办理洋务三十年,疆吏全无知晓。[⑥]

---

① 《中和月刊》第一卷第十二期《郭筠仙手札》。
② 光绪三年九月十四日记。
③ 李鸿章《朋僚函稿》卷一七《复郭筠仙星使》(光绪三年六月初一日)。
④ 李鸿章《朋僚函稿》卷一八《复郭筠仙星使》(光绪四年正月廿六日)。
⑤ 光绪四年九月十二日记。
⑥ 《养知书屋文集》卷一一《伦敦致伯相》。

这些“办理洋务三十年”后还“全无知晓”的疆吏，固然未必包括了李鸿章、沈葆桢和丁日昌，但在郭氏所记英国驻华公使威妥玛(Thomas F. Wade)在伦敦对他讲的一段话中：

> 中国地利尽丰，人力尽足，要须从国政上实力考求，而后地利人才乃能为我用，以收其利益。购买西洋几尊大炮，几支小枪，修造几处炮台，请问有何益处？近年稍知讲求交接矣，而于百姓身上仍是一切不管，西洋以此知其不能自立……①

这些“稍知讲求交接矣，而于百姓身上仍是一切不管”的人，和李鸿章等洋务大员也就相差不远了。

就这样，走上了“向西方寻找真理”道路的郭嵩焘，在他自己的思想上，已经与一个长期封闭的社会的传统观念，与封建专制政治的指导思想，与他自己所属的士大夫阶级和“洋务派”集团，都开始发生决裂，虽然他没能继续往前走。

与旧观念决裂

郭嵩焘的悲剧

郭嵩焘对封建政治、文化及“洋务”的批判态度，决定了他的悲剧性结局。一八七九年的归国，便是他政治生命的结束。

受命出使后不久，荐引郭氏的军机兼总署大臣文祥病卒。其他几位大臣沈桂芬、景廉和李鸿藻，对郭氏早已侧目。他们不顾郭的反对，硬要派一个唱反调的刘锡鸿为副使。据说刘“在京师受命李兰生(鸿藻)，令相攻揭。其出京一切皆未携

① 光绪三年十月初七日记。

备，惟携备摺件（准备奏劾郭氏），亦出李兰生之意”[①]。出国之前，郭氏曾草疏条陈办理洋务机宜，“疏成，刘锡鸿守争三日，遮遏使不得上”。[②]

刘锡鸿

刘锡鸿这颗钉子，对制约郭嵩焘起了不小的作用。郭氏在嘲骂声中出国，心情本已不好[③]。何金寿奏参、《纪程》毁板后，刘锡鸿立即向郭发起攻击，指数郭之“三大罪”：[④]

一、游甲敦炮台披洋人衣。即令冻死，亦不当披。

二、见巴西国主擅自起立，堂堂天朝何至为小国主致敬？

三、柏金宫殿听音乐屡取阅音乐单，仿效洋人所为。

接着刘又在使馆同人中扬言：“此京师所同指目为汉奸之人，我必不能容。”后又“密劾”郭氏“十款”，于“三大罪”之外又加上“藐玩朝廷”、“议论黄旗”、“违悖程朱”等罪名，还有一条是“怨谤”，说“以一运司而署巡抚，以一臬司而授侍郎，国家何负于郭某，而终日怨谤”？“第一险毒处”则是举英国蓝皮书所载郭氏一段议论，“据以为交通之实证”，“直欲见诬以逆谋”[⑤]。

郭氏当时受到的构陷攻讦，的确到了异常严重的程度。

郭嵩焘曾上疏为自己辩解，请求查处刘锡鸿、何金寿勾通构陷情形。但上谕反而责备他“固执任性”，“所见殊属褊

---

① 《花随人圣庵摭忆》录郭氏与沈葆桢书。

② 《郭嵩焘先生年谱》五三二页。

③ 郭氏于上海启程前复书沈葆桢云：“嵩焘乃以老病之身，奔走七万里。自京师士大夫，下及乡里父老，相与痛诋之，使不复以人数。英使且以谢过为辞，陵迫百端。衰年颠沛，乃至此极，公将何以教之？”（《花随人圣庵摭忆》。

④ 《驻美使馆档案·陈兰彬任》光绪四年十一月初六日《郭嵩焘来咨附粘片》。

⑤ 光绪四年十一月初一日记。

狭”[1]，京师士大夫也继续攻击他，要求将他撤职。翰林院侍讲张佩纶疏称：

> 《纪程》之作，谬轻滋多。朝廷禁其书而姑用其人，原属权宜之计。……今民间阅《使西纪程》者既无不以为悖，而郭嵩焘犹俨然持节于外，……愚民不测机权，将谓如郭嵩焘者将蒙大用，则人心之患直恐有无从维持者，非特损国体而已。……[2]

被迫引退

在这样的形势下，郭嵩焘只好自行引退，奏请因病销差[3]。总署本拟将郭氏查办治罪，因李鸿章力持不可[4]，才算保住面子，宣布由曾纪泽接任。其时距郭氏到任仅仅一年零七个月。

后来郭嵩焘在他写给黎庶昌的一封信中说到刘锡鸿这件事对他的影响：

> ……开端奉使西洋，颇谓朝廷用人为不虚，区区才力亦尚能堪之。而于其时力举一刘锡鸿充当随员，枢府遽以副使任之，一意傅会京师议论，以嵩焘为的，自负能攘斥夷狄，深文周内，以相龋龁。不独区区一生愿力无所施用，乃使仰天欷歔，发愤呕血，志气为之销靡，才智聪明亦

发愤呕血

① 《德宗实录》卷六十。
② 《涧于集·奏议》卷一《请撤回驻英使臣郭嵩焘片》。
③ 《养知书屋文集》卷一一《复曾沅浦宫保》云：“刘锡鸿之凶悖，译署稍能裁之以正，不过相假借，嵩焘老病馀生，捐弃海外，亦不至乞归。”
④ 光绪四年元月二十五日李鸿章致函总署周家楣：“筠轩（仙）前信，深怪总署致书不少慰藉，谓似偏助云生者。其视官若敝屣然，即使认真查办，似不过褫职，而不应更加馀罪也。”

为之遏塞。[1]

当然不是小小一个刘锡鸿整垮了郭嵩焘。在刘锡鸿的背后,有“枢府”,有“京师议论”,有封建朝廷,还有最高统治者慈禧太后。这个精通“驭下”权术的主子,虽然在令郭嵩焘出国办事时满面春风,说什么:

慈禧太后

> 旁人说汝闲话,你不要管他。他们局外人,随便瞎说,全不顾事理。你看此时兵饷两绌,何能复开边衅?你只一味替国家办事,不要顾别人闲说,横直皇上总知道你的心事。[2]

在派曾纪泽来接郭嵩焘的任时,还说:

> 上头也深知道郭嵩焘是个好人,其出使之后所办之事不少。[3]

严旨训诫

可是“严旨训诫”起来,却又声色俱厉:

> 本应立予撤回,严行惩处,以示炯戒。姑念郭嵩焘驻英以来,办理交涉事件,尚能妥为完结……倘敢仍怀私怨,怙过不悛,则国法具在,不能屡邀宽宥也。[4]

---

① 《养知书屋文集》卷一三《致黎莼斋》。
② 光绪二年七月十九日记。
③ 曾纪泽《使西日记》光绪四年八月二十八日。
④ 《德宗实录》卷七三第九页。

于是郭嵩焘只得在奏请销差回国后又称病乞休，慈禧都立即诏允。后来湖南籍的两江总督刘坤一陛见，慈禧命他留意人才，刘即奏保江苏题补道洪汝奎，而附片奏称如郭嵩焘之才，“似未可投散置闲，可否召令入都，俾参末议”①；结果洪被任命，郭却迄无下落。富有统治经验的慈禧，对郭嵩焘其人是心中有数的。

郭嵩焘对慈禧也心中有数。郭氏在巴黎同德国驻华公使巴兰德(M·Von Brandt)作私人谈话时，曾谈到中国的进步必须俟皇帝(光绪)亲政后始有办法——

寄希望于光绪皇帝

> 巴问：此何故？
>
> 吾谓：中国……成法，遵行已三千馀年，本不易言变通。而自天津定约至今二十年，并值圣躬幼弱，大臣无敢主事者。此须候至十馀年亲政后，能考求变通，始可望有前进之机。
>
> …………
>
> 巴言：吾在中国久，粗谙其情状。如郭大人所言，直是一字不能加，一字不能减。
>
> 吾谓：……愿巴大人深谅此等情形，稍俟之；皇上亲政之后，从容劝导；勿遽以逼迫为之，反致无益有损。②

光绪皇帝当时还是一个小孩。郭嵩焘把中国“前进之机”寄托在皇帝身上，说明他对当朝的慈禧太后是完全没有信心的。

当郭嵩焘乞休归里时，湖南守旧之风正盛。郭氏以光绪

① 《刘坤一遗集》。

② 光绪四年八月廿七日记。

五年闰三月十五日抵长沙，据当天日记：长善两县竟“以轮船不宜至省河，属书阻之”。“士绅至于直标贱名及督抚之名，指以为勾通洋人，张之通衢”，官员“自巡抚以下，傲不为礼”。

但是，在这四围充满敌意的气氛中，郭嵩焘仍然要批评国事，批评洋务。光绪五年四月初二日记：

> 小垣嘱见人不谈洋务，吾谓并不见人，然固不可不谈洋务。所以谈者，欲使人稍知其节要，以保国有馀。苟坐听其昏顽而已，不动兵则坐削；一旦用兵，必折而为印度。此何等关系，而可以不谈乎？……果可以昏顽终古，则自洞庭以南，蠢蠢之三苗，至今存可也，而其势固必不能。……以先知觉后知，以先觉觉后觉，予于此亦有所不敢辞，于区区世俗之毁誉奚较哉！

区区毁誉奚足较

这真是表现了一个先知先觉者勇往直前、义无反顾的精神。

光绪十年正月，他在与李鸿章书中，批评当时的“名为知洋务者”仍然不能分辨洋务的“本末”，提出了“夷狄之民，与吾民同”的著名论点。

“夷狄之民与吾民同”，这和王闿运的“夷狄之人皆物也”，是两种完全不同的关于外部世界的观念。前者是现代人的观念，后者是古时封闭社会的观念，二者是无法调和的。郭嵩焘以先知先觉自任并没有错，问题是当绝大多数人仍在坚持旧观念时，先知先觉者的日子绝不会好过。结果打击和冷遇终郭嵩焘之一生，绝不止“区区毁誉”而已。

在继续当一个批评者的同时，郭嵩焘也曾想在故乡做一点推行“教化”的社会工作，但是亦无一不遭梗阻。光绪五年在省城组织“禁烟公社”，好不容易邀了十来位朋友参加，其中还有人“以女病不肯列名”,有人则“遣其子至,而自以病辞”,有人甚至“以禁烟为骚扰,谓合长沙一省城,烟馆三千有奇,一旦绝其生理,此三千馀之穷民激而称变,何以御之”?[①] 光绪十五年省河开行轮船事,他三上其议,卒不果行,反招来王闿运一场讥讽:“先生休矣!不如专攻郑康成、剽学黄山谷之横恣优游也!”[②]

而郭嵩焘却始终坚持向西方学习的主张,他于光绪十五年写道:

> 虽使尧舜生于今日,必急取泰西之法推而行之,不能一日缓也。[③]

推行西法决不能缓

而对于“洋务派”的一些设施,他也始终坚持了批评的态度。在他去世前一年,张之洞在两湖开办煤铁,购置机器,筹设电线。郭氏论张“能有豪杰之风,而所行亦实切要便民”,但对企业一由政府垄断的效果则深致怀疑。他的基本论点是:

> 岂有百姓穷困而国家自求富强之理?[④]

在一篇公开发表的文章中,又作了进一步的发挥道:

> 泰西立国之势,与百姓共之。国家有所举废,百姓皆与其议;百姓有所为利害,国家皆与赞其成而防其患。汽

① 光绪五年九月初一及十一日记。
② 《湘绮楼日记》第十五册,光绪十五年四月十八日。
③ 《养知书屋文集》卷二八《铁路议》。
④ 《养知书屋文集》卷一三《致李傅相》。

> 轮车之起，皆百姓之自为利也。自数十里数百里以达数千万里，通及泰西十馀国，其国家与其人民交相比倚，合而同之。民有利则归之国家，国家有利则任之人民，是以事举而力常有继，费烦而国常有馀。①

而当时中国的情况却是：

> 在官来往上下，必以轮船，湘人仕外者亦然，而独严禁绅民制造。然西洋汲汲以求便民，中国适与相反。……今言富强者，一视为国家本计；抑不知西洋之富，专在民，不在国家也。②

富专在民不在国家

郭嵩焘的这些议论，依然是“吃洋务”的官老爷们所不愿听的。在凄凉的晚景中，他的心情落寞，于去世当年春抱病撰成《玉池老人自叙·续记》，谓：

> 吾在伦敦，所见东西两洋交涉利害情形，辄先事言之，……而一不见纳。距今十馀年，使命重叠，西洋情事，士大夫亦稍能谙知，不似从前之全无知晓。而已先之机会不复可追，未来之事变且将日伏日积而不知所穷竟，鄙人之引为疚心者多矣！

其鸣也哀

这便是郭嵩焘对他自己大半生涉猎洋务的最后感想，真可谓“鸟之将死，其鸣也哀”矣。

---

① 《养知书屋文集》卷二八《铁路后议》。
② 《养知书屋文集》卷一三《与友人论行西法书》。

郭嵩焘逝世于光绪十七年六月十三日(一八九一年七月十八日)。虽然王先谦等具呈,李鸿章代奏,讲了他为人与治学的许多好话,如“生平廉洁自矢,任运司时裁汰规费;出使三年,开报公款仅薪水、房租两事,其他皆自支销;归后家无馀赀,惟以书院修脯自给;文章学问为后进所宗,生平纂述甚富,所著《礼记质疑》四十九卷,业已成书,为海内通儒推重……”[1] 慈禧太后还是不准给他立传赐谥,体现了统治阶级对一个异己者的“原则”。

(英人所作铜版画像)

本文目的在于讨论郭嵩焘在近代思想史和洋务运动中的地位,不准备也没有可能对郭氏整个生平和事业作出叙述和论断。但仍有必要指出:郭嵩焘毕竟属于当时士大夫阶级的上层,他对专制思想和“隔绝状态”下的思想文化的批评,还是很不深刻、很不彻底的。郭嵩焘主张实行开放,主张向西方学习,是为了使中国现代化,这无疑是一种进步的主张,但若从反对西方帝国主义的立场上看,又容易被指责为“不爱国”。“请戮郭嵩焘之尸以谢天下”,便是在拳民闹事时提出来的。

“不爱国”

① 《李文忠公奏稿》卷七二《郭嵩焘请付史馆摺》。

郭嵩焘也从不隐瞒他轻视人民群众的观点。同治六年，总署就外交、洋务请地方大吏各抒所见，曾国藩曾有借民拒外之说，郭却大不以为然，对曾说：

中国小民何知远计

> 据中国亿万小民与彼为仇立论，此正数十年来中外诸公所用以为藏身之秘术者。中国小民，何知远计哉？洋人弄而玩之，夺其利而歆之；稍厚其资，受其雇役，靡然以从。据此为言，适为洋人所笑。而中外诸公至今无能省悟，惜哉，无是可也。①

在欧洲，郭氏对"君民同主国政"、"国政一与民共之"很感兴趣。但他对于工人搞罢工、群众闹革命，则极不以为然，例如说：

> 白兰苐尔得工匠数十年前纠众滋哄，减工加价。……去年美国火轮车工匠毁坏铁路，情形与此正同。盖皆以工匠把持工价，动辄称乱以劫持之，亦西洋之一敝俗也。②

在归国途中，郭氏听到一个法国"君党"大讲"法国改立民政"和美国"以民制君，纪纲倒置，为弊滋甚"，很是同意他的一些观点，如谓："泰西政教风俗可云美善，而民气太嚣"，"德、意、西、俄屡有暗杀君主、大臣之事，亦是泰西巨患"，"虽行民

---

① 《陶风楼藏名贤手札》第五册，《郭嵩焘致曾国藩》。
② 光绪四年四月十八日记。

主,要须略存君主之意,而后人心定,国本乃以不摇”[1]。这充分体现了他的民主观念的局限性。

对于西方资本主义国家的扩张野心和剥削本质,郭嵩焘当然也有认识。据文廷式记载,郭氏光绪十二年(一八八六年)十月初九在寄禅和尚开的“碧湖吟社”会上说过:

> 洋人敦朴有古风,然窥伺中国实未尝一日忘之。如有内乱及水火盗贼之变,恐各国将来乘机裂我土地,事当在二十年内……[2]

但他总觉得西方国家眼前的利益只在通商,军事进攻的危险并不十分迫切,所以在对外交涉上一贯反对言战。当然,像僧格林沁那样“将官兵去衣冠诈称乡勇”“悄悄击之”的做法,和张佩纶[3]、李鸿藻等人“派兵东征登陆日本”的建议,可谓成事不足败事有馀,加以反对并没有什么不对。但是,对左宗棠用兵新疆,彭玉麟主张抗法,他也曾经加以反对,那就更容易授人以柄了。连曾国荃也对郭责备左有“激怒之意,乐战之心”表示不满,驳他道:

授人以柄

> 必谓有激怒之意,乐战之心,未免求之过深。况彼之怒与否,初不系乎我之激不激;彼之战与否,亦不系乎我之乐不乐也。……我诚上下一心,百度修举,彼必持重而不轻发。如其不然,我虽兢兢焉惟惧生衅,彼且将激我之

① 光绪五年正月廿七、二月初一日记。
② 《文廷式全集》第二册《志林》。
③ 就是这个张佩纶,后来在马尾战役中“闻炮声先遁”,丧师辱国,受到充军处分。

怒,以遂彼乐战之心,尚何待我之迫彼哉。[1]

不能不承认,在这个问题上,曾国荃是显得理直气壮的。

喀什噶尔

但必须指出,尽管郭嵩焘在向国内建议时反对左宗棠用兵,甚至还讲过"喀什噶尔之地宜割与雅谷刊(Yakul Beg,即阿古柏)"[2] 这样的话,但在对外交涉中他却并未丧失立场。如光绪三年五月初五日(一八七七年六月十五日)照会英国外相,指出"喀什噶尔本中国辖地","中国例应收复,并非无故构兵"[3]。后来英国以斡旋为名,劝中国与阿古柏"议和息兵",郭氏曾据以入奏,建议接受调停。但他致函英国外相,仍只表示可将英外部照会报告朝廷,"本大臣奉使在外,万无私行议和之理;一切由中国国家权衡,亦非本大臣所能与闻也"[4]。在入奏时,也申明:

臣以喀什噶尔应抚与否,宜由总理衙门请旨办理。其办理之法,必应由督兵大臣左宗棠审度情形,……如幸西路军务成功有日,不独此摺可置不论,即英国派员调处一节,亦必自行终止。[5]

在这件事情上,人们可以批评郭嵩焘的主张,但也不应该"求之过深",说他有什么卖国的嫌疑。

---

① 《曾忠襄公文集》。
② 《养知书屋文集》卷一一《伦敦致伯相》。
③ General Correspondenc, F.O.17/768, 1877.P.60-63,66,附中文原本。
④ General Correspondenc, F.O.17/768 1877 P.42-43,附中文原本。
⑤ 《清季外交史料》卷一一《使英郭嵩焘奏喀什噶尔剿抚事宜请饬左宗棠核办片》。

尽管郭嵩焘有过不少错误的观点和主张，却无碍于他作为中国传统的士大夫阶级中首先转向西方寻找真理的人的历史地位。

英人对郭的评论

郭氏被任使事时，赫德(Robert Hart)从北京向英政府提供情报，称其"为一诚实君子，识见明达，具有决心，但终为一中国人"①。当郭氏离英归国，伦敦《泰晤士报》写道："郭去曾继，吾人深为惋惜。郭氏已获经验与良好之意见，此种更调实无必要，对于其国家将为一大损失。"②

《字林西报》也写道："凡熟悉欧洲政情者，均知郭氏对其政府确已尽职。"又云："郭氏已树立一高雅适度榜样，与外国相处无损于其影响与威仪。"③这些就是当时西方人士对郭氏的印象。被马克思称之为"帕麦斯顿最卑鄙的走卒"的《每日电讯》原来准备让大家看"满清大官"出洋相，结果并没有能够看到。郭嵩焘虽然在"天朝帝国"的最高统治者面前"不能屡邀宽宥"，却在"地上的世界"里受到了他应该得到的尊重，他并没有给中国人丢脸。

现代意义的知识分子，在中国之出现始于何时，这是一个很值得研究的问题。从旧时代的士大夫到现代的知识分子，在不同阶段有许多不同类型的过渡型人物，郭嵩焘就是其中很特出的一个。称之为首倡学习西方的士大夫，在走向现代化的中国人中给他一个特别的地位，我想还是合适的。

---

① Confidentiel print, F.O.405 – 20 No.31, P.34 – 35, Sir. T. Wade to the Eart of Derby Pekig, Feb.3, 1876.

② The Times, Oct, 3.1878, P.7.

③ The North China Herald, April 4, 1879, P.291.

FROM EAST TO WEST

13 曾纪泽《出使英法俄国日记》

□ 曾纪泽一八七八年出使英法，一八八〇年兼使俄国，一八八八年任满回华。其日记过去刊行的《使西日记》、《出使英法日记》、《曾惠敏公日记》均非全本。兹据台湾馆藏手书日记全稿整理，并重新取名。

清光绪四年(一八七八),出使英国法国大臣郭嵩焘被撤回国,接任的是比他年轻二十一岁的曾纪泽。曾纪泽是曾国藩的儿子,于国藩死后袭封“一等毅勇侯”,补授太常寺少卿,奉使英、法(后又兼使俄国)。

郭嵩焘和曾国藩旧有“金兰之谊”,郭子刚基娶曾女纪纯为妻,彼此又结成了儿女亲家。所以,序起辈分来,曾纪泽在郭嵩焘面前,是名副其实的晚辈。他属于在郭嵩焘之后正式经办“洋务”的“第二梯队”,是真正开始担负起比较繁剧的外交工作的“洋务派”中的干员。

曾纪泽使期甚长,从一八七八年到一八八六年,蝉联八年又半。他所做的事情,最著名的自然要算赴俄改订条约,挽回了一八七八年“里瓦几亚条约”给中国造成的部分损失。其次则是在有关越南的中法交涉中,反对言和,力主抵抗,在国内外产生了较好的影响。在清季外交史上,曾纪泽可以说是没有给中国带来更多的失败和屈辱的少有的代表。“仓卒珠盘玉敦间,但凭口舌巩河山”,他的这一联诗,既表达了自己以折冲尊俎报国的心情,也恰如其分地概括了他八年多外交生涯的事实。

万国梯航成创局

郭嵩焘被撤回国时,写了一首诗给曾为赠:

十洲天外一帆驰,踪迹同君两崛奇。
万国梯航成创局,数篇云海赋新诗。
罪原在我功何补,壮不如人老更悲。
要识国家根本计,殷勤付托怅临歧。

对于"万国梯航成创局"的形势的认识,曾纪泽是和郭嵩焘基本一致的。在光绪四年九月准备去国的路上,他为汪凤藻编的一部英文文法书写了一篇序,畅谈了对当时形势的看法,以及应该怎样适应这一形势的主张,摆出了他对洋务和西学的根本观点,云:

士大夫方持不屑不洁之论,守其所已知,拒其所未闻,若曰:事非先圣昔贤之所论述,物非六经典籍之所纪载,学者不得过而问焉。

夫先圣昔贤之所论述,六经典籍之所纪载,足以穷尽宇宙万物之理若道,而不必赅备古今万世之器与名。学者于口耳之所未经,遂概然操泛泛悠悠茫无实际之庄论以搪塞之,不亦泥乎?

五千年未有之创局

上古之世不可知。盖泰西之轮楫旁午于中华,五千年来未有之创局也。天变人事,会逢其适。其是非损益、

> 轻重本末之别，圣人之所曾言，学者得以比例而平骘之；其食饮衣饰之异，政事言语、文学风俗之不同，尧舜禹汤文武周孔之所不及见闻，当时存而不论，后世无所述焉，则不得不就吾之所已通者扩而充之，以通吾之所未通。则考求各国语言文字，诚亦吾儒之所宜从事，不得以其异而诿之，不得以其难而畏之也。

“五千年来未有之创局”，也就是“万国梯航成创局”的同一种创局。“万国梯航”，“泰西之轮楫旁午于中华”，的确是“尧舜禹汤文武周孔之所不及见闻”的全新的局面。在这种全新的局面下，对外来的文化、外来的思想可以有两种态度。“就吾之所已通者扩而充之，以通吾之所未通”，就是一种博大宽容的开放的态度，是一种同“守其所已知，拒其所未闻”的保守态度完全相反的态度。

由于历史条件的限制，曾纪泽只能在坚持“先圣昔贤之论述、六经典籍之纪载”的前提下做文章。但他实际上指出了，这些论述和纪载，只是一种“泛泛悠悠、茫无实际”的“庄论”，不能适应五千年来未有的巨大变化，也不能解决今人面临的实际问题。他说：尧舜禹汤文武周公孔子没有去过外国，更来不及研究当今世界上的问题；对于外国的政治、经济和文化，只能由我们自己去考求，才能搞通它，了解它，才好跟外国打交道；对于这件事情，是既不能简单拒绝，也用不着特别害怕的（“不得以其异而诿之，不得以其难而畏之也。”）

不能拒绝
不必害怕

过了十四天，曾纪泽又在复杨商农的信中，重申了自己的开放主张。杨商农与曾纪泽“至好，但不甚以洋务为然”，曾经劝曾纪泽“不应讲求西学”；此次来函，“谆谆恳恳，以清议为言”，希望曾纪泽跟士大夫阶级的舆论妥协，辞掉出使英法的任命。曾纪泽在回信中，尖锐批评了“清议之流”“硁硁自守”，“除高头讲章外，不知人世更有何书；井田学校必欲遵行，秦汉以来遂无政事”，指出：

> 中西通商互市，交际旁午，开千古未曾有之局，盖天运使然。中国不能闭门而不纳，束手而不问，亦已明矣。穷乡僻左，蒸汽之轮楫不经于见闻，抵掌抚髀，放言高论，人人能之。登庙廊之上，膺事会之乘，盖有不能以空谈了事者。吾党考求事理，贵能易地而思之也。

不能闭门而不纳

曾纪泽亲历欧洲，使事之馀，注意考求西国“政事语言文字风俗之不同”，其日记多有记载。如与万国公法会友屠爱师研究国际公法，听凿通苏伊士运河的勒色朴斯说明拟议中的巴拿马运河工程，到伦敦大书院舆地会听学术报告，同牛津汉学教授理雅各讨论东西方文化的互相影响，到剧场看“演丹国某王弑兄妻嫂，兄子报仇”的戏剧（即《哈姆雷特》），都是考求“政事言语文字风俗之不同”的活动，因小见大，事事关心。如光绪五年正月二十日记：

> 中华人来欧洲者，有二事最难习惯，一曰房屋太窄，一曰物价太贵。西人地基价值极昂，故好楼居，高者八九层，又地穴一二层为厨室、酒房之属，可谓爱惜地面矣。然其建造苑囿林园，则规模务为广远，局势务求空旷。游观燕息之所，大者周十馀里，小者亦周二三里，无几微爱惜地面之心，无丝毫苟简迁就之意。与民同乐，则民不怨。

由用地规划谈到城市建设，归结到社会、政治制度，“与民同乐，则民不怨”，一句话就把问题点出来了。

经过这样考求以后，曾纪泽办理洋务、讲求西学的思想更加明确了。光绪八年九月间，他从巴黎写信给陈俊臣，称“洋务之要端，谓必知彼之所长，我之所短，然后办理不致孟浪”，为“至哉言乎”，“兹三语者，即是普天下办洋务之圭臬南针，再贡千言万句，亦不能出此范围矣”。接着写道：

畏之鄙之皆非也

> 西洋诸国，越海无量由旬，以与吾华交接，此亘古未有之奇局。中国士民或畏之如神明，或鄙之为禽兽，皆非也。以势较之，如中国已能自强，则可似汉唐之驭匈奴、西域、吐蕃、回纥；若尚未能自强，则直如春秋战国之晋、楚、齐、秦，鼎峙而相角，度长而挈大耳。彼诸邦者，咸自命为礼义教化之国；平心而论，亦诚与岛夷社番、苗瑶獠猓情势判然，又安可因其礼义教化之不同，而遽援“尊周攘夷”之陈言以鄙之耶？

他认为外国和中国都有礼义教化，虽然观念不同，“情理”却是相通的。所以，国与国之间互相学习长处是可以的，也是应该的；办洋务也“并非别有奥窍”，遇事只须以情理酌之，“理之所在，百折不回，不可为威力所绌；理有不足，则见机退让，不自恃中华上国而欺陵远人；可许者开口即许，不可许者始终不移，庶交涉之际，稍有把握”。

但话虽然如此说，在当时办外交要做到合情合理，却极感为难。曾纪泽在慈禧太后召对时便曾说过：

> 办洋务难处，在外国人不讲理，中国人不明事势。中国臣民当恨洋人，不消说了。但须徐图自强，乃能有济；

断非毁一教堂、杀一洋人，便算报仇雪耻。现在中国人多不明此理，所以有云南马嘉理一事……

在写给陈俊臣的信中，也指出：

西人之赴华者，较少安分守礼之徒。工商、教士之嗜利者无足论已，即洋官亦往往昌言于众曰："处东方之人，不厌谲伪；去诈用诚，难以成事。"编为口诀，转相授受。此必有前人已行之陈迹，足以召侮而来讪者，思之喟然。

曾纪泽的外交活动，可以说一直在尽力酌情据理，与洋人"不讲理"的帝国主义政策作斗争。这是他在历史上的主要贡献，也是下文要着重评述的。

啮雪咽旃，期于不屈

一八六五年，中亚细亚浩罕部的军事头目阿古柏带兵进入今新疆地区，先后侵占南疆各城，以喀什噶尔为中心。于一八六七年建立所谓"哲德莎尔国"，明目张胆地肢解中国领土。阿古柏的这些活动，得到当时正在中亚地区互相抗衡的俄、英二国的支持。一八六六年，俄国即同阿古柏政权签订协议，保证互不干涉对方的行动，并互相允许对方人境追

（曾纪泽，1839—1890）

捕“逃人”。一八七二年，双方竟正式订立通商条约，俄国承认阿古柏为“哲德莎尔国元首”，阿古柏则应允俄国在南疆设立“商馆”，俄之商队自由通行南疆，货物入疆只纳低税。在这前后，俄国还向阿古柏提供武器和物资，派军官到喀什噶尔为阿古柏训练军队，企图控制阿古柏政权。

俄国承认阿古柏

阿古柏在和俄国勾结的同时，更加积极地靠拢英国，和英国建立了更密切的关系。为了和英国争夺霸权，将新疆的一部分变为自己的势力范围，俄国于一八七一年夏天公然派兵侵踞伊犁，强占牧场耕地，掠杀各族人民，撤销中国机构，监禁中国官员，使中国西北边疆的形势十分危急。

用什么样的方法来处理西北边疆危机，在清廷上下引起了激烈的争论。正在全力经营北洋海军的李鸿章，主张放弃新疆，移“塞防”之饷以筹海防。他说：“新疆不复，于肢体之元气无伤；海疆不防，则腹心之大患愈棘。”正在陕甘镇压回民起义节节得手的左宗棠，则力主进兵新疆，规复失地。支持左宗棠主张的王文韶称：“但使俄人不能逞志于西北，则各国必不致构衅于东南。”最后清廷采纳了左宗棠的意见，命左宗棠于一八七六年率军出关，先克乌鲁木齐、玛纳斯等地，北疆平定。一八七七年，清军下吐鲁番，进兵南疆；阿古柏兵败势穷，服毒而死。这时，原来扬言替中国“代为收复”伊犁，“权宜派兵驻守”的俄国，却以“先议通商”为幌子，拒绝交还伊犁。

伊犁问题

一八七八年，清朝派崇厚（地山）为全权大臣前往俄国谈判。一八七九年，中俄双方在俄国克里米亚半岛上的里瓦几亚地方，签订了一个条约：中国付给俄国“代收”“代守”伊犁的兵费五百万卢布；俄商在蒙古、新疆贸易一律免税；新开两条直达天津和汉口的商路，税率较海关减少三分之一；俄国得在新疆各地设立“领事”；中俄国界按俄方要求作出有利于俄方的修改，将伊犁西境霍尔果斯河以西地区和南境特克斯河流域地区全部割给俄国，中国收回一个险要尽失、无法可守的伊犁破城。

崇厚的丧权辱国，使得朝野上下，举国哗然，一致要求改约。清廷迫于舆论，拒绝批准条约，以“不候谕旨擅自起程回京”为由，将崇厚革职拿问，定为“斩监候”罪，并于光绪六年（一八八〇年）正月派出使英法大臣曾纪泽兼充出使俄国大臣，“将崇厚所定约章再行商议”。

崇厚辱国

这项任务，正如曾纪泽在巴黎接到总署电报后致总署总办的函件中所说，“须障川流而挽既逝之波，探虎口而索已投之食”，乃是极端艰巨的。他又在写给丁日昌的信中说：

> 夫全权大臣与一国帝王面订之件，忽欲翻异，施之至弱极小之邦，然且未肯帖然顺从。况以俄之强大，理所不能折，势所不能屈者乎？……
>
> 总署有总署意见，京官有京官意见，左帅有左帅意见，俄人有俄人意见。纪泽纵有画策，于无可着棋之局觅一“劫”路，其奈意见纷歧，道旁筑室，助成者鲜而促毁者多，盖不蹈地山覆辙不止也。

然而，凭着对国事的忠心和对情理的了解，曾纪泽毅然接受了这项任务。他分析当时国际形势，“俄国自攻克土耳其后，财殚力竭，雅不欲再启衅端”；又利用英俄矛盾，从伦敦打听俄国内情，知“布策诸人虽坚执各条不肯放松，而俄国皇帝与其外部丞相吉尔斯实有和平了结之意”；而在中国方面，“西陲一带，左相手握重兵，取伊犁或犹可期得手”，谈判仍居有实力地位。因此，他认为事犹有可为，正同下围棋一样，还可以

“于无可着棋之局觅一‘劫’路”。

在曾纪泽准备赴俄时，于四月十七日收到总理衙门一份密电，其中竟说：“如因条约不准，不还伊犁，大可允缓；能将崇议两作罢论，便可暂作了局，意在归宿到此。”但曾纪泽认为，保持国家领土完整，是无可退让的原则问题。他在《与总署电报密商情形片》中，向皇太后皇上直陈：

> 伊犁一域，实我要区；暂置不论，终系未了之案。况旧约亦有通商、分界诸事，虚悬未定，是暂置伊犁而争论仍不能遽息者，在我本有万难遽息之势也。臣愚以为缓索伊犁，姑废崇厚所订之约，总理衙门所谓“意在归宿到此”者，……似仍宜办到通商稍予推广，伊犁全境归还，乃可真为了结。……臣到俄之后，即当恪遵奏定准驳之条，硁硁固执，不敢轻有所陈，不敢擅有所许，啮雪咽旃，期于不屈而已。

“啮雪咽旃，期于不屈”，这是何等坚强的斗争意志和爱国精神。曾纪泽还在送原署理出使俄国大臣邵友濂回国的诗中，写下了这样的诗句：

待凭口舌巩河山

> 仓卒珠盘玉敦间，待凭口舌巩河山。

对自己捍卫主权折冲尊俎充满了胜利的信心。

曾纪泽的谈判对手，是俄国外部尚书吉尔斯、驻华公使布策、外部总办热梅尼等人。开始谈判，“吉尔斯面冷词横”；“布策阴柔狡狠，本有入水不濡，近火不爇神通”；“热梅尼等嫌臣操之太蹙，不为俄少留馀地，愤懑不平”。他们首先说，崇厚是

“特派头等使臣,全权便宜行事”,而曾纪泽只是二等公使,不称全权大臣,“头等所定,岂二等所能改乎?”“全权者所定尚不可行,岂无全权者所改转可行乎?”曾纪泽义正词严地回答道:

> 使臣无论头等二等,均无可以故违其国家之意而专擅自便者。订约必候批准,自是天经地义。……从前倭、布两位大臣有何等事权在中国办事,吾现今事权亦正与之相同。使者所力争之处,中国国家容或有酌予通融之时;至于国家所坚执未允之说,则使者丝毫不能通融,但可据贵国国家之意,转询朝廷耳。

在交还伊犁问题上,曾纪泽认为伊犁南境之帖克斯河流域,“地当南北通衢,尤为险要,若任其割据,则俄有归地之名,我无得地之实”,故而寸土必争,寸步不让。俄人本欲割腹地而归孤城,终于只得缩手,“然犹欲于西南隅割分三处村落,其地长约百里,宽约四十馀里”。曾纪泽“检阅舆图,该处距莫萨山口最近,势难相让,叠次厉色争辩,方将南境一带地方全数来归”。

在喀什噶尔划界问题上,俄方坚持照崇厚原议,把中国现管之苏约克山口等地划归俄国。曾纪泽力言:“已定之界宜仍旧,未定之界可另勘”;要中国在已定之国界再向后退让,实不合情理。吉尔斯说:“既以原议为不然,不妨罢论。”曾虑及未定界不勘定,日后又起衅端,“特假他事之欲作罢论者相为抵制”。布策意欲为崇厚原议辩护,又称:“原议所分之地,即两国现管之地。”曾应之曰:“如此,何妨于约中改为,‘照两国现管之地勘定’乎?”结果取消了崇厚所定的界址,保全了苏约克山口等处领土。

艰苦谈判

聖訓
西太后問你打算那日起身
東太后亦同問 對 臣因公私諸事須在上海料理齊備須早出
都現擬九月初四日啟程 問走天津不走 對 須從天津經過
且須耽擱十來日與李鴻章商量諸事 旨李鴻章熟悉洋務
你可與他將諸事細細討論 對 是 問上海有耽擱否 對 出洋
路遠應辦諸事應帶諸物均應在上海料理清楚又 臣 攜帶隨
行人員亦須到上海乃能派定所以上海耽擱較久大約須住
一箇多月 問你攜帶人員到上海再奏否 對 臣 攜帶人員有
從京城同行者有從外省調派者其外省調派之員能去不能

（铅印本《出使日记》一页）

在偿付兵费问题上，热梅尼、布策等坚持应偿一千二百万卢布，且言："如谓未尝交绥，无索兵费之理，则俄正欲一战，以补糜费。"曾纪泽毫不示弱，针锋相对地回答道：开战则"胜负难知，中国获胜，则俄国亦须偿我兵费。""彼之言虽极恃强，臣之意未为稍屈"。最后，吉尔斯只好转作笑脸，说："俄国岂以地出售者？果尔，则以帖克斯川论之，岂仅值五百万圆乎？不过改约多端，俄国一无所得，面子太不光彩，假此自慰耳。"

曾纪泽掌握了"酌情据理"的谈判艺术，发扬了"啮雪咽旃，期于不屈"的斗争精神，终于在一八八一年签订了《中俄改订条约》，争回了一部分领土主权。这在一八四〇年以后的清代外交史上，实在是绝无仅有的。一八八四年，新疆建省，改置州县，从此成为中国的一个行省。

俄国人无可奈何

现在节录一段热梅尼一八八〇年十月二十四日写给吉尔斯的信，可见当时俄国人对曾纪泽是怎样憎恨和无可奈何的：

> 今天与曾会谈以后，我们和毕佐夫一起从邮局给您寄上此信。……我坚信对于这些中国老爷们不能再抱任何幻想（按：可见俄国人曾幻想曾纪泽也能像崇厚那样容易屈服）。他们十分傲慢（按：帝国主义者习惯于别人俯

首帖耳任其宰割，不肯屈辱投降就是"傲慢"），并且熟悉世界政治（按：原来他们把曾纪泽的水平估计低了）。我们的示威没有使他们害怕，正如科托尔的示威没有使苏丹害怕一样。……

一腔愤血，何处可洒

忠心和才干使曾纪泽在对俄谈判中取得了某些胜利。但是，个人的品质和能力，毕竟只能在一定的历史条件下起作用，并且不能不受到历史条件的制约。在一八八三至一八八四年因法国侵略越南而引起的中法交涉中，曾纪泽的苦心孤诣就完全失败了。

越南问题

越南和中国有着唇齿相依的关系。十九世纪六十年代，法国开始侵略越南，首先占领了南圻（越南南部），接着又开始觊觎北圻。法国侵略者并不掩饰他们侵略越南是为了控制中国的"战略思想"，当时法国驻海防领事土尔克曾经说过：

> 法国必须占领北圻，……因为它是一个理想的军事基地。由于有了这个军事基地，一旦欧洲各强国企图瓜分中国时，我们将是一些最先到达中国腹地的人。
>
> （见依罗：《法国——东京回忆录》）

在茹费理执政期间（一八八〇至一八八一年，一八八三至一八八五年），法国一再发动对越南的侵略战争，于一八八三年强迫越南签订《顺化条约》，接受法国"保护"。对于法国的野心，出使法国的曾纪泽早有觉察。光绪七年（一八八一年）

冬他在《复陈法国大概情形疏》中说：

法人觊觎越南，蓄意已久。缘该国初据西贡、柬埔寨等处之时，满意澜沧江、湄南河可以直通云南。其后见该二水浅涸，多处不能通舟，遂欲占据越南东京，由富良江入口以通云南，添开商埠。……上年冬间，臣在俄议约，因闻法国有派兵前往越南之议，比即照会越南外部，并与法国驻俄公使商犀晤谈，力言越南受封中朝，久列属邦，该国如有紧要事件，中国不能置若罔闻。本年闰七月内，臣由俄换约事毕回驻巴黎，又于八月初一日照会外部，将总理衙门历年未认法越所订条约之意，剀切声明。……

无奈当时实际主持外交的李鸿章，认为"各省海防兵单饷匮，水师又未练成，未可与欧洲强国轻言战事"，主张对法妥协，牺牲越南。延至光绪九年（一八八三年）初，越事益不可为。曾纪泽"一腔愤血，何处可洒？刻下无他技能，惟向英法绅民及新报馆以口舌表我之情理，张我之声威，冀以摇惑法绅，倾其执政"（《伦敦复左中堂》）。法国侵略分子非常恼怒曾纪泽，对他发动了疯狂的攻击，甚至"在议院诋毁纪泽，语言过肆"。法国政府也借口曾纪泽说"中国此时虽失山西（北圻地名），尚未似（法国）十年前（在普法战争中）失守师丹之故事也"，有损法国"尊严"，要求中国撤换驻法公使。曾纪泽内忧和议，外抗敌廷，心力交瘁，致成病症，六月十七日致总署总办函云：

法国要求撤换公使

近日每晨起辄咯血数口，血虽不多，颇形委顿。方事之殷，不敢乞假。然自愧无养气之功，诚恐法人再加凌辱，则病必增剧而不可救药矣。

七月初九日又在给外甥郭氏兄弟的私信中说：

公务不甚如意。法兰西欲吞并越南，蓄谋已久。余为未雨之绸缪，亦四年于兹矣。始也，枢廷、译署诸公暨合肥相国，均于鄙说不甚措意。事已发动，而后图之，未免迟晚。……余终日焦灼，百事颓废。甥索我书，书本不佳，此时尤乏兴趣……

当时，普遍有“李（鸿章）主和，曾（纪泽）主战”的说法。曾纪泽确实是主张备战，主张坚决抵抗的。光绪十年（一八八四年）初，法国陆海军已在越北、华南作好了对中国大规模进攻的准备，战争已有一触即发之势。曾纪泽从伦敦写信给陈俊臣，分析了法国的弱点，指出中国可以用准备持久作战的方针挫败法人。这封信十分重要，且又不长，全录如下：

与陈俊臣论法事

敬再启者：法越之事，虽强邻蓄意已久，然实由吾华示弱太甚，酝酿而成。目前相持不下，日在危机；我诚危矣，彼亦未尝不危。若我能坚持不让之心，一战不胜，则谋再战；再战不胜，则谋屡战，此彼之所甚畏也。越国鄙远，以争地于数万里之外，谓之不危，得乎？十馀年前麦西哥之役，则彼国前车之鉴也。今彼所冀幸者，谓我器械不备，训练不精，必无再接再厉之力，故欲轻于一试，将以战舰十馀艘、土客兵万馀人，遂羁东方。我若为彼所慑，遽如其愿，岂非亘古一大恨事？且非一让即了也，各国之垂涎于他处者，势将接踵而起，何以御之？内乱如法孤立如法且不能制,况英俄诸强国乎?此次不振,则吾华永无自强之日,思之愤叹。

曾纪泽对法国情况和“法越之事”的分析都是很正确的。事实上,极力主张武力侵占越南的茹费理政府地位并不稳固,法国可以用于远东的兵力十分有限,在外交上法国的处境也很孤立。如果中国能积极援助越南,准备作持久战,法国未必敢于冒险。但此时清廷一味惧战,生怕“衅由我发”,把主张坚决抵抗的曾纪泽视为与法言和的障碍。同事和朋友中有些不明真相的人,也责备曾纪泽“一意主战,以国家为孤注”。曾纪泽却始终坚持他的正确观点,并不辞舌敝唇焦,反复开导别人:

夫纪泽所谓备战者,特欲吾华实筹战备,示以形势,令彼族知难而退。……惜备战稍迟,法人增兵略地,获利已多,譬诸骑虎,势难复下。吾华以惧战过甚,反酿成不得不战之势,此可为太息者也。(《伦敦复李香严》)

早主战则不至于战

若早采主战之言,断不至有战祸。正坐持重太久,而今日之战祸,乃难免矣。(《伦敦复邵筱村》)

十年四月,清廷终于派李鸿章在天津和法人谈判,签订了《中法简明条约》,只要求法国不侵犯与越南北圻相连的中国南界,中国即同意从北圻撤兵,并对法越所有已定未定之条约“均不过问”。

曾纪泽是坚决反对签订这个条约的。他认为这是一个导致战争的条约,而不是一个保障和平的条约。为了排除障碍,清廷于光绪十年四月初四日下谕:免掉曾纪泽出使法国大臣兼职,改任许景澄为出使法国、德国并义、和、奥三国大臣,未到任前，使法大臣由使德大臣李凤苞兼署。

一片忠心反而受到如此打击的曾纪泽，此时的心情是可以想见的。向李凤苞交待后，他离巴黎到伦敦，写了一封信给九叔父国荃，云：

> 自巴黎来英，意兴恶劣，手颤难于作字。……吾华闻法不索兵费，遂将全越让之，且云中国南界亦由法人保护，后患何可胜言。……侄于公事则一腔愤血，寝馈难安；至于私情，则不惟不怨李相，且深感之。向使侄留巴黎，而吾华订此条约，侄亦无可如何，而数年豪气，一朝丧尽矣。将侄调开乃订此约，侄之志愿虽未遂，侄之体面仍存。中国议论则不可知，若西洋各国，则尚无议侄者，此李相之见爱处也。

此李相之见爱处也

这是何等的悲愤呵！“将侄调开乃订此约，侄之志愿虽未遂，侄之体面仍存，……此李相之见爱处也！”难道曾纪泽这样一心为国、才干优长的人才，竟应该如此被“见爱”吗？

不出曾纪泽所料，《简明条约》墨迹未干，法国就出兵“接收”谅山。中国守军奋起自卫，打退了法军，清廷反而怪李鸿章没有及早请求撤兵，给他“传旨申饬”处分。接着，法国船队开入马尾军港，逼近中国水师船只；水师统帅秉承政府意旨，“严谕水师不准先行开炮，违者虽胜亦斩”；结果法舰突然开火，十一艘清舰毫无准备，全部都被击沉。这时，全国民情激愤，舆论也对政府退让致败深为不满，迫使清廷于八月二十六日下诏抗法。翌年春，中国在陆海守卫战中都取得了胜利。冯子材谅山大捷，在巴黎引起了反对茹费理的示威，法国内阁当即垮台。但清廷却决定“乘胜即收”，匆忙同法国达成停战协议，重申《简明条约》有效。四月，李鸿章又同法国代表在天津重开谈判，于六月九日签署《会订越南条约》，正式承认越南是法国的保护国。中国是“不败而败”地失败了，曾纪泽当然也失败了。

大概是为了抚慰曾纪泽，在解除他使法兼差两个月后，因左宗棠奏保人才，上谕“曾纪泽着交军机处存记”。又过了五个月，朝廷任命他为兵部右侍郎。又过了六个月，即光绪十一年(一八八五年)六月，朝廷改派刘瑞芬充任出使英国俄国大臣，要曾纪泽“回京供职”。他遂于一八八六年八月离英，年底回到北京。

子承父志，克绍箕裘

曾纪泽在办理“洋务”中，能够有这样的表现，绝不是偶然的。在上面引过的复杨商农的信中，曾纪泽一共批评了三种人：一种人是“除高头讲章外，不知人世更有何书”的“泥古者流”；一种人是“附会理学之绪论，发为虚悬无薄之庄言”的“好名之士”；还有一种人则是“视洋务为终南捷径”，竭力钻营，谋取升官发财的庸俗官僚。他立志要自外于这三种人，也确实和这三种人划清了界限。

先通西学再办洋务

曾纪泽之所以异于一般洋务官员者，首先就因为他深明西学。他通过刻苦钻研，认真思考，才达到了对“五千年来未有之创局”的正确认识，从而懂得了“中国不能闭门而不纳，束手而不问”的必然之理，下决心去“扩而充之，以通吾之所未通”，这是“不得以其异而诿之，以其难而畏之”的。一句话，他是先接受“西学”才来办“洋务”，而不是把“洋务”作为博取利禄的渊薮。他是一个有思想的“洋务派”。

曾纪泽生于道光十九年。这时他父亲已经成进士、入翰林,他可以算是“大少爷”了。但是,曾国藩对儿子的教育极其严格,绝不允许他们染上丝毫少爷习气,而只要求他们“读书明理”,成为有学问的人。这里从曾国藩写给纪泽兄弟的信中略摘几节,即可概见:

曾国藩的教育

凡人多望子孙为大官。余不愿为大官,但愿为读书明理之君子,勤俭自持,习劳习苦,……

(咸丰六年九月廿九日)

泽儿看书天分高,而文笔不甚劲挺,又说话太易,举止太轻,……以后须于说话走路时刻刻留心。……银钱田产,最易长骄气逸气。我家中断不可积钱,断不可买田。尔兄弟努力读书,决不怕没饭吃。

(咸丰十年十月十六日)

知尔已到省。城市繁华之地,尔宜在寓中静坐,不可出外游戏徵逐。……凡世家子弟,衣食起居,无一不与寒士相同,庶可以成大器;若沾染富贵气习,则难望有成。……谒圣后,拜客数家,即行归里,今年不必乡试……

(同治元年五月廿七日)

对于读书求学,曾国藩的要求也颇不寻常。他在信中说:

余生平有三耻:……天文算学,毫无所知……,每作一事,治一业,辄有始无终……少时作字,不能临摹一家之体……。尔若为克家之子,当思雪此三耻。……今年初次下场,或中或不中,无甚关系。榜后即当看诗经注疏,以后穷经读史,二者迭进。国朝大儒,如顾(炎武)、阎

(若璩)、江(永)、戴(震)、段(玉裁)、王(念孙)数先生之书,不可不熟读而深思之。光阴难得,一刻千金。以后写安禀来营,不妨将胸中所见,简编所得,驰骋议论,俾余得考察尔之进步,不宜太寥寥。(咸丰八年八月二十日)

天文地理手钞熟读

尔阅看书籍颇多,然成诵者太少,亦是一短。嗣后宜将《文选》最惬意者熟读,以能背诵为断。……又经世之文如马贵与《文献通考》序二十四首,天文如丹元子之《步天歌》,地理如顾祖禹之《州域形势叙》……尔与纪鸿儿皆当手钞熟读,互相背诵。将来父子相见,余亦课尔等背诵也。(同治二年三月初四日)

曾国藩要求纪泽、纪鸿熟读深思马贵与、顾炎武、顾祖禹、戴震、王念孙诸人关于经世致用、天文地理学问的书,为他们尔后接受“西学”打下了良好的基础。曾纪鸿在数学上曾经显露了才能,因早死而未能毕其业。曾纪泽则利用曾国藩首创洋务、绾接中西的方便条件,比纪鸿更早也更广泛地接触了西洋的文化,进一步走上了向西方学习的道路。

(曾国藩像)

曾国藩在咸丰十年(一八六〇年),就发表过“驭夷之道,贵识夷情”的意见,提出了“师夷智以造炮制船”的建议,并把这个建议提到“救时第一要务”的高度。曾国藩的目的,当然是为了“资夷力以助剿济运”，为了打败太平军。他有很高的政策、策略水平，深知“方以全力与粤匪相持，不宜再树大敌，另生枝节”，所以主张对洋人要“言必忠信，行必笃敬”，“但有谦退之义，更无防范之方”。但是，他在这方面也不是毫无戒备的。同治元年，清廷就是否请洋兵直接参加对太平军的战事这个大问题，数次征求曾国藩的意见。国藩回奏说：“借兵助剿，不胜为笑，胜则后患不测。”“中国之寇盗，其初本中国之赤子；中国之精兵，自足平中国之小丑。……即使事机未顺，贼焰未衰，而中华之难，中华当之。在皇上有自强之道，不因艰虞而求助于海邦；在臣等有当尽之职，岂轻借兵而贻讥于后世？”就在这一年，曾国藩于安庆创办军械所，试用西法制造轮船。第二年，又找到“熟习泰西各国语言文字，往来花旗最久”的容闳，“拨给银两，饬令前往西洋采办铁厂机器”（《出洋委员容闳请奖片》），他实在是中国近代创办洋务的开山祖师。

反对洋兵助剿

在“师夷长技”这一点上，曾国藩一开始就有“为我所用”、“以我为主”的思想。同治元年十二月二十七日，他在《迭奉谕旨并案复陈摺》中道：

> 恭奉九月二十六日谕旨，饬派都司以下武弁学习外国兵法。臣虽未尝亲见洋人用兵，然闻其长处约有二端：一曰器械精坚，二曰步伍严整。其短处亦有二端：不扎营垒，不住帐棚，人数稍多，势难合并，一也；口粮太重，制器太贵，用兵稍久，国必困穷，二也。善学者自须用其所长，去其所短。……臣愚以为：有心学习，人不在多。人多而聚学，则学者图增重饷，教者图侵兵柄；人少而窃学，则一人可教什伯，十人可衍千万。……

同治七年九月初二日，曾国藩又在《新造轮船摺》中，报告了和李鸿章合办上海制造局新造轮船成功的经过，说是“中国自强之道，或基于此”。奏摺中特别提到“另立学馆，以习翻译”等情形：

盖翻译一事，系制造之根本。洋人制器，出于算学。其中奥妙，皆有图说可寻。特彼此文义扞格不通，故虽曰习其器，究不明夫用器与制造之所以然。本年局中委员，于翻译甚为究心。先后订请英国伟烈亚力、美国傅兰雅、玛高温三名，专择有裨制造之书，详细翻出，现已译成《机器发轫》、《汽机问答》、《运规约指》、《泰西采煤图说》四种。拟俟学馆建成，即选聪颖子弟，随同学习。妥立课程，先从图说入手，切实研究。庶几物理融贯，不必假手洋人，亦可引伸……

同治十年七月初二日，曾国藩又上摺奏请选派子弟出洋学艺，云：

请派子弟出洋留学

自斌椿及志刚、孙家谷两次奉命游历各国，于海外情形业已窥其要领，如舆图、算法、步天、测海、造船、利器等事，无一不与用兵相表里。凡西人游学他国，得有长技者，归即延入书院，分科传授，精益求精。其于军政船政，直视为身心性命之学。今中国欲仿效其意，而精通其法，当此风气既开，似宜亟选聪颖子弟，携往外国肄业，实力讲求。……西人学求实济，无论为士为工为兵，无不入塾读书，共明其理，习见其器，躬亲其事，各致其心思巧力，递相师授，期于月异而岁不同。中国欲取其长，一旦遽图尽购其器,不惟力有不逮,且此中奥窔,苟非遍览久习,则本原无由洞彻,而曲折无以自明。古人谓“学齐语者须引而置之庄岳之间”,又曰“百闻不如一见”,比物比志也。况诚得其法而归,触类伸引,视今日所为孜孜以求者,不更扩充于无穷耶?

这里所说的“得其法”、“触类伸引”、“扩充于无穷”,就是七年后曾纪泽所谓“就吾之所已通者扩而充之,以通吾之所未通”说法的张本。不仅此也,曾国藩对“西学”和“洋务”的根本观点,可以说是被曾纪泽整个地继承下来了,成为曾纪泽思想的重要来源和重要组成部分。在这方面,曾氏两世,真可谓子承父志,克绍箕裘了。

从西学到洋务

曾国藩十分重视对儿子的教育,曾纪泽也十分用心接受父亲的教导。曾国藩负责重任以后,纪泽在他身边的时候很多。光绪三年七月,曾纪泽母忧服满,进京谢恩,皇太后皇上于十六日召见。慈禧问他出身经历,他回答:因为随侍父亲,在军营日多,岁时未及考试。直至父亲调任直隶总督,才得入京考荫,分在户部。但当差不久,又因父亲患病,仍旧随侍。其后父亲调回两江,又随侍到两江。慈禧又问:“你在外多年,懂洋务否?”曾纪泽答:

随侍父亲得知洋务

奴才父亲在两江总督任内时,兼署南洋通商大臣;在直隶总督任内时,虽未兼北洋通商大臣,却在末了儿办过天津教堂一案。奴才随侍父亲在任,闻见一二……

可见纪泽关心洋务，注意西学，都是受了父亲的影响。在纪泽六妹纪芬自订年谱中，有兄妹在“文正公构造之船厅中”观看“制造局所作径约六尺之大地球仪”，“于是粗知地理”的记载。年谱卷首并有《侍文正公看地球图》，图中国藩居中而坐，青年的纪泽和髫龄的纪芬正在指点巨大的地球仪。这样的情景，在同治年间中国家庭中，确实是绝无仅有的。

兄妹侍父看地球仪

（图中坐者为国藩，立看者为纪泽纪芬兄妹）

在父亲身旁的曾纪泽,起初对于洋务只是闻见一二,对于西学却很能切实研究。同治三年他二十六岁时,伟烈亚力和李善兰将欧几里德《几何原本》译出全书,这是中西文化交流史上一件有意义的事情。曾国藩为之校刊,并要纪泽用他的名义给书代作一篇序。纪泽在序文中,实事求是地指出了欧洲数学较之中国古代算法的长处,表现他的"西学"已经达到了相当高的水平。序云:

> 盖我中国算书以"九章"分目,皆因事立名,各为一法。学者泥其迹而求之,往往毕生习算,知其然而不知其所以然,遂有苦其繁而视为绝学者。无他,徒眩其法而不知求其理也。……观其象而通其理,然后立法以求其数,则虽未睹前人已成之法,创而设之,若合符契。……《几何原本》不言法而言理,括一切有形而概之曰:点、线、面、体。点、线、面、体者,象也。点相引而成线,线相遇而成面,面相叠而成体。其形有相兼,有相似。其数有和,有较;有有等,有无等;有有比例,有无比例……明乎点、线、面、体之理,而后数之繁难者可通也。"九章"之法,各适其用,《几何原本》,则彻乎"九章"立法之源,而凡"九章"所未及者无不赅也。

几何原本全译本

曾国藩对纪泽写的这篇序文很满意,批曰:"文气清劲,笔亦足达难显之情。"郭嵩焘也对它评价很高,说:"'观其象而通其理,然后立法以求其数',数语尽算学之用。"他们欣赏纪泽的才分,也可以说除了父辈的心情而外,还有几分"殷勤付托"之意吧。

为了切实研究西学,曾纪泽在三十岁以后,下苦功学习英文,努力几年,居然通解。之后,他和在中国的西人艾约瑟、德约翰、丁韪良、梅辉立等人交上了朋友,时相过从。后来他在《大英国汉文正使梅君碑铭》文中,叙述这一段情形道:

苦学英文

> 同治末年,结庐先太傅墓次,负土既竣,以吾旧时所知双声叠韵、音和颣隔之术,试取泰西字母切音之法,辨其出入而观其会通。久之,亦稍稍能解英国语言文字。然穷乡僻左,无友朋相与讲证,不敢谓闭门造车,出门而合辙也。
>
> 光绪丁丑秋,以承袭侯封,来京觐谢,侨寓禁城东南,与泰西诸国朝聘之使,馆舍毗邻。于是,英国汉文正使梅君辉立,偕副使璧君利南闻声见访,纵谈竟日。而绩学之士英国艾君约瑟、德君约翰、美国丁君韪良,亦先后得订交焉。……

光绪四年九月十七日的日记中又写道:

> 西文条例虽极繁密,然于空灵处轻重分寸不甚入细,故较华文为易。子弟口齿明亮者,塾课之暇日,令兼肄西文,三五年便可通晓,亦有益之学也。……余能西音,然在湘苦无师友,取英人字典钻研逾年,事倍功半;又年齿渐长,自憾难记而健忘,一知半解,无可进矣。深愿友朋年富而有志者,相与勉焉。

在他的日记中,总是连日见有读英文(有时还读法文)的记载。其用功之勤,确实令人佩服。出使之后,他能用英语交谈,以英文写作,甚至译拟外交文件。从现存他写赠外国友人丁冠西(即丁韪良,Martin, William Aleander Parsons)的“中西合璧诗扇”看,他的英文程度已经很高。难得的是他虽很重视学习外国语文,并且学得相当好,却并不本末倒置,不是为了学外文而学外文。兹录其召对时的两段问答如下:

中西合璧诗扇

(太后)问:你能懂外国语言文字?

答:臣略识英文,略通英语,系从书上看的,所以看文字较易,听语言较难,因口耳不熟之故。

……

问:你既能通语言文字,自然便当多了,可不倚仗通事翻译了?

答:……通洋文洋语洋学与办洋务,系截然两事。办洋务,以熟于条约、熟于公事为要,不必侵占翻译之职。臣将来于外国人谈议公事之际,即使语言已懂,亦候翻译传述。一则朝廷体制,应该如此;一则翻译传述之间,亦可借以停顿时候,想算应答之语言。英国公使威妥玛能通中华语言文字,其谈论公事之时,必用翻译官传话,即是此意。

他还曾经在《〈文法举隅〉序》中,谈到学外文的必要和学外文必须先“通华文”的道理。他说：如果士大夫不学外文，“一旦有事，朝廷不得贤士大夫折冲尊俎之材而用之，则将降而求诸庸俗驵侩之间，诗书礼义无闻焉，唯货利是视”，这怎么行呢？但是，如果“专攻西学，不通华文，鉴其貌则华产也，察其学术情性，无以异于西洋之人，则其无益于国事，亦相侔耳”。

由于有了深厚的国学修养，又有了一定的西学基础和西文程度，曾纪泽在欧洲八年，对于“海国人士深思格物、实事求是之学”，又继续进行了研究。回国以后，他为艾约瑟汉译的《西学述略》一书作序，已经能够阐明光学、热学的理论，从“投铁杖与兽皮于火，可执不可执之别”，论及“考求太阳、地心热力，与一切机器键辖，火轮舟车蒸汽生力之大凡，稽化学生剋之源，察冷热涨缩之理”，结论是：西人为儿童发蒙而编写的自然科学常识读物，其重要可比儒家经典《尔雅》和《急就章》。他说：

> 古称通天地人为儒，又曰：“一物不知，儒者之耻。”儒岂易言。发轫于此书（指《西学述略》），就性天之所近，更着研耽之力，其于专门之学，殆庶几乎。

回到北京

可惜这只能是纸上的文章。回到北京以后，曾纪泽虽然先后被安插在“帮办海军”、“户部右侍郎兼管钱法堂事务”、“钦派管库大臣”、“兼署刑部右侍郎”、“派管同文馆事务”、“兼署吏部左侍郎”等职位上，却始终没有能够主持译署、枢廷，得到一发其平生蕴积的机会，在五十一岁上就死掉了。据李鸿章说：在最后几年里，曾纪泽“亦颇不得意，既为同官所排，又不得当路之助，郁郁蹙蹙，赍志以终”。

初到欧洲接受郭嵩焘的“殷勤付托”时，曾纪泽意气如云，踔厉风发。他那个时候写的诗,如:“秦皇无术求三岛,邹衍凭空撰九州;南北自教鹏运海,古今非复貉同丘。”“九万扶摇吹海水,三千世界启天关;从知混沌犹馀窍,始信昆仑别有山。”都具有一种走向世界的豪情和气魄。及至越南事起,他的交涉主张不得信用,甚至被视为“妨碍邦交”,被迫去职,心境不同,诗也就不同了:

不可淹留是岁华,
鬓毛斑白尚天涯。
深知恋栈空馀豆,
颇欲安炉去炼砂。
故国音书多懊恼,
中年诗集半伤嗟。
低头一拜陶彭泽,
万事乘除问酒家。

(作京官的曾纪泽)

而在他生命的最后几年中,做着不大不小的京官,度着不死不生的岁月,诗中的希望也就变成失望,尽管在无可奈何中还保留着自来如此的倔强:

九方皋死心先冷,八尺躯存项总强。

九方皋死心先冷

即使是一匹能够驰骋疆场为国立功的骏马,因为没有能识马、能驭马的人,终究无法发挥最大的潜力。他身未死之前,心先已经冷了。

总观曾纪泽的一生,是又得意,又不得意。有严父而兼良师,连法国总统在接受国书后,也“慰劳良厚,颂及先人”,自己袭爵封侯,三符在握。但是,外被遏于强敌,内受制于枢廷,“既为同官所排,又不得当路之助”,他的政治主张始终无法实现。最主要的一点,则是他的思想在当时的士大夫阶级中居于绝对少数的地位,自不能免于孤立和打击,而使他感到深深的寂寞。他在给梅辉立做的墓志铭中,表达了自己对中外交通的见解是:交流吸收才有益于发展,闭拒排斥只能导致愚蒙:

士大夫的绝对少数

> 宣圣巍巍,欲居九夷,龙纪鸟名,亦何常师?
> 横渠醇儒,始涉佛老,博约有序,乃臻至道。
> 下士婞婞,不耻颛蒙,谁能执冰,而咎夏虫?……
> 睥睨空谈,宁足立威,贬驳失当,适足贻讥。

而当时一班士大夫的态度则是:

> 荐绅先生,讳言边裔,望洋向若,固拒深闭。
> 斗室雄辩,百喙同声,谓人燕石,我则瑶琼。
> 浮夸相和,虚憍不怍,有道人长,谓之示弱。……

如此,欲其不寂寞也,得乎?

这就是曾纪泽的最大的悲哀,但又何止是曾纪泽一人的悲哀呢?

他的出使日记

曾纪泽出使日记过去的通行本都是节本。最早的本子,

就是曾氏本人光绪八年(壬午)九月廿一日在巴黎复陈俊臣书中所说的:

> 初出洋时,写日记寄译署。不知沪人何由得稿,公然刷印。奉一册以供一笑。

这一册日记,起自光绪四年九月初一日,止于光绪五年三月二十六日,其间缺日不多,后来被收入清河王氏《小方壶斋舆地丛钞》第十一帙,题作《出使英法日记》。

日记版本

曾纪泽死后,江南制造总局于光绪十九年(癸巳)刊行《曾惠敏公遗集》,收有日记二卷。卷一为光绪四年的日记,于九月初一日之前,增加了七月二十七日奉旨出使、八月初四日拜吕宋公使、二十八日召对三天的记载。卷二从光绪五年起,于三月二十六日后又有所增加,但删节也越来越多,光绪六年每月还各有数日或一日记载,八年以后则甚至一连几个月不见一记,至十二年十一月十九日回京召见结束。

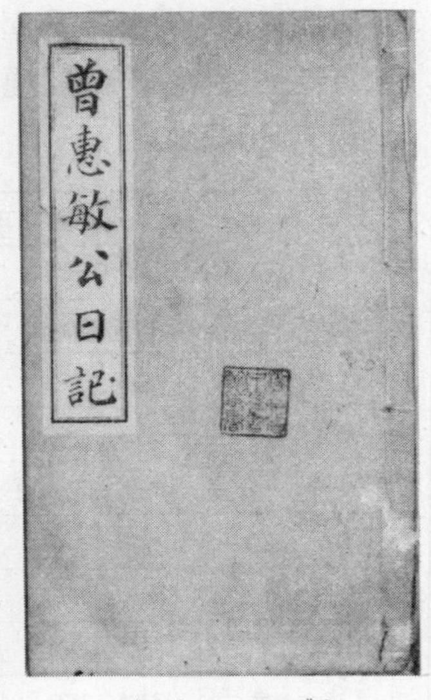

(《曾惠敏公日记》)

后来的《小方壶斋舆地丛钞再续编》,又将这二卷日记收入,题作《使西日记》,而在开卷处割取《大英国汉文正使梅君碑铭》中"光绪三年丁丑秋,以承袭侯封,来京觐谢……"这样几句话,又在光绪六年六月离英赴俄时"加上"了几天简单记事。

著者在编辑《走向世界丛书》时,曾在湖南、南京、北京、上海等地遍访曾氏日记，结果除上述四种版本外，迄无所获，最后只好约请北京图书馆张玄浩先生将这几种版本汇辑为“一个比较完善的本子”，于一九八一年在湖南人民出版社出版，书名就叫《使西日记》。

《使西日记》出版后，由于香港一位青年史学研究者黎志刚君的见告，始知原来保存在湖南湘乡（现属双峰）曾富厚堂的曾纪泽日记原件，已经和《李秀成亲供》等大批珍贵历史文献一道，全数于一九四九年由曾约农教授抢运到了台湾，近年来并已陆续影印出版。随后，黎君又将台湾出版的《曾惠敏公手写日记》八册全部复印见赠，学术热心，弥可感谢。

日记原件现存台湾

现将手写日记和通行节本的字数，分年对比，列表如下：（光绪四年从七月廿七日起，十二年至十一月十九日止；页码手写日记据台湾影印本，通行本据湖南人民出版社一九八一年版《使西日记》）：

年份	手写日记		通行节本	
	页码	字数	页码	字数
光绪四年	1975～2066	29000	1～49	27000
光绪五年	2067～2373	85000	49～93	25000
光绪六年	2374～2599	57000	93～99	3000
光绪七年	2600～2794	59000	99～102	2100
光绪八年	2795～3016	48000	102～103	630
光绪九年	3017～3210	51000	103～104	680
光绪十年	3211～3394	60000	104～105	350
光绪十一年	3395～3573	59000	105～106	370
光绪十二年	3574～3741	46000	106～108	1200
合计	1975～3741	484000	1～108	50000

其实,从近五十万字的日记中节录五万字,是无论如何不能算是“一个比较完善的本子”的。

那么,节本究竟是怎样“节”的呢?这也只有在通读全部手写日记,并将二者逐日进行对比以后,才能看得清楚。

让我们拿节本开头第一天来做个例子:光绪四年七月二十七日的纪事,节本只有寥寥十六个字(标点符号未计字数,下同):

> 奉旨赏戴花翎,派充英国法国钦差大臣。

将手写日记拿来一看,原来曾纪泽在这天写了一百一十七字:

> 辰初二刻起,看英小说。饭后,与栗、松一谈。冯展云来,谈极久。看英小说。至上房一坐。王夔石遣信来报:余奉旨赏戴花翎,派充英国法国钦差大臣。至上房久坐。饭后,与松生久谈。许仙屏来,谈极久。作谢恩摺。剃头。与仙屏、松生一谈。夜饭后,清捡入朝衣饰。亥初睡,未成寐。子初三刻起,与栗弟、松生、省斋同饭。

看英(文)小说

看英文小说,王夔石(文韶)遣人来报,准备入朝,夜不成寐,子初即起,这些都是有价值的材料,节本却全部“节”掉了。

整天整天被“节”掉的日记中,有时材料更多。节本七月二十七日以后便是八月初四日,中间“节”掉了五天。这五天的日记,也各有一些内容,如:

廿八日与崇地山(厚)、景秋坪(廉)、恭邸(奕䜣)、沈相(桂芬)、王夔石等人久谈;至丁冠西寓中一坐。

廿九日写信给九叔父(国荃)、四叔父(国潢);至总理衙门晤崇地山;先后与丁冠西、李壬叔(善兰)、王逸梧(先谦)久谈。

八月初一日看郭筠仙(嵩焘)《使西纪程》;德微理亚(Jean Gabriel Devéria)来谈。

初二日批(英文)字典;拜白罗尼(Vicomte Brenier de Montmorand)、德微理亚、璧利南、傅磊斯(Hugh Fraser),各处均久坐;"因从前交涉事件须调案牍考求,故移寓(总理衙门)署中";续看《使西纪程》。

英文话规

初三日开单向总署调取旧卷,又开单调取书籍;看(英文)话规(文法);裴式楷(Robert Fdward Bredon)、阿恩德(Karl Arendt)、丁冠西等来谈;沈相、王夔石来谈,坐极久。

这些记载,对于史学研究者来说,应该也还是有一些用处的,虽然人们也可能会埋怨曾纪泽记得太简略,光是记某某人来谈,却不记一点谈的内容,正所谓只嫌其短不嫌其长呢。

节本越往后"节"得越凶。光绪六年六月,曾纪泽由英赴俄去改订条约。对于这样一件大事,《遗集·日记》从五月二十日"(在伦敦)编电寄译署",一下跳到六月初八日"抵巴黎""赴法国换旗会",再跳到二十九日"偕康侯、霭堂至外部",连到达俄国这件事都没有提一笔。只有极熟悉史事的读者,才知道这个"外部"已经不是法国外部或英国外部,而是圣彼德堡的外部了。《小方壶斋再续编》的编者,大概也觉得这样不大像话,才在五月二十日至六月二十九日之间,加上"初七日离英"、"二十四日行抵俄国都城"那几天简单记事。殊不知这位编者先生也并未见到曾纪泽手写日记,这几天的记事全是他老先生自己闭门造车造出来的。一查手写日记,真相方才大白。

总之,拿手书日记和节本对照,发现"节"掉的重要内容确实不少。如光绪六年七月十七日在圣彼得堡进见俄皇所记,节本在"设宴相款"以下,删掉了如下一段:

余至密室中，将濒行时所接译署初八日电报查考码号，知各案奉结，为之大慰。

而在“礼官引余与从官出”以下，删去了一段更长的文字。兹将手书日记这一页（第五行起）和引文并排印出，供读者参阅：

……复引日本新到驻俄公使柳原前光入觐俄皇。礼毕，礼官复至余处，邀余遍拜俄之随扈各大员，遂至车栈。日本使亦拜各官，礼官漠不照应，相待殊有轩轾，不解何故。似因柳原前光不能作英法语，故各官无由与谈，又不欲屡呼译官也。日本使至栈，与余谈良久，余作英语，而日本之翻译学生以英语（传焉……）

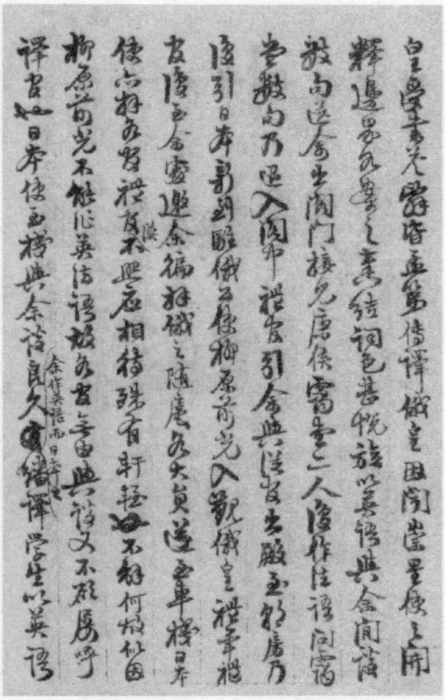

（手稿第五行起与引文参看）

当然，在“节”掉的部分中，关于日常生活、例行事务的记述确实很多，这读来的确不免使人生厌。但作为一种文化史资料，则平凡琐屑的记载亦自有其价值，何况披沙拣金，还时有所获呢？如光绪六年九月廿七日读“英国名士遂夫特文章”，恐怕是Swift（今译斯惠夫特）在中文中首次出现。九年六月十三日“拜法国君党议绅喀萨尼亚克，即助余立言以驳政

英国名士遂夫特

府，而被〔罚〕半月不入议院者也”；十九日又有“法商米洛来谈极久，即前与堵布益挑出越南东京之事，与法廷不合，余遣白德勒笼络之，使不为祟者也”：这些都可以作为前引曾纪泽本年五月二十九日《伦敦复左中堂》信中“惟向英法绅民及新报馆以口舌表我之情理，张我之声威，冀以摇惑法绅，倾其执政”一语的注脚。十年四月廿九日为中国参加巴黎“养生会”展览题额，题茶馆曰“幔亭”，饭馆曰“紫气轩”，后楼曰“燕衎楼”。五月十七日又接见中国到“养生会”的商人、厨役、乐工、木匠、画匠共三十人，且为乐工作曲正拍，也可算是中国对外文化交流的重要史料。

紫气轩

作曲

可惜的是，曾纪泽写日记不像郭嵩焘，他极少表白自己，也不大谈论公事，驰骋议论的时候几乎完全没有。就拿他一八八六年离英归国前自己以英文撰写发表在伦敦 *The Asiatic Quarterly Review*（可译《亚洲季刊》）上的重要论文 *China, The Sleep and the Awakening* 来说，日记中竟无一字谈及。不然的话，人们也就不至于只从《新政真诠》书中颜咏经、袁竹一的译文《中国先睡后醒论》来分析，对曾纪泽作诛心之论了。

中国先睡后醒论

湖南人民出版社一九八一年版《走向世界丛书》中的曾纪泽《使西日记》，起自光绪四年七月二十七日，迄于光绪十二年十一月十九日。岳麓书社的新版本则全据台湾学生书局一九六五年影印“湘乡曾八本堂家藏手写本”《曾惠敏公手写日记》，从光绪四年初至十二年底，将九年日记全部标点排印，新取名曰《出使英法俄国日记》，作为对这位“待凭口舌巩河山”的前辈外交家的永久的纪念。

14 王韬《漫游随录》《扶桑游记》

□　王韬一八六七年随英国汉学家理雅各赴英，一八七〇年回香港，著《漫游随录》；一八七九年又应东瀛友人之约，往游日本，著《扶桑游记》。前者全文据清钞稿本，插图据石印本，后者据日本明治十一年铅印本收录。

漫游隨録

鴨招觀荷　　長洲　王韜　紫詮甫著

余生甫里即以唐陸天隨而得名天隨子隱居不仕時與皮日休唱和自號甫里先生嘗作江湖散人傳以見志沒後亮節高風里人思之不置以先生在時喜鬬鴨有鬬鴨欄乃鑿地為池沼方塘如鑑一水瀠洄中央築一亭曰清風亭東西通以小橋四周環植榆柳桃李盛夏新綠怒生碧陰覆簷嵰窗櫺四敞涼飈颯然襲人襟裾中供天隨子像把卷危坐鬚眉如生相傳曾於像腹中得遺稿即今之笠澤叢書也賴以傳於世顯晦信有數哉去亭百數十武先生之墓在焉或云後人葬其衣冠處將

从鸦片战争(一八四〇年)到光绪元年(一八七五年)三十五年间,中国人亲历东西洋的载记,为数很寥寥。林铖和罗森,斌椿和志刚,分别代表出洋的两种类型:个人谋生和国家派遣,通俗地说,也可以叫为私与为公。但那时的公家乃是封建朝廷,公家人的思想往往更为正统,并不见得比“布衣”高明。林、罗出身市井,斌、志隶属八旗,思想见解都无足称,其载记的价值大抵只在记录见闻。说到这段时期出国的知识分子,除了容闳,只能数王韬了。

鸦片战争和五口通商以后,中国从长期与世隔绝的状态中惊起,突然面对着一个新的世界和一批新的对手。怎么办呢?在官场上,在士林中,有的人厌恶这个现实,宁愿拉着车轮倒转,恢复过去的局面;有的人害怕这个现实,认为既然力不如人,便只能以羁縻之策以求苟安。能够比较清醒地面对现实,并且拿出办法来的人,是很少很少的。

但是,在太湖之滨甫里乡间的不第秀才中,却出了一个人物。他说:“天之聚数十西国于一中国,非以弱中国,正以强中国，以磨砺我中国英雄智奇之士。”他认为：只要中国能向西方“借法以自强”，不出数十年，就一定能与列强并驾齐驱，屹立于世界。

此人就是十九世纪七十年代的著名政论家王韬。他于一八六七、一八七九年先后出游欧洲和日本。这两次出游，尤其是前一次到欧洲，对于他的思想发展有很大的影响。《漫游随录》和《扶桑游记》两书，既是他两次出游的实录，也是研究他的生平和思想的重要材料。

从太湖之滨到墨海书馆

王韬其人

王韬原名畹，字利宾，号兰卿，后因上书太平军逃亡，始改名韬，字子潜（紫诠），号仲弢，晚年自号天南遁叟。韬、弢、潜、遁，都是深藏不露的意思。他是江苏甫里人（其地原来半属昆山，半属吴县），父亲是位乡村塾师，家境十分清贫。王韬幼年多病，“凡药饵之费以及一切，皆赖母朱氏典簪珥、勤纺绩以供给”。他天资聪颖，“自九岁迄成童，毕读群经，旁涉诸史，维说无不该贯”；“于诗文无所师承，喜即为之，下笔辄不能自休，生平未尝属稿”（《弢园老民自传》）。正因为如此，他从小便十分自负，目空一切，正如其《奉顾涤庵师》所云，“志锐气壮，自以为可奋迅云霄，凌躐堂奥，讲学则摧锋折角，谈诗则祧宋追唐”，同时又隐隐以继承吴中的“风流前辈”自许，养成了一派落拓不羁的“名士气”。

一八四五年（道光二十五年），王韬十七岁时以第一名入县学，成了秀才。第二年到金陵应闱试，从《漫游随录》中《白下传书》、《白门访艳》两节看，他整天忙着写“贻某女士书”，到“校书”家吃酒，结果没有考上。他也就从此“屏括帖（八股）而弗事，弃诸生(秀才)而不为”，一面抱着“读书十年，然后出为世用”的雄心研究学问，一面仍旧过着“酒色征逐”的生活。这种生活，在王韬身上留下了很深的痕迹，流毒一直到晚年，在《扶桑游记》里有十分明白的反映。

如果历史的时针倒转几十年，王韬很可能会这样终其一生。他的天资再高，才学再好，也无非在吴地再增添一个唐伯虎、祝枝山式的“风流才子”。但是，王韬的时代毕竟已经和唐伯虎、祝枝山的时代不同了。当王韬还在乡间读书的时候，“东南海警”，英国的炮火打到了长江。他后来的忘年之交蒋敦复关心国事，上书言兵，忤及当事者，避祸削发为僧(见王韬《淞滨琐话·龚蒋两君轶事》)。这种上书言事，“冀幸君之一悟”而不计其后果的行动，在不得志的士子中一时蔚为风气，不可能不对少年王韬产生影响。

黄浦帆樯

(石印本图:黄浦帆樯)

这时候，上海已经成了华洋杂处的通商口岸；江南农村日渐凋敝，上海却出现了畸形的繁荣。一八四七年，王韬的父亲到上海设馆。王韬于翌年初春到上海“省亲”，从此他开始进入了一个新的世界。《漫游随录·黄浦帆樯》自述其初到上海的印象云：

戊申正月，余以省亲来游。一入黄歇浦中，气象顿异。从舟中遥望之，烟水苍茫，帆樯历乱。浦滨一带，率皆西人舍宇，楼阁峥嵘，缥缈云外……

就在这一次，王韬有机会接触到了伦敦会（The London Missionary Society）派遣来华的麦都思（Dr. W. H. Medhurst）。他是最早随马礼逊（Robert Morrison）东来的新教教士之一。

麦都思

马礼逊、麦都思的活动，至少在开始一个阶段内确实着重于文化方面，如编辑英汉字典、英文文法，把《圣经》译为中文，建立印刷工场出版中文书刊等等。第一份中文月报《察世俗每月统纪传》（英文名 *Chinese Monthly Magazine*），就是在一八一五——八二一年间，由马礼逊、麦都思在马六甲创办的。鸦片战争后，麦都思从马六甲来到香港，编辑中文月刊《遐迩贯珍》（英文名 *Chinese Serial*）；一八四二年上海开辟口岸后，复于一八四三年在上海现今山东路地方建立"墨海书馆"（英文名 London Missionary Society Mission press），出版西书，宣传西学。王韬记述他第一次到墨海书馆见到麦都思的情况道：

时西士麦都思主持墨海书馆，以活字板机器印书，竟谓创见，余特往访之。竹篱花架，菊圃兰畦，颇有野外风趣。入其室中，缥缃插架，满目琳琅。……

后导观印书，车床以牛曳之，车轴旋转如飞，云一日可印数千番，诚巧而捷矣。书楼俱以玻璃作窗牖，光明无纤翳，洵属琉璃世界。字架东西排列，位置悉依字典，不容紊乱分毫。

与麦君同在一处者，曰美魏茶，曰雒颉，曰慕维廉，曰艾约瑟，咸识中国语言文字。……

美魏茶即 William Charles Milne，雒颉即 Willian Lockhart（又名雒魏林，协和医院曾建雒魏林楼纪念他），慕维廉即 William Muirhead，艾约瑟即 Joseph Edkins，都是于十九世纪四

雒魏林

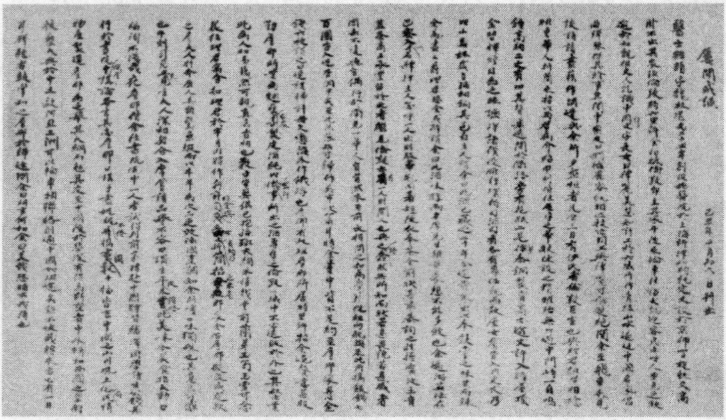

（王韬手稿一开头便写到了“医士雒颉字魏林”）

十年代前后来华的传教士，同时又都是研究汉学的文化人。如美氏即系《旧约》汉文译者之一，艾氏关于中国的著作驰名欧洲，慕氏也留下了不少中文译著。此时中国口岸刚刚开通，封建文士对“夷人”普遍抱着疏远冷淡的态度。马礼逊、麦都思等东来之初，要找中国人作助手，只能找到蔡高、梁亚发之类的工匠。像王韬这样聪明年少、富有才学的知识分子，能够主动访问墨海书馆，找“识中国语言文字”的“西士”交谈，当然大受欢迎。到一八四九年（道光二十九年己酉）夏天，麦都思便正式邀请王韬到馆参加编校工作。后来王韬在《与英国理雅各学士书》中叙述这一段因缘道：

己酉六月，先君子见背。其时江南大水，众庶流离；砚田亦荒，居大不易。承麦都思先生遣使再至，贻书劝

行,因有沪上之游。谬厕讲席,雅称契合,如石投水,八年间若一日。

王韬在墨海书馆工作的情形,《漫游随录》没有讲到,我们却可以从郭嵩焘日记中略窥一二,下面摘引的便是郭氏咸丰六年二月初九日的日记,括弧内的说明为引者所加:

墨海书馆

……次至墨海书馆。有麦都事者,西洋传教人也。自号墨海老人。所居前为礼拜祠,后厅置书甚多,东西窗下各设一球,右为天球,左为地球。麦君著书甚勤,其间相与校定者,一为海盐李壬叔(即大数学家李善兰),一为苏州王兰卿(即王韬)。李君淹博,习勾股之学。王君语言豪迈,亦方雅士也。为觅《数学启蒙》一书,为伟烈亚力(即 Alexander Wylie 氏)所撰。伟君状貌无他奇,而专攻数学。又有艾君(疑即艾约瑟氏),学问尤粹然,麦都事所请管理书籍者也。

外赠《遐迩贯珍》数部:前格物理一二事,而后录中外各处钞报,即所谓新闻报也。刷书用牛车。范铜为轮,大小八九事。书板置车箱平处,而出入以机推动之。……皮条从墙隙中拽出,安车处不见牛也。西人举动,务为巧妙如此。

王君挈眷寓此,所居室联云:"短衣匹马随李广,纸阁芦帘对孟光。"亦有意致。询其所事,则每日出坐书厅一二时。彼所著书,不甚谙习文理,为之疏通句法而已。……

《数学启蒙》是介绍西洋数学的书籍,《遐迩贯珍》则是宣传科学知识("前格物理一二事")、传播中外新闻("后录中外各处钞报”)的一种期刊,曾发表罗森《日本日记》。墨海书馆用牛车刷印的就是这样一些书,王韬在那里帮助麦都思、艾约瑟、伟烈亚力等人做的就是这样一些工作。毫无疑问,这些书,这些工作,在中国近代启蒙时期是起了作用的。

一八五六年麦都思因病回英,旋即下世,但王韬却继续留在墨海书馆工作。在书馆工作期间,王韬结识了更多的西人,如亨利·麦华陀爵士(Sir W alter Henry Medhurst)等,同时还介绍自己的朋友蒋敦复为慕维廉助编《英国志》——在中国出版的第一部英国通史和地理书;另一位朋友应雨耕从威妥玛(Thomas Francis Wade)旅英归来,王氏也为之作《瀛海笔记》。在上海的华洋交往中,王韬已经成为一位活跃的人物了。

中英交往

王韬之所以能够从太湖之滨到墨海书馆,在中西文化交流中起到作用,当然首先是时代和环境使然,但也是他思想开通,敢于“短衣匹马随李广”的结果。

上书太平军与逃亡

王韬涉足墨海书馆前后垂十三年,直到同治元年(一八六二年)闰八月,因为被清政府指为“通贼”,将受逮捕,才仓促逃亡香港。关于这件事,《漫游随录·自序》只有两句话:“以蜚语之猝来,遂长征而不顾。”《香海羁踪》一节讲得也很含糊:“余砚田久涸,本思糊口于远方;兼以天谗司命,语祸切身,文字之祟,中或有鬼,不得已蹈海至粤,附‘鲁纳’轮船启行。”

王韬跟太平军有所接触,并不是一件奇怪的事情。事实上,太平军曾对西方国家表示友好,称西洋教士为“洋兄弟”;西方国家也曾宣布在太平军和清军之间保持“中立”,并派使者和太平军首领会谈。王韬从来就没有吃过清廷的俸禄,到墨海书馆后长期和西人在一起,没有受到过太平军的打击,因此也就并未把太平军视作敌人。在太平军攻占南京的第二年,王韬曾同麦都思、慕维廉一道,通过太平军占领区,到太湖地区"游历"。《漫游随录·莫厘揽胜》叙述他们一行由城外经过,"时城为红巾所踞,城外庐舍悉被官军焚毁","城堞上人须发毕显"。毫无疑问,他们眼中"须发毕显"的人便是"红巾"——太平军。

艾约瑟邀赴太平军

一八六〇年,即太平天国庚申十年,艾约瑟曾致书太平天国忠王李秀成,进行联络。李秀成和干王洪仁玕回信,称之为"大英国耶稣教士艾约瑟道长兄先生阁下",邀请其"玉趾惠临,以便面倾一切"。王氏《蘅华馆日记》辛酉二月朔(一八六一年初)有如下记载:

> 英国牧师艾君迪谨(按即艾约瑟),招余同作金陵之游,不获辞。金陵久为贼窟(按指为太平军所据),丙午秋试曾一至,今屈指十六年矣。

究竟王韬是否参预了艾约瑟与洪仁玕、李秀成"面倾一切"的机要,日记并未涉及。但无论如何,王韬一行是在太平天国天京城内受到了优礼款待的。如果要说王韬"通贼",那就不必等到他"上书太平军",在这件事情上也就是"证据确凿"的了。

一八六一年冬天,因为老母病危,王韬回乡探视,"以道梗兵阻,留滞里中三阅月"。这时昆山、吴县一带属太平天国苏福省管辖。也许正是由于刚刚在天京城内受到优礼款待的缘故,在这三个月中,王韬和太平军总理苏福省民务"逢天义"刘肇钧有过接触。他于"天父天兄天王太平天国辛酉十一年十二月二十三日",按照太平军的体制和格式,具名"苏福省儒士黄畹”(太平军讳“王”为“黄”),向刘肇钧上了一道禀帖,一开头就说:“畹抱病匝月,疏于趋谒,……承大人推毂以来,无日不以兢惕持躬,以期尚(太平军讳“上”为“尚”)副厚望,下济穷黎为念。伏枕筹思,急于报效。迩闻天兵克杭,额首欢庆,以为自此襟苏带浙,力争中原,划江之势成矣。”

当时,李秀成大军攻克杭州,直指上海,太平军在苏浙战场还有相对的优势。上海的洋商害怕太平军强攻上海,会“阻碍通商大局”。王韬在禀帖中强调:“与我争天下者,菁(太平军讳“清”作“菁”)也,而非英法也。”虽然肯定“天朝恢复旧物,尺土弹丸,莫非我有,岂有尚(上)海片隅,独外生成?”但认为“事固有先其所急而后其所缓者”,“曾郭(国)藩之踞安庆,乃真心腹大患耳”。如果不集中兵力夺回安庆,“虽得志于尚(上)海,而于力争尚(上)游之大局尚有所阻,此畹所不取也。”所以,他劝太平军不应强攻上海,而应采取“明告而严讨之,阳舍而阴攻之,徐以图之,缓以困之”的策略。他认为“夷人之性,尚势而重利,趋盛而避衰”,只要在与曾国藩的决战中取得了胜利,夺取了全国政权,“大者远者既得,而小者近者自克举矣”。

向太平军建议

王韬的禀帖最后说:“恭闻忠王瑞驾在苏,思欲晋谒,以发尚短,未敢轻入,故于大人之前略尽区区。”并在禀帖上钤有篆文“苏福省黄畹兰卿印信”,准备与太平军长期联系。

根据以上情况,笔者认为,我们固不应硬说王韬上书太平军是“替帝国主义行缓兵之计”;可是也无须过分美化他,把他说成是“参加革命的知识分子”。从王韬的出身经历、社会地位、所受教育来看,他固不同于清朝统治者,但亦不同于起义的农民军。他不愿太平军强攻上海是真,有意向太平军实行欺骗则未必。由于他的妻儿老小都在太平军治下,自己对太平军初无成见,在清朝并没有做官,今见“划江之势成矣”,又承“逢天义”“推毂”下问,因此愿意给太平军出点主意,一显身手,同时以此换取妻儿老小的安全,——这恐怕是比较符合他当时的真实思想的一种推论。

王韬的禀帖到了太平军中,不久就被清军从战斗中缴获,立即由地方官府查问。此时王韬已回上海,终因西人保护,得乘轮逃往香港。离开太平军的势力范围后,王韬只能在一切公开场合否认“上书太平军”这件事情。从此他在文字中必斥太平军为“逆”为“贼”,甚至专门写了诋毁太平军的记载,“以明心迹”。这些表现,受到了后世论者的讥评,但正好从反面证明了“上书太平军”确非“用计”。不然的话,他大可持西人的证明向清政府请功,不必作“飞鸿避弹翔寥阔”(《扶桑游记上》吴瀚涛赠诗)了。

逃往香港

总观王韬之一生,上书太平军一事,虽对他后来的生活和经历有极大关系,而在其思想发展上殊不值得过分重视。而在强调“历史就是阶级斗争史”,把太平军、义和团看成近代史的“主流”的时候,王韬和太平军的关系,却被看成是对他“定性”的关键问题,这是十分荒唐的。事实上,王韬“上书”的对象并不只有太平军。日本人增田岳阳便说到:“君曾献策当道,延西人教练,募壮勇专习洋枪为一队,号常胜军,收复江浙实赖此。”

常胜军

为了肯定王韬在中外文化交流和近代启蒙运动中的贡献,亦不必勉强在他头上增饰一个“同情农民革命”的光环。最多是这位自命不凡、待价而沽而又接受了一些西方影响的“狂生”,在政治上有过那么一次越轨的举动。但也应该谢谢他这次越轨,如若不然,王韬就不会走香港,去欧洲,大大扩展了自己的眼界,对近代文化思想史作出如此之贡献。古语有云:“读万卷书,不如行万里路。”王韬“曾经沧海”以后,认识大大地提高了一步，这在他的思想发展上是十分重要的。

从香港到牛津、爱丁堡

三十四岁的王韬到港时，香港开埠还不过二十来年，《漫游随录·香海羁踪》写道：

> 香港本一荒岛，山下平地距海只寻丈。西人擘画经营，不遗馀力，几于学精卫之填海，效愚公之移山。尺地寸金，价昂无埒。沿海一带多开设行铺，就山曲折之势分为三环，……上、中环市廛稠密，阛阓闳深；行道者趾错肩摩，甚嚣尘上。……中环有“保罗书院”，上、下交界有“英华书院”，上环有“大书院”，……英华书院兼有机器活字版排印书籍。……

王氏在港的居停主人，为英华书院院长理雅各(James Legge)。理氏为英国著名汉学家，他的著作《中国人关于神鬼的观念》、《中国的宗教：儒教和道教评述及其同基督教的比较》、《孔子的生平和学说》、《孟子的生平和学说》等，在西方汉学界中有广泛的影响。此时他正着手将中国的四书五经译为英文，早就因麦都思氏的介绍，得知王韬佐麦氏翻译《新约》贡献颇多，能得王氏助译，深感得力。在王氏的襄助下，理雅各终于完成了这一宏伟的计划，共译成英文“中国经典”二十八卷，名 *The Chinese Classics*，陆续出版，这是对西方汉学的重大贡献。迄今已逾百年，理氏译本仍被认为是中国经典的标准译本，其中也有王韬的一分心血。

助理雅各译经典

王韬回忆他在港和理雅各的融洽关系道：“理君于课经馀

闲,时招余往(其别墅),作竟日留连。一榻临风,凉飙飒至,……理君不敢独享,必欲分饷,真爱我哉!”在港五年多,他一面协助理雅各的译事,一面广泛接触西方的文化知识。《漫游随录·物外清游》曾谈到他在博物馆看见“西国书籍甚夥,……舆地之外,如人体、机器,无不有图,纤毫毕具。院中鸟兽虫鱼、草木花卉,神采生新。制造之妙,得未曾有。”

随理雅各赴欧洲

一八六七年(同治六年),理雅各返国,招王韬偕行。王韬于阴历十一月二十日启程,旅行四十馀日到达马赛,从此开始了他在欧洲两年多的生活。

王韬自称:“余之至泰西也,不啻为前路之导,捷足之登。”这并不是夸张。他在苏格兰居停甚久,方才听到中国第一个派往西方国家的外交使团(包括志刚、孙家谷、张德彝等在内的蒲安臣使团)“星轺在道”的消息。而他比郭嵩焘、刘锡鸿的驻扎英国,更整整地早了七年。尽管过去在上海、香港接触过西洋现代文化,但此次欧洲之行对他仍有“破天荒”的意义。

(石印本图:制造精奇)

王韬在《漫游随录》中写道:“既抵法埠马赛里,眼界顿开,几若别一世宙。”作为一个读书人,他对这个“别一世宙”的兴趣首先在于文化方面,不像有的人那样被五光十色的商品百货和光怪变幻的魔术马戏弄得头昏眼花。在巴黎，他着重记述了卢浮(鲁哇)宫的文化宝藏和万国博览会的盛况，“凡所胪陈，均非凡近耳目所逮，洵可谓天下之大观矣！”到伦敦后，更是“每日出游，遍历各处。尝观典籍于太学，品瑰奇于各院，审察火机之妙用，推求格致之精微。”在《制造精奇》一节中他介绍英国的现代科学即所谓“实学”道：

介绍实学

英国以天文、地理、电学、火学、气学、光学、化学、重学为实学，弗尚诗赋词章。其用可由小而至大，如由天文知日月五星距地之远近、行动之迟速，日月合璧，日月交食，彗星、行星何时伏见，以及风云雷雨何所由来。由地理知万物之所由生，山水起伏，邦国大小。由电学知天地间何物生电，何物可以防电。由火学知金木之类何以生火，何以无火，何以防火。由气学知各气之轻重，因而创气球，造气钟，上可凌空，下可入海，以之察物、救人、观山、探海。由光学知日月五星本有光耀，及他杂光之力，因而创灯戏，变光彩，辨何物之光最明。由化学、重学辨五金之气，识珍宝之苗，分析各物体质。又知水火之力，因而创火机，制轮船、火车，以省人力，日行千里，工比万人。穿山、航海、掘地、浚河、陶冶、制造以及耕织，无往而非火机，诚利器也。

重科学而“弗尚诗赋词章”，正是中西文化不同的一点。后来王韬访问牛津、爱丁堡等地以后，对英国教育注重“实学”的情况更有了进一步的了解：

所考非止一材一艺已也，历算、兵法、天文、地理、书画、音乐,又有专习各国之语言文字者,如此庶非囿于一隅者可比。故英国学问之士,俱有实际;其所习武备、文艺,均可实见诸措施;坐而言者,可以起而行也。

当绝大多数封建士大夫把西方各国视为夷狄、讳言洋务的时候,王韬能够实事求是地去接触和研究西洋文化,确实可称明智通达。他爱好图书,而"法国最重读书,收藏之富殆所未有,计凡藏书大库三十五所,……波素拿书馆则藏中国典籍三万册,经史子集略备"。他留心博物,而伦敦博物院"百数十楹,凡天地间所有之鸟兽鳞介、草木谷果……莫不棋布星罗,……纵令士庶往观,所以佐读书之不逮而广其识也"。他喜欢交结学士文人,则所遇法国博士儒莲"足迹虽未至禹域,而译书已裒然盈尺","通中国文字,能作笔谈";苏格兰牧师湛约翰,"通中土语言文字之学,精于畴人家言",能和王韬讨论《春秋》朔闰和日食记录;……他对女人很感兴趣,而所见之英法"名媛幼妇,即于初见之顷,亦不相避,食则并席,出则同车,……然皆花妍其貌而玉洁其心,秉德怀贞,知书守礼";"女子与男子同,幼而习诵,凡书画历算、象纬舆图、山经海志,靡不切究穷研,得其精理,中土须眉,有愧此裙钗者多矣。"

汉学家儒莲

十九世纪中叶的资本主义社会和文化,比起当时中国的社会和文化来,确实要进步得多。王韬看到了这一点,并且敢于承认这一点。他说:

英国风俗

英国风俗醇厚,物产蕃庶……日竞新奇巧异之艺,地少慵怠游惰之民。尤可羡者,人知逊让,心多悫诚,国中士庶往来,常少斗争欺侮之事。异域客民旅居其地者,从无受欺被诈;恒见亲爱,绝少猜嫌。无论中土,外邦之风俗尚有如此者,吾见亦罕矣。

…………

盖其国以礼义为教,而不专恃甲兵;以仁信为基,而不先尚诈力;以教化德泽为本,而不徒讲富强。……英土虽偏在北隅,而无敌国外患已千馀年矣,谓非其著效之一端哉。

今日之中国人,可能会觉得王韬对西方的认识还很肤浅,只看到了资本主义的繁荣富强,而没有看到那里社会的弊病。但是,我们难道可以拿孙中山都达不到的水平,去要求比孙中山还早一辈的王韬吗?连毛泽东都不能不承认,"在那个时候,只有西方资本主义国家是进步的,他们成功地建设了资产阶级的现代国家。"现代化能够使人摆脱贫穷和愚昧,也就能够使人得到较好的教养,培养出与封建宗法社会不同的价值观念。王韬赞赏西方国家的正是这一点,他并没有说月亮也是外国的圆。

王韬开始懂得了和平共处、文化交流对各国人民的意义,但他更懂得爱自己的祖国和祖国的文明。他从传统文化中来,对传统文化确有深刻研究,又拿初步接触到的西方文化和中国传统文化作比较,真正弄明白了中国的传统哪些值得珍重,哪些必须坚持。《漫游随录·伦敦小憩》中访问牛津大学的记载,相当值得注意:

哈斯福即牛津大学

英之北土曰哈斯佛,有一大书院,素著名望。……监院者特邀余往以华言讲学。余备论中外相通之始,言:"……三百年前,英人无至中国者;三十年前,中国人无至英土者。今者,越重瀛若江河,视中原如堂奥,无他,以两

> 国相和,故得至此。……”一堂听者,无不鼓掌蹈足,同声称贺,墙壁为震。其中肄业生之年长者……特来问余中国孔子之道与泰西所传天道若何?余应之曰:“孔子之道,人道也;有人斯有道,人类一日不灭,则其道一日不变。泰西人士论道必溯原于天,然传之者必归于本人;非先尽乎人事,亦不能求天降福,是则仍系乎人而已。”

演讲孔子

这里涉及到了中西文化和哲学观念的根本不同之点。很明显,王韬丝毫也没有自卑感,而是在“素著名望”的英国最高学府里演讲了“中国之道”。

伦敦画室曾请王韬摄影留念,“悬之阁中”。他在像上题了两首诗,中有句云:

> 异国山川同日月,中原天地正风尘。

又云:

> 尚戴头颅思报国,犹馀肝胆肯输人?

洋溢在诗句中的,是一股眷念祖国、奋发图强的情感。

维新政论家

一八七〇年春,因“理君雅各已得香海书,促其言旋重主讲席”,而当时中国经典的英译还未告竣,于是王韬也一同回到了香港。

“曾经沧海”的王韬,已经由一位风流自赏的唐伯虎,变成

魏默深

了忧国忧时的魏默深(见《扶桑日记》四月初二日与重野安绎笔谈)。他在英国写信给妻兄杨醒逋(莘圃),历述自己一生思想的变化:弱冠时仅"思得一通籍,博庭内欢,他非所知耳。"考试不第,出外谋生,亦"但求得五百金,可作归耕计"。从抵上海到游欧洲,又经历了三次变化:"初变而为征逐之游,……直作信陵醇酒妇人想;再变而殉名利,……妄欲以虚名动世";最后才认识到"士生于世,当不徒以文章自见",应该讲求经世致用之道,"所望者中外辑和,西国之学术技艺大兴于中土"(《漫游随录》结束语),而"默深先生'师长'一说,实倡先声"(《扶桑游记》四月初三日),正式宣布自己是魏源"师(夷)长(技)"主张的继承者。

回香港的头两年,王韬在佐理译事之馀,编了《普法战纪》一书十四卷。"是书虽仅载二国之事,而他国之合纵缔交、情伪变幻无不毕具",反映王韬对欧洲的历史和现状的了解,已经达到了新的水平。

一八七三年,理雅各归国主牛津大学汉学讲座,王韬结束了"佣书"生涯,但仍和在香港、上海的西人如傅兰雅(J. Fryer)等保持了广泛的联系。他还集资购买英华书院印刷设备,组织中华印书总局;并于翌年春创办《循环日报》,仿西报之例,每日于首栏发表论说一篇,宣传变法图强主张,一时声名大著。《扶桑游记》所记日本知识分子对他的推重,大都出于《循环日报》和《普法战纪》的影响。日本人所写"夙读著书神既往"、"泰西战待巨文传"之类的赠诗,证明了这一点。

傅兰雅

王韬的政论,主要收辑在《弢园文录外编》和《弢园尺牍》二书中(本节引文除注明者外,均摘自二书),其中心思想为变法图强,而归结于必须"尽用泰西之所长"。

王韬从纵(中国数千年之历史)和横(世界列国之形势)两

（傅兰雅与王韬的通信）

个方面论证了“天下事未有久而不变者也”的道理。他充分发挥自己“曾经沧海，遍览西学”的长处，说明“自明季利玛窦入中国，始知有东西两半球，而海外诸国有若棋布星罗。至今日而泰西大小各国，无不通和立约，叩关而求互市。……秦汉以来之天下，至此而又一变”。“诸国既挟其长自远而至，挟其所有以傲我所无，日从而张其炫耀，肆其欺凌，相轧以相倾，则我又乌能不思变计哉？”

天下一变

正因为王韬“曾经沧海”，所以他在立论时能够“放眼全球”，从世界的范围来看中国的问题。当时“以西法为不可行、不必行者几于盈廷皆是”，王韬却旗帜鲜明地鼓吹向西方“借法以自强”。他尖锐地指出：“今日者，我即欲驱

地球合一之天下

(外国)而远之,划疆自守,亦势有所不能;盖今之天下,乃地球合一之天下也。""至今日而欲办天下事,必自欧洲始;以欧洲诸大国为富强之纲领,制作之枢纽。""我中国幅员万里,地非不广也;生黎三亿,民非不众也;采山搜海,材非不足也;能自奋发,何求不济?""故善为治者,不患西人之日横,而特患中国之自域。天之聚数十西国于一中国,非以弱中国,正欲强中国,以磨砺我中国英雄智奇之士。"并举日本为例:"日本与米部(美国)通商仅七八年耳,而于枪炮舟车机器诸事皆能构制,精心揣合不下西人。巍巍上国,堂堂天朝,岂反不如东瀛一岛国哉?"

因为主张学西方,王韬也大谈洋务,甚至说:"今日之所谓时务急务者,孰有过于洋务者哉?"但是,他又尖锐批评当时"洋务派"只注意买洋枪洋炮,请洋技师洋教练,是"徒袭其皮毛",无裨于实际。他说:明朝末年有洋枪洋炮,亦无救于明亡,"盖治国之要不系于是"。他认为要学西洋,主要应该从以下四方面着手:"一曰取士,二曰练兵,三曰学校,四曰律例",也就是要从根本上改革专制国家用人、行政、军事、教育、法律各个方面的制度,总起来就叫变法。变法的大要,则在得民心,"民心既得,虽危而亦安;民心既失,虽盛而亦蹶。欲得民心,是在有以维持而联络之。"他极力推介泰西"君民共主"即君主立宪的制度,"朝廷有兵刑礼乐赏罚诸大政,必集众于上下议院,君可而民否不能行,民可而君否亦不能行,必君民意见相同,而后可颁之于远近。……英国政治之美,实为泰西诸国所闻风向慕,则以君民上下互相联络之效也。"这些宣传,为康有为、黄遵宪等人的立宪主张开了先路,王韬实在可以算是立宪运动的先驱者。

君民共主之治

王韬宣传改革,总是强调改革的目的是为了民富国强。

“舍富强而言治民，是不知为政者也。”他比较注意经济方面的问题，这实际上反映了新兴的民族资产阶级的观点。他提倡开矿、机器纺织、造轮船、建铁路、设电线等等，在这一点上，更能感到在欧洲的观察对他的影响。

如果把王韬关于实行资产阶级民主、发展资本主义经济的主张，和他的《漫游随录》中的记述及评论进行对照，可以明显看出后者对前者的作用。如《博物大院》一节中所述：

博物院

> 西国之例，凡工匠有出新意制器者，器成上禀，公局给以文凭，许其自行制造出售，独专其利，他人不得仿造，须数十年后乃弛此禁，其法亦良善也。

（石印本图：博物大院）

就是他后来在政论中主张实行专利、奖励工商的滥觞。《漫游随录》还曾详述他所见欧洲火车铁路的情形，说“泰西利捷之制，莫如舟车”。在造船、纺织、印刷、采石各处工场，他见到的是“无一不以机器行事”，“悉以机器代人力”；“机器为助，力不费而功倍捷”。对照起中国的情形来，他不禁深为感慨。在参观英国矿产时，特地记下一位英国人的话：“闻今中国山东境内，其山矿产金甚夥。苟掘取之，国家可以致奇富，足用增课，于兵食、国饷两有所济,惜官民皆疑以为多事也。”参观英国新式兵器时,他也慨乎言之:“倘我国仿此铸造,以固边防而御外侮,岂不甚美?惜不遣人来英学习新法也。”

“尚戴头颅思报国,犹馀肝胆肯输人。”王韬很少把和西人竞胜争雄的希望寄托在朝廷的官僚身上。他认为科场和官场培养不出真正的洋务人才,“不废时文(八股),人材终不能古若,而西法终不能行,洋务终不能明,国家富强之效终不能几”。他倒是对于上海、香港、南洋的华裔颇具信心,曾颇为高兴地评述过“近十年以来,华商之利日赢,而西商之利有所旁分矣”的情况,描写过华商与西商竞争取胜的远景:“华商所至愈远,其利渐溥。机器一行,制造益广,一切日用所需,不必取之外而自足。在彼者呢布为大宗,我自能仿效。在我者丝茶为巨项,我亦可捆载以前往。日新月异而岁不同,有非西人之所能制者矣。”

不废时文无人材

在一八四〇至一八七〇的三十年间,王韬完成了由一个封建士子到维新运动政论家的转变。“今之天下,乃地球合一之天下”,这是与“普天之下,莫非王土”彻底不同的全新的观念,是现代人的观念。应该说,在波峰波谷被高度挤缩的中国近代史上,思想跟得上形势发展,甚至能够走到形势发展前面去的人并不是很多的,王韬却可以算得上这样的一个。

日本之游

王韬身居香港,名声却遍于西方。此时日本正锐意求新,魏源的《海国图志》和王韬的《普法战纪》,成了日本知识分子了解世界大势的必读之书。日本中村正直氏为《扶桑游记》写的序道:

忆四五年前,余于重野成斋几上始见《普法战纪》。时成斋语余曰:“闻此人有东游之意;果然,则吾侪之幸也。”察其意,若缱绻不能已者。其后,栗本匏庵过余而论文,酒半,睨余曰:“吾既与佐田白茅诸子游梅园,盟于暗香疏影之下,约共招王弢园,子亦不得不与此盟矣。……”

明治十一年,先生遂来游。于是,成斋、匏安为东道主人。都下名士,争与先生交。文酒谈宴,殆无虚日;山游水嬉,追从如云,极一时之盛。……

扶桑游记

《扶桑游记》起自光绪五年(一八七九年)闰三月初七“摒挡行李作东瀛之游”,讫于同年七月十五回上海之翌日,逐日记载了这次中日文化交流的盛事。

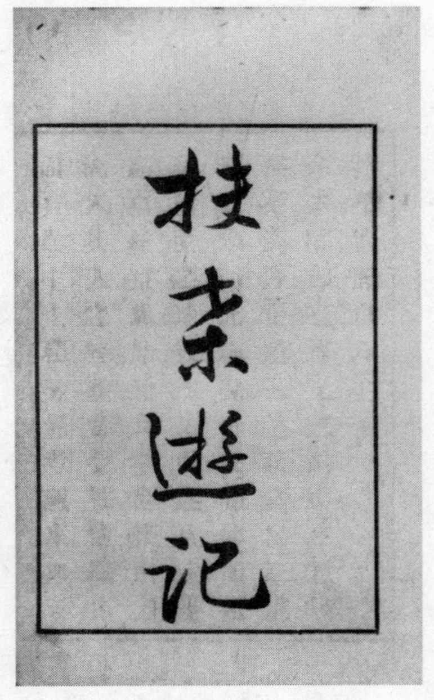

(《扶桑游记》扉页)

王韬在日本广泛结交了文化学术界的朋友,游记中提到名姓的无虑数十人,其中主要是日本赞成维新讲求西学的人士。如中村正直是维新后被起用的藩士,摄理师范学校事,“兼明中西学术,意欲译编西国史以行于世”。栗本锄云在幕府时代即欲上泰西轮船学西医,遭禁止,“坚请行,坐是获罪被

废”;“维新既建,日报盛行,时始创‘报知社’,聘君司编辑事”。其次则为热爱中国文化的汉学家,如冈千仞是著名中国游记《观光纪游》的作者;竹添光鸿游历四川所写的《栈云峡雨日记》,一九八一年中国新闻代表团访日时,日本文部大臣还将其作为礼物赠送给代表团;还有著《清史揽要》的增田贡,选《明清八大家文》的星野恒诸人,以及间接认识的《韩非子纂诂》、《左传辑释》、《西河析妄》等汉学专著的作者等等。除此以外,诸如好学少年叩门求见,“操笔纵谈,久之不去”;两京著名女史湘烟、花蹊诸氏,呈诗请改或托人求教;……的确可算是一时之盛了。

冈千仞
竹添光鸣

这些日本文化学术界的朋友,对王韬的访问是极表欢迎的。此一则出于中日两大民族间长期存在的传统友谊,如冈鹿门(千仞)所云:

中华名士
游东之始

> 敝邦自唐以下,如晁衡、吉备,大臣屡游中华,而中华无一名士东游者。今先生以中华名士游,夫岂偶然?愿留住以尽赏析之观。

二则是王韬“逍遥海外作鹏游,足遍东西历数洲”,深为渴望了解世界、走向世界的日本知识界所推重,如重野安绎谓:

> 或序先生之文,谓为今时之魏默深。默深所著《海国图志》等书,仆亦尝一再读之。其忧国之心深矣,然于海外情形,未能洞若著龟,于先生所言,不免大有径庭,窃谓默深未足以比先生也。

但是,王韬的扶桑之游,却不免有些令人失望。他这时年过半百，赌酒征歌早就毁坏了他的健康，“往往风雨一庐，未秋先病”，壮志渐不如前，生活更加颓废。日本是一个维新思想和旧式生活奇异地交织在一起的国度，王韬跟那里的酒与女人一见如故，难解难分，《扶桑游记》很落下了这方面的痕迹。一九三七年七月《逸经》杂志上陈振国——陈君曾访问王韬妻兄杨醒逋（莘圃）之孙，并从杨家得到十几封王韬旅英时写给杨醒逋的信札——所撰《“长毛状元”王韬》文中说：

体态臃肿 貌亦不扬

他（指王氏）的体态臃肿，貌亦不扬；复因屡受环境的刺激，致成早衰。三十五岁以后，便已目眊齿腐，面皱发稀，所以，并不似我们想象中的“金马玉堂”中的风流人物。但好色的憧憬，老而弥笃，这也可见他生活的畸形了。

（王韬，1828—1897）

看了这一段话，再看《扶桑游记》里那些以刘阮天台、陈王梦里自况的诗文，不禁使人有肉麻之感。这确实是生活的畸形，文人的变态，也是旧社会的恶疾，世纪末的悲哀。

但《扶桑游记》毕竟是一部可传之书，它的政治观点依然是进步的。四月十三日论及日本大将西乡隆盛反对维新发动叛乱终被讨平时云：

> 观西乡排阵结垒，深知兵法，指麾众军，先后数战，几于荡决无前，而卒不能久抗王师者，顺逆之势殊也。

四月十九日与西尾鹿峰讨论“中西诸法”时，针对当时一部分人中出现的盲目崇洋、不顾国情的偏向，他说：

择其善者
去其不善

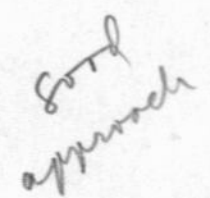

> 法苟择其善者，而去其所不可者，则合之道矣。

五月二日评冈本监辅所著《万国史略》，又说：

> 仿效西法，至今日可谓极盛；然究其实，尚属皮毛，并有不必学而学之者，亦有断不可学而学之者。……

外出不値。
初四日（陽曆五月二十三日）黃公度楊星垣來訪日人丸山鐵持刺通
謁丸山字子堅號龍川仕海軍省以有客在座辭之未見吉
田次郎郵詩見貽以前日墨田川之游有事不得從也詩云
觀遍歐西興未休飄然又作海東遊飄時詩句擬諸將（大集中有擬杜諸將五編）
論勢文章洞五洲故國鶯花應入夢殊鄉風雨豈無
愁獻酬倡和新知足好醉江頭小酒樓吉田字子全號二酉
在報知社中司筆墨風雅翩翩未易才也白茅茂吉來約作
柳橋之游以若吉茶屋爲設讌處呼小勝來侑酒頃之招群
花畢至待選茂吉先歸白茅特操選政顧穠纖長短無一可
以合度者惟一十六齡女子曰若者尙有媚態戯呼小鐵校

（日本印本《扶桑游记》）

“择其善者，而去其不可者”，这仍然是中国人今天和外国打交道时所应持的态度。我们不必学那些“不必学”的绮靡浮华，更不可学那些“断不可学”的痈疽病毒。作为一位十九世纪先进的中国人，王韬的远见卓识正在于此。至于他的名士癖性和诗酒风流，乃是早已被埋葬了的旧时代的痕迹，跟现代人健全的心理和精神完全格格不入,那就让它仅仅属于王韬去吧。

此外,游记中颇多两国文化交往的史料。如记增田岳阳著《清史揽要》、本多正纳著《清史逸话》,说明日本人在明治时代即已注意对中国当时情况进行研究;与黄遵宪多次“剧谈”,最早介绍黄氏《日本杂事诗》;记日本戏剧所演阿传事迹始末及剧场光景,并作《阿传曲》长诗一首。这些都是颇有价值的记载,虽觉零星,毕竟可贵的。

在去日本途中,王韬曾返故乡一行。“上书太平军”事隔多年,大概也已“销案”;所以在回港以后,他又曾再去上海和吴中,后来终于归老上海。十年之中,他助理雅各氏所译的《诗经》、《春秋左传》、《易经》、《礼记》等书先后出版,他在海上的名声越来越大,但在“朝廷”心目中仍然是个“废人”。据说曾国藩曾想招致他,李鸿章也有意请他去主持译事。李在给冯竹如信中说过:“昆山王君,不世英才,胸罗万有,沦落香港,殊为可惜。执事能为我招致,不惜千金买骏骨。”但终于也“不果行”。一八八四年,王韬移家至沪,任《申报》编纂主任。翌年又创办木活字印书馆,名“弢园书局”。一八八七年,出任上海格致书院掌院。这时他的健康状况已是:“略致思索,辄通夕不能成寐。见客问姓名,转顾即忘。……握管三四行后,意即不相缀属。”(《淞滨琐话·自序》)可见他身体已经完全不行,确实成了一副“骏骨”。一八九七年,王韬病死于上海,结束了他作为一位有幸走在时代前面而又不幸被旧习气缠绕着的又幸又不幸的一生。

申报主编

FROM EAST TO WEST

15 李圭《环游地球新录》

□　一八七六年美国庆祝建国一百周年，世界博览会亦于此时在费城举办。中国参展系由海关洋员办理，李圭前往参加，会后并往欧洲游览，有《环游地球新录》。兹据光绪戊寅(一八七八)李鸿章资助刊行的四卷本整理。

在近代中国人关于欧美日本的记述中，非外交官员的记述比较少，因而也就比较更有价值。其中，李圭作为中国工商业的代表，于一八七六年到美国费城参加为纪念美国建国一百周年而举办的世界博览会，来去环行地球一周后所写的《环游地球新录》，尤其值得注意。

李圭的书名是意味深长的，原本附有《地球图说》云：

地动之说从今始信

> 地形如球，环日而行，日不动而地动。——我中华明此理者固不乏人，而不信此说者十常八九，圭初亦颇疑之。今奉差出洋，得环球而游焉，乃信。……使地形或方，日动而地不动，安能自上海东行，行尽而仍回上海，水陆共八万二千三百五十一里，不向西行半步欤？……知地形如球，日不动而地动，无或疑矣。

地形如球，日不动（相对于地球而言）而地动，在今天是连小学生都懂的真理。但我们却不能因为这一点就低估了李圭在“不信此说者十常八九”的时候，能够通过实践去检验真理的进步意义。应该想到：我们今天“相信”的东西，也许还会跟“地形或方，日动而地不动”一样靠不住；而我们今天还“不信”的东西，也许正是如日中天的真理呢。

“写字先生”

李圭（一八四二至一九〇三年），字小池，江苏江宁（今南京）人。世居乐丰乡夏庄，去城五十里许，为当地巨族，号称殷实。李圭自幼“居家读书，未尝行远，间至亲戚家，虽五七里，必有代步者，初不料有八万里之快游、环行地球之壮举也”。

一八五三年，太平军下江宁，改号天京，称太平天国。之后十年之中，太平军和官兵攻战不休，江宁一带的居民遭受了极大的痛苦。咸丰十年（一八六〇）太平军击破江南大营时，李圭家男女死者二十馀人，其母、妻、幼女均属焉。李圭被俘，留太平军中凡三十二月，开始时隐瞒身份，很吃了一些苦。后见太平军“对于文人，大有礼贤下士之风，每得一人，辄解衣推食，延纳惟肯不至，即拂逆其意，亦柔气假借，不加呵斥”，便当了太平军的“写字先生”。直至同治元年（一八六二年）七月，始得间从杭州逃至上海。

太平军的写字先生

太平天国被扑灭后，李圭追忆自己这段经历，写成《思痛记》一书。他在抒写人民在兵燹中所受极可怕的痛苦时，并没有把责任全都归之于贼（太平军），因为官军亦“有过之无不及”。《思痛记》云：

> 贼亦有令禁止骚扰百姓及劫掠衣物等，盖一恐行军累坠，一恐怠惰军心，兼亦以收拾人心也。……

……贼馆甚安静，居处若无事。街衢往来，与平人等。乡人蓄发来此，摆摊贸易，各物咸备。城外瓦砾场搭草屋，称买卖街，土娼且争趋之。……

……行此类事者（按指奸淫烧杀），大抵以湘鄂皖赣等籍人，先充官军，或流氓地痞裹附于贼，或战败而降贼军，积资得为老兄弟者居多。其真正粤贼，则反觉慈祥恺悌，转不若是其残忍也。……

……至官军一面，则溃败后之掳掠，或战胜后之焚杀，尤属耳不忍闻，目不忍睹，其惨毒实较贼有过之无不及。余不欲言，余亦不敢言也。

思痛记

《思痛记》异于一般写战祸流离的文字的地方，是它不止于客观记录人民被虐杀的斑斑血泪，而是给读者提供了对这种惨剧发生的原因进行冷静思索的可能。《思痛记》跋语中，有李圭几句画龙点睛的警句：

斯痛也，非吾一人之痛，而凡为贼所掳者千万人之痛也。非贼能尽人而与之痛，而实人人自召之痛也。

在此后李圭一生的活动中，应该说有了一种"痛定思痛"，进而求其所以使国家民族免于再罹惨痛的意念。《环游地球新录》之作，盖亦与此念不无关系。

李圭一八六二年到上海后，为了谋生，经友荐赴青浦"常胜军"营中办理文案，因而得识西人。一八六五年，英人好博

宁波海关

逊（B. Hobson）任宁波海关税务司，聘李圭司文牍事。他在西人面前的身份，也还是一位"写字先生"，但却又有点异于寻常"写字先生"的地方。据李详《运同衔升用同知浙江海宁州知

州李君事状》,李圭到海关任事后,“私计国家既已通商,江海弛禁,彼族沓至,设有龃龉,重以奸黠华民构煽其际,必为大梗。阴与西人之愿谨者往来款密,习其情性及彼国约例,徐叩以抵隙间执之说,尽得要领,储以有待。……盖言西国政艺大概者,莫先于君,遂以‘习洋务’名,君固不乐承也。”

赴美观会和环游地球,是李圭到宁波海关服务十年后的事情。这时李圭仍然是一位在华洋界上混饭吃的“写字先生”,并没有什么功名和官职。游罢归来,李鸿章给《环游地球新录》写了篇序,上之总署,给资印行三千部,想求新知的士大夫争相购买,坊间也相率翻版。郭嵩焘在使英期间,便翻阅过这部书,记入了日记。康有为也是在读了这本书和其他一些介绍世界形势的书以后,才开始走上向西方寻找真理的道路。这时候,李圭才开始有了一些名气。

序
大清光緒紀元之二年
歲在丙子為美利堅
立國百年之期美人
設會院於費里地費城
廣集各國珍玩古器日
用服御生潛動植諸
物區分部畫各有其
所與斯會者中國而外
凡三十有六國名曰百年
大會亦曰賽奇公會將
欲考究物產脩好睦隣
蓋仿歐洲賽會而創為
是舉也江甯李圭以東
海關稅務司德君璀琳

太子太保文華殿大
學士直隸總督一等肅
毅伯加騎都尉世職合
肥李鴻章撰

李鸿章序

(序文前三页后一页)

之后，李圭于一八八〇年上书南北洋大臣，对"洋务"提出七条建议，即"朝鲜宜广行通商，边界宜稽核侵越，武备宜讲求变通，器械宜专职采办，利源宜预防涸竭，国债宜官为开办，洋务宜使人通晓"，得到赏识。这时边事日亟，他接着又发表了一篇《蠡测罪言》，主张迅速学习西方的军事和其他技术：

> 广延西国教习，教以水陆兵学，演习行阵及命中致远之技、建筑炮台之法。……更致力矿务以富国，设铁路、电报、邮政以便载运而捷信息。……

薛福成荐办洋务

一八八三年，薛福成任浙江宁绍道，引荐李圭兼任洋务委员，参加防御法军入侵的备战工作。一八八五年初，法舰迫近镇海海口，李圭对薛福成说：

> 马江所以致败者，以和战未定，莫敢先发。今敌既来，宜速饬镇海炮台，视炮弹能达，燃炮轰击，毋落人后，此先发制人之道。

薛福成接受了这个大胆的主张，下令当法舰进入射程，立即开炮，结果击退了敌人对镇海的一次进攻。在炮战中，李圭"护远镜至招宝山安设，出没于颠风巨浪中，命在飘忽"。这个在《思痛记》中悸视流血、谈虎色变的人，在外寇侵略面前却表现得镇定从容。他还在战争中写诗鼓舞镇海守将，"相与悲歌不置，人咸壮之"。事后，薛福成保举他"以知州留浙补用"，一八九三年到海宁州上任，做了几年官。

海宁知州

据说，李圭在知州任上，倡修水利，浚河至二万二千馀丈，又劝绅民广开支河港汊，多掘鱼池，以资灌溉，民大称便。甲午中日战起，李圭曾奉命到上海“游说英人，冀有所援”，战后又曾应张之洞之请，赴苏州规划开埠事宜，认为宜自设巡捕，加强管理。这些都是李圭所做的一些好事，可以说与他环游地球时的收获是互为因果的。

戊戌（一八九八年）之岁，李圭忽患脑疾，“瞀乱不复省视人事，时或喷咤，若有不平迫未得遂者”，因开缺养病，以癸卯（一九〇三年）五月，卒于杭州。

费城赛会

《环游地球新录》卷一为《美会纪略》，首记美国设会缘起，云：

> 北阿墨利加洲有美国者，洋文称“友乃德司得次”，译即合众国，俗称“花旗”，泰西强大国也，在地之西半球。以球而论，适与中国腹背相对，自昔不通声闻。……光绪二年为有国百年庆期，……因择喷夕尔费尼阿省费里地费城建屋设会，广致天下物产互相比赛，美其名“百年大会”，又曰“赛奇公会”焉。

百年大会

此次费城赛会有三十七国参加，中国亦在其内。当时清政府的“总税务司”为英国人赫德，海关和外贸都是由外国人“代办”。外国人希望中国扩大和外国的商业联系，怂恿中国去参加赛会。一八七三年奥京维也纳赛会，赫德派包腊（E. C. Bowra）代表中国参加，在国外产生了一些影响。这次由于美国重视亚太市场，着意邀请，中国参加的规模又大了一些。据《环游地球新录·自序》介绍：

美国创设百年大会，先经其国驻京公使照请总理各国事务衙门，咨行南北洋通商大臣转饬地方官，出示晓谕工商人等送物往会，并酌拨款项，札行总税务司赫德，援照奥国赛会例，选派海关税务人员办理。

这些海关税务人员就是：东海关税务司德璀琳（G. Detring），闽海关税务司杜德维（E. B. Drew），粤海关税务司赫政（J. H. Hart），前津海关税务司吴秉文（A. Huber）等；不过这次总算有了中国人作为中国工商业的代表，理其事者就是李圭。

李圭携带译员一名（粤人），同美国旅华客商鼐达结伴，于光绪二年四月二十日由上海赴横滨搭乘美国轮船"北京"号，于五月二十日抵达美国三藩市（旧金山），行程一十八天，比林铖横渡太平洋缩短了一百二十二天。这是轮船较帆船的进步，是七十年代较四十年代的进步。接着又坐七天火车，于闰五月初二日到达费城。

轮船航行一十八天

李圭所见到的费城博览会"各物总院"，"屋长一千八百八十尺，宽四百六十四尺，悉以精铁为梁柱，巨块玻璃为墙壁"，是当时世界上最大的展览大厅，"美国物在总院中约居十之三四"。其次则是"机器院"，"屋长一千四百零二尺，宽三百二十尺"，"位置之地，美国最大，由西至东皆其器，约居十之八"。这两个院是李圭参观和记述的重点。

李圭的记载，翔实而生动。下面是从布朗氏《美国历史地理》一书中转摘下来的几段文字，可与《环游地球新录·美会纪略》参看：

美国百年纪念展览会一八七六年在费城举行。展览大厅占地二十一英亩，陈列采矿部门和制造部门的产品。

另一座建筑物占地十四英亩,陈列各种机器。参观者可以从这里看到:康涅狄格生产的工具和刀剑;新泽西出产的缝纫机;普林斯的改良自来水笔,“保证书写十小时”;打字机,“可以代替钢笔书写除簿记以外的各种文件的机器”;纽约出产的“华尔山姆牌”表和芝加哥的“爱琴牌”表;还有费城为儿童制造的幻灯和放映机。

U.S. 格兰特总统站在机器馆中七百吨的科林斯式蒸汽机前面,选择了一段适当的话作为开幕词:

格兰特总统致辞

“一百年以前,我国刚刚成立,而且只有部分地区有人居住。我们的需要使我们不得不把自己的力量和时间主要用于砍伐森林,征服草原,建造住房、工厂、船舶、码头、仓库、道路、运河和机器。这些都是不能拖延的极其必需的首要工作。虽然我们承担了这方面的巨大工作,可是我们在法律、医药、神学、科学、文学、哲学和美术各方面的工作,也足以同古老而先进的国家相颉颃,这些方面的成就亦将在本展览会中展出。在我们为自己的成就而骄傲的同时,我们也为自己没有能够更多做些而感到遗憾。然而,我们的成就仍然很大,足以使我们的人民能够安然无愧地承认无论在哪里看到的成绩。”

《环游地球新录·美会纪略》所述“各物总院”和“机器院”的各种展品,不仅与上文若合符节,有的且更为详尽。如“七百吨的科林斯式蒸汽机”,李圭记中称为“哥阿立斯”,下节再予摘引,这里先看看李圭关于“可以代替钢笔书写除簿记以外的各种文件的机器”吧:

……有一式极小巧,置方几上,高仅尺许,宽约八寸,

> 以铁为之。中有机括嵌墨汁，设铁板，下列洋文字母二十六，若棋子然。以一女工司之。将纸置铁板上，再如西国鼓琴法，印某字以手按某字母，内则推上一字印之，颇极灵捷。办公处各置一具，用处颇多，惜不能印华文。

而其所述美国人语云：

于此可见政治之善

> 当华盛顿开国时，为省仅十有三，人民亦稀少。今则拓地日广，共有三十九省，人数多至四千万。此虽由外来入籍者众，而能骤增若此，亦正以见我国政治之善也。欧洲诸大国所以称雄者，以地大兵强、民安物阜耳，今我国岂出其下哉。且以大势观之，又安知将来不能驾乎其上耶。兹届庆期，宜举一极盛事，以志不朽。

显然，李圭是同意把美国建国百年来的迅速发展归功于所谓"政治之善"的。在《美会纪略》及其以后各卷中，都不是单纯猎奇志异，而能注意探求美国富强的根源，就作者所能达到的水平作一些分析，并和中国的情形进行一些比较。他在自序中说，"将会内情形并举行所闻见者，详细记载带回中国"，"亦欲敦友谊，广人才，冀收利国利民之效"。薄薄的一本游记，却包含了李圭对吾国吾民的一片苦心。

会场内外的观感

正如李鸿章在为《环游地球新录》写的序文中所说："泰西诸国，日出其聪明才力以相角逐，凡可为富强计者，若铁路、电线、车舡、炮械之属，转相仿效，务极新奇，而于商务尤所措意，

舍是则无以自立其国。”因此李圭“详细记载”的首先是工商制造方面的成就，包括当时“全世界最伟大的机器”柯立斯

（李圭所见之“哥阿力斯”蒸汽机）

哥阿力斯蒸汽机

(Corliss，李圭称为“哥阿力斯”)蒸汽机，他写道：

院正中置大机器一副，轮径三丈馀，力抵马一千五百匹。……大轮动，则院中各器凡需蒸汽者，皆藉汽以运动。其有不需蒸汽，惟藉皮条扯动者，各器有大小轮盘缠皮条套梁际铁轴之轮盘，亦可随时拨动运用，如吸水、印

> 字、纺织、锯、磨诸器咸赖焉。器名“哥阿力斯”，为美人哥阿力斯手制，故以其名名其器。……如此大器，动时无甚声响，且一人即可运之，是可异也。

在此处还有一段话，谈对机器的认识：

> ……精益求精，巧益思巧，此出一器，彼仿行之，尔争我竞，莫可底止，何怪机变之事，日出而日盛，且日盛而日新哉。吾华有言：“有机事者，必有机心，古人所不为也。”而今则不能概论矣。夫机心用于器物，唯以利国利民，而弗为身家谋，则机心亦何尝不可用？是机器正当讲求，不得援古人桔槔之说，概谓机器不当用，凡机器之可以利民者置诸弗取也。

机器之用可以利民

虽然美国机器生产的发展，既是利国利民，又是为身家谋，二者是完全一致的，李圭于此等处未免失之考察；但他肯定机器生产的进步意义，针对某些人宁可抱瓮灌园也反对使用机器的守旧观点，大声疾呼“机器正当讲求”，在当时确有发聋震聩的作用。

在参观“各样吸水机器”后，李圭“因思中国江河之水，涨落不时，旱涝互患，西北高原，种植每艰灌溉，……仿而行之，亦经世一助”。参观机器造纸，见工省事倍，稻草亦能作绝精之纸，而念及“我中国造纸之法，由来二千馀年，纸亦绝佳，西人每称赞之；然精者皆用棉、竹，若稻草所制，皆恶劣不堪之物，制法亦甚迟缓”。参观“绞棉子器”，认为妙在不藉蒸汽运动也，产棉之乡能家置一具，或数家、数十家合置一具，较之手挽脚践，诚大省工力”。尤其是“耕种院”陈列的农田机器，李圭曾逐一观览，且就询洋人，虽不甚解，却肯定其为我国所必需，“日后议垦西北旷土，尤必得购用，以代人力”，还注意到了日本定购十八种农田机器的情形。

然而，无论在会内还是在会外，李圭所注意的范围都不限于工业制造。参观“女工院”时，他见到供事妇女“乐为人道，娓娓不倦，举止大方，无闺阁态，有须眉气，心甚敬之，且又爱之”，因而发表一通极可注意的关于妇女地位的议论：

男女并重

> 泰西风俗，男女并重，女学亦同于男，故妇女颇能建大议，行大事。……天下男女，数目相当；若只教男而不教女，则十人仅作五人之用。妇女灵敏，不亚男子，且有特过男子者，以心专而静也。若无以教导之提倡之，终归埋没，岂不深负大造生人之意乎？故外国生男喜，生女亦喜，无所轻重也。若中国则反是矣，有轻视女子者，有沉溺女子者，劝之不胜劝，禁之不胜禁，究何故欤？答曰：无他，亦由女学坠废所致耳！……今且有口边一语曰：“女子无才便是德。”噫！惟此语为能误尽女子矣。……

这可以算是近代中国第一个大声疾呼为妇女争平等权利的宣言。如果李圭不环游地球、亲历美国，光凭他在太平军中当“写字先生”时接触新老姐妹的经验，这篇宣言是无论如何也写不出来的。

结束“百年盛会”的参观等活动后，李圭又游览了华盛顿、哈特福德、纽约等城市，然后前往英国伦敦、法国巴黎，继续东行回国。《环游地球新录》卷二、卷三为《游览随笔》，杂记游览见闻、议论感想；卷四为《东行日记》，逐日记述旅途情景，均有可览者。如卷二记费城医院，见西医“必先于人之形体、脉络、脏腑,事事考证无讹,然后出试其技",谓"宜乎西人医术所以有迈于中华"。又记监狱云:"外国监狱,迥异中华,第一务取洁净,第二饮食调匀,第三作息有节,第四可习技艺,第五则其总管、司事一切体贴人情……"。在华盛顿游"渭德好施"(按即白宫),拜会"洋务衙门"费大臣,了解办公情况。费氏问李圭:"办公之法,较中国何如?"李圭虽答以"大致相同",心里却不能不承认现代机关比旧式衙门的效率要高得多,引费氏之言,"公事宜简不宜繁,用人宜少不宜多,俸金宜厚不宜薄;盖事简易明,人少无推诿,俸厚则心专",谓其"诚确论也"。

渭德好施(白宫)

李圭向中国人介绍了一个新的世界,这个世界比旧世界确有不少优胜之处,但却远不是十全十美的。作为一位有文化修养和社会经验的知识分子,李圭看到了繁华景象背后的一些阴暗面。美国人民是富裕、文明的,可是美洲土地原来的主人"因颠"(印第安)人,却过着"披发赤皮"的生活,政府还要"派兵驻守弹压"他们。美国城市是热闹、繁华的,可是噪音嘈杂,在旅舍的四层楼还感到床榻动摇,不能成寐。大学是办得很好的,可是"生徒中名门巨室居多,贫素者少,以每年千元食用无出也"。文化生活是丰富多彩的,可是也有"赤身演戏"一类下流黄色的表演,在"坏人心术"、毒害社会。李圭参观纽约市第十七警察局,见到一天之内因为犯罪被拘留的即有六十八人。全市三十五处警察局,统共每天拘留的在二千人以上。这种现象,不能不使他深思:"一处日有数十案,弗乃多事耶?"

李圭在研究美国关税例则后,发现"进口货税极重,每估本百元,征税自十元至六十元不等",而出口货则多免税。他写道:

盖西人专尚取利他国,而己国之利源必开浚深广,并不肯轻易少泄，此其立意精密深固处。吁！可虑哉。

事实证明，李圭的“虑”是有道理的。曾经有几位西方传教士向李圭抱怨，说在中国内地传教很是为难。李圭直率地奉告他们：“以鄙意观之，尤莫若不传之为妙。”他深知国情不同，外国的社会文化很难移植到中国。

赛会上的中国馆

《环游地球新录》最使读者感兴趣的是中国参加一八七六年赛会送展的情形。这在近代中外经济、文化交流史上，确实是十分宝贵的资料，故破例地多摘录一些如下：

中国赴会之物，计七百二十箱，值银约二十万两。陈物之地，小于日本，颇不敷用。此非会内与地不均，盖我国原定仅八千正方尺，初不意来物若是之多也。

地居院之西门内，左为智利、秘鲁，右为日本、埃及、土耳其，对面为义大利、哪威、瑞典等国。北向建木质大牌楼一座，上面大书“大清国”三字，横额曰

中國赴會之物計七百二十箱值銀約二十萬兩陳物之地小於日本頗不敷用此非會內與地不均蓋我　國原定僅八千正方尺初不意來物若是之多也地居院之西門內左爲智利秘魯右爲日本埃及土耳其對面爲義大利哪威瑞典等國北向建木質大牌樓一座上面大書大淸國三字橫額曰物華天寶聯曰集十八省大觀天工可奪慶一百年盛會友誼斯敦此爲德君囑圭所擬者兩旁有東西轅門上插黃地青龍旗與官衙一式極形嚴肅進牌樓正中置櫥櫃數事高八九尺仿廟宇式亦以木製塗金彩四面嵌大塊玻瓈

環遊地球新錄　卷一　美會紀畧　九

（刻本请与正文参看）

“大清国”的展览

大清国旗
黄地青龙

“物华天宝”,联曰“集十八省大观,天工可夺;庆一百年盛会,友谊斯敦”,此为德君嘱圭所拟者。两旁有东西辕门,上插黄地青龙旗,与官衙一式,极形严肃。

进牌楼,正中置橱柜数事,高八九尺,仿庙宇式,亦以木制涂金彩,四面嵌大块玻璃,储各省绸缎、雕牙、玩物、银器及贵重之品。左列武林胡观察景泰窑器;右列粤省漆器、绣货、镜屏;后列各式乌木椅榻;再后为宁波雕木器、海关经办瓷器及粤人何幹臣各种古玩;再后临窗则为公事房。……物件悉遵华式,专为手工制造,无一借力机器。即陈物之木架、橱柜以及桌椅铺垫、公事房之陈设字画,亦无一外洋款式者,悉为他国游览官民目未经见……

南门外平屋,列各省丝、茶、六谷、药材,亦皆海关经办,由总院分列于此。药材不下七百种,丝、茶亦各种俱备。洋人谓深得赛会本意,愿以他物相易……

物产以丝、茶、瓷器、绸货、雕花器、景泰器,在各国中推为第一;铜器、漆器、银器、藤竹器次之;若玉石器,几无过问者。

因忆从前法、奥之会,我国虽亦送物比赛,而未获贸易之益,以无华人往也。今则已得工商十馀人,逐日在会与西人相处,深知其爱憎。闻一二年后,法国又兴大会。则将来赴会者,置货必有把握,非若前时之凭空揣拟矣。……

当时中国留美幼童在美国学习和生活的情况,也是博览会上中国馆着重介绍的内容。李圭写道:

甘那的格省哈佛书馆我国幼童课程窗稿亦在列。尝见其绘画、地图、算法、人物、花木，皆有规格。所著汉文策论，如《游美记》、《哈佛书馆记》、《庆贺百年大会序》、《美国地土论》《风俗记》，亦尚通顺。每篇后附洋文数页，西人阅之，皆啧啧称赞。……

留美幼童前来参观

甘那的格省哈佛城，即康涅狄格州哈特福德市，由容闳组织安排到美国留学的中国幼童，都在这里学习。中国政府并于此设立"出洋总局"。幼童平时分住哈城等处美国家庭中，"随其子弟就傅习洋文"；"以三个月一次来局习华文，每次十二人，十四日为满；逾期，则此十二人复归，再换十二人来，以次轮流，周而复始"。《环游地球新录·游览随笔》中有《书幼童观会事》一篇，略云：

光绪二年七月初三日，我国在美肄业幼童一百十三人，随其师刘云房其骏、总局翻译邝容阶其照，又西师男女六人，自哈佛来费城观会。……数日前，各处新报早已播传其事。至是，复论及中国办法甚善；幼童聪敏好学，互相亲爱，见人礼数言谈彬彬然；有进馆方年馀者，西语亦精熟；此次观会又增其识见，诚

書幼童觀會事
光緒二年七月初三日我　國在美肄業幼童一百十三人
隨其師劉雲房其駿總局繙譯鄺容階其照又西師男女六
人自哈佛來費城觀會帶領者為書院總管美人饒托魯寓
會外阿拉司客館每日巳初進會酉初回寓其午餐即就會
內飯館取便也兩館接待頗殷屋頂升黃龍旗進出有樂人
鼓吹極盡冠冕堂皇數日前各處新報早已播傳其事至是
復論及中國辦法甚善幼童聰敏好學互相親愛見人禮數
言談彬彬然有進館方年餘者西語亦精熟此次觀會又增
環遊地球新錄　卷三　遊覽隨筆

（书幼童观会事）

获益匪浅,云云。

初四日,见诸童多在会院游览,于千万人中言动自如,无畏怯态。装束若西人,而外罩短褂,仍近华式。见圭等甚亲近,举止有外洋风派。幼小者与女师偕行,师指物与观,颇能对答,亲爱之情,几同母子。

……因择其年较长者,询以此会究有益否?则云:"集大地之物,任人观览,增长识见;其新器善法,可仿而行之;又能联各国友谊,益处甚大。……"问何物最佳?曰:"外国印字法,中国雕牙器。"问想家否?曰:"想也无益,惟有一意攻书,回家终有日耳。"……问何以作洋人装束?则曰:"不改装,有时不方便。我侪规矩,惟不去发辫、不入礼拜堂两事耳。"言皆简捷有理,心甚爱之。西学所造,正未可量。

西方教育的优越性

从中国幼童身上,李圭看到了西方教育的优越性,那就是"不尚虚文,专务实效;是以课程简而严,教法详而挚,师弟间情洽如骨肉。尤善在默识心通,不尚诵读,则食而不化之患除;宁静舒畅,不尚拘束,则郁而不通之病去。……且其不赏而劝,不怒而惩,则又巧捷顽钝之弊亦无由以生"。用现代的语言来说,就是教学内容联系实际,教学方法提倡自觉,教学思想主张自由,一反八股科举制度的迂腐浅薄、机械灌输、造成奴性。这是一股新鲜的风,是四十年后"德先生"和"赛先生"在中国鼓起的狂飚的先兆。李圭能始见于青萍之末,实不得不令人佩服。

但是,新生事物在它初出现时,总是十分脆弱的;旧势力会压迫它,窒息它,扼杀它。进步过程会有曲折和反复,决不可能一帆风顺。以幼童留美为标志的中国改革教育的尝试,很快就以失败而告结束。当李圭“心甚爱之”,盛赞“西学所造,正未可量”的时候,国内却正在酝酿着撤销“出洋总局”,撤回留美幼童,结果居然不幸而成为事实。

在《书幼童观会事》一节中,李圭曾经尽力对这股逆流进行阻击:

> 有谓:中国不尚西学,今此幼童越数万里而往肄业,弗乃下乔木而入幽谷欤?曰:是非尔所知也。幼童之往业者,业其事为耳。我圣人之达道达德、三纲五常,此幼童固自有,亦固自在,不以业西人之事为而少有阙也。且取长补短,原不以彼此自域;则今日翊赞宏图,有不当置西人之事为而弗取也。……

并非下乔木入幽谷

“取长补短,原不以彼此自域”,这是一种开放的思想。李圭心目中的“宏图”,是一个富强的中国,一个不再有“人人自召之痛”的中国。为了实现它,就“不当置西人之事为而弗取”(不应该置西方的经验而不顾,不去拿来为我所用)。但是这些道理,又岂是放纵官军掳掠焚杀的专制朝廷所能懂得的呢?

回国途中,李圭在香港见到了王韬。《东行日记》记载了他们的接触,云:“遇吴中王君紫诠,言谈半日,颇能洞悉中外机宜;虽坐而言,要皆可起而行也。不意天南羁旅,世不知其才,惜哉!”大概王韬对于李圭也有同感。他们都是具有初步启蒙思想的知识分子,主张打开眼界,走向世界。但是,中国的保守势力毕竟太根深蒂固了,结果李圭只留下了《环游地球新录》等几本小书;尽管康有为从他的书里受到鼓舞,在变法维新的路上又向前走了几步,他的影响毕竟是微小的。《环游地球新录》当时虽印了三千部,以后却一直很少流传。在具有中世纪特征的社会里,一切有先见之明的知识分子,往往只能“若有不平,迫未得遂”而终其一生,李圭当然也无法逃脱这种悲剧的命运。

16 黎庶昌《西洋杂志》

□　黎庶昌一八七七年初随使英国,同年冬随使德国,后又调法国、西班牙,并曾游历瑞、意、荷、比,有《西洋杂志》。今据庚子遵义黎氏刻本,删去其中摘录他人的文字,将黎氏本人的作品,以类相从,仍依原定次序编为一册。

中国读书人近代前往西方(包括开放后的日本)的记述,林铖、罗森、斌椿、志刚只能算前奏,容闳、王韬和李圭也只能算序曲。真正的主题歌,大概要到光绪二年(一八七六年)郭嵩焘这样有地位、有身份的高级士大夫出使西洋时才正式开始。

黎庶昌是作为参赞随郭嵩焘出使英国的。光绪三年十月,他改任驻德使馆参赞,随刘锡鸿去了柏林;四年四月奉调赴巴黎,任驻法使馆参赞;六年,又改任驻日斯巴尼亚国(西班牙)参赞,在马德里住了一年多,直到七年七月回国就任出使日本大臣时为止。《西洋杂志》一书,收集了他旅欧期间所写的杂记、游记、有关书简和三篇地志,此外还摘录了郭嵩焘、刘锡鸿、陈兰彬、李凤苞、曾纪泽、罗丰禄、钱德培等人记述的一些片断。在出使诸人记载中,是别具一格的。

从郭、刘这批人开始,他们出国的记述,尽管因为立场态度各不相同,思想内容各有差别,但同以前的记述相比,容量和深度都有所增加。这个情形,反映了中国人民对外部世界的认识的深化和扩大。《西洋杂志》多记泰西社会文化生活，正是这方面的一个例子。

多记泰西社会文化

多识、格物、博辨

黎庶昌，字莼斋，贵州遵义人。贵州是个偏僻地方，在古时文化发展比较缓慢，到咸同之际才有所谓"莫（子偲）郑（子尹）之学"。黎庶昌少时从莫、郑两先生游，"稽经考道，学以大进"。同治纪元下诏求言，他以廪贡生只身行万里至京师，上书论时事，受到重视，被派往安庆由曾国藩以知县试用。曾国藩很器重这个二十多岁的青年人，说他"意气迈往，行文坚确，锲而不舍，可成一家言"，留他在营办事。当时曾氏幕中人才甚多，黎庶昌与武昌张裕钊、桐城吴汝纶、无锡薛福成都有文名，志趣接近，被称为"曾门四子"。

（黎庶昌，1837—1897，丰子恺画）

曾门四子

清朝道咸以后，传统的汉学、自宋明以来盛行的理学和以桐城派为代表的词章之学，都已经走入脱离实际、脱离生活的死胡同。一批出身中小地主的士人，起而力求匡正。龚自珍的公羊之学、魏源的经世之学，都开始强调以古观今、学以致用。莫子偲和曾国藩也算是开创新学风的人物。不过莫子偲的官太小，影响也小；曾国藩官做得大，影响也就大了。

在曾国藩幕中，黎庶昌继续读书求学，成了所谓"湘乡派"

的代表人物之一。他曾同曾氏讨论群籍，提出应将《庄子》、《楚辞》、《文选》、《史记》、《汉书》、《通鉴》、《通典》、《文献通考》、《说文》、杜诗、韩文十一种书列为“亚经”，和“十三经”一道作为国学基本读物。这主要是为了反对当时科举制度“发题考试，先四书而后五经，废注疏而遵朱说”，把传统学问简单化和庸俗化的恶劣风气，在当时很有进步意义。

这里值得特别指出的是黎庶昌对《通典》、《文献通考》以及《史》、《汉》的重视。他说：欲“究天人之际，通古今之变”，举“文字之渊源、经世之大法”，通“王朝邦国旧典”，“观后世帝王因袭之迹”，就必须熟读这几部书。这说明他的思路比当时一般的读书人要宽得多，读古书立有经世致用的目的。

经世致用

所谓“世”，就是世界，就是现实的政治、经济和社会。读古书要有利于研究现实的政治、经济和社会，势非着重于乙部即史籍、文献，并包括传统的舆地之学不可。

当时一般人读书只是为了“做文章”。而所谓“文章”，除了功令规定的八股之外，就是以姚鼐（姬传）为宗师的桐城派古文。姚鼐选定的《古文辞类纂》，学做古文的人几乎人手一编，势力极大，其中所少的偏偏就是有关经世致用的文字。对于这一点，曾国藩和黎庶昌都是不满意的。曾氏于军书旁午之际，亲自编选了一部《经史百家杂钞》，就是想补救《古文辞类纂》之不足，把“文章”的范围加以扩大。曾氏死后，黎庶昌又编选了一部《续古文辞类纂》，分上中下三编，共二十八卷，更明揭曾氏之说，“以补姚氏姬传《古文辞类纂》所未备”，自陈其主旨云：

> 文章之道，莫大乎与天下为公，而非可用一人一家之私议。……姚先生兴于千载之后，独特灼见，总括群言，

……其所自造述，亦浸淫近复于古。然百馀年来，流风相师，传嬗赓续，沿流而莫之止，遂有文敝道丧之患。至湘乡曾文正公出，扩姚氏而大之，并功、德、言为一途，挈揽众长，轹归掩方，跨越百氏。……今所论纂，其品藻次第，一以昔闻诸曾氏者述而录之。……将尽取儒者之多识、格物、博辨、训诂，一内诸雄奇万变之中，以矫桐城末流虚车之失……

桐城末流

黎庶昌把"多识、格物、博辨、训诂"四项要求提出来，作为矫正"桐城末流"脱离实际、脱离生活的衰颓学风的一种手段，的确是抓住了要害。要做到"多识、格物、博辨、训诂"，就必须接触自然、接触社会，研究自然、研究社会，而这正是古旧社会里埋头"做文章"的读书人所不愿做、不能做的。

我们关于黎庶昌的学问文章之道讲了这么多，却不能算是离题，因为非如此即不能说明：何以黎庶昌会怀着很大的兴趣去"出使绝国"；在欧洲四年多，又何以会异乎寻常地对西方的风土民俗发生兴趣，把一些观察所得写入《西洋杂志》；更不能说明他何以愿意"舍欧土之繁华而趋沙漠之荒邈，释轮车之便利而取驼马之艰辛，去使馆之舒和而乐风沙冰雪之寒苦"，一再请求去考察中亚细亚和西伯利亚；到日本任出使大臣后，又何以会出钱出力，和杨文会(守敬)合作，穷搜博采，辑印了大规模的《古逸丛书》。

古逸丛书

《古逸丛书》在版本学上的意义，笔者愧不能谈，只想指出：其中如影宋蜀大字本《尔雅》、覆元本《楚辞集注》、覆旧钞卷子本《玉烛宝典》、影北宋本《姓解》、影宋本《史略》、影旧钞卷子本《天台山记》和影宋《太平寰宇记》佚文，在名物考证、史地研究上都有很高的文献价值。

尤其是《太平寰宇记》，这是北宋时的一部地理书，文章并不算好。它的价值就在于：在传统地志一类书的基础上，增加了民俗、风土、物产这些人文地理的内容，使“地”和“人”的关系密切起来。它在中国被冷落了几百年，并且散佚掉一部分，直到十七世纪中国的社会、经济、政治、对外关系诸因素发生变化，徐霞客（一五八六至一六四一年）、顾炎武（一六一三至一六八二年）、顾祖禹（一六三一至一六九二年），刘献廷（一六五八至一六九五年）等开始把“舆地之学”引上自然科学和经世致用的道路以后，才重新受到重视。黎庶昌和杨文会在日本刻意搜求这类佚书，把它们和日本正平本《论语集解》、唐开元注本《孝经》同等看待，精工摹刻影印，这就不单纯是出于文人好古的趣味了。

寻求世界地理知识

一八四〇年西方的大炮轰开了中国的大门，中国的有识之士开始认识到，为了救亡图存，必须了解“天下大势”，使自己对于迅速变化中的世界由无知变为有知。这个“大势”，就包括世界地理知识（自然地理和人文地理，而尤其是后者）在内。应该说，古代中国关于外国地理知识是很少的。徐霞客提出过：“昔人志星官舆地，多承袭傅会。江河二经，山川两戒，自纪载来，多囿于中国一隅。”顾炎武在他那有名的《天下郡国利病书》中转引傅元初的资料说，“海外之夷，有大西洋、有东洋，大西洋则暹罗、东埔诸国……，而东洋则吕宋，其夷佛郎机也”，与真实情形相距甚远。林则徐、魏源和徐继畲编写《四洲志》、《海国图志》、《瀛寰志略》等书，是中国人讲述世界地理的开始。但他们的足迹不出中国，所述偏重自然地理，再加上些行政区划、都市人口的材料，对“活”知识介绍得很少。黎氏抱着“经世致用”的明确目的和对人文地理的浓厚兴趣，仗着一支“雄奇万变”的笔杆子，在《西洋杂志》中向国内介绍了欧洲各国的国政民俗、社会生活、交通途径、风土人情。尽管他思想上倾向性不强，政治态度毋宁说略近保守，文章也不像薛福成那样议论风生、鼓吹改革，但也许正因为如此，这些客观的、平实的记叙，更容易使当时多数读者乐见喜闻，起到了让中国人打开眼界、了解世界的作用。

采国风，观民俗

《西洋杂志》中黎庶昌的文字，有一种与众不同的特点。他所记述的重点，不是本人的行踪交往，亦不是使馆的交际应酬，甚至也不是外洋的基本资料，而是当时英、法、德、西等国的社会和文化。它们就像反映十九世纪西洋生活的一卷风俗图，画面奇特，色彩新鲜，为当时国内的人们见所未见。

就拿《斗牛之戏》这一篇来说吧，黎氏大概是中国描写西班牙斗牛的第一人。在他之后，动笔的人无虑百十，仅笔者见到过的少说也有一、二十篇；而论描写的简明生动，却很少有人能够超过他。今节录如下，供读者欣赏：

斗牛之戏

> 斗牛之戏，惟日斯巴尼亚有之，为国俗一大端。距马得利二里许，山冈略平处，有房杰然特出，斗牛场也。圆墉四周，而空其中央，径八九十丈，外为走廊，内列坐，可容一万数千人。……日国分四十七府，每府各有其一，多者二三，较法国赛马之风为尤甚。……
>
> 中四月初一日，予买票往观。……始开门，纵牛入。骑马者二人，手持木杆，上安铁锥，先入以待。所踏脚镫，系铁鞋如斗形，牛不能伤。又有数人，各持黄里红布一幅，长约六尺，宽约四尺，诱张于前。牛望见红布，即追而

触之,……角入马腹,肚肠立出。……

俟斗伤两马后,即易以人,诱法如前。牛有时不触,或逐急,其人即弃红布于地,而跃出围外。有持双箭者,箭皆以五彩布剪绥裹束,捷出牛之左右,插入背脊隆起处。箭有倒钩,即悬挂于脊上,血出淋漓。如是者三,插入六箭。再易一人,用剑刺之。其人右手持剑,左手持红布一幅,且诱且刺。剑从脊背刺入心腹,牛即倒地。大众拍手欢呼,亦有掷帽于围内以贺者。……

是日凡斗七牛。第一牛斗伤两马,一马死于围内,一马骑出死;用剑者六刺始中脊缝。第二牛……怒逐人,跃出围外二次;用剑者三刺始中,血从牛口喷出。……第四牛斗死两马;一马腹裂,肚肠全堕于地,立死;一马肠拖丈馀,倒地,骑者用带束之,鞭起再斗,然后死。……越五日,闻第六牛所伤之马骑者亦因马鞍筑胸而死。是日在坐万馀人,该国君主亦与焉。

此事,西洋各邦无不讥其残忍,然成为国俗,终不能革,并属地古巴,亦有此风。观其房式,正与罗马斗兽处废址如一,闻罗马古时,以罪人与各种猛兽徒搏,此只用牛,则习俗由来已久矣。数月前,有上议政院绅名生达纳者,新闻纸馆总办也,发论于议院,请设一斗牛学堂,以备选人练习,其视重如此。……

白描手法

此文纯用白描手法,把斗牛的残忍用貌似冷静的态度细细刻画出来,作者的爱憎也许需要稍微纤细的神经才能感觉得到,却恰能增添文字的真正的力量。

黎氏描写民风国俗,不是单纯猎奇志异,专寻热闹场面,而是十分注意文化的内涵。这固与他的文化修养有关,但更可以看出他对“地”与“人”的研究兴趣。在马德里时，适逢西班牙名诗人、剧作家卡尔德隆（黎氏称为加尔得陇）逝世二百周年，西班牙国家和人民举行了隆重的纪念活动。《西洋杂志》中《加尔得陇大会》一篇，也写得十分出色：

加尔得陇

日国才人名加尔得陇者，以能诗及善撰戏曲称，……死已二百年矣。一千八百八十一年西历五月二十五日，国人为作百年大会。予初意以为寻常出会而已，岂知踵事增华，竟是小题大做。先期，马得利知府致书各国，请派员前来观会。又征诗于欧洲各国，以相倡和。本地富贵之家，以及文人学士，亦各自为会。或萃聚各家珍宝之物，罗列陈设，备人游观。或聚集文人，讲论加尔得陇故事，诵其遗诗。或考试学徒，散给奖赏。有一会最雅，将各国寄到之诗，汇印成册，赴之者各赠其一。其不入选者，则用信封封之，书其人姓名于外，逐一唱名，置银碗内，用烧酒焚化之，以示吊加尔得陇也。……

……二十七日为出会正日，君主请至宫前观看。首为巡捕马兵一队；内有八骑，系二百年前装束。次为各戏馆旗帜。次为铁作之车，工匠十馀人烧

甚難往往購票數年而未經一獲者然其足以動人全在頭數彩可以一日而暴富數萬數十萬故國人趨之若鶩耳

加爾得隴大會

蒓齋雜記日國才人名加爾得隴者以能詩及善撰戲曲稱始爲兵繼爲日主召入宮中作侍從之臣終爲教士死已二百年矣一千八百八十一年西歷五月二十五日國人爲作百年大會予初意以爲尋常出會而已豈知踵事增華竟是小題大做先期馬得利知府致書各國請派員前來觀會又徵詩於歐洲各國以相倡和

（庚子遵义黎氏刊本）

> 炉、熔冶，锤铁之声与音乐相间，自成节奏。次印书作房之车，二人坐于车中，用机器印书，随印随散。次铁路街军行之车。次各教习会车旗。次卖酒会，白铅所铸二尺许高大杯，两人扛之以行。……次别国派来入会作戏曲之教习。次属地古巴之车，上塑果隆（哥伦布）像，即初寻得亚墨利加地者。……过王宫前，男则摘帽，女则摇巾，向君主致敬，亦向加尔得陇像为礼。每队会首各持花圈，置于像之左右，西洋上坟礼也。车皆装束故事，最后一车，中塑加尔得陇，前后飞仙四人，金身裸体护之，尤觉壮观。

古文描写异邦景物

用中国的古文描写异邦景物，不是那么容易的。黎庶昌却能娓娓道来，神气活现。有的篇章，不在后来朱自清白话文写的《欧游杂记》之下；比起姚鼐的《登泰山记》之类的文字，读来亲切有味多了。如记油画云：

> ……一画女子衣白纱，斜坐树下，手持日照，旁有白鹅求食；苹花满地，蕉绿掩映其间，清气袭人衣袂。一画垂髫女子六七人，裸浴溪涧中；若闻林中飒然有声，一女子持白纱掩覆其体；一女子一手掩额，偷目窥视，馀作惊怖之状。一画命妇赴茶会归，与夫反目，掷花把于地，掩袂而泣；花皆缤纷四落，散满坐榻；其夫以手支颐，作无主状。

又如写瑞士风景：

> 十四日巳刻，行至两峰尽处，忽然开朗。有大湖横列于前，清澈可鉴，所谓勒沙得勒湖也。湖东诸山，连绵不断，石骨秀露，层晕分明，绝似倪云林画意。回望两崖上，

云气滃然涌出，旭日射之，皆成金黄色……

即使在纯粹纪游的文章中，黎庶昌也对社会比对自然更感兴趣，虽然这两个方面他是写得一样的好。《西洋游记》第四篇写摩纳哥一节云：

以赌为国

是夜至马纳哥。马纳哥以赌为国。法富人不郎氏建赌庭于山巅，壮丽无比。闻每岁赌项出入约十四五兆，纳八十万佛郎于邦君。远方游人来此赴赌者，取保而后入。予与眉叔登其庭，阍者问："欲与赌乎？"答曰："非也，行客过此，欲进内一观耳。"阍者以告总办，授两绿票，遂入赌场。厅长十馀丈，现设长桌三，环坐数层，冬日则增桌至七。桌上皆画斜格，中设圆转盘，盘中有球。每次由赌官转盘，视球之所落，以定胜负。金钱之声，铿锵盈耳，堆积者动以万计，胜者用象牙长柄小爪爬之，真所谓见所未见。

文人·外交官·地理学者

《西洋杂志》的许多描写，在外交官的出国记述中确实是别具一格的。但这并不是说，黎庶昌仅仅写了一部描写社会相的游记。从《西洋杂志》中看到的黎庶昌，不仅是一位关心社会、善于用笔的文人，同时也是一位有爱国思想的外交官，一位有探索精神的地理学者。

在《郭少宗伯咨英国外部论喀什噶尔事》一篇中，写到了中国政府平定新疆阿古柏叛乱时的外交斗争。当时"英国之私意，欲建喀什噶尔自成一国，为印度藩篱"。英国外相屡次向中国驻英公使郭嵩焘“缓颊”，希望中国停止平叛战事，与阿古柏（黎氏称为牙古波）派到伦敦的“使人”进行谈判。郭嵩焘曾“因其所请，据以入奏”。对此，黎庶昌是坚决反对的。他认为“喀什噶尔业已破坏，万无久存之理；老湘营一军，百战不挫，必蒇大功”，“欲乞宗伯（郭嵩焘）寝此奏而不克”。其后数月，新疆叛乱终于全部平定，“斯议乃止”。黎庶昌“在伯尔灵（柏林）闻捷音，赋诗一章志喜”，诗曰：

索地陈兵君莫让

> 轻车度幕不惊尘，矫矫将军号绝伦。
> 回准降幡齐入汉，图书旧版复收秦。
> 雪消葱岭鸿难度，草长蒲稍马易驯。
> 索地陈兵君莫让，乌孙西去付行人。

诗后，又特地点明：“时伊犁尚为俄人所据，故云然尔。”

“索地陈兵君莫让”，就是黎庶昌对沙皇俄国在新疆西境侵略扩张野心的态度。他主张抵抗，不赞成退让。《西洋杂志》中《答曾侯书》，讲得至为透澈：

> 当咸丰年间议割黑龙江时，以为弃此数千里不甚爱惜之地，以惠俄人，重订新章，当可保百年无事；乃曾未十年，而伊犁已入俄人之手矣。新疆道远费重，人人谓难。假令中国此时笃守先王“不勤远略”之义，即举新疆而尽让之，画嘉峪关以为守，而关以内仍不能不用重兵屯扎。俄人得尺进丈，又不数年，而驻军哈密等处，复假通商为名，以与中国议增口岸，求索他地，不与则兵戎从事，其将何以自处？一国如是，他国又从而效之，更何以自处？……若依中国小儒之见，不但新疆可弃，即西北等省亦在可弃之

列，只留东南数处足矣。……当俄人取伊犁时，议割黑龙江诸臣已不及见矣；设令幸在，而其人富贵固自若也。

这是多么可悲可痛的历史教训。有爱国心的黎庶昌，对放弃领土主权的行为可说是鞭挞不遗馀力了。

从外事工作的实践中，黎庶昌对于西方列强的强权政治和实力外交深有体会。他在《上沈相国书》中指出："一遇公事交涉，则各国俱颇自尊大，纯任国势之强弱以为是非，斯固未可尽以理喻。"所以，办外交最重要的要靠增强国家实力，而在当时强弱悬殊的形势下，还应该讲究外交策略，看清主要危险，实行区别对待。他始终认为沙皇俄国"行事谲诈"，"志在得地南侵，蒙古、新疆，垂涎已久"，是中国最紧迫的危险，所以不赞成联俄，而主张联英。联英的主张虽未见得正确，但防俄的主张总是不错的。

请从陆路考察俄国

出于对"多识、格物、博辨"的追求，对地理考察的热爱，再加上考虑到防俄的需要，黎庶昌"不惜躯命"，想趁曾纪泽赴俄订约的机会，争取去俄国西伯利亚、中亚细亚广大腹地考察旅行，为此而给曾纪泽（曾氏袭封侯爵，故黎呼为侯爷）写过三封信。在第一封信中，他写道：

……中国从未有遣一介之使，涉历欧亚两洲腹地以相窥觇者。从前康熙年间，曾遣兵部郎中图理琛出使，假道俄罗斯西悉毕尔（西伯利亚）以行，往返三年，仅至土尔扈特而止；其地在哈萨克游牧之西，尚未出亚细亚境也。同治中钦差副使志刚奉使至俄，亦有陆路回国之议，嗣以畏难而止。……庶昌不惜躯命，乞充一路之任，以上报国家，为奔走臣；……至京师后，再出张家口，而至俄都，然

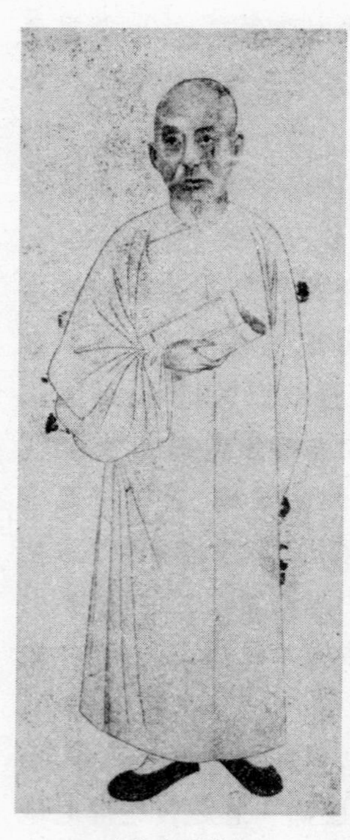
（黎庶昌像）

后销差，始终其役。如此，庶昌虽死，亦可以不朽矣！昔博望侯张骞发间使四出，其姓名皆轶不传：惟定远侯班超遣椽甘英往通大秦，至条支临海欲渡，安息西界船人以海水广大止之，载在范史。侯爷若能行此英谋伟略，是亦今之骞、超也。

为了给旅行考察做准备，黎庶昌“博访周咨，搜求书籍”，“竭数月之力”，找到了下列资料：(一)一英商由上海、北京经恰克图取道西伯利亚回欧洲行纪节略；(二)英人密溪由北京出蒙古中路至俄都载记；(三)法人密仰由俄都经西伯利亚至北京载记；(四)英人伯尔拉贝至机洼(基发)等处游记；(五)英人瑞勒尔至土耳迄司当、伊犁、塔什干等处游记；(六)法人涉发尔卫及其妻布尔当夫妇至土耳迄司当、萨马耳罕、伊犁等处游记；(七)俄人卫勒果夫游历新疆载记。他令本署洋翻译先行摘录，译成中文，然后“以路为经，以说为纬”，亲自整理成《由北京出蒙古中路至俄都路程考略》和《由亚西亚俄境西路至伊犁等地路程考略》两份材料，“行路得此，已足取资”。

搜集西人旅行记载

这两份材料，是中国人对西伯利亚、中亚细亚进行系统调查研究的“开山之作”，在地理学史上应有一定的地位。正如黎庶昌在给曾纪泽的第二封信中所说，中国以前关于西北边徼以外的地理著作不多，在实地旅行考察基础上写成的著作更少。徐氏《汉书西域传补注》、何氏《北徼汇编》(即《朔方备乘》)，只是辑录古籍中的有关记载；图里琛的《异域录》，仅至土尔扈特，尚未出亚洲境；"张遂宁相国之日记……系随大军出塞，至库伦而还"。这些书对于前往实地考察的旅行者的参考价值都是有限的。黎庶昌搜集整理的两份材料却完全不同了，兹各录一节如下：

(由北京出蒙古中路至俄都)过蒙古地方可以骑骆驼，亦可骑马。骑马须用蒙古马鞍。当于七月内行走(西洋七月，中国之五月底六月初)，其时有草，可以养喂牲口。若骑马速行，一日一换，可以十二日经过沙漠。但行路如此，辛苦异常，因其路有八百买尔(公里)之遥，实中国之二千四百里。

驰十二日横过沙漠

行此道应用蒙古及俄国话。但曾读书之俄人，往往在栈房有说德国话者。……

* * *

(由亚西亚俄境西路至伊犁等处)在俄境道上，必须自买一车，方利行走。否则逐处更换，一日之间多至数次，最为不便。行路事毕，仍可转售。雪车无轮，惟以两弯木条直拖在地而行；馀亦用木无多，轻而能速。顶遮布卷篷，敞其前面。车之左右各张木条，前则紧着而后斜张如两翅，以防同别车相碰。一日之间，多者碰至一二十次，两不相碍。车有大小两种；若两车相碰，大车反容易翻倒。然均不太高，即使翻倒亦不致受大伤。车前有板，为车夫坐位。驾马颇难，须有人帮助。

客观态度，纪实手法

自郭嵩焘以下，清季的外交官当中，出了不少的“洋务派”和“维新派”，如曾纪泽、李凤苞、薛福成、黄遵宪等。黎庶昌没有成为什么派，他的兴趣不大在政治、经济方面，访书、编书、著书、刻书，都是文人学者“当行”的事情。但是，他和上述诸人一样，也是被一八四〇年的历史潮流送上走向西方的道路的。从封建专制的中国，到资本主义的欧洲，他所看到的当然不仅仅是不同的肤色、不同的服式、不同的风俗、不同的山河，而是一种不同的生活方式、不同的价值观念、不同的制度和文明。尽管黎庶昌不愿意多往深处想，尤其不愿意多发表政治议论，但只要他关心社会，关心国风民俗，他就不会看不出这些根本不同，也不会不在他的客观态度和纪实手法中，多少透露出发人深省的消息。

法文译本

Titre original
Xiyang zazhi
黎庶昌
西洋杂志

Changsha, 1981,
Editions populaires Hunan

Copyright 1988
Fondation de la Maison des sciences de l'homme
Imprimé en France

Illustrations. Source :
Chengzhong Mengxuetang zike tushuo
(Syllabaire illustré, 1906, Shanghaï)

Photos
Agence H. Roger Viollet
Reproduction interdite

Relecture
Dominique Lassaigne
Susanne Faraut

Responsable de fabrication, conception et couverture
Raymonde Arcier

（法译本的版权页）

他看到了机器生产的优越性和十九世纪欧洲的技术文明。英国乌里治制炮厂将六吨重的坯料锻制成炮管的情形，在他的笔下是：

……凡十卷而成一巨箍，其重六吨。又入一大炉，炉宽而不深，可熔热二万尺方烧至三千度之融热。屋顶有起重架，可起八十吨。钳长六十尺，十馀人曳出之，钳使竖立；用铁锤锤十馀下，令其缝融合；再以冷铁管套入，徐徐横卧而横锤之。……铁锤重四十吨，汽机动之如数十百斤然，可谓灵巧之极。

一八七八年巴黎万国博览会上展出的气球，会后安置在罗浮宫前，星期日游人可以买票乘坐升空。黎庶昌“随众一试”后，也写了一则杂记：

乘轻气球

球下悬大圆木筐，护以铁栏，为站立处，可容五十人。……欲坐者纳十佛郎买票，上升在空中五分时。……既下，则人受一径寸大之铜钱，面铸球形，极其精致，用为纪念。球皮用布缝成，涂以印度胶、松香、白油，日晒雨淋，不易败坏。其大径三十五买特尔，围圆一百零五买特尔，容轻气二万六千建方买特尔。……因有绳系，故下降时不用泄气。间一二日微有走漏，则增气填实之。昼夜兼放。

造纸、纺织是在中国有悠久历史的传统工艺，但黎庶昌在法国看到的造纸、织呢，又是一番景象。造纸“凡经机轴六次，皆一气呵成，神速异常，不假人力”。制呢则“次第一如中国纺织棉布，并无差异；所异者，中国以人工，西人用机器；西人可为百者，中国只能为一，优劣巧拙遂殊耳”。

他也看到了西方国家的议会民主制，这是跟中国君主专制政体完全不同的一种新的政体。他虽然没有着重考察外国政治，但在德国、法国和西班牙，都曾应邀去议院旁听，也一一留下了记载。其记日国更换宰相一则有云：

> 西洋朋党最甚。无论何国，其各部大臣及议院绅士，皆显然判为两党，相习成风；进则俱进，退则俱退，而于国事无伤，与中国党祸绝异。

西洋两党

记法国总统马克蒙（麦克马洪）辞位云：

> 缘下议院绅左右两党（左为民，右为君）数常相埒，故领部事袒左则右排之，袒右则左排之。……至七十七年春间，从左者渐众，……左党之首刚贝达（甘必大）发论，力抗朝政。马克蒙商请上议政院，遣散下议院绅，令民重举。下议院从左党者众，……至开会堂时，下院绅遂恣意求索，……（马克蒙）决意辞去。朝定议，夕已退位矣；巴黎之人，若弗闻也者。

在《与李勉林观察书》中，他说自己到伦敦月馀，"往观会堂者一，往与公朝者二。默察该国君臣之间，礼貌未尝不尊，分际未尝不严。特其国政之权操自会堂，凡遇大事，必内外部与众辩论；众意所可，而后施行。故虽有君主之名，而实则民政之国也"。

黎庶昌认为：民政之国比起君主之国来是一种进步。《西洋游记》第二篇介绍瑞士的民主制云：

瑞士民主

> 瑞士分二十二县，每县举上议院绅二人；下议员绅则以人数之多寡为额，大率二万人得举一人。其入议院者，共一百三十馀人，办事则推七人为首，七人之中推一人裁

决，定例每岁一易。西洋民政之国，其置伯理玺天德本属画诺，然尚拥虚名。瑞士并此不置，无君臣上下之分，一切平等，视民政之国又益化焉。盖其地本山国，各邦无欣羡之心，故得免兵事；而山水又为欧洲绝胜，西洋人士无不以乐土目之。

（法译本插图一）

比较起《答曾侯书》中所云，“中国君主专制之国，有事则主上独任其忧”来，瑞士这片“无君臣上下之分，一切平等”的乐土，不是颇能令人向往的吗？

特别值得提到的是，黎庶昌还看到了十九世纪七十年代欧洲的社会革命运动，对德国社会革命党人和俄国民意党人行刺皇帝的事件，分别作了客观的记述。其《开色遇刺》一篇云：

开色（即恺撒，为德皇之称号）于五月初二日归自近郊，距宫门数十武。车经一寓楼下，忽枪声訇然自窗中出，伤开色右臂及腮。……

……行刺者就获后，刑司讯之，以“为民除害”为词，迄无他语。刑司亦不株连，久乃知为“索昔阿利司脱会党”。“索昔阿利司脱”，译言“平会”也。意谓天之生人，初无歧视，而贫贱者乃胼手胝足，以供富贵人驱使，此极不平之事；而其故实由于国之有君，能富贵人，贫贱人。故结党为会，排日轮值，倘乘隙得逞，不得畏缩；冀尽除各

索昔阿利司脱会党即Socialist

国之君,使国无主宰,然后富贵者无所恃,而贫贱者乃得以自伸。彼会之意如此,非有仇于开色也。其党甚众,官绅士庶皆有之,散处各国。(行刺者)一曰黑得尔,系工人。一曰诺毕令,系“刀克特尔”(博士),犹如中国之进士。黑得尔被诛,诺毕令以创死。

“贫贱者乃胼手胝足,以供富贵人驱使,此极不平之事”,此当系中国人对社会主义革命思想最早作出的浅显说明。“索昔阿利司脱”为 Socialist 的对音,即社会主义者。黎庶昌在一八七八年写下的这一报道,可算近代中国介绍欧洲社会主义运动之嚆矢,不知研究社会主义史的人可曾注意及之。

《俄皇遇刺》一篇虽然也纯用白描,却写得更酣畅淋漓一些,文曰:

Nihilism尼喜利斯木刺杀俄皇

俄皇阿赖克桑得尔第二(亚历山大二世),……事皆独断独行,又不设立议院,民情不能上达,素为国人所忌。其国有名索息阿利司脱、尼喜利司木(Nihilism,虚无党)者,译言平会,欲谋害俄皇者屡矣。去年曾开地道深入王宫,用地雷轰塌其厅堂;又伏地雷于火轮车道中,发皆未中。由是国禁愈严,坐此入狱者甚众。而该党亦誓不两立,志在必行。

辛巳二月十四日,西历一千八百八十一年三月十三也。两点半钟,俄皇出外阅兵而还。……行至不拉司密晒尔之法国戏馆前,猝有一人抛掷炸弹于车下。火药猛发,击伤从官两人,兵数名,俄皇幸免。马惊车裂,御者犹欲鞭马疾驰以过,俄皇止令驻车。……俄皇甫下,从官下犹未毕,复一炸弹至,正中俄皇。立将两腿少腹迸裂,筋肉皆碎,额旁亦穿一巨穴。……扶载入宫,已不能言。医者缚束其血管,溢不止,须臾而薨,年六十三。

谋逆者立时擒获。其第一人,则矿务馆学生也。次者亦自受弹伤,送入医院,逾二时死。……而该会党竟于是夜遍张示谕,谓:"俄皇于一千八百七十七年九月初七日已定死罪,今始行诛。若嗣立者仍不革前皇之所为,罚亦不远。"……

《西洋杂志》中黎庶昌记政治事件的文字并不多。皇帝被刺这样的大事,他也是作为社会上发生的命案来叙述的。也许他觉得这样可以"自由"一些,可以暂时丢开大清帝国外交官员的身份。

(法译本插图二)

FROM EAST TO WEST

17 徐建寅《欧游杂录》

□ 徐建寅以工程技术专家的身份,于一八七九年由李鸿章奏派往欧洲订购铁甲战舰,并考察机械、化工制造、采矿和企业管理。两年中历访德、英、法各国,有《欧游杂录》。兹据华亭(上海)钟天纬校刊本整理。

病毒攻心、溃烂垂死的病人,靠手术从异体移植几块皮肤,是无法延长其生命的。“洋务派”的练兵、简器、造船……等“自强”措施,正同这种手术差不多,难怪郭嵩焘在当时就讥之为“舍本逐末”的做法。但是,在“简器、造船”亦即从西方引进军火制造技术和设备(包括购买和订造一部分成品)的过程中,毕竟也培养出了中国第一代技术专家。徐寿和徐建寅父子,就是其中的杰出代表。

第一代的技术专家

徐建寅的《欧游杂录》,记述他光绪五年(一八七九年)由李鸿章派往德国定购铁甲兵船,同时考察兵工、机械、化学、采矿等企业的情形,时逾二载,内容十分丰富,是近代中西交流和技术科学发展史上的一份重要资料。

声光化电

欧洲在希腊、罗马时期开始萌芽,在文艺复兴以后逐步形成体系的自然科学,传入中国的时间从一五八三年利玛窦西

来时就开始了。一些学科在中国“开山”的著作是:

最早介绍西学的书

地理学:《山海舆地图》(利玛窦绘刻,明万历十三年,一五八四)

天文学:《浑盖通宪图说》(利玛窦述,李之藻译,明万历中,一六〇〇至一六一〇)

数学:《几何原本》(六卷本,利玛窦、徐光启合译,明万历中,一六〇〇至一六一〇)

物理学:《奇器图说》(第一卷讲重心、比重,第二卷讲杠杆、滑轮、轮轴、斜面,第三卷讲简单机械的应用,邓玉函述,王徵译,明天启间,一六二一至一六二七)

生理学及医学:《人身说概》(邓玉函著,明天启间,一六二一至一六二七)

兵工学:《则克录》(介绍火炮技术,汤若望授,焦勖译述,明崇祯间,一六三〇至一六四〇)

但是最初并没有人介绍化学、机器制造学和航海学。

爱新觉罗族的入关,打断了中西文化交流的进程。清廷从统治者的安全感出发,实行“华夷隔绝”的政策(富有讽刺意味的是,他们自己本来也是“夷”)。这个政策,得到了保守倾向严重的汉族士大夫阶级中大多数人的支持。杨光先所谓“宁可使中国无好历法,不可使中国有西洋人”,一语道破了这个政策反科学、反文明的实质。正如马克思在《中国革命和欧洲革命》这篇著名的论文中所分析的:

> 推动这个新的王朝实行这种政策的更主要的原因,是它害怕外国人会支持很多的中国人在中国被鞑靼人征服以后大约最初半个世纪里所怀抱的不满情绪。由于这种原因,外国人才被禁止同中国人有任何来往。

因此，中国人重新接触欧洲自然科学，特别是学习在产业革命后迅速发展起来的近代技术科学也就是所谓“格致之学”，只能从一八四〇年以后重新开始。

曾左李沈始学西洋

以曾国藩、左宗棠、李鸿章、沈葆桢为代表的在鸦片战争和太平天国战争以后掌握了部分地方军政权力的汉族士大夫官僚，首先在革新战争手段即军火这件事情上，接受了林则徐、魏源“师夷长技以制夷”的思想。李鸿章同治元年写信给曾国藩，说他“深以中国军器远逊外洋为耻，日戒谕将士虚心忍辱，学得西人一二秘法，期有增益”。后来，他又在致总理衙门的信件中说：

> 中国欲自强，则莫如学习外国利器；欲学习外国利器，则莫如觅制器之器，师其法而不必尽用其人；欲觅制器之器与制器之人，则当专设一科取士。

“专设一科”，以“西学”取士，就要废掉“干禄之阶”的八股文，这是传统士大夫阶级的命根子，是千万动不得的。于是，他们只好退而求其次，一面聘请外国科技人员，翻译科技书籍；一面选派学生出国留学，同时在国内努力培养“制器之人”。曾国藩首先在安庆设立军械所，李鸿章则在上海设立制炮局，后来又合并办成“江南机器制造总局”（今“江南造船厂”的前身）。正如黎庶昌所说：

> 幼童出洋肄业，发于容纯甫（闳），而文正公（曾国藩）主行之；轮船公司（即制造局）之设，亦发于容纯甫诸人，而伯相（李鸿章）主行之。

尽管选送出国幼童不是为了去接受新的观念，制造局制造枪炮兵船也不是为了变革旧的制度，但在当时历史条件下，这些事情对促进中国的现代化进程，毕竟有积极的作用。

徐寿、徐建寅父子，就是曾国藩开办安庆军械所时最先物色并造就的科技人才，也是"洋务派"一直最得力的科技干部。

（徐建寅之父徐寿）

徐寿

徐寿（一八一八至一八八四），号雪村，世居无锡北乡，祖、父都是"力田"的乡民。他"幼习举业，继以为无裨实用"，就弃八股而不为，终身不求功名，至死还是"布衣"，连秀才也没有考一个。咸丰初年，伟烈亚力（Alexander Wylie）、麦都思（Walter Henry Medhurst）等东来，在上海开设"墨海书馆"介绍西学，并吸收中国知识分子入馆助译，著名数学家李善兰，便是最早去应聘的学人之一。"是时西学初入中国，钩辀诘屈，读而能解之者寥寥无几"；徐寿和好友金匮（金匮和无锡是一城两县，事实上算是同邑）华蘅芳，"于举世不为之日，冥心孤往，潜精绝学"，如饥似渴地搜读墨海书馆编译的介绍"代数、几何、微积、重学、博物之书"，"洞烛扃钥，能推阐而发明之"（引文据《锡金四哲事实汇存》）。华蘅芳的兴趣主要在数学上，后来成了和李善兰齐名的大数学家；徐寿的注意力，则集中在博物（物理、化学）方面。

格致之学

当时把西人介绍的各门科学都叫做“格致之学”,这是从传统儒家“格物致知”那里截取而来的一个名词,按其内容来说,二者之间并无什么关系。中国的儒家讲“格物致知”,那是和“诚意正心”、“修身齐家”联系在一起的,跟依赖实验并严格遵循逻辑推理的近代自然科学完全是两码事。古时王阳明对着庭中的竹子“格”了好多天,人也“格”病了,对竹子的性质还是“知”之不多;原因就是他不肯动手做实验,只知道在自己的心(头脑)里“致良知”。这种旧式的治学方法,当然不能适应自然科学的发展。

格致之学的主要内容即“声、光、化、电”,这是徐寿他们学习研究的重点。在学习研究中,他们注意采用了实验的方法。“是时声、光、化、电各种器皿运入中土者绝希”,徐寿和华蘅芳“多方搜求,始致什一”。他们“朝夕研究,目验手营,偶有疑难,互相讨论,必求涣然冰释而后已”。有次见到书中讲三棱镜可把日光分为七色,他们想尽法子找不到三棱镜,就花工夫把一颗水晶图章磨成三角长条,果然能够把日光分成七色。书中讲枪弹的弹道呈抛物线,发射角四十五度时射程最远,徐寿“疑其仰攻与俯击之矛盾也”,又设法弄来枪枝,设立了由近到远许多靶子,实地加以验证。

(徐建寅,1845—1901)

徐建寅

徐建寅(一八四五至一九〇一)是徐寿的第二个儿

子,故名仲虎。他们父子只相差二十来岁,父亲做实验,有时儿子也参加,父子俩很快就掌握了墨海书馆介绍的“格致之学”,并且开始把它们用于实用。徐寿尝言:“格致之理,必藉制器以显;而制器之学,原以格致为旨规。”他手自操作,搞化工、机械的试验研究,渐渐在江南有了一些名气。咸丰十一年(一八六一),驻师安庆的曾国藩,以“研精器数、博涉多通”,向朝廷保荐了华蘅芳这个“贡生”和徐寿这个“起自田间”的“布衣”,并在筹办安庆军械所时,聘请他们来主持科技工作。同治元年(一八六二),徐建寅也随父亲来到了安庆。

坚船利炮

徐建寅到安庆军械所时只有十七岁,但是他具备了成为一个优秀科学技术人材的品质,勤奋、踏实、聪明,特别是有一股发愤图强的热情。

这时曾国藩、李鸿章在军事上迫切需要“坚船利炮”。向外国买船、买炮得出高价,请“西洋匠师”来造船造炮更要花大钱。而且,如果说曾国藩等人对外国人就没有戒心,也是不合事实的。有记载说:(曾)“愤西人专揽制器之利,谋所以抵制之”。他问徐寿和华蘅芳:“能不能不请洋师洋匠,完全由中国人造出轮船?”“初生之犊”的徐建寅,极力支持父辈把这个任务承担下来。于是,由徐寿出头“呈请自造轮船”,曾国藩予以批准。他们从上海找到关于汽机、造船和机械设计制图的技术资料,一边学习,一边绘图,一边指导工人动手制造,终于在安庆造出了中国第一台蒸汽机和第一艘轮船。这艘轮船由曾国藩命名“黄鹄”,长五十馀尺,每小时能行二十馀里,“全用汉人,未雇洋匠”,“皆由手造,不假外人”。它是中国技术人员和

黄鹄号

中国工人的光荣。

根据记载，"黄鹄号"蒸汽机的计算是华蘅芳完成的，船体设计和施工则完全由徐寿负责，而徐建寅"屡出奇思以佐之"。"黄鹄号"下水后，徐寿立即被任命为新建的江南机器制造总局的"总理"，徐建寅也一同到了上海。这里局面大了，工作也做得更多了，陆续造成了"操江"、"测海"、"驭远"等兵船，以及船上所用的各式大炮。制造总局成了我国近代工业的起源地，培养了最早一代的技术人员和技工。直到如今，江南造船厂仍然是我国造船工业的重要基地，徐氏父子的功劳是不可埋没的。

主持江南机器总局以后，徐氏父子大大开展了对化学、机器制造学和造船学的研究。他们向曾国藩建议，在造船造炮的同时，必须研究和发展基础科学，才能"探索根柢，不受西人居奇"。曾国藩对此"大为嘉许"，批示说："此举较办制造局尤要"。于是以制造局为核心，建立了"上海译书局"，后来又和其他方面合作，办起了"格致书院"，邀集华蘅芳、李凤苞、王德均、赵元益等科学家，并聘请外国科技人员傅兰雅（John Fryer）、林乐知（Young John Allen）、金楷理（Carl T. Kreyer）等人，进行大规模的研究译述工作。

译书局

我们现在所看到的徐寿译著的科学著作，有《西艺知新》正续刻、《化学考质》、《化学鉴原》正续补篇、《化学术数》、《物体遇热改易记》、《汽机发轫》、《营阵揭要》、《测地绘图》、《宝藏兴焉》等十二种。徐建寅的译著更多，有《化学分原》、《声学》、《电学》、《兵学》、《器象显真》、《器象显真图》、《摄铁器说》、《艺器记珠》、《造硫强水法》、《石板印法》、《造铁全法》、《汽机新制》、《汽机必以》、《海军章程》、《运规约指》、《水师操练》、《轮船布阵》、《营城揭要》、《操格林炮法》、《测地捷法》、《绘画船线》、《造船全书》、《兵法新书》等二十多种。

徐氏父子的译著,用今天的科技水平来衡量,虽然不免幼稚,但和过去《几何原本》等书一样,也是开山之作,在中国的化学、制造学史上起了“筚路蓝缕,以启山林”的作用。一九一〇年杨模为《锡金四哲事实汇存》一书所作的序言说得好:

> 今者欧学岁渐东行,新书新理饷我学界,弥日出而不穷;后生末学,负其锱铢升斗之积,或者蔑弃前贤,以为陈迹。不知天下之理,历世而益明,子孙之所发扬,或胜于高曾之矩矱;然其所凭藉以深入理薮者,舍前贤学术途径又奚从?居恒窃叹,谓诸君子出世未遥,著书虽益显,而俗士耽新厌旧,或且以刍狗株兔视之,不深负当年开迪后进之盛心耶?

淡轻四绿 $(NH)_4CI$

在《欧游杂录》里,可以看到诸如“淡轻四绿”、“铝二养三”这样一些化学名词。虽然我们天今已把$(NH)_4CI$称为氯化铵,已把AI_2O_3称为三氧化二铝;但徐氏父子当时想出把化学元素N译作“淡”,H译作“轻”,O译作“养”,AI译作“铝”(古汉文的铝字本来是金属镶嵌的意思),却确实煞费了苦心。我们今天所叫的“氮”、“氢”、“氧”,不还是“淡”、“轻”、“养”的同音字吗?

徐氏父子开始译述化学书籍的时候,日本也刚刚开始引进西学。日本学者柳原前光到上海译书局访问,特别赞赏徐氏父子的译作,决定用日文重译,并且采取部分徐氏译名作为日文译名。所以,现在中文里已经停止使用的化学名词,在日文里还可以见到,这也是徐氏父子留下的功绩。

“徐建寅之学,即受之于其父徐寿”,也可以说是家学渊源吧；但他们父子之间，“代沟”也还是存在的。徐寿的性格比较内向，“少无宦情”，“澹于进取”。自经曾国藩赞誉后，地方洋务大员争相延致，请他去筹划或主持制造、矿务事业，他总是辞谢的时候居多，谓“译书行世，较专治一事，影响于社会尤大”。他在制造局研究试制成功镪水、棉花火药、汞爆药后，把主要精力都放在译书局和“格致书院”的译事和研究上。徐建寅的性格却比较外向，他比较关心政治，也比较懂得科技事业只有在一定的政治、经济条件下才能得到发展的道理。所以，他跟提倡洋务诸人的接触更多一些，参与技术行政管理方面的工作也做得多一些。同治十三年（一八七四），李鸿章在北洋创办天津制造局，调徐建寅去负责研制硝酸。硝酸是制造火药的基本原料，进口价格很贵。徐建寅对化学有丰富的理论知识和高超的实验技术，亲自试制，很快就获得成功。建厂以后，产品比进口货便宜好几倍。

这时候，洋务运动内部已经开始出现维新变法的思想和主张。有的人渐渐认识到，不从政治上实行改革，光是把“声光化电、坚船利炮”引进来，还是达不到富国强兵的目的。徐建寅表示赞同维新派的主张，开始在政治上进行活动。在天津，他取得了“道员”的资格，向“总理各国事务衙门”上万言书，主张派人到欧洲去考察工艺技术和管理制度，总理衙门向朝廷奏保他是“胜任外交之材”。他不仅在技术上卓著声名，在政治上也初露头角了。

光绪元年（一八七五），徐建寅由山东巡抚丁宝桢派任建设中的山东机器局的总办。在济南两年，他“躬自创造，未尝延用西人”，建成了一座制造枪炮弹药的兵工厂，得到了“心思缜密、条理精详”的好评。通过这段时期的工作，他和李鸿章建立了比较密切的关系。李鸿章准备以德国为榜样筹建北洋海军，需要有懂得技术的内行去办理订购兵船等事宜，于是在推荐李凤苞出使德国之后，又于光绪五年(一八七九)推荐徐建寅以驻德参赞名义，专门负责到德国及英法考察海军、兵工，订购兵舰。《欧游杂录》便是徐建寅此行的实录，是清季出使诸人载记中有关工业技术交流的一部专著。

订购“铁甲”

李鸿章筹画“练兵、简器、造船”的情形，详见徐建寅光绪五年十月二十八日到达柏林当日所见李鸿章写给李凤苞的信中，兹节录如下：

李鸿章致李凤苞信

……德国各军，大操之期，以炮队、马队弥缝步队，相济为用。现令斯邦道三弁(按指中国选派在德国斯邦道军营接受训练的三名低级军官)乘马随阅，冀其渐有心得。……

阿蒙士唐炮船(按指在英国订购的快船)不日来华，……已委派刘、林、何三生(按均系中国留英学习海军的学生，刘即刘步蟾)管带此船。……刘、林两生，将来可调管大船。严生宗光(即严复，当时亦在英留学)，学业却能深造，以充学堂教习最为相宜。魏、陈两生，可胜督造快船之任。……

……(克虏伯)五十生米脱炮，击二尺厚铁甲，莫不洞穿，制造精良，洵甲天下。将来订购铁甲船，似可即用此炮。中国弁勇，已略习其手法。

徐仲虎昨由津南下，定于八月二十六日出洋。赫德总司大炮之议，现已停罢。……赫德欲以师丹炮船(按即阿蒙士唐快船)制铁甲船,总署颇为所惑,弟与幼帅(沈葆桢)极力辩争,而赫总海防司始罢论。弟已两次函告总署,请执事与徐仲虎在西洋访求合用铁甲新船。现存款百万,约可敷购一船,虽嫌单薄,慰情聊胜无耳。幼帅谓由华员订购,恐多周折,省费而必致糜费,不若仍属赫德、金登干等觅购。赫素不以中国购铁甲船为然,今新罢总司海防之议,更不便相托。前已面嘱仲虎,至英、德后留心访询……幸勿缓图。

仲虎将来游历各国工厂,须另开销川费。……订购铁甲,亦须有学生在厂监造,一面学驶,庶船成时可雇洋弁一同驾驶来华,均希荩筹及之。

这里说得很是明白,派徐建寅去欧洲,主要是为了"订购铁甲",同时还要"游历各国工厂"。所谓"铁甲",即装甲战列舰,系当时海军的主力舰种,为英、德等海军强国的主要战争手段。李鸿章统筹海防,计划"订购铁甲",作为新建海军的主力。担任中国政府总税务司的英国人赫德,却"不以中国购铁甲船为然",建议向英国购买"师丹炮船"(一种装甲薄弱的炮船,类似后来的驱逐舰),总理衙门居然"颇为所惑",拟请赫德兼任"总海防司",掌握中国的海防大权。北洋大臣李鸿章联合南洋大臣沈葆桢"极力辩争",才使此事成为罢论。同时,李鸿章又拒绝了沈葆桢不信任"华员",仍打算委托外国人去"觅购"的主张。可见决定要李凤苞、徐建寅"在西洋访求合用铁甲新船",非同寻常,而是关系到中国海防主权的一件大事。

新建海军需主力舰

徐建寅到英、法、德等国"留心访询"后,最后在德国司旦丁(今波兰什切青)伏耳铿船厂订造了两艘铁甲船。《欧游杂录》光绪六年十一月初一日记:"订定伏耳铿造钢面铁甲船合同,价六百二十万马克。"七年六月二十九日又记:"往伏耳铿议第二号铁甲船合同各条款。"这两艘铁甲船,就是有名的"镇远"和"定远"——中国北洋舰队的两大主力。它们后来虽在甲午海战中损失掉了,却也曾经为保卫祖国海疆尽过力量,舰长(管带)刘步蟾等也以死殉国了。

关于中国订造两艘铁甲船的情况,可看《欧游杂录》以下一段记述:

> 查铁甲船英国虽素称雄武,然得力者不过"英弗来息白"(Inflexible)一船,式最新,甲最厚,炮最大,用双旋台。……然用旋台有一弊,若被敌人大炮击坏,必致旋转不灵,即成弃物。德国鉴此,("萨克逊"船)改用定台,但嫌炮击之方向太小,乃用露炮之法;铁甲之厚十六寸;斯为德国最新之船,……其余各国之铁甲船,无有能驾乎其上者矣。惟前定台内置炮二尊,而后定台内置炮四尊,炮多而不大。……现在中国拟造之船……铁甲之厚等于"萨克逊";用二圆台,仿"英弗来息白"之制,以免如"萨克逊"一台四炮之弊;仍用露炮,炮转而台定,以免如"英弗来息白"之弊。每台内用炮二尊,为新式后膛炮,内径十二寸,其击力与"英弗来息白"之八十吨炮相埒。如此经营,似可列于当今遍地球第一等铁甲船,而价仍不逾"英弗来息白"之数。

全球第一等铁甲船

为了使中国海军增添"坚船利炮",徐建寅可以说是费尽了心血。"镇远"、"定远"两舰的吨位、装甲、火力,都超过了邻国日本的任何一艘兵船。但是,后来在黄海的硝烟血雨中,参加较量的不单是两国的"坚船利炮",而是两国现代化的整个水平。结果中国失败,“镇远”和“定远”的英雄末路,成了“威海卫熸师”中令人扼腕的一幕,徐建寅的一番心血也就此灰飞烟灭了。

游历工厂

徐建寅到欧洲的另一项重要任务是“游历各国工厂”。这是中国科学技术人员第一次对欧洲的近代工业进行系统的考察,非常值得重视。现据《欧游杂录》记载,将徐氏在欧洲各地“游历”的工厂和其他科技单位的名称,以及其参观考察的主要内容,顺序开列如下(同一地方的不同单位,只在第一个之前冠以地名;工艺技术名词尽量改用今译):

参观考察的单位

柏林格致院	真空管 计算器 留声机
放枪院	试放后膛枪
机器印书厂	铸造铅字
罗物机器厂	夹板锤 模锻 磨床夹具 量规 热处理
巴黎矿务院	石灰之化学成分
机器博物院	各种机器、工具
自来水厂	蓄水池及输水管
油烛肥皂厂	制造工艺 真空泵 油水分离器
玻璃厂	坩锅制造 煤气切割
肥皂香水厂	制造工艺
克路苏钢厂	监工、工师、工匠人数及工资情况 监工、匠头之职责 别色麻法炼钢 型钢轧制 薄钣轧制

	百吨汽锤　铸造工艺
	机器加工工艺
造火砖厂	制砖工艺
里昂染丝厂	染丝工艺
商务学堂	织布机
山沙孟铁厂	大轧机　转炉炼钢　镗削工艺
汕得天煤矿	采煤技术
巴黎运河船闸	船只运行
千里镜厂	光学镜头制作
石灰(水泥)厂	水泥配比
柏林官瓷厂	制瓷工艺
仪器厂	细牙螺纹车削　平面铣削
信部博物院	电报　管道送信
汽(机)车厂	
造光学器厂	镜头抛光　平面磨削
西门司电机厂	电弧灯　电磁铁　电缆　电报机
农器会	各种农机
试枪处	试"煞司颇"枪及"旁米来"枪
造假石厂	人造石工艺
格致器具店	购化学仪器、喷灯、通声管等
	试用"平板"测量仪器
玻璃器厂	制造工艺及煤气室
汉堡杜屯好夫	
火药局	制造工艺及钢绳传动　球磨机
	水压机
运河双闸	闸门结构及启闭
棉花火药厂	制药工艺　硝酸制造

试用枪械

制桶厂	制桶工艺
制皮厂	制革工艺
胡采夫火药厂	制火药工艺及设备
化学作坊	提纯硝、樟脑、硼砂、氯化铵等
基尔天文台	天文及气象仪器
河东船厂	七千吨新造铁甲船　船坞
水雷库	水雷　鱼雷
炮台	炮台结构及二十八生的重炮
磨坊	机制面粉
哈茨矿区	井巷　汽机　水机　总工师之出身 工师之待遇　巷内采掘　矿层剖面 铜及其他金属之提炼　电解铜
柏林河闸	闸门结构
机器厂	球体车削　煤气发生炉　工匠派活 匠人工资结算方法
西门子电气厂	验收电光机　发电灯　钻模
刷次考甫厂	造鱼雷、水雷　水压机锻造 铸造车间起重设备　镀锌
瓷器会	水泥窑式　造砖机
仪器厂	抛光
刷次考甫厂	鱼雷压力试验
司旦丁	
伏尔铿船厂	造铁甲船　船台　软轴传动
皮件作坊	模压皮件
罗物机器厂	车间劳动管理及工具管理 监工(工程师)的分工和职责 计件工资定额管理

西门子电气厂

伦敦森达茂厂　铁甲船设计与制造　造船设备

　怕麻船厂　估算铁甲船造价

朴资茅斯船厂　船坞　泊位　大铁甲船

伦敦来得厂　船池　栈房　轿桥　船坞

格拉斯哥讷比尔船厂

爱勒达船厂

曼雪勒船厂　冲孔切钣法

洒门司船厂　挖泥船

苏格兰钢厂　马丁炉炼钢　材料试验　　马丁炉

设非尔德

　布郎钢厂　钢面铁甲　弹簧试验

卡米里钢厂　坩埚炼钢

海部营造司　研究船式

柏林水雷厂　制水雷壳

　铜件厂　焊造铜管　冷拉铜管

　炼铜厂　炼精铜　反射炉　铸黄铜

　电报机厂　造电磁铁

　印片坊　石印法

埃森

　克虏伯工厂　铣磨来福线　弹壳　炮管镗削

　　罐铸优质钢　锉刀制造　铸钢

　　验钢材牵力、挤力、折力

司旦丁船厂　查验材料　测定断界、红弯、淬水弯

　　观汽机施工零件图

　罗乏机器厂　手枪制造

　西门子电气厂　铜线包橡皮、包麻、包铅管

　铜厂　焊制黄铜管　　毛瑟枪

乌盆叨夫毛式枪厂
胡脱微尔杜屯好夫火药厂
卡而斯胡弹壳厂
法兰克福砂轮厂
柏林铸铜小件厂
　印刷厂　　　感光玻璃板印刷　套色石印
　印地图厂　　刻制印刷石板
司旦丁
工厂管理　伏尔铿船厂　工厂管理
　赛门敦石灰(水泥)厂
　化学材料厂　硫酸　漂白粉　氯气
柏林　　　　　蒸汽喷水机
　刷次考甫厂　压路机
　造筑铁路处　筑路章程及图说
司旦丁
　伏尔铿船厂　报表格式　汽车、雷艇、挖河船、运土车与铁甲船木样图纸
柏林蜡像院　　机器人

在“欧游”的二十来个月中,参观考察了八十多个工厂和其他科技单位,近二百项工艺、设备、管理方法,徐建寅的学习热情和工作态度,的确是十分少见的。

务实精神

无论是在克虏伯、西门子、伏尔铿造船厂和基尔海军基地等考察重点单位,还是对顺便参观的小工厂、小作坊和交通运

输设施，徐建寅都深入现场，仔细了解设备运转和生产过程，认真观察人员的实际操作，把他认为对中国有参考价值的东西记下来，充分表现了务实的科学精神。

他详细介绍了许多种当时世界上最先进的金属加工工艺和设备，如模锻、挤压、冲制成型、复合钣轧制、仿形切削、软轴传动、铜管拉制、表面渗炭、百吨汽锤、电冶铜、转炉炼钢等等。他甚至还记下了“胸鬲间机轮甚繁”的早期的机器人。

五邁當，一偏右十五邁當，一點鐘停放，共驗收二箇，皆無疵病，連日統共驗收十三箇，二點鐘回寓中，儲買雙遠鏡價四十五馬克，五點鐘登汽車，九點鐘到漢倍克，十點鐘三刻登火車，終夜行，

十五日六點鐘回柏林，

十八日早六點鐘，曾侯由俄國赴法，道出柏林，往火車站相迓，同遊圖書館，生靈面，復游蠟像院，院中新到蠟像一位，面目衣履，與生人無異，能據案疾書，足有輪，可任意推置何處，揭其襟，則見胸鬲間機輪甚繁，表裏洞然，閉其機棙，則蠟人一手按紙，一手握管橫書，試書數字於掌心，握

最早的机器人

（《欧游杂录》所记“蜡像”即最早的机器人）

光绪六年六月初六日，他偕金楷理参观柏林某机器厂，见到用车床车削铜球的方法很好，又当场亲手绘了一张机床夹具的草图，并说明如下：

甲为方铁条，端有圆颈为乙；另以一曲铁如丙，一端

作圆孔，套于乙端，能转动；又一端作方孔，能容小车刀如丁，以戊螺丝抵紧之。将甲铁条压于车床之刀台，而丁刀头对于铜球外缓缓转过，即车成正圆球，然尚不光。即在相连处锯下，将锯口略锉圆。而以坚木一块，夹牢于车盘，内面车作半球凹，将铜球嵌入。以钢作正圆管，磨其端使平而内口锋利，以手执之，合于球外。球转，而内口刮之极光。将球打出，调换一面嵌入再刮之，至外面全光，即成矣。

绘制插图

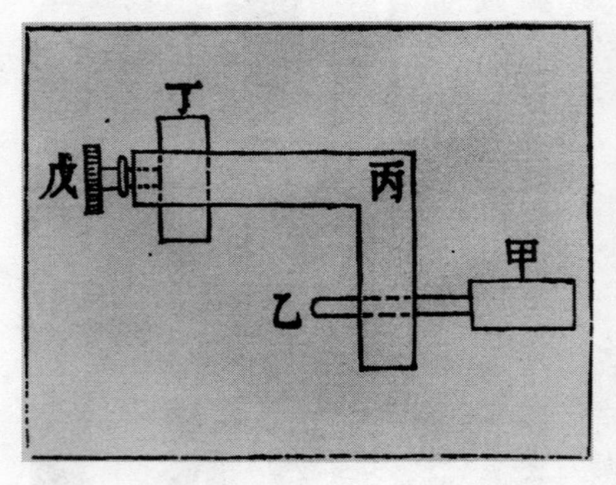

这张图在原刻本《欧游杂录》卷下第二页上，大约要算是近代中国书中很早按西法画成的机械图了。

光绪六年二月，徐建寅由法国汕答天（圣太田）到巴黎，途中见河道“如中国山东之运河，每距一二十里即建一闸，制度与中国略同”，但闸的设计却优于中国，皆：

作双闸，形如船坞。凡船自上游来者，先开上闸，使坞中水满，与上流相平；船入坞，即闭上闸而启下闸，使坞中水又与下流相平，即放船出坞。其自下游过闸者反是。……每过一船，不过数分钟，较用盘车、绞关，省力多矣。

他对这种适用于中国的河闸特别感兴趣。五月初六日他从柏林到汉堡郊区参观杜屯好夫火药厂后,又特地去看了附近运河上的水闸。"见上、下游水高低悬八尺馀,每二船并行,启闭一次只五分时,仅用闸夫一人,绝不费力"。五月底他回到柏林,又于六月初二日到柏林郊外,仔细研究了闸门的结构:"闸两重,相距六七丈。……每闸皆有双门,门皆有限。……闸堍与两旁之堤俱用砖砌,两闸之双门亦俱用木作框,钉以斜板。门中各开一小涵洞,亦用木为之,以小齿轮动齿条使上下。……各件皆甚简便,中国易于仿造也。"后来回国以后,他即拿出自己画的图纸,饬木匠做成一个双闸模型。这个模型,到《欧游杂录》出版时,还保存在他家"味莼园"中。

亲下矿井

在德国哈茨铜矿参观时,徐建寅换上矿工衣帽,手持油灯,深入井下,爬过工人们上下的百馀级木梯,亲眼看了开辟巷道、风力凿岩、人力凿岩、采空区和废窿。出井后,再听总办(总工程师)讲解矿层剖面图和井巷木样(模型),对掘进和回采便有了完整的了解。

在英国设菲尔德卡米里钢厂参观重型轧机轧制钢面铁甲时,正好那里发生了一次设备事故。"轧甲一块,进退共轧十九次,所减薄不过四、五寸,而轧轴颈断折。是日早晨已轧一次,亦断一轴。另有前日所断一轴,共断三轴矣。"徐建寅虽然是远道来的参观者,却很注意分析事故发生的原因,写道:

> 轧轴长八尺,径三尺。余意轴之断折,因受大热,而非受力过大。盖每轧一次,仅转过大螺丝四分周之一,夹力尚不甚大也。

为了掌握新购测量仪器的用法,光绪六年四月二十八日,徐氏于"早七点半钟,偕王弁得胜往南郊旷野,试验平面桌并测量器”。第二年五月十五日，又特地携带仪器到司旦丁海边，去测量固定设立在那里供练习用的“表杆”，“时风雨甚大，……不能持伞，衣服皆湿”。大概是怀疑在大风雨中观测不能准确吧，六月初八日早晚又各去测量了一次，结果测出四杆互为直角，“相距一千八百五十五迈当，即一海里”。此虽小事，亦足以见他锲而不舍的精神。

尤其是在国外采购、订货的业务接洽中，徐建寅认真负责的态度，更使人留下了深刻的印象。

为了弄清海军主力战舰建造技术的水平动向，徐建寅认真向德国铁甲舰权威、基尔海军总镇(基地司令官)请教。“总镇年近七旬，陪阅数日，详示细说，无不明畅”。“其至要者九事”：

战舰设计至要九事

一曰行速……；二曰船大，可不畏风浪，且可远出海口外交锋；三曰易转，……则炮弹击出有准；四曰煤多，船中预备数日全力之煤，且可用煤以保护；五曰甲厚……；六曰船坚……；七曰炮多而大……；八曰炮弹之路宽，凡炮旋转之角度，愈大愈佳；九曰炮高，……则自高击下，易伤敌船之内……。

以上九事，互相牵制。欲行速，则船必加长；船太长则转动不灵……。欲炮路极宽，莫妙于露炮……。欲铁甲加厚，则莫妙于前后不用铁甲，而将减去前后之甲，加厚于中腹之要害处，……

后来“镇远”和“定远”的设计思想，主要就是从这里得来的。

徐建寅首先详细了解了德国铁甲舰只和造船技术的情况，接着又往英国朴资茅斯海军基地和森茂达、怕麻、达迷斯、讷比尔、爱勒达曼雪勒、洒门司等船厂参观，研究船式，“嘱令核算价值,以便比较”,并拜访英国海军部,向营造司、船法总管等征求意见,之后方和德国伏尔铿船厂签下订造第一号铁甲船的合同。第二号铁甲船又曾与法国地中海船厂接洽,因法厂索价八百十五万佛郎,较德厂贵至二十五万佛郎,未能成交。

为了监督施工质量,徐建寅派中国留学生陈兆翱、郑清濂驻厂监工,亲自译出德、英两国海部造船章程及验收章程,严格按规程办事。关于这方面的情况,《欧游杂录》有许多记载,今试举一例:

> 初八日八点钟,乘汽车偕金翻译、郑清濂往伏尔铿厂。十一点到司旦丁,往客寓中饭。二点钟往伏尔铿厂,……查验所收用之钢角条,亲同金楷理、郑清濂及艺徒逐条取看,共数百条,约二小时而毕。见一条之边,稍有碎裂之状;又一条之面,有瘢痕一处,其馀皆绝无疵瑕。所有钢板约二百块,令艺徒随意取八块打印记号,令将记号处剪下……,试验牵力断界(拉伸极限、断裂点):横纹之块,横剖面每方密理得三十九纪罗,较章程少一纪罗;直纹之块得四十三纪罗,较章程多三纪罗;伸长性一百分之二十三,较章程多三分;可为佳料。又观红热弯与淬水弯,皆能与章程相符。……

认真检验

以身殉职

徐建寅是作为一位技术专家到欧洲公干的,但此次欧洲之行,却不仅只使他得到了技术上的收获。

自从办洋务以来,中国花了大量的钱,从外国买回了不少设备。江南制造总局的机器，就是曾国藩委托容闳从美国订购来的。从设备看，确实已经“现代化”了。徐建寅在英国看到造大铁甲船的工厂，“有大刨床、大车床、大压水柜（水压机），俱与沪局相同，无他奇异。”可是那里造出来的东西，“沪局”却造不出来。

尤其是光绪六年五月初八日，在汉堡郊区参观胡尔甫火药厂，见其“厂屋极陋，器具极简，而成药亦能适用”。徐建寅因而感慨曰：

器具不及中国而出品胜中国

> 历观德国造药各厂之器具，皆不及中国津、宁、济、沪各局之精备，而所成之药反良者，何也？则因试验胀力、速度、重率各法，尽心竭力，有弊即改，随时消息于无形，无他秘法也。

由此可见，仅仅买回机器设备还是不行的，即使再培训出了一批能操作机器设备的工人也不行，还必须使整个国家的技术水平和管理水平跟上去。因此，徐建寅在调查研究外国的设备、工艺的同时，还注意了解各厂的生产管理和技术管理的情况。在哈茨矿区熔炼厂，他询知该厂有工人三百六十名，人日工资一至三马克；“头目”六人，人月工资一百数十马克；“司事”四员，人岁俸各二三千马克；“总办”一员，岁俸六千马克。这些“头目”均由“次等学堂”（即中等专业学校）出身，能知粗浅矿学；“司事”由“寻常学堂”（普通学校）出身，能明写算，专管册籍；“总办”则须由大学堂出身，考取矿师，历任学堂教习、矿务委员等职务，由资格升任。这和中国那班专“吃洋务”的不学无术的小大官僚相比，人才的素质迥然不同了。

在柏林罗物机器厂，徐建寅看到对工人劳动的管理，做得有条不紊：

> （工匠）每五六人有一小匠目管理，自亦做工。皆依做成物件发给工钱，不依工数。每匠有一印好之单，单内填所造物件名目，每若干件给工价若干，某日发何物件，某日做成若干件，应给工价若干（凡大物件，注明已做工若干份，应先给工价若干份），径由该匠送至银钱所支领。

该厂的技术工作，概由“总监工”即总工程师负责：

> 为之副者十馀人。七八人在厂照料制造，如管造洋枪者数人，管造机器者数人，考察一切机器之理法，监视工作。又监工六七人在内绘图出样。如欲造新式机器，则集总、副及内外监工，考订利弊，各抒所见，互相辩论商议，以求折衷一是。是以内监工绘图，外监工监造，同心一意，一气呵成，而事无不举。

这又和中国许多洋务企业，外行官僚把持一切，技术人员无职无权的状态，不可同日而语了。

计件工资 勤者多得

大抵欧洲各国的工业发达、工效提高，关键之一在于从制度上鼓励竞争、利于改革，这一点给徐建寅的感受尤深。他多次和伏尔铿船厂的管理人员交谈，记载非常详尽。该厂工人全部实行计件工资，“勤而速成，则工食可多；惰而缓成，则所得即少”，每周约可得九马克至二十一马克。工人勤奋可靠，可以升为匠头，年固定工资多的可到一千八百马克。工程师的工资亦分数等，总工程师年工资高达三万马克。“专会绘图，不能自行构样（设计）”的只算次等。“初出学堂者，习练数年,即自能出样监造,可升为上等。亦有终身专做绘图,不能升上等者,此则系乎人之天资耳。”

在伏尔铿、刷次考甫等厂,徐建寅都“观其收发工料册籍之格式”,“考究其记册籍之法,共二十馀种,皆条分缕晰,综核精详,能知工料成本,乃每种取回其式样一张”。他对于欧洲的先进管理方法,和对欧洲的先进技术设备一样,都是很感兴趣、极愿学习的。

但是,在十九世纪八十年代的中国,究竟可不可能建成英国和德国式的现代化企业呢?这当然不是一个技术问题,也不是一个管理问题。徐建寅虽不多谈政治,却从来就是一位关心政治的技术专家。欧游之后,他的政治观点更加鲜明了。《欧游杂录》记载了他访问各国议院,翻译议院章程的活动。回国以后,他将自己翻译的《德国议院章程》一卷刊行,表示他赞成维新派开议院、行宪政的政治主张。

一八八四年徐寿去世,徐建寅为父守制三年后,应曾国荃邀请到南京机器局主持工作,先后造成新式后膛枪和铸钢设备,同时不断著书。他的名声越来越大,薛福成又一次奏保,光绪皇帝于一八九五年召见了他,派他到威海卫视察。这时已是甲午战败以后,他苦心孤诣在德国订造的两艘铁甲舰,连同整个北洋舰队,都已在威海卫全师覆没。国家的危难,使他在思想上更加靠拢已经公开主张变法的维新派了。

任农工商总局督理

戊戌变法之初,中国上空吹过一阵新鲜的风,一时国事似乎大有可为。随着谭嗣同等入赞军机,徐建寅也被派充新设立的农工商总局“督理”,“赏给三品卿衔,一切事件,准其随时具奏。”本来,中国如果真的能够走上改革之路,由徐建寅这样认真务实的技术专家来管理农工商业,确实再恰当也没有了。但是,历史前进道路从来就是曲折的。袁世凯出卖了谭嗣同,以慈禧太后为首的顽固派打倒了维新派,一切新的事物都被扼杀了。成立不到两个月的农工商总局宣布“裁撤”。徐建寅总算运气好,因为是技术专家,没有受更大的处分。他借口“扫墓”回到家乡,从此只能把政治上盼望改革的念头收起,不得不做一个“不关心政治”的人了。

然而他热爱科学技术的心却没有死。张之洞在湖北办工业,练新军,邀他前去工作,他又到了武昌、汉阳。庚子战后,外国停止向中国供应火药。徐建寅一肩挑起设计、安装、试制的担子,三个月办成一所“保安火药厂”,生产黑色火药。原有的“汉阳钢药厂”,是准备制造硝化纤维无烟火药的,也因为洋工离厂,投产无期,于是徐建寅又到“钢药厂”试制无烟火药。他“日手杵臼,亲自研炼”,试制很快获得成功。正准备投产时,一九〇一年三月三十一日,试验室不幸发生爆炸,夺去了他在戊戌政变中侥幸留下来的生命。

试制火药以身殉职

尽管清政府按张之洞的奏请,给了他“照提督阵亡例予恤,追赠内阁学士,交国史馆立传,入祀昭忠祠”等身后的哀荣;具有维新思想的人心里却都知道,如果没有政变,如果能够维新,徐建寅应该不会死。他本来可以为发展中国的农工商业做更多的事情,为科学技术作出更大的贡献。

FROM EAST TO WEST

18 刘锡鸿《英轺私记》

□ 刘锡鸿作为出使英国大臣郭嵩焘的副使，于一八七七年初到伦敦，同年冬改任驻德使臣赴柏林，第二年即离任返华，有《英轺私记》附《日耳曼纪事》一卷，被收入江标所编《灵鹣阁丛书》。兹即据丛书本整理。

英軺私記一卷

郭嵩焘出使英国的副使刘锡鸿(字云生),也留下了一部使英日记,叫做《英轺私记》。轺,是古代一种轻便而可以望远的车子,后来借指使者乘坐的专车。《英轺私记》,意思就是出使英国的私人记载。

与郭嵩焘发生矛盾

出使期间,郭、刘二人积不相能,从遇事扞格直到互相奏参,对使事及二人仕途均有影响。郭嵩焘的器识学问以及对"洋务"的见解,均远在刘锡鸿之上。两人发生矛盾,一方面固然包含有性格冲突的成分;另方面也确实由于郭的思想比较开明,而刘则倾向保守,存在着立场和观点的分歧。

郭、刘一行于光绪二年十月十七日(一八七六年十二月二日)出国,十二月八日(一八七七年一月二十一日)抵伦敦。光绪三年三月十七日(一八七七年四月三十日),刘被改派出使德国,十月初九日(一八七七年十一月十三日)离伦敦赴柏林,在英国只住了九个多月。到德国后,他也没有呆多久,于光绪四年七月二十七日(一八七八年八月二十五日)即被召回(同一天郭嵩焘也从英国召回),十月十六日离柏林返国,为时不过一年。《英轺私记》之外，刘氏还有《日耳曼纪事》若干则，记录了刘锡鸿在德国的一部分见闻。

《英轺私记》未见单行本。元和江标光绪二十一年（乙未）在湖南做学政时，据“写录正本”将其收入《灵鹣阁丛书》第二集中，作为一卷（附《日耳曼纪事》）。

刘锡鸿其人无足称述，《英轺私记》却是一部很有意思的书。

一八七四至七五年间的大辩论

员外郎

刘锡鸿任驻英副使之前，在做刑部员外郎——一位地位不太高的京官。他是广东番禺人，年轻时在广东参加过抵抗英国的战争。郭嵩焘于一八六三至一八六六年署理广东巡抚时，“爱其才，怜其不遇”（郭崙焘《萝华山馆遗集》），曾经找他办过一些事情，一度还“颇加倚畀”。后来刘锡鸿到了京师，与都人士相接。士林对他的评论，如李慈铭谓“其人已老，雅以经济自许”，王闿运则云其“欲为一代名人”，但“不近人情而以为率真，故所至受诟病”；可见说他态度褊傲、急于用世，大概是不错的。他也常谈洋务，但又“言养兵无益，及洋炮、轮船不足学”（《湘绮楼日记》），这就和主张学习西方的郭嵩焘大不相同了。

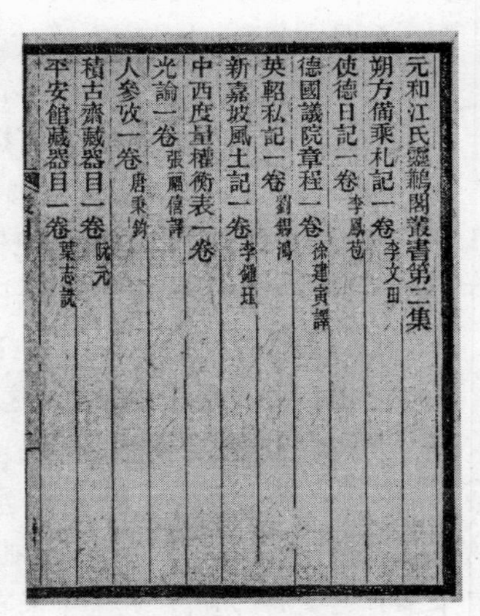

元和江氏靈鶼閣叢書第二集
朔方備乘札記一卷 李文田
使德日記一卷 李鳳苞
德國議院章程一卷 徐建寅譯
英軺私記一卷 劉錫鴻
新嘉坡風土記一卷 李鍾珏
中西度量權衡表一卷
光論一卷 張福僖譯
人參攷一卷 唐秉鈞
積古齋藏器目一卷 阮元
平安館藏器目一卷 葉志詵

《灵鹣阁丛书》第二集目录（第五行为《英轺私记》）

在郭、刘出使前一年多时间里，也就是一八七四——八七五年期间，清朝政府内部发生过一场大辩论。刘锡鸿和郭嵩焘在洋务问题上互相对立的观点，在这场大辩论中表现得清清楚楚。

同治十三年(一八七四年)，由于日本侵略台湾，中国朝野感到国势危急，亟待自强。这时候，在中央主持洋务的奕䜣、文祥等人，用总理各国事务衙门的名义上了一道“切筹海防”的奏疏，提出“练兵、简器、造船、筹饷、用人、持久”六条办法。朝廷命军机大臣密寄全国督抚“详细筹议，将逐条切实办法，限于一月内复奏；此外别有要计，亦即一并奏陈”。事实上不仅限于各省督抚，京师内外许多官员都参加了这一次“筹议”。广东巡抚张兆栋替丁日昌代奏，提出了又一个六条，也由廷寄各地一并讨论。两个六条的主要内容是要采用西法练兵，向外国购置兵船枪炮，筹建制造机器和军火的工厂。丁日昌并提出要选拔通晓洋务的人才担任沿海地方官，任命懂得西学和外文的人管理制造厂，以备他日出使外国、办理军务、主持行政之用。大辩论就是围绕着这两个六条展开的。

切筹海防

在地方大吏中，赞成这两个六条的主要代表为李鸿章。李的中心论点是“穷则变，变则通”，“办洋务、制洋兵，若不变法，而徒骛空文，绝无实济”；必须变通旧法，才能适应“数千年来未有之变局”，应付“数千年来未有之强敌”。他在两个六条的基础上，进一步提出了发展工商实业、兴办西式教育的主张，说：

李鸿章

> 丁日昌拟设厂造耕织机器，曾国藩与臣叠奏请开煤铁各矿、试办招商轮船，皆为内地开拓生计起见。盖既不能禁洋货之不来，又不能禁华民之不用，……曷若亦设机

器自为制造，轮船铁路自为转运？

他认为：只有开矿办厂，发展交通，才能避免“家有宝库，封锢不启，而坐愁饥寒”的现象。而为了推行新法，又必须提倡西学，改变专由“小楷试帖”即八股文章取士的办法，“设立洋学局”，培育自然科学、工艺技术人才，使之“与正途出身无异”。

于凌辰
王家璧

反对两个六条的主要代表是于凌辰和王家璧。于凌辰的中心论点是：“师事洋人，可耻孰甚。”他说：“如谓今日之变，旷古未经，岂前人已经之事皆今人所优为，古法必不足以弭今变乎？”尤其使他愤愤不平的是：

……李鸿章、丁日昌胪列洋人造船、简器，……李鸿章复请各督抚设立洋学堂，……是古圣先贤所谓用夏变夷者，李鸿章、丁日昌直欲不用夷变夏不止。

这是一顶吓得人死的大帽子。“用夷变夏”，就是卖国主义、投降主义。只有“用夏变夷”，才符合古圣昔贤的教导，也才能体现“天朝上国”的威风啊！

王家璧的话说得更挖苦一些。他奉劝想用新法、行新政的人：“勿以事非己出轻改前人，勿以能顺夷情不顾国是。”意思就是说：轻改“祖宗成法”一定是出于自己的私心，不执行老章程一定是为了讨好洋鬼子。他质问李鸿章：“欲弃经史章句之学而尽趋向洋学，试问电学、算学、化学、技艺学果足以御敌乎？”并大骂丁日昌：“有‘丁鬼奴’之称，如此谋国，诚不知其是何居心。”

郭嵩焘

郭嵩焘和刘锡鸿也参加了这一场辩论。郭嵩焘对两个六条的大方向是肯定的，以为“海防之大用具备于此”。因为他对中外形势和世界形势的了解,不仅超过了奕䜣和文祥,也超过了李鸿章和丁日昌,所以他又指出了六条之不足,仅仅注意“练兵、简器、造船……”是不够的,根本问题在于“政教”,其次则是“通商”;只有在这两方面“循用西法”,放手发展资本主义经济,练兵、简器、造船之类的事情才有基础;就是造船制器这些事,也应该放手让民间商人来办,“因民之利而为之制,斯利国之方也。”

刘锡鸿的态度

刘锡鸿的态度则大不相同。他对两个六条尤其是郭嵩焘的意见,逐条进行了驳议,说:“如必欲用机器以壮军心,可令教操洋人代为购办,不必开局自制。”因为“募人学习机器,辗转相教,机器必满天下,其以此与官军对垒者,恐不待滋事之洋匪也”;“故仁义忠信可遍令人习之,机巧军械万不可多令人习之也”。郭所提“商人自制轮船之说”,他也“意颇不谓然”。尤其对于郭所主张的“先通商贾”、“循用西法”,更是大加反对,谓“夷狄之道未可施诸中国”。他说:

> 中国天下为家已更数千载,政令统于一尊,财富归诸一人,尊卑贵贱礼制殊严,士农工商品流各别。……逐末之人何得妄参国是?市侩之贱何得擅蓄甲兵?

他在给丁日昌的信中说:“御英夷不恃乎船械,摧劲敌不系乎战具”。又在给李鸿章的信中说:“西洋技巧文字,亦第募艺士数人蓄之即足备用,似不可纷纷讲求,致群骛于末,而忘治道之本。”

刘锡鸿的根本立场是坚决反对把“夷狄之道”“施诸中国”,坚决捍卫“政令统于一尊,财富归诸一人”的专制主义。他认为,如果让“逐末之人”“妄参国是”,打破“尊卑贵贱”的礼制”,弄得“机器满天下”,危害到“天下为家已更数千载”的大经大法,那就是“用夷变夏”,神州就要陆沉了。

在这场大辩论中,两个六条由于外有李鸿章等重臣支持,内有恭亲王、礼亲王作主,算是勉强得到了“廷议”的认可。但是,反对的力量是十分强大的。即使在总理衙门内部,多数大臣也并不真正赞同两个六条。他们表面上不得不行一点“新政”,实际上却在各方面设下重重障碍。出使英国的正副使臣,本已派定郭嵩焘和许钤身,这时总理衙门忽然决定改派许钤身出使日本(并未成行),而由刘锡鸿担任郭的副使。在刘、郭二人辩论中发表的政见如此尖锐对立的情况下,作出这种安排显然是为了使他们互相钳制,彼此掣肘。主其谋者,是军机兼总署大臣李鸿藻(兰荪)和沈桂芬(经笙)。郭氏谓刘“在京师受命于李兰生,令相攻揭;其出京,一切皆未携备,惟携备摺件,亦李兰生之意”(《花随人圣庵摭忆》一六二页)。证以使欧期间刘跟郭抬杠的事实,谅非虚语。

刘郭政见尖锐对立

用夏变夷

从上面那场辩论中,已经能够看清楚刘锡鸿是一个什么样的人了。

刘之去欧洲,决不是因为他本人有向西方学习的要求,而是守旧派大臣看中了他的“坚定立场”,希望他对郭嵩焘起牵制作用。刘锡鸿自己也在《英轺私记》中承认:“此行能左右郭公,善为修好弭衅,私愿即毕,不必……为三年驻扎计。”

所以,刘锡鸿在前往英国时,思想上作好了对一切“用夷变夏”的尝试都给以迎头痛击的充分准备,而且还准备努力去“用夏变夷”,克尽一个大清臣子的职责。

还在上海候船的时候，刘锡鸿参观了西人所办向华人传授科学技术知识的“格致书院”(the chinese scientific book depot)，就在日记中大放厥词：

大学之言格致，所以为道也，非为器也。……一器一技，于正心修身奚与？入学而先事此，不且役乱其心，淆杂其意，愈考索而愈乖其所向哉？

反对科技

……端士习，当由审义明道始。若犹令殚心西学，使益致力于百工，与商贾习处，是适增其商贾之行也。……所谓西学，盖工匠技艺之事也。……士苟自治其身心，以经纬斯世，则戎器之不备，固可指挥工匠以成之，无待于自为，奈何目此为格致乎？

赴英途中和抵英之初，刘锡鸿对于外国的“一器一技”，总是不忘予以贬斥。如见到以机器代人力耕作，“无论起土、引水、打稻，随处皆堪行使”，却议论道：

反对机器

夫农田之以机器，可为人节劳，亦可使人习逸者也；可为富民省雇工之费，亦可使贫民失衣食之资者也。

接着主人又想导观机器截铁、锯木，他表示不感兴趣了，说：“无非机器，皆非余所心属。”后来听说伦敦有大戏馆三十馀所，坐客常万人，认为英国风俗过于奢侈，又归罪于机器，说：“机器之用，教之逸乐而耗其财也。人之精神，不用诸此，则用诸彼。故圣王常勤其民，而不使逸。”

外国有些好东西、好办法，刘锡鸿不得不承认它们确实是好，但又总要说它们不符合中国的国情，只能行于外国，不能

行于中国。如始见火轮车之快捷,“慢者一时亦百馀里,故常数昼夜而万里可达”,惊叹“技之奇巧,逾乎缩地矣”,接着却说:

> 然以行诸中国,则裸股肱、执策绥、操舟挽辇以度载人货者,莫不尽废其业。……圣朝绥奠群黎,同安乐土,农工百艺,莫肯轻去其乡,……势将乘坐寥寥,求抵一日之煤费工需而不可必得。……是故火车之不能行于中国,犹清静之治不能行于欧洲,道未可强同也。

反对火车

又如述苏伊士运河工程,知“洋人每有创建,皆商民合凑股分,谓之曰公司,虽数千万金不难克期而办;凡凿山开河,穷天究地,制造奇器,创置新埠,罔不恃此,所谓众擎易举也”,但又说:

> 然使欲效其公司所为,则又有不可强致者。欺诈之风流行日甚矣。数人合伴以业商贾,资本或仅千百缗,苟非身亲注睇其间,犹辄为同伙攘窃以去;况数千万金之重,谁则信之,而肯通力合作哉?

反对公司

火车之不能行于中国,理由是圣朝绥奠乐土,使人皆“莫肯轻去其乡”。公司之不能行于中国,理由又是这片乐土上“欺诈之风流行日甚矣”,千把几百吊钱的合伙生意,如果不亲自守着瞧着,本钱就会被同伙用欺骗方法吞蚀掉。如此看来,乐土之乐,岂不也就很有限了么?

在参观泰晤士报馆时,见到印刷机器“风驰电掣为时仅及瞬息,新闻纸之堆案者已累累然,一点钟而七万份皆就”,刘锡鸿却认为不如用中国式的手工刷印方法为妙。他算了一笔帐：每份报纸四个版，七万份报纸共二十八万版，以每个工人每点钟刷印一百版计，共需二千八百个工人，七万份报纸的报费计洋银四千馀圆，足可养活这二千八百个工人及其八口之家；“是二万数千人之生命托于此矣，何为必用机器，以夺此数万人之口食哉？”

光绪三年二月三十日，他连日观“艺师”演试光学、电学以后，针对某些中国士大夫（恐怕主要是针对郭嵩焘）“惑溺”于西洋“实学”即科学的情况，发表了一大篇“用夏变夷”的议论，云：

以“圣道”反对西学

> 此皆英人所谓实学。其于中国圣人之教，则以为空谈无用。中国士大夫惑溺其说者，往往附和之。
>
> 余为之辩曰：彼之实学，皆杂技之小者，其用可制一器，而量有所限者也。子夏曰：虽小道，必有可观者焉，致远恐泥，君子不为。非即谓此乎？
>
> 圣人之教，仁义而已。……而其大用，则维持夫君臣、父子、兄弟、夫妇、朋友之五伦。……君所以治其臣，故君尊臣卑；有父而后有子，故父尊子卑；尊自尊，卑自卑，……教之为用，孰大于是？孰实于是？非然者，一意讲求杂技，使趋利之舟车、杀人之火器，争多竞巧，以为富强，遽为有用之实学哉？
>
> 中国自天开地辟以来，历年最多；百数十大圣继起其间，制作日加精备，其言理之深，有过于外洋数倍者。外洋以富为富，中国以不贪得为富；外洋以强为强，中国以不好胜为强。此其理非可骤语而明。究其禁奇技以防乱萌，揭仁义以立治本，道固万世而不可易。彼之以为无用者，殆无用之大用也夫。

“外洋以富为富，中国以不贪得为富；外洋以强为强，中国以不好胜为强。”这联骈语是写得很漂亮的，大概是刘锡鸿的得意之作吧。但把近代科学贬为“杂技之小者”，把“君尊臣卑、父尊子卑……，尊自尊，卑自卑”的“纲常”捧为“教之为用，孰大于是”，毕竟改变不了外洋富强、中国贫弱的事实。刘锡鸿的警句，事实上变成了“外洋以富为富，中国以贫为富；外洋以强为强，中国以弱为强”，真正是阿Q的口吻！

阿Q口吻

在“用夏变夷”也就是用古代中国的传统思想来批判近代观念方面，刘锡鸿是十分认真努力的，但有时确实弄到了荒谬可笑的地步。请看下文：

> 博郎与刘孚翊论中国闺教之严，博曰：“妇女亦人也，何独幽诸室而不出？”刘无以答。
>
> 洎晚，余谓刘曰，“君何不云，胸吾体，背亦吾体，何为胸则前而背则后乎？以胸阳而背阴也。头吾皮肤，少腹以下亦吾皮肤，何为头则露而少腹则覆之乎？以头阳而少腹阴也。”

还有绝妙的一例，便是说英国的书籍是“倒起来读”的：

英国书是倒着读的

> 英人无事不与中国相反，论国政则由民以及君，论家规则尊妻而卑夫（家事皆妻倡夫随，坐位皆妻上夫下……），论生育则重女而轻男，论宴会则贵主而贱客（主人居中，客夹之），论文字则自右而之左（语言文字皆颠倒其先后，如“伦敦的套儿”则曰“套儿的伦敦”，“父亲的花园”则曰“花园的父亲”，此翻译之所以难也），论书卷则始底而终面（凡书自末一页读起），论饮食则先饭而后酒；盖其国

居于地轴下，所戴者地下之天，故风俗制度咸颠而倒之也。

“The garden of my father”无论如何不能译成“花园的父亲”，外国人读书也无论如何不会“自末一页读起”。刘锡鸿把这些主观臆造的“颠倒”现象，跟“国政由民以及君”列在一起，无非希望大家得出这样一个结论：中国的一切（首先当然是国政）是正常的，洋人的一切（首先当然是国政）则和中国相反，是颠而倒之、不可理解的，因而也就是不值得学习的。其实，他这番苦心，正如郭嵩焘所形容的，就像“舞空枪于烟雾之中，目为之眩，手为之疲，实则一无所见”。因为“花园的父亲”的叫法，固然足以使人错愕片时，然而“父亲的花园”的存在，却是无法推翻的事实。

同郭嵩焘的冲突

这样一位副手，郭嵩焘当然不会欢迎。当枢府决定派刘锡鸿为副使时，郭曾设法拒绝，表示：“刘锡鸿出洋有三不可：于洋务太无考究，一也；洋务水磨工夫，宜先化除意气，刘锡鸿矜张已甚，二也；其生平好刚而不达事理，三也。”但守旧大臣们意在使刘与郭相持，偏要以刘锡鸿代替许钤身为副使。结果刘在受任谢恩的当天晚上，就到郭处有所责备，“词颇愤激”（见《驻美使馆档案·陈兰彬任》，光绪四年十一月初六日郭嵩焘来咨），两人的关系一开始就很紧张。

郭氏拒绝刘为副使

郭嵩焘在中外关系问题上的观点，早已取得西方国家人士中的好感。英国驻华公使威妥玛于一八七五年九月九日即清廷明诏以郭氏出使英国两天后，写信给外相德尔贝，称郭为进步人士，其才能虽不可知，但确属适当人选。在中国任总税务司的英人赫德，也对郭十分钦佩，称其为识见明达、具有决心之诚实君子（均据郭廷以《郭嵩焘先生年谱》转引自 *Confidential Print*）。而刘锡鸿一则地位素低，二则倾向排外，外国对他的态度也就有所不同。当郭、刘自北京启程将到上海时，上海英文《字林报》（*North China Daily News*）于十一月十六日发表社论，对郭、刘二人一褒一贬。抵伦敦后，一八七七年二月二十一日之“*The Illustrated London News*”（《伦敦图画新闻》）及本周之“*Graphic*”图画版刊出二人肖像，介绍文字中又隐含褒贬，也就是《英轺私记》所云：“其文扬诩正使学问履历，甚至谓余学虽优，不如正使，故文翰不足以入词林……”云云。此种情况，当然也无助于二人的团结。

英人态度一褒一贬

（伦敦画报上的刘锡鸿像）

到伦敦后，郭刘很快势同冰炭；二人的出使日记，对此均有充分的反映。原来决定遣使时，总署曾奏请饬令出使大臣，“将交涉事件、各国风土人情详细记载，随时咨报”。郭氏自称：“原议，至西洋，每月当成日记一册，呈达总署。”郭氏的第一册日记呈达总署后，以《使西纪程》为书名刊行，守旧派大哗，上疏严劾，竟遭到毁板。以后，郭就再不把自己的日记呈达总署了。而刘锡鸿却在这种情况下，将自己写的日记定期抄寄总署大臣李鸿藻、沈桂芬等人，除了表明自己心迹的用意外，和郭嵩焘立异的目的也是明显的。郭嵩焘光绪四年

使西纪程被毁板

十一月初八日的日记提到了这一点：

郭氏谓刘编造事实

(刘)且谓在西洋久，深知铁路之无益，土国公使亦言土国之穷困误于铁路，自铁路行，百物俱至昂贵，是其确证。……刘生编造此等言论至多，土国公使实无此说。其蓄意在迎合总署，知其惮于兴造铁路也，故力为此说，先意承志，以幸其相倚信，而又可以倾及区区，故编造土国公使之言以为信据。

断言刘锡鸿蓄意编造事实，也许夹杂了郭嵩焘的个人意气在里边。至于说刘锡鸿蓄意迎合守旧派，则并不冤枉。因为刘锡鸿确实是在随时宣传自己的观点，他的观点本来就是守旧的嘛。

郭嵩焘苛察多疑、心境褊狭也是事实。如光绪三年七月十八日，他因仆人周发"以小机智玩弄主人"，大发了一次脾气；随后又听说刘锡鸿到白珥名登(伯明翰)旅行受到隆重接待，竟"辗转思之，遂至失眠"。当天日记写道："云生与周发之罪，并与谋害人命同科矣"。

但是不管如何，郭和刘的矛盾，毕竟主要是主张向西方学习和反对向西方学习二种不同态度的矛盾，性格冲突并没有掩盖也不可能掩盖这一点。郭氏光绪三年十一月二十日的日记说得十分明白：

郭氏述刘为害之烈

晚与彦嘉、湘甫、在初论刘云生之凶悖。彼亦直率其性耳，而不知关系大局无若刘云生为害之烈者。盖自南宋以来，士大夫以议论争胜，中外之势相持，辄穷于所以自处，无论曲直、强弱、胜负、存亡，但一不主战，则天下共罪之。……西洋之局，非复金、元之旧矣；而相与祖述南宋诸儒之议论以劫持朝廷，流极败坏至于今日而犹不悟。鄙心实独憾之，不惜犯一时之大忌，侃侃焉谋举国计边防之大要正告之天下，……乃至被京师一时之诟毁，使此心无所控诉。刘云生皆亲见之，……遽至反戈相攻，不遗馀力。然则鄙心终无以自明，而刘云生屈身数万里与洋人周旋，而其议论亦如此，亦终无复望有能省悟者矣。鄙人乃以是郁郁成病。彦嘉徒以刘云生谬妄不足较用相慰勉，岂有当于鄙人之心哉。

两人矛盾不断扩大，恶感不断积累，终于导致到公然“厉色相向”。刘调往德国后，两人更发展到公然互相奏参。刘锡鸿奏参郭嵩焘的“十款”大部分是鸡毛蒜皮之类的事情，却可以窥见刘锡鸿当时的认识水平和思想境界。这十款是：

奏参郭氏十款罪状

一、摺奏列衔，副使上不加钦差字样，为蔑视谕旨；
二、游炮台披洋人衣，即令冻死，亦不当披；
三、擅议国旗，谓黄色不当；
四、崇效洋人，用伞不用扇；
五、以中国况印度；
六、效洋人尚右；
七、无故与威妥玛争辩；
八、违悖程朱；
九、怨谤；
十、令妇女学洋语、听戏，迎合洋人，坏乱风俗。

凭良心说，这十条没有一条够得上称为罪状。说郭嵩焘“投降媚外"吗，只凭一条"无故与威妥玛争辩"，便无媚态可言。即以"披洋人衣"而论，事实是郭、刘应邀参观喀墩炮台，乘小船至水面看搭浮桥，时寒风凛冽，英国提督见郭年迈寒噤，取所携褐氅一披其身，这究竟对国体有什么损害呢？刘锡鸿"见之大喜，据为罪状"，徒然证明他自己脑子里装满了"正朔、服色"之类的僵硬的戒律罢了。

后来刘锡鸿出使柏林，在向威廉第一递交国书时，"礼节疏阔，有夷然不屑之意"，几乎引起外交纠纷。沈桂芬却在写给李鸿章的信中，称赞刘"天分高(！)"，"能贬刺洋人"。这种表现，确实无以名之，也许只有称之为"精神胜利法"才比较恰当。

光绪四年十二月，曾纪泽到巴黎接郭嵩焘任，将刊刻的《英轺私记》拿给郭看。郭云：

> 其推衍人伦之旨、仁义之言，一皆以济其逢迎诡合之术。

话虽然说得过分一点，却是抓住了刘锡鸿的要害。

刘锡鸿和郭嵩焘互相参劾，使清政府感到下不来台。刘锡鸿也有一个"滥支经费"的问题，被郭嵩焘抓着不放。结果采取"各打屁股五十"的办法，严旨训诫：

各打屁股五十

> 郭嵩焘、刘锡鸿自奉使出洋后，意见龃龉，……怀私互讦，不顾大体。以堂堂中国之使臣，而举动若此，何足以示协恭而御外侮？……

接着便将二人同时撤回。回国以后，刘锡鸿作为钳制郭嵩焘的工具，已经失去了利用价值；他"惟携备摺件"随时准备检举揭发的习惯却不能改变，继续攻击洋务诸人，后来搞到李鸿章头上,结果触了大霉头。据《德宗实录》卷一二七:光绪辛巳(一八八一)二月廿二日,"通政使司参议刘锡鸿劾李鸿章跋扈不臣,俨然帝制。诏斥其信口诬蔑,交部议处。寻革职。"

所谓弱国无外交。郭、刘二使,在外交上一样的无建树可言;但在文化思想史上,却一正一反,各自留下了一份有价值的资料。

羞羞答答,部分认错

但《英轺私记》也不仅是一份反面资料而已。如果用客观的、公平的态度细读这部日记,那么应该说,尽管刘锡鸿观点十分保守,态度也很顽固,但他却并非完全没有观察事物和思考问题的能力。他在英国的时间前后不过九个来月,这九个月的观察和思考,在刘锡鸿的身上还是留下了痕迹。

对英国的三点印象

英国给刘锡鸿的第一点印象是繁华。初至伦敦,拜会外部大臣后,"乘便周游街市,衢路之宽洁,第宅之崇闳,店肆之繁丽,真觉生平得未曾见";"入夜,各街灯烛攒光,火山星海,殆无以过"。

第二点印象是英国人也讲文明,重礼貌。郭、刘一行到伦敦十日后,有跟役"入市采买,路遇本土醉人,以肱戏击其颠,落帽。巡捕共擒是人,送罗地美亚(Lord Mayor,伦敦市长)审办。美亚以中国使者憩驾甫数日,土人遽敢妄为,从重羁管两月示惩,并刊布新闻纸,令众力同护使署随从人等"。刘锡鸿对此颇有感触,写道:

> ……前在"北绍尔"舟中,有附载洋客诃詈余仆。掌船者见之,到亚丁遽逐洋客于岸。亦经余为之讨免,乃

罢。向疑英人僻处海岛，惟知逞强，无敬让之道，乃上下同心，以礼自处，顾全国事如此。

两月以后，刘锡鸿专门写了一节日记总论英国政俗，云：

到伦敦两月，细察其政俗，惟父子之情、男女之别全未之讲，自贵至贱皆然。此外则无闲官，无游民，无上下隔阂之情，无残暴不仁之政，无虚文相应之事。……两月来，拜客赴会，出门时多，街市往来，从未闻有人语喧嚣，亦未见有形状愁苦者。地方整齐肃穆，人民欢欣鼓舞，不徒以富强为能事，诚未可以匈奴、回纥待之矣。

未可视为匈奴回纥

从力持"夷狄之道未可施诸中国"，到承认"诚未可以匈奴、回纥待之矣"，不能不说是认识上的一大变化。及参观播犁地士母席庵(British Museum，大英博物院)，见其藏书八十万卷，目录亦六千卷之多，"放门纵令百姓男女往观，所以佐读书之不逮，而广其识"；所蓄中国书除经史而外，"如群儒诸子、道释杂教、各省府州县之志、地舆疆域之纪、兵法律例之编、示谕册帖尺牍之式、古今诗赋文艺之刻、经策之学、琴棋书画之谱、方技百家、词曲小说，无不各备一种"，更是不禁叹服，"英人之多方求洗荒陋如此"了。

英国给刘锡鸿的第三点印象是：普通英国人民对中国多半是友好的，而英国国家当时所有求于中国者亦只在通商。初到伦敦，"两使者出门，百姓夹道欢呼，男摘冠、女摇巾以为礼"。后又有伦敦绅士上书中国使者，指出英国欺负中国的六件事：一、鸦片流毒；二、传教多事；三、商人不为地方官管束，领事袒护不公；四、擅造吴淞火车路，反索赔偿；五、借马嘉理案强索开埠；六、接待使者礼有未至。并云："中国钦使若许面毕其词，当集合同志向议院争辩。"《英轺私记》写道：

……使于其国，不便妄听绅民唇舌，以与彼君国为难也。然英人之爱重中国，实其本心。凡宴饮茶会，惟外部署及各国公使请必有他国使；此外官绅私局，非中国使者未尝与焉。每日茶会必数家，赴不胜赴。与其官绅相见，常谆切恳至，嘱以自强，永敦和好……

刘锡鸿和其他中国人一样，对于英国两次把战争强加在中国头上，是刻骨铭心的。但在直接接触英国官绅以后，他发现大多数英国人并没有什么反华情绪，"其求通中国，亦只意在商贩"。他分析英国在直布罗陀以东的殖民形势，"往来冲要可以泊舟，可以成市者，皆篡取其口岸而布置之，独无所蚕食于内地，则其营谋只在商贩可见"。因此，在这方面，他的认识也和过去不同了。他写道：

求通中国意在商贩

此时英国官绅，以行善为志，息兵安民为心者，十居六七然。其俗究以理之是非为事之行止，非专恃强力者。……曩闻人谓武员与公使合谋，即可奋动干戈者，传讹耳。……我中国与英人交际，能持理，能恤商，斯尽之矣。

大概在一些具体事物上，在与他自己思想上的"大本大原"关系不大的一些问题上，刘锡鸿的观点也还是容易松动的，甚至也有能承认错误的时候。如见到英国报纸甚多，"官绅士庶各出所见，以议时政"，而使馆翻译人少，无由遍读新闻纸，就写道：

承认错了

> 出使西洋，必须熟于翻译者多员，遍观其书报，乃有济；向谓洋语洋文不必广募人学习者，误也。

但这种情形毕竟少见。总的说来，刘锡鸿对于西方的新事物、新道理，正如本文第二节中所述的那样，基本上是抵触的、抗拒的。只有当事实胜于雄辩，事实一次又一次击破了他原来的偏见之后，他才能羞羞答答地对一些事物或道理表示许可。

刘锡鸿原来认为"中国立教尚义不尚利"，而"夷狄之道"则是"尚利"；因为"尚利"，就得让逐末之人妄参国是，让机巧制造之事尽人习之，这就会动摇中国君尊臣卑的政教基础。(应该承认，这个逻辑推理并没有错。)但是，经过在英国的观察分析之后，他终于部分地同意说西人"尚利"有收效，逐末之人参定国是有作用，机巧制造尽人习之有好处了。(尽管他很不愿意这样说，说时又常常羞羞答答，遮遮掩掩。)

光绪三年七月初十日，马格理导刘锡鸿参观伦敦毕克福林饼干厂(刘锡鸿称之为"饽饽作房")，全厂工人三千，每年所入数百万金镑。《英轺私记》写道："询其所以销流之多，则曰：'自有火轮车船，货物通于各国，各行买卖，皆较前十数倍，不独饽饽为然也。'英人之富，宜矣。"又在"英人之奖制造"一节中写道：

国富由于制造之多

> 故英国之富，以制造之多也。其制造之所以多，则官为经理以归利，人人咸乐图谋也。他国之人之不肯用心者，则反是也。

这里拿"他国"来和英国作对比，含有拿中国和英国作对比的意思。后来在“英人讲求教养”一节中，又指出人民素质与国家富强的关系：

> 英之众庶，强半勤谨，不自懈废；商贾周于四海，而百工竭作，亦足繁生其物，以供懋迁之需；国之致富，盖本于此。非然者，火车轮船即能致远，而可贩之货国中无从造而成之，金币究如人何哉？

这和出国前在上海时斥西洋之图富强为“刳天剖地，妄矜巧力，与造化争能”，态度已相去远矣。

开会堂

在《开会堂情形》一节中，刘锡鸿目睹英国议会“各出所见，以议时政，辩论之久，常自昼达夜，自夜达旦，务适于理、当于事而后已”。评论道：

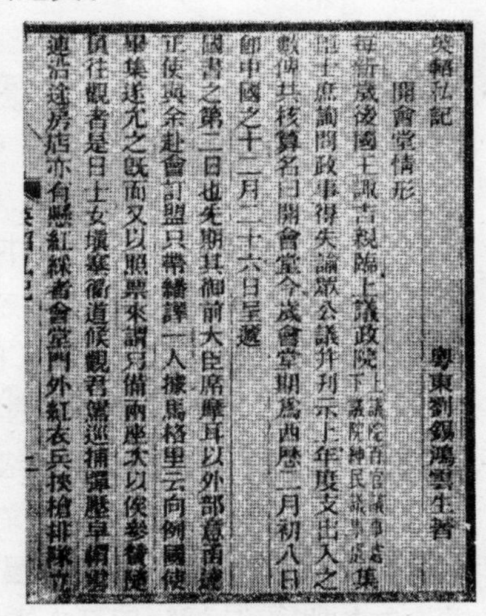
英軺私記　粵東劉錫鴻雲生著
開會堂情形
每新歲後國王諏吉親臨上議政院（上議院官議事處　下議院紳民議事處）集
紳士庶詢問政事得失論議公議并列示上年度支出入之
數俾共核算名曰開會堂今歲會堂期為西曆二月初八日
即中國之十二月二十六日呈遞
國書之第二日也先期其御前大臣席轄耳以外部意函請
正使與余赴會訂盟只帶繙譯一人據馬格里云向例國使
畢集廷允之既而又以照票來謂另備兩座求以俟參贊隨
員往觀者是日士女壙塞衢道候觀君駕巡捕彈壓草
連沿途房牆亦有懸紅綵者會堂門外紅衣兵挾槍排隊

（《开会堂情形》）

> 官政乖错，则舍之以从绅民。故其处事恒力争上游，不稍假人以践踏；而举办一切，莫不上下同心，以善从之。盖合众论以择其长，斯美无不备；顺众志以行其令，斯力无不殚也。

这种政治，比起刘锡鸿所卫护的“政令统于一尊”的宗法专制政治来，自然弊病要少。刘锡鸿不敢接触到这一点，但他在介绍英国地方选举“看司勒”(couhcilor,市议员)、“奥德门”(alderman,参议员)的情形时,说:“此制与汉之三老、明之里老略同。然其所举者富民,举之者亦富民,官不复参预其事。”并指出中国明朝(注意:他不敢提清朝)“洪熙以后,此选益衰,仆隶匪人,滥竽相继……贵官愈多,牵掣愈甚,供亿奔走亦愈繁,百姓之生路乃尽绝而无可逃免。”

虽然刘锡鸿在日记中多次要中国百姓“戴天覆地,无忘高厚之恩”,时刻怀念着朝廷的恩德,但有上面这段话,就足以说明他并不完全盲目盲心。说一句笑话:郭嵩焘如果想照样给他戴上一顶“怨谤”的帽子,也不必担心找不着材料。

也有怨谤

用夷变夏

如果我们认为,短短九个月,就能够改变刘锡鸿几十年来从源远流长的传统文化里承袭下来的基本观念,那就不仅太简单,而且也不符合事情的本来面目。果真如此,刘锡鸿和郭嵩焘的从遇事牴牾到彻底决裂,也就是不可理解的了。实际情况是:刘锡鸿是全力捍卫他的“圣人之道”,十分希望能够“用夏变夷”的。但时至十九世纪中叶,中国人的确没有什么思想武器可以和西方的资本主义文明相对抗,旧的宗法社会专制主义的思想武器的确屡战屡败,抵不住,宣告破产了。刘锡鸿拿来“捍卫圣教”“用夏变夷”的,正是这样的思想武器。这个武器在一八七四至一八七五的北京朝廷上还可以舞弄一番,拿到伦敦市面上却非打败仗不可。刘锡鸿想“用夏变夷”,结果却是马格里、井上馨、博郎等人“用夷变夏”,使刘锡鸿虽然谈不到放弃根本立场,却不能不承认自己原来确实存在某些偏执和误解,总算“变”了那么一点点。

《英轺私记》保存了刘锡鸿和马格里、博郎、井上馨等外国人思想交锋的纪录，也就是落后中国的思想武器打败仗的纪录。正是由于这些交锋，才使刘锡鸿在事实面前开了一点眼界。

打败仗的纪录

井上馨是日本学西方的先驱、明治维新的先进。他"十四岁入伦敦学艺，十年而返，以英人船炮火车之用告于其国。咸恶之，屏不与语，有指为私通西洋而群殴之者。迨英军攻日本，力不能支，乃乞井上馨言和，擢户部尚书，献策更政令以从西洋。今又来英，稽求征税之法"。郭、刘在伦敦同井上馨有多次接触。井上曾对郭、刘说："中国宝藏实多，何为货弃诸地？胡不效西法，改弦而更张之？"郭未作答，刘答道："祖宗制法皆有深意。……第能讲求旧制之意，实力奉行，悉去其旧日之所无，尽还其旧日之所有，即此可以复治。若改弦而更张，则惊扰之甚，祸乱斯生，我中朝敢不以贵国为戒乎？"

刘锡鸿这番表示拒绝的话，看似厉害，实却无力。因为日本效西法改弦更张，并没有出现"惊扰之甚，祸乱斯生"的后果，刘的反诘等于无的放矢。日本公使在英监制轮船，派人学习水师，一派蒸蒸日上的景象；造成兵船下水，还特邀中国使者观礼并参加宴会，《英轺私记》亦记其"船法精巧"。而英厂"易炸之炮，以贱值售诸中国，采买委员利其可以冒报银数，辄与收之；鱼雷初制，亦多不可用，并为中国购去"。甲午黄海之战的胜负，此时已早见端倪。

井上馨

井上馨特别在宴会上问刘："中国尚有林则徐其人否？"刘答云："曾国藩、左宗棠何多让也。"井上曰："否，否！中国若有此忠良，两君玉趾不贲英矣。"这才是当头一棒，给刘锡鸿指出了中国积弱召侮的可悲事实。井上又曾向刘谈火车有益民生、贸易可丰国计，并推荐挨登思蔑士（亚当·斯密斯）所著《威罗士疴弗呢顺士》（*Wealth of Nations*，即《原富》）一书给刘阅读。《英轺私记》一一记载了这些接触,没有再进行驳斥。

和马格里的辩论

马格里和刘锡鸿关于中国厘金是否妨碍通商的辩论,更是以刘锡鸿的明白服输而结束的。光绪三年六月初六,马格里谓刘:“中国厘卡于商货或征或不征,或征而轻或征而重,恐非公道。”刘曰:“此皆奸商勾串巡役为之。”马曰:“英国无此弊何也?”刘曰:“大江大河,则垢秽无所不有,虽天地亦无如何。今英只此片土,而万人之目集之,故无弊。”马曰:“商货流通,非百姓之益乎?”刘曰:“百姓之害也。洋货非日用所必需,不见此物则心不动。……我中国治法,以教民勤俭为主,与外洋不同,故不欲洋货运入内地。”二十七日,马格里用明白浅近的方法告诉刘锡鸿:“假如有货于此,由上海将至四川,除已纳正、子两税外,湖北共应完厘若干,四川共应完厘若干,或三倍,或五倍,制为定额,均于上海全收之,……于商情固便,而中国筹饷亦可免吞蚀之虞,是两益也。“刘锡鸿无法再驳,只好答称:“所言尚是。”结束了这场辩论。

同博郎的辩论

博郎“盖英人,幼居德国读书,长则效力于中国,历十馀年,能华语者”。有次刘锡鸿与之论及火车,谓:“中国游客较少,造铁路制火车必至亏本,势不可行。”博郎曰:“不然,火车之利在载货,不在度人。中国货物最多,生理最大,若制火车,利息必倍,税课亦增,实是足国裕民之道,且藉此可省兵力……”刘曰:“贼夺火车以袭我,则奈何?”博郎曰:“贼即能夺火车,不能尽占铁路;铁路划断,则火车不可行。”刘曰:“一铁路须银六七千万……中国奚能有此巨款。”博郎曰:“可借诸外国也。外国罔不借债,中国亦何惧而不为。”……刘曰:“此皆非治国正轨,恐未可恃。洋人医足疾,辄断其筋而续以他物,如此灭裂办法,其何能久。”

“断其筋而续以他物”,又成了“花园的父亲”,不能算是认真的讨论了。但是“能华语”的博郎还不肯罢休，过几天又找刘锡鸿，谈中国应该购买轮船，建设海军，因为“不筹贩运，第见洋人载银以出，不见华人载银以入，不数十年，中国必尽困匮矣。”刘问：“轮船当得若干？”博郎云约需二百艘，价银二千万，借诸外洋，不过岁输银八十万耳；海军既成，裁汰旧式水陆师岁省银数百万，贩货外洋往来岁税又可增收数百万，“中国何惮而不为乎？”刘问：“轮船驾驶，非华人所习，奈何？”博郎云：水手可择师船少壮充当，管轮、机器及领航当亟选聪慧子弟数百，“分赴各国从根底学习”。

博郎所建议的，正是刘锡鸿在一八七四至一八七五年的辩论中所反对的。但是，经过反复交锋以后，这次刘锡鸿不再坚持原来的看法了，他给自己转圜道：

> 余闻其言，而心口熟商之曰：事理无穷，因乎时势。如人之一身，疾病未起，则补养元气，自可退外邪，此一理也；疾病一起，不先祛外邪，而惟言补养，则其病终不可瘳，此又一理也。……余素持治国务本之说，由今思之，未可偏执也。

承认偏执

这已经到了刘锡鸿“进步”的极限。他永远不可能像郭嵩焘那样，认识学习西洋“政教”的必要，但是，九个月的实际观察和了解，特别是和外国人士的直接接触和讨论，终于使他开始承认，自己过去确有“误”和“偏执”的时候。

刘锡鸿作出这样的承认是极不容易的，对于他来说恐怕是十分痛苦的。从《英轺私记》可以看到：他在进行观察和接触的时候，就像是一个他曾经形容过的小财东，拿了几吊本钱同别人去合伙做生意，时时刻刻都在“亲身注睇其间”，生怕上当受骗。比如：

参观时搞突然袭击

> 英人狱制之善，余虑其有所饰以美观也，(六月)二十三日偕博郎出门，突至其禁犯之所觇之，饲养、督教无异，房室之洁亦无异。

又如：

> (七月)十二日，余与刘孚翊、博郎偕至野士凌墩游览，不以公往而以私往者，公往则告董事预为洒扫，虑不得其真耳。

经过这样“突击检查”，反复验证，确实相信已经“得其真”了，刘锡鸿才不得不在某些具体问题上修正他自己原来的错误和偏见。只此一点，即可见守旧观点改变之难，亦可见新事物优越性终于不可抹杀。

刘锡鸿原想“用夏变夷”，为大清朝立功；结果却不得不让英国人、德国人“用夷变夏”，自己的旧思想旧观点不得不部分宣告破产。历史终究比人强，这就是刘锡鸿和《英轺私记》给予我们的教训。

19 张德彝《随使英俄记》(《四述奇》)

□ 张德彝作为英文翻译官,一八七七年随郭嵩焘使英,一八七八年底奉调随崇厚赴俄,一八八〇年春销差回国,有《四述奇》记此行经历。兹据"著易堂"印本标点,以稿本校过,取名为《随使英俄记》。

张德彝的《随使英俄记》原名《四述奇》，是他一生所写七部海外“述奇”的第四部。

光绪二年冬，清廷开始遣使驻扎西洋，张德彝随郭嵩焘、刘锡鸿出使英国，任翻译官；光绪四年底，复调随崇厚往俄国议界修约。六年初，他销差抵巴黎后，曾纪泽奉命赴俄谈判改约，又打算带他同行；而他却因父病未能前往，便于六月间离欧洲回国了。这一次，他在国外的时间，比前三次都要长。

清廷初次遣使西洋和中俄两次谈判界约，都是近代外交史上的大事。张德彝躬逢其盛，见闻可谓不凡。可是他写书遵循一贯的风格，很少涉及政治外交方面的情况，而主要是记录国外的日常生活。正如本书凡例所云：“是书本纪泰西风土人情，故所叙琐事，不嫌累牍连篇；至于各国政事得失，自有西土译书可考。”又说：“历次出洋，虽辱承译事，而一切密勿阙而不书，亦金人缄口之意也。”

专记泰西风土人情

从采访史料的角度看，张德彝这样谨慎小心，确实不免使人感到遗憾。但他所记关于泰西风土人情的“琐事”，却反映了十九世纪七十年代中国人对西方社会认识的进一步深入，颇富文化史的价值。同时，作为一位翻译官留下的“累牍连篇”的日记，尽管“一切密勿阙而不书”，也毕竟为研究郭嵩焘等人在国外的活动，提供了不少有用的背景材料。

与郭嵩焘日记参看

如果拿《随使英俄记》（以下简称“本书”）同郭嵩焘的《伦敦与巴黎日记》（以下简称“郭记”）参看，便可发现，在记载中国驻英使馆的日常生活方面，前者确实比后者详细得多。例如光绪二年十二月初八日始抵伦敦，关于当日入居的馆舍，郭记只有简单一句话：

> 戌刻至波克伦伯里斯（按即 Portland Place）寓宅（亦曰波儿得兰达柏来斯第四十五号）。

而本书则用了三百多字来介绍：

坡兰坊第四十五号

> 至坡兰坊第四十五号。……金登干英人也，系总税务司赫乐彬令驻伦敦，代中国办运船炮、察觅学习税务人员与照料往来财簿者。星使未出都，函嘱其卜宅，故代租此房，供奉一切焉。楼四层，每层间数不等。间间整洁，器皿齐备。帘帐陈设，床榻炉灶，虽朴素，甚为壮观。东主侯爵郝士，苏格兰人也。租金每月百零五镑，合库平银三百六十七两五钱。男司事者，有内总管一名，门丁一名，照料客厅一名，照料书房一名，照料灯火什物一名。女司事者，有照料房屋器具一名，洒扫者二名，女管厨一

名，女厨工一名。四轮双马车一辆，跟役、车夫各一名。按坡兰坊在伦敦新城之东南，北有敖斯佛街，南有荔榛囿，东有班芝街，西有普兰巷，道路平净，楼舍整齐，镇日车则毂击，人则肩摩，薄暮灯烛辉煌，浑如不夜，此犹伦敦之雅静处也。

这真是“叙琐事不嫌累牍连篇”，但中国第一处驻伦敦使馆馆舍及供事人员的情况，藉此才得以保存下来，使我们得以知道。除此以外，恐怕再也没有第二种关于这些情形的记载了。

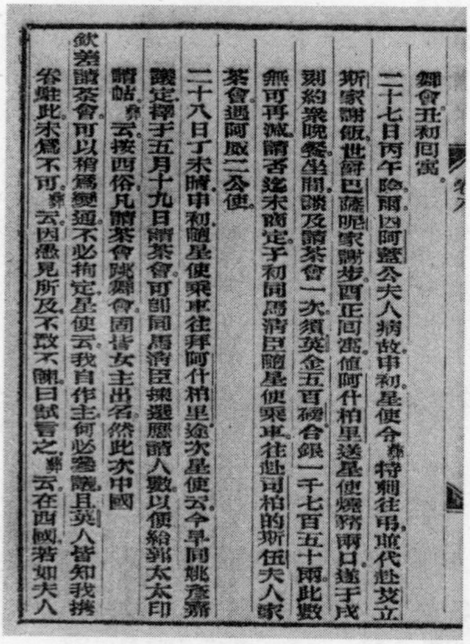
鄉會。丑初回寓。
二十七日丙午。陰雨。因阿鹽公夫人病故。申初。星使令彝持帖往弔。並代赴技立
斯家謝飯。世爵巴薩呢家謝步。酉正回寓。値阿什柏里送星使燒豬兩口。遂于戌
刻約衆晚餐。坐間談及請茶會一次。須英金五百磅。合銀一千七百五十兩。此數
無可再減。請否遂未商定。子初偕馬清臣隨星使乘車往赴司柏的斯伍夫人家
茶會。遇阿威二公使。
二十八日丁未。晴。申初。隨星使乘車往拜阿什柏里。途次星使云。今早同姚彥嘉
議定。擇于五月十九日請茶會。可即同馬清臣揀選應請人數。以便給郭太太印
請帖。彝云。按西俗凡請茶會跳舞會。固皆女主出名。然此次中國
欽差請茶會。可以稍爲變通。不必拘定。星使云。我自作主。何必參酌。且英人皆知我携
眷。雖此亦無不可。彝云。因愚見所及。不敢不瀆。曰試言之。彝云。在西國。若如夫人

（“给郭太太印请帖”）

又如光绪四年五月十九日举行茶会，这是郭嵩焘任内中国驻英使馆唯一的一次对外招待会，郭记也只寥寥数语：

邀请茶会，至者五百馀人，所费盖千四五百金；而凡客至皆以为欣幸……

而本书中早在四月二十八日即有一段关于茶会准备的重要记载：

申初，随星使乘车往拜阿什柏里。途次星使云：“今早同姚彦嘉议定，择于五月十九日请茶会，可即同马清臣拣选应请人数，以便给郭太太印请帖。”彝云：“按西俗，凡请茶会跳舞会，固皆女主出名，然此次中国钦差请茶会，

给郭太太印请帖

可以稍为变通，不必拘定。”星使云：“我自作主，何必参议；且英人皆知我携眷驻此，未为不可。”彝云：“因愚见所及，不敢不谏。”曰：“试言之。”彝云：“在西国，若如夫人出名，自然体制无伤。苟此信传至中华，恐人啧有烦言，不免生议。”言毕，星使仰思良久，转嗔为喜而韪之。

郭太太

“郭太太”即郭嵩焘携往伦敦的侍妾梁氏。一个茶会署名问题，既反映了中国和欧洲男女关系的差别，又反映了郭、张二人对待传统观念的态度的不同，适足以窥见当时出使诸人在中西“体制”冲突中的矛盾心理。而本书五月十九日当天的记载，则更为细致生动：

（郭太太）

请茶会，自晨至暮。

邀请茶会

经男女工匠收拾陈设，由大门至二层楼，左右列灯烛，置鲜花，中铺红毡。楼梯阑以白纱，挂红穗，分插玫瑰、芍药及茶花。客厅、饭厅皆悬鲜花、灯彩，横设长筵，一置茶、酒、加非、冰乳、小食，一置热汤、冷荤、干鲜果品。刀叉杯盘，罗列整齐。玻璃、银、瓷，光华耀目。客厅对面，鲜花作壁，内藏红衣乐工一班。饭厅旁马清臣住屋两间，以木板横支榻架，以便来者脱外衣之所。楼上第一层客厅及凤夔九与彝原住二屋，皆开门去槅，联为一间。地铺红毡，壁挂灯镜，窗外支帐，列鲜花台，置五彩冰塔。第二层星使住屋五间，亦修饰华美整洁。悬花结彩，鼓乐喧天。门外支棚帐，雇巡捕六名，以便弹压一切。由亥正至寅初，男女绅富士民来者，计七百九十馀名。（按：郭记云五百馀人，可能未计入随从家属。）

除了这类记载繁简有差，可以互相参看的地方以外，还有一些郭记中隐晦难明的地方，本书可以作为旁证，加以发明。如郭氏于光绪四年七月十七日由伦敦赴巴黎，七月十九日记云："接德在初（按即张德彝）信……即日巴兰德（按巴氏为德国驻华公使）当赴伦敦……"此后一个多月未再提到张、巴二人，八月二十四日忽然又对张表示不满云："德在初来信告知：威妥玛、巴兰德并在伦敦，而嘱我在巴黎少候，约下礼拜乃能来。威妥玛踪迹诡密勿论也，在初探听事情，亦太失之疏忽矣。"看到这里，总不免有些费解。"当赴伦敦"与"并在伦敦"，并无不合卯榫之处，何以要怪他"疏忽"呢？但只要一看本书，疑问立刻可以得到解答。七月十七日记云：

可以补充郭氏日记

辰初，星使率马清臣往巴里（按即巴黎）。未初，代星使持刺赴外部，见潘侍郎，问烟台条约迄今未完，何日可定？据云：……本国须与他国商议，德国巴公使刻抵法京，不日必来伦敦会商。……回寓后，具禀所闻，寄赴巴里。

原来郭氏七月十九日"接德在初信"，信中所告巴兰德"当赴伦敦"一语之上，还有"刻抵法京"四字。郭氏急于和巴兰德见面（郭记八月二十六、二十七等天详载了同巴兰德极其重要的谈话），自己既已来到巴黎，听说巴兰德也马上会来，当然希望能和巴氏在巴黎相会。结果在巴黎一个多月，并不见巴兰德来。

八月二十四日再接德在初来信，方知巴兰德“约下礼拜乃能来”，这就难怪他要埋怨了。

叙事郭略而张详

其实本书七月二十二、二十六、八月初十、二十三等日，均有奉郭星使命探访巴公使行踪的记载，结果都是“不知确讯”、“云未回”、“未接确耗”……又都“具禀所闻，寄赴巴里”了。可见郭之询问和张之报告，都已至再至三。郭记中完全略去了这些情节，读者自然不甚了了，只有从本书中方能索解。

有些郭嵩焘交给张德彝办的公务，更是郭记略而本书详。如中国派往德国留学军事的武弁王得胜、卞长胜、朱耀彩等人申诉一事，郭记光绪三年正月十六日云：“当遣德在初一往查问。”二月初一日记：“德在初自德国回，……所事幸已为料理。”都未多叙事实。而本书光绪三年正月十八至二月初一十四天的记事，几乎全部都是由英赴德处理此事的经过。据卞长胜报告，系德人李迈协“管辖多随私意，时而令着官服，时而令扮洋装”，“偶有不听，因而有隙”，于是入营学习数月后，竟被遣送工厂做工。张德彝随即到留营学习的其他中国武弁中调查，始悉“卞为人自大，不受西人约束；王虽精明，为卞所惑；朱则年幼无知，不能自主”。德国方面本谓卞、朱二人“皆强暴不逊，莫若使之回国”；经张德彝再三请求，始允其改习水师。张德彝在柏林为三人办好水师入荧手续后，又当面“再三劝勉，告以诸君离家万里，当思跋涉不易……朝廷以水陆兵法为要务，学成回华，不惟效力国家，亦可光耀宗祖。……至其所教，择其善者而从之，原无所苦……”三人均表示接受，事情就算得到了解决。像这样在近世留学史、军事教育史上很有意义的史事，能因张德彝的记载而流传下来，确实为本书生色不少。

但也必须指出：本书所叙琐事虽比郭记详细，但由于张德彝的学识水平和思想境界都远逊于郭嵩焘，全书在摭取西学、记录新知方面，则转不如郭记之既能见其大，又能探其微。往往同一题材，郭氏显示了披沙拣金之能，而本书却不免买椟还珠之诮。关于严复的记载，就是这方面一个显明的例子。光绪三年四月初一日严复（宗光、又陵）等出国留学到达伦敦时，郭记只笼统挂上一笔，本书则详细开列了三十二名留学生的姓名别号，显得用心得多。但到光绪四年四月二十九日，郭、张诸人一同到格林威治海军学校去看望严复等学生，郭记详述“严又陵语西洋学术之精深，而苦学穷年莫能殚其业”，从“意大里人洛布尔为对数之学”谈到牛顿，云：

关于严复

> 英人纽登偶坐苹果树下，见苹果坠。初离树，坠稍迟，已而渐疾……因悟地之吸力。

牛顿坐苹果树下

郭氏“极赏其言，属其以所见闻日记之”。三日后，复详细摘录严复等学生呈交的日记近八千言，结论是：“足征出洋就学之为益多也。”而本书于此等处毫无体会，把“在格林泥芝水师学堂中学习之中国武生严又陵等请星使往游”当作一次寻常游历，记述也毫无新意。

然而，尽管有这样一种缺陷，本书仍可作为郭记的重要补充。不仅此也，对于刘锡鸿、崇厚、曾纪泽的活动，书中亦颇有记叙，足资佐证。如光绪三年二月二十七日记井上馨来谈其留英回日本后“献策更政令以效西洋”，六月一日记英人阿士贝“创造凉油，使车行久而轮不热，遂获厚利”，八月二十日记英国制造耕田机器人郎弗娄“呈器图一纸与看……极省人力，可谓巧夺天工”，等等记事，都可与刘锡鸿《英轺私记》参看。尤其是关于崇厚的俄国之行，本书所记，更有资料价值。这些准备放在最后一节去加以评介，这里就不再多说了。

琐记泰西风土人情

至于张德彝所记“泰西风土人情”,这确实占了本书绝大部分的篇幅。虽因作者见解不高、文字平常,读来确有琐屑之感,当旅游文学作品看只能算下乘,但如作为历史资料,则这种缺点亦未尝不是一种优点。如光绪四年十月十四日记英人“约人晚酌”礼俗近四千字,十六日续记英人“平时晚餐”情形一千六百字,十七日又续记英国“跳舞会之夜馔”八百字。兹节录其十七日所记一小段如下:

跳舞会之夜馔

>……设馔屋之正面,横大桌一张,长与屋齐,或一丈,或二丈。外圆桌四五张,置于窗下或屋隅。长桌上铺白布垂地。桌之四面,每二尺之间,置七寸花盘一,内盛白布巾一块,裹小面包一个。盘左置三大叉,一大汤匙,右置长刀二把。盘前偏左,置玻璃三鞭、舍利盅各一。桌之中行置银烛台、鲜花篮、干鲜果品,以及糖果小食。小圆桌上,按式列食具。……入座,首上热汤一二种,或用小深盘,或用带把汤碗。汤后食热荤者少,所备冷荤,系白煮鱼带油汁、菜拌蛤蜊、菜拌熟鸡卵、酱羊肉、酱火鸡加土伏、酱煮猪头、牛舌、白煮鸡等。以上大而须割者,仆人伺候。已成小块者,以盘置于桌面,听客自取。……

娓娓说来,不独可以广人见闻,亦足以见其涉猎异国社会生活时从容不迫的情状。

本书中所记观剧情形,在清人出国载记也特为详尽。如光绪五年九月二十七日,在俄京麻林斯吉戏园观剧,记云:

在俄国看《苏萨宁》

（看歌剧《苏萨宁》）

所演系俄三百年前事，俄被波兰征服，有一小王子出奔。当波人追觅时，遇一老农，名苏萨年。伊生子女各一，子年未及冠，女字而未嫁，婿名索巴呢音，一门素称忠孝。波兵以伊知王子所在，乃入其家，勒令导往。苏初不允，继而慨然诺之，暗令其子急驰告警。苏将行，伊女牵衣而泣，众兵举刀吓之。苏引众兵步行一昼夜，入旷野深林，距王子已数百里。兵既力疲，又值天冷，大雪烈风。众兵举刀追问，苏谅王子必闻信而逃，乃大声急呼曰："王子所居，我亦不知。今领汝等至此，不过少延，以令之逸耳。"而众兵怒杀之。当苏之去也，其女昼夜哭泣。邻人询知其事，再三劝慰，亦料其必无生理。伊婿闻之，聚众乡人执械往救。后王子得志，追封苏为义士，赏其子女及婿以地亩官爵，名传至今。

真要谢谢张德彝如此详尽地介绍剧情、人物，才使我们得以知道，他所看的原是格林卡的著名歌剧《伊凡·苏萨宁》，这恐怕要算中国人对这一俄罗斯名剧最早的介绍了。

早期国人往游欧洲，偶述土风，多限于直接所见所闻一地一时之某人某事。张德彝四次出洋，素谙英语，略通西学。本书所记，有时横能通览社会，进行宏观的考察；纵能上溯历史，作一种文化的搜求。如光绪三年正月十七日记英国姓氏、族徽(纹章)云：

英人于二千年前，皆群聚密林，……游猎于野。至汉宣帝甘露年间，英南界始为罗马所有。继而日耳曼、法郎西、和兰人，渐多流居其地。……旋振兴自立，始为一国。当时人民姓氏，固有罗、日、法三国之遗种，而土人尚无者多。乃有因地名为姓者，如林、河、城镇；有以颜色、器皿为姓者，如青、红、黑、白、蜡烛、碗盘；有以物件、禽兽为姓者，如营、林、鱼、狐；更有以本人所作之工为姓者，如铁匠、裁缝、庖丁、木匠等；……凡有功于国，多因其事为姓。闻其古时，兵将皆作铁盔铁甲，缠身不露面，书画其名姓于铁牌面上。……如数百年前，国王出猎，遭野猪之危。正畏惧间，一勇士急以衣带裹左肘，迎猪使啮，右手以剑刺死，王得免。乃赐其姓为野猪，遂画猪首于牌面。后世子孙追远，皆欲画一猪首于门首、车旁，印于信纸，刻于指环，以及烧于瓷与玻璃器皿之上，以铭其宗祖之功，夸以为荣，至今尤甚。因而国家收税，每年送纸单于各户，问其前代曾否有功于国？将铭诸物否？其有而不愿书者，隐而不对；愿则照单注明，铭诸何物，每年按件官收一、二、三镑，竟有共纳税数十镑者。有私刻画于物上者，被官查出，罚金加倍。

贵族纹章

类似这样的记载，本书之中，所在多有。如光绪四年十月十八日记“英人渔猎，官皆限有定时”，列举了雉鸡、鹿、沙鸡、铁雀等十八种野生动物禁猎的期限。鱼之“限禁垂钓，率以五个月半为期”；“在准网钓期内，每一礼拜另行禁止多者二十四时，少者二十一时，由礼拜五夜子正禁至下礼拜一日午正止；禁止之时，凡鱼叉、灯笼、网竿等，均不准出售”。这是中国最早关于外国保护野生动物资源的介绍。光绪六年三月下旬多记英国邮政，三十日云：“英国官造一种小柬，长二寸，宽三寸，后面空白，前面右上角印就半佩呢红色信票。其信语无多者，用之不过费半佩呢，而纸价信资皆有矣。前面书所寄人姓名住址，后面书信语及本人姓名住址。不准摺卷剪割，稍有更改损伤，官府罚一佩呢。”这是中国最早关于明信片的介绍。……凡此种种，不仅富有阅读兴味，而且对研究近代中西交流和各门专史，也很有意义。

明信片

张德彝在本书自序中，不无得意地自称：“计自设馆（案指同文馆）以来，出洋四次，彝皆躬逢其始，噫！亦奇矣。……因奇志奇，凡前三次所未见闻之奇，此次复逐日记之。愿海内士君子共闻此奇，得知天下时务之屡变，风景之日新，不诚愈出而愈奇哉！”这说明他在记叙泰西风土人情琐事的时候，多少也有一些想反映“时务之屡变”和“风景之日新”的指导思想。

四次出洋

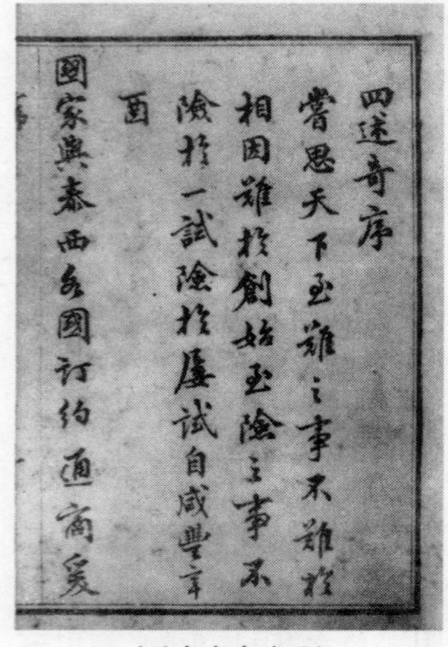
四述奇序
嘗思天下亟難之事不難於
相因難於創始亟險之事不
險於一試險於屢試自咸豐辛
酉
國家與泰西各國訂約通商爰

（稿本自序首页）

本书字里行间，间亦透露了个中消息。如光绪五年六月二十四日记与能英语之波斯人姜喜庆相识，姜氏自述波斯“王孙公子、大员子弟，多以势利压人，……打伤人命，并不抵偿；抢夺妇女，终不释放。如此良民受害，无理不公，弊病日深，一言难罄”。张德彝写道：“言之令人怀惭，闻之令人叹息。”二十八日两人又在公园晤谈，谈及欧洲国家“彼此通商，互保子民而固友谊”，而“敝国则否，见他国富强，漠不加察，甘居贫弱，然未尝人不多而地不广也。土人见外人，皆切齿怒而不言，退即妄言无忌，官府尤甚，究不知所怒者何。”七月初六日又与能英法语之土耳其人谭喜什武交谈，云泰西“夫妇同心，料理内外，亦有足取”，批评了东方的买妾、蓄婢等弊端。可见张德彝之于“时务”也不是一点也不关心的。

张德彝四次出洋，对西洋的认识一次比一次深入，这只要将本书和前三种“述奇”(《航海述奇》、《欧美环游记》、《随使法国记》)作一比较，便可了然。他自己在本书中，也有好几次总括地谈到了自己对西洋的认识的进步和提高。如光绪三年九月十八日记云：

对英国人的认识

> 前三次在伦敦不及半年，一切多未详考。此次随使八、九月以来，细察英国风土：人颇诚实，不尚虚文；有职役则终其事而不惰，有约令则守其法而不渝；是非论之甚确，利害辨之甚明；辞受取与，亦径情直行，不伪为殷勤，不故为谦让。有约届时必赴，一切以诚实为本，而以妄言负约等于隳节败名，可谓严以处己矣。

四年十月初八日云：

> 自同治乙丑，迄今四次往来英国，随时考其心意，十数年来，亦有变更者。按今观之，通国官绅，以行善为念，而意在息兵安民者，十居六七焉。其俗以理之是非为事

之行止，非专恃强仗势者。苟理无不足，则明白畅快，与之反复辩驳，使知事理之所归。故公事不能以数人之见遽定，……畅所欲言，无所畏惧；罔有滥竽充数，唯唯诺诺，听高位一人之言者……

十一月初七日又云：

彝四次往来西国，细察其人之性，喜爽直，恶含混；爱敏捷，厌迟延。每办交涉事件，议论虽可挥洒自如，惟客气之话不宜有。……苟摘其谬，虽明斥之无妨。不必吐茹伸缩，亦不可阴执一意，而阳为他论以抵之。盖西人谓辩驳道理本非争斗，无论何人，理足自能听从。若说理不出，即是无理耳。

从这几段话即可看出，“出洋四次”的张德彝，已经不再是见了“奔走疾于奔马”的火轮车就目瞪口呆的“吴下阿蒙”了。

对俄国的认识和感情

崇厚赴俄

光绪四年十一月十五日，张德彝在伦敦使馆奉到“出使俄国钦差全权大臣”崇厚的札文，文中抄示奏请调张德彝差遣一片云：

兵部员外郎张德彝，练达勤能，留心洋务。迭次奏带出洋，于外国情形，最为熟悉。臣于同治九、十年间，派令随赴法国当差，悉遵妥协。嗣经出使大臣郭嵩焘派充翻译官，随赴英法。臣现与新任出使英法大臣曾纪泽商明，

> 该员归臣差遣，此次臣前赴俄国，道经法国，届时即拟调令随行，以资熟手。

第二天（十六日），郭嵩焘又札饬其“迅即束装启程，迎赴马赛，听候崇大臣差遣，毋稍迟延”。二十一日他即离英赴法，随至马赛迎接到崇厚一行同至巴黎，十二月初三日动身赴俄，初八日抵达俄京彼得堡。

从本书记载看，张德彝对俄国的印象一开头就不怎么好。初八日记云：

> 一路在德界，田地肥腴，楼宇整洁。入俄，则遍地沙漠，雪厚尺馀。居民多结草为庐，累碎甓为短垣，雪地冰天，鸡鹜并集。将近都城，见有木建重楼，而门堂固有整洁者，然亦仅矣。……至米奚娄弗斯戛亚街，入多洛布大店。楼四层，房千间，虽系铁梁石垒，营造不精。

初十日记云：

> 俄都楼高五、六、七层不等，式如西贡、新加坡之洋房，较英、法不能相埒。土人除官绅、大商外，多蠢笨愚鲁，……

十一日又记：

英法俄马车之比较

> 按英法马车行动皆有定规，俄则不然，价可增减。如行十数里，索七八十考贝或一卢布，给以二三十考贝即允。近因国帑不足，一切改用纸钞，由一卢布至一千卢

布。然名实不符,每二纸卢布方抵一银卢布。……

(张德彝在伦敦)

中国人始至欧西诸国,讶其初见,诧其新奇,记述中每多赞美。而张德彝从英、法来到俄国,马上便有相形见绌之感。所谓“不怕不识货,只怕货比货”。尽管俄国人也是深目高鼻、拳发虬须,沙皇治下的经济文化社会状况,和英、法等国的差距毕竟还是十分明显,让中国客人一眼便可看透。

关于崇厚和俄人的谈判情形,张德彝遵守“一切密勿,阙而不书”的信条,没有作什么记载。但从本书中也可以看到,崇厚到彼得堡十九天后,即向俄皇阿来三德(亚历山大)呈递了国书,一直等到闰三月初五日,才和俄国前任驻华公使布策开始谈判,是日“由未正谈至酉初一刻”。以后双方每次会谈,书中都记上一笔。到七月二十九日,“星使第三十一次会布策,因条章定妥,拟于八月初八日赴立瓦的亚(今译里瓦几亚)庄,见俄皇画押盖印”,谈判算是结束了。八月初八日,崇厚乘火车前往“南省临黑海之立瓦的亚庄”。十三日“接电信,知星使安抵雅拉塔(今译雅尔达)入寓,寓因地名,盖立瓦的亚大城名,雅拉塔小镇名也,即俄皇行宫处也”。十七日“夜子正一刻,接星使由雅拉塔寄来电信云:‘八月十七日画押’。即时彝起着衣,敬书电报,寄往上洋”。二十二日,崇厚

条约画押

回到俄京，二十六日就动身回国了；而张德彝却和署使邵友濂（小村）继续留在俄国，直到翌年正月初六日才离俄赴法，向曾纪泽报到。

里瓦几亚条约

崇厚在俄国签订的"里瓦几亚条约"，是一个丧权辱国的不平等条约。正如胡绳在《从鸦片战争到五四运动》一书的第十二章《帝国主义对中国边疆的侵略和半殖民地外交》中所说：

> 按照这个条约，伊犁地区的九城虽然还给了中国，但是在这地区西境霍尔果斯河以西地区和南境特克斯河一带地区仍属于俄国。……中国方面还要给俄国五百万卢布的"偿金"。条约又把同治三年的议定书中规定的塔城附近和喀什噶尔附近的边界作有利于俄国的修改，还给了俄国以在蒙古和新疆全境进行贸易的权利……

它完全是沙皇俄国贪婪的掠夺野心和横暴狡猾的外交手段的结果，不仅引起了爱国士大夫们激烈反对，就连力求妥协的满清朝廷，也不得不表示"震怒"，降旨切责崇厚，将其拘禁，定为"斩监候"之罪。

本来就对俄国没有好感的张德彝，在留俄的一年多时间内，对俄国的暴虐贪婪是深有感触的。在他离开俄国的当月三十日，他写道：

俄国之人无所不贪

> 按泰西有总论美、英、义、法、俄五国一节，略云：美人无话不言，英人无物不食，义人无曲不歌，法人无式不跳，俄人无所不贪。不知出自何人之手，历历详查，名实似符，故录之。

“俄人无所不贪”，这一句话，概括了张德彝对当时俄国的一个总的评价，也可以说是中国人挨打以后的一点觉悟，一点认识上的进步吧。

本书关于俄国的记述，虽然也是多谈琐事，杂记见闻，但沙皇俄国的黑暗腐朽和统治不稳，在作者的笔下仍然时有表现。如光绪五年闰三月初五日记：

> 十数年前，通国俄民约八千馀万，其三分之二为奴，属各世爵富户，按世爵数共十万九千三百四十。至俄历一千八百六十三年(即同治二年)三月初三日，俄皇阿来三德虑其分势，乃下诏改奴为民，……各地仍令耕作，视为佣佃。按年核其收入，给以十分之四而偿之。……如是则俄国所有可耕之田，官得五分之三，世爵富户得五分之一，佃户得五分之一。自释奴后，各世爵富户多致贫苦，因而觖望。……〔俄皇〕昨日临行，立向廷僚宣传一切，并云：“刻下京城不靖，各怀私心，皆由地方官管辖不严。自我去后，须设法清理保护。”当日巡捕营提督谕令通城各家雇人看守门户，昼夜坐卧，出入皆须问明，日日报官。遇事鸣号聚众，以助巡捕。……

俄对人民如临大敌

这种对人民如临大敌的情形，有时真到了可笑的地步。闰三月初二日记：“凡由他国寄新报到俄，皆经官寓目，查其是否关碍公务，然后按家分送，间有以墨涂抹而后送者。早见德国四月十二新报，被俄抹去一段，不知所言何事。”

这样严厉压制的结果又如何呢？三月初四日记：“迩来俄人新立一党，意欲改易国政。”十一月十三日日记：“墨斯哥通城墙壁，贴有造反二字，不知何人所粘，”而作为最高统治者的沙皇,却仍然过着骄奢淫逸的生活,十一月二十二日记:“闻本街第四十八号,有王爵杜尔戛鲁吉者,生三女。其长女、次女,曾经俄皇所幸,已字与人。其三女仍为俄皇所宠。伊家有二门,其一门扃钥,有巡捕一名把守,惟俄皇来启之。”这样的“民之父母”,自然不能不激起人民的反对。本书中关于当时革命党人的几次行刺俄皇,都有比较详细的记载。光绪五年三月二十三日记:

行刺沙皇

巳正,忽闻放炮三声。询知俄皇于巳初步游宫右御园,派有巡捕二名,暗侍左右。途次突遇一人,着官衣,年近三旬者,趋而进,免冠鞠躬。俄皇以右手扶帽答之,见其神色可疑,俟其过,回顾。时伊已取出手枪,未及呼,已连施三枪,幸而脱。时左鄙民房门丁闻声往捕,伊以枪中其左颏而仆。后经二巡捕将伊缚之。同时,前面又一人向俄皇放枪,又被他二乘马巡捕所获,遂将二人下狱。前一人被获时,自吞毒药两丸,即刻晕迷。

四月二十一日记:

闻前日放枪之人,是日官定绞罪。……据供因国法太严,民受荼毒,总由君上不明,廷僚贪墨之故。……

十月十九日记:

闻昨夜亥正,俄皇由库尔斯克城回至南京墨斯哥。将进城,改乘马车,顺道入伊苇斯吉天主堂礼拜。其侍卫武弁,以原乘火车载行李,穿城走铁路。至中途,忽地雷轰震，翻车三辆，铁辙崩裂，幸未伤人。即时觅得掘地之所，人皆逃去。见沟宽二十五、六尺，深六、七尺，长四十馀尺，盖以俄皇必穿城而过也。……

十二月十九日记：

密谋暗杀

闻是日巡捕在某街，捉得三男二女。当时女放手枪拒捕，幸未伤人，搜得造作地雷之物。巡捕奖以宝星，协尉各有升赏。即时谕令通城，大索数日，禁止携带手枪。

这就是一八七九年俄国沙皇统治危机的几幅小型的剪影。

到了在俄国居留的后期，张德彝对俄国社会的观察愈益深入，于俄国（比较西欧）之落后亦愈有体会，而凡此种种，亦均于缕记琐事中见之。如光绪五年八月初三日记：

西人每事订时，无论何等人，毫不爽约。至俄京则不然，如赴宴会及他约，皆晚到一小时不为迟，工役尤甚。苟订明日某时，必逾一日或二日。问则对以某日礼拜六，某日礼拜一，或例应休息，或因醉未醒，诸多推诿。虽大僚订期会晤，亦有如是者。

十二月二十八日又记云：

西国住房，厨灶固有青蝇，而不如俄国之多。虽值隆冬，亦来群集。迩因天气稍暖，厨中杯盘残沥，砧几馀腥，而营营之声大作，麾之不去，殊堪憎恶。……

寥寥数十字,大概也可以表现一点张德彝对当时俄国的感情吧。

(三十年后使英大臣张德彝携家人在伦敦)

FROM EAST TO WEST

20 薛福成《出使英法义比四国日记》

□　薛福成一八九〇年任出使英法义比四国大臣，任期四年，期满回国有《出使英法义比四国日记》六卷及《出使日记续刻》十卷。兹将此二种合为一书，(前者据《庸庵全集》本，后者据“传经楼”校本)，并分别保持原来的卷数。

出使英灋義比四國日記

正如徐崇立为《庸庵内外编》作序时所说，薛福成是一位出现在“风气略开以后，异学未兴以前”的过渡时期的人物。

薛福成也算是“洋务派”，但和一般出身洋场或科场的洋务官僚又有所不同。他曾潜心于传统的“经世之学”，被曾国藩称为学人；又曾长期担任曾氏和李鸿章的幕僚，积累了丰富的政治社会经验。因此，他对于办洋务，既有一个比较明确的思想，又有一套比较切实的办法，是洋务运动中并不多见的干才。

在“洋务派”中，薛福成很早提出“变法”的主张，认为西人之法得风气之先，“虽以尧舜当之，终不能闭关独治”，“必尽知其法而后能变，变而后能胜”。但是，在一八九〇年奉使英法义比四国以前，他只能从译书谈西事，就洋务论洋情；他的变法主张，没有也不可能跳出洋务派的窠臼。直到一八九〇至一八九四年亲历欧西，旁征博览以后，他才进一步扩大了眼界，解放了思想。他的《出使英法义比四国日记》(包括续刻)十六卷，记录了一位洋务派学人向维新派人物蜕变的痕迹，为我们研究从洋务到变法的过渡时期提供了有价值的材料。

“洋务派”的学人

薛福成，字叔耘，号庸庵，江苏无锡人。他的父亲薛湘，字晓帆，一生在科举场中努力往上爬，到老终于成为进士，当了州县官。薛福成兄弟六人，从小也被送上读四书、做八股的道路。

薛福成

旧式科举“专以八股六韵，徒事空谈”；考试的弊端尤深，即使耗尽心血钻研揣摩，能够根据狗屁不通的“搭截题”，做出声调铿锵的八股文，也往往不能“中式”。所谓“一缘二运三风水，四积阴功五读书”，便是对这种考试制度的辛辣而又生动的嘲讽。薛福成从小苦读，日课常常达到寻常学子的两倍，并且能写一手好文章。但他在科场中却不顺利，二十一岁才考上秀才，此后即蹭蹬科场，累试不第；直到三十岁，才在同治六年江南乡试场中，考了个不能进京会试的“副贡”。他在所写的两篇《选举论》中，揭露科举制度的罪恶，说它害得无数聪敏有为的人才，“迍邅场屋，槁项黧馘，以老死牖下”，确实是慨乎言之、有感而发。

（薛福成，1838—1894）

就在薛福成进学以后不久，他那刚刚从知县升迁知府还没有来得及上任的老父亲，便因病去世。接着，太平军击溃清朝江南大营，他家刚刚发达的家业又倾荡于兵燹战乱之中。青年薛福成开始觉得，不能不在科举以外另谋出路，便把眼光投向了父亲的旧友曾国藩。曾氏正以“提倡实学，拯济时艰”自命，隐然为江南封建士人所推重，也就成了薛福成心目中读书人的榜样。

以曾国藩为榜样

于是，薛福成转向了由龚（自珍）林（则徐）魏（源）始倡其风的“经世之学”，“于千年成败兴坏之局，用兵战阵变化曲折之机，旁及天文、阴阳、奇门、卜筮之崖略，九州厄塞、山川险要之统纪，靡不切究”。接着，他又推本“性理之学”，舍朱、张而入陆、王，特别对王阳明的“心学”下了一番功夫，“以收敛身心为主”。这实际上是把研究历史、军事、天文、地理的心得，提到政治伦理哲学思想和修养的高度，“然后浩然若有所得”。

在研究“经世之学”时，薛福成注意到了刚刚成为天下大事，被称为“时变”的“夷务”和“海防”。他继承了林、魏“师夷长技以制夷”的思想，主张“夺其所长而乘其所短”。即是要派人出洋留学，购回“制器之器”，取回洋人“火器猛利，轮船飞驶”之“所长”；利用洋人万里来航、兵粮不继，西洋各国互相矛盾、互相牵制之“所短”，逐渐改变被动挨打的局面。

同时，薛福成还注意到了在“夷务”中办好交涉、整饬内政的重要。他认为中外立约，“通有无以裕税饷，得利器以剿强寇”，是中国的“大益”；鸦片流毒全国，教士横行不法，则是中国的“大害”。但只要讲究交涉之道，则中国有权禁止国民吸食鸦片，有权惩办仗势违法的教徒，害处亦可以设法减少。

薛福成的这些看法当然还非常肤浅，但却是一个十分重要的开端。一八六五年，曾国藩以钦差大臣督师剿捻，经由运河北上，沿途贴榜招贤。薛福成遂将自己研究经世之学和海防夷务之所见，写了一封万言书，于宝应舟次面谒曾国藩，当面呈上。

关于这件事，曾国藩同治四年闰五月初六日的日记中是这样记载的：

> 阅薛晓帆之子薛福辰（成）所递条陈，约万馀言。阅毕，嘉赏无已。

于是，曾氏遂延揽薛福成加入他的戎幕，并且得意地对左右说："吾此行得一学人，他日当有造就。"

入曾氏幕

曾国藩的幕府中，确实"致力延揽、广包兼容"了不少人才。薛福成后来曾将其比为"众流之汇"和"播种之区"。在这里，曾国藩和大家"晨夕晤谈"，不断"以兵事、饷事、吏事、文事四端训勉僚属，实已囊括世务，无所不谈"。即使像薛福成这样"专司文事"的青年幕友，在这里也能够"克揽其全"，得到比较全面的锻炼。他和黎庶昌、张裕钊、吴汝纶四人，尤其服膺曾国藩"文章与世变相因"的理论，为文也师法曾氏，好谈"经济"，不墨守"桐城义法"，被称为"曾门四子"。

在曾国藩幕中四年，薛福成为曾氏拟办过许多文稿，从而熟悉了兵事、饷事、吏事，也熟悉了曾氏开始经办的"洋务"，同时进一步提高了写作和综合分析的能力。由于劳绩，他被保举为官，最后已经有了"直隶州知州，赏加知府衔"这样的身份。他还用"鹅湖居士"的别号，利用业馀时间，写了许多篇笔记小品，在《申报》刊载。其中虽然也有说鬼谈狐的作品，但较多的却是寓幕所接触的佚事秘闻，如《太监安德海伏法》、《张汶祥之狱》等篇，都是宝贵的社会政治史料。

一八七二年曾国藩死后，薛福成在苏州书局中呆了一个时期，参加整理刊刻曾国藩奏稿的工作。一八七四年同治帝死后，清廷决定“博采谠言，用资治理”，谕令“内外大小臣工，竭诚抒悃，共济时艰”。薛福成应诏陈言，向朝廷提出了“治平六策”和“海防密议十条”，请山东巡抚丁宝桢代奏；前者主要是关于内政的建议，后者则集中表现了他当时的洋务水平。这十条是：“择交宜审，储才宜豫，制器宜精，造船宜讲，商情宜恤，茶政宜理，开矿宜筹，水师宜练，铁甲宜购，条约诸书宜颁发州县”。总的说来，这十条并没有突破当时洋务诸人“坚船利炮”之说的水平。但是，至少在以下两个方面，已经看得出薛福成对人才培养和工商政策的见解，要比一般“洋务派”高明得多，这当然与他作为一位学人对经世之学的钻研和在曾氏幕中的历练是分不开的。

海防密议

一、薛福成认为，必须注意在知识阶层中培养洋务人才，而培养的方法则是鼓励有识之士（不论是正途出身还是官幕书吏）都来“研求时务”，让大家有机会与洋人周旋。他建议为“洞达洋务者”专设一科，派“胆识兼优、才辩锋生者”为出洋使节，任“熟谙条约、操守廉洁者”为税务司；同时应该将国际公法、中外约章刊印颁发给州县官员，责成他们学习；还应该选派能工巧匠出洋游历，参观各种工厂，探求科技的奥妙。

出使日記

（《出使日记》扉页）

二、薛福成认为，求富是致强的基础，必须“体恤商情，曲加调护”。像洋商船只在内河往来自如，华商船货报税过关反遭留难勒索的情形，决不应该再有。同时只有发展矿业，发展交通，发展商业，才能改变"货弃于地"的情形，"杜彼族觊觎之渐，兴中国永远之利"。他甚至设想：由于国家保护工商，投资造船的华商必会源源而来，中国的商船也可以驶往西洋各埠，"夺洋人之所恃，收中国之利权"，使国家变为富强。

这次应诏陈言，使薛福成由"微官末秩"一跃而为京国知名的人士。太后面谕军机大臣将他的"六策""十议"交由吏、户、礼、兵四部和总理各国事务衙门核议，对当时正在拟议中的一些洋务措施，如遣使出洋、刊布约章等，起到了推动的作用。之后，丁宝桢即疏保他"学堪致用，识略闳深"；郭嵩焘也奏举他"博学多通，精习西洋地势制度"，"可胜公使之任"。他就这样成为"洋务派"的"博学多能之士"了。

筹洋和变法

薛福成这颗新星，很早就为洋务派中心人物李鸿章所注目。李鸿章向朝廷奏陈曾国藩"忠勋事实"的奏疏，就是他请薛福成和钱应溥代笔的。薛福成也曾写过《论西人传教书》寄李鸿章，向李建议拒绝西人传教。在薛福成应诏陈言、名满京师之后，主持北洋洋务的李鸿章，便请他入幕，延为上佐。从此薛福成成为李鸿章办理洋务的重要助手，时间一直延续了整整十年。

此十年间，薛福成于北洋幕中，多所赞襄策划。其中最为人称道的有三件事：

马嘉理案

（一）马嘉理一案，主张"以拒为迎"，在加强防务的同时，运用谈判技巧，卒能保全和局。钱基博《薛福成传》，关于这件

事情的叙述,最为要言不繁,今节录如次:

> 二年夏四月,英使威妥玛以旅滇英人被戕,多所要索,……国人汹惧。福成则以为,英自俄德交合,方惴惴顾虑,必不轻用兵中国。……不妨以拒为迎,一面备战,一面将滇案本末布告各国使臣,……请其评论;仍密饬海关税务司设法刊布外国新闻纸,彼都人士非无公论,久必有据理以讥威使者。已而威使果迁延烟台,不即南下,示转圜意。六月,诏鸿章就与议,而携福成偕行焉。既俄德美法各国公使咸会,均不直威所为。威为气沮,而事遂定。

抵制赫德

(二)抵制任英人赫德为"总海防司"之议,使中国的海军建设和指挥的事权不致落入外人之手。《薛福成传》叙述此事云:

> 五年,总署王大臣将以总税务司赫德总司南北洋海防,下鸿章议。鸿章复书颇瞻徇。福成则以为……赫德为人阴鸷,虽食厚禄受高职,其意仍内西人而外中国。……若复授为总海防司,则中国兵权饷权,皆入赫德一人之手。若总署已与定议,不能中止,宜告赫德以兵事非可遥制,须亲赴海滨,专制练兵,其总税务司一职,则别举人代。赫德贪恋利权,必不以彼易此也。……赫德果不欲行,遂罢此议。

(三)定计迅速平定朝鲜乱事,消除日本扩大侵略的借口,推迟了东亚危机的爆发。这是发生在甲午之前十二年的事情。钱基博写道:

> 八年夏六月，朝鲜内乱，毁日本使馆。……张树声代督闻之，与幕僚议函请总署奏发兵。福成则以为：发兵是也，然展转筹商，往返之间，若日兵先至，彼且虏其王而据其都。事机得失，间不容发。请即遣“超勇”“扬威”“威远”三兵轮东驶，扼朝鲜之仁川海口；然后函商总署，发陆军东渡，直指朝鲜都城……乘日兵之未至，为朝鲜速定内变；内变定，而日无能为也。树声用其计，我兵先一日至，驰入王京平乱，而日无所逞其志。

薛福成这些主意，充分表现了他在长期幕府历练中造就的识见和能力，颇为时论所赞许。丁宝桢称其“识微鉴远，洞中机宜；其体国之忧，匡时之略，应机之繁，料敌之明，超越寻常万万”。李鸿章更把他称为“不可多得之才”。

在李鸿章幕中，“不可多得之才”实际上并不能得到充分发挥，但是薛福成却有了对光绪初年的洋务进行全面考察的机会。行有馀力，则以为文，他的文就是著名的《筹洋刍议》。

筹洋刍议

筹洋者，筹画洋务也。《筹洋刍议》十四篇，尤其是《约章》、《商政》、《船政》、《矿政》、《利权》和《变法》诸篇的观点，较之七年前的“海防密议”，有了很大的变化和发展。七年前，他还把“坚甲利兵”当成首要的急务，认为中国应该不惜巨款，向西方订购铁甲兵船。和“海防密议”同时写的《赠陈主事序》（陈主事即陈兰彬，一八七二年带领首批留美幼童出洋，后任出使美国大臣），虽然承认西方的军事技术比中国先进，但又坚持中国以“三纲五常”为基础的政教比“饕利、朋淫、腥膻”的洋人要好。而在《商政》篇中，薛福成却向读者指出：

> 西人之谋富强者，以工商为先。……迩者英人经营

国事，上下一心，殚精竭虑，工商之务，蒸蒸日上，其富强甲于地球诸国。诸国从而效之，迭起争雄；泰西强盛之势，遂为亘古所未有。夫商务未兴之时，各国闭关而治，享其地利而有馀；及天下既以此为务，设或此衰彼旺，则此国之利源源而往，彼国之利不能源源而来，无久而不贫之理。所以，地球各国，居今日而竞事通商，亦势有不得已也。……为中国计者，既不能禁各国之通商，惟有自理其商务而已。

薛福成接着指出："商务之兴，厥要有三"，曰贩运之利、艺植之利、制造之利；在这三方面，亦即发展现代商业运输业、农业和工业，中国都应该向西人学习，"始步西人后尘，终必与西人抗衡矣"。

提出变法

《筹洋刍议》的精华，尤在《变法》一篇。这是洋务派人士首先将"变法"这个词标在自己的旗帜上，所以值得注意。在这一篇中，薛福成首先从中国历史的进化，说明了"变"是经常的，也是无法避免的：

上古狉榛之世，人与万物无异耳。自燧人氏、有巢氏、庖羲氏、神农氏、黄帝氏相继御世，教之火化，教之宫室，……以启唐虞，无虑数千年，于是鸿荒之天下，一变为文明之天下。自唐虞讫夏商周，最称治平。洎乎秦始皇帝，吞灭六国，废诸侯，坏井田，大泯先王之法。其去尧舜也盖二千年，于是封建之天下，一变为郡县之天下。……降至今日，泰西诸国以其器数之学勃兴海外，履垓埏若户庭，御风霆如指臂，环大地九万里，罔不通使互市，虽以尧舜当之，终不能闭关独治。而今之去秦汉也亦二千年，于

> 是华夷隔绝之天下，一变为中外联属之天下。……彼其所以变者，非好变也，时势为之也。

在说明今日之天下已不是“华夷隔绝之天下”，而是“中外联属之天下”，“虽以尧舜当之，终不能闭关独治”这个极重要的道理之后，薛福成着重发表了“宜变古以就今”的主张。所谓“就今”，实际上便是“就西洋诸国”。薛福成写道：

不能闭关独治

> 夫西洋诸国，恃智力以相竞。我中国与之并峙，商政矿务宜筹也，不变则彼富而我贫；考工制器宜精也，不变则彼巧而我拙；火轮舟车电报宜兴也，不变则彼捷而我迟；约章之利病、使才之优绌、兵制阵法之变化宜讲也，不变则彼协而我孤、彼坚而我脆。……既厕于邻敌之间，则富强之术，有所不能废。
>
> 或曰：“以堂堂中国而效法西人，不且用夷变夏乎？”是不然。夫衣冠、语言、风俗，中外所异也；假造化之灵，利生民之用，中外所同也。彼西人偶得风气之先耳。安得以天地将泄之秘，而谓西人独擅之乎？又安知百数十年后，中国不更驾其上乎？

在这里，薛福成不仅有承认落后的勇气，而且有后来居上的信心。在他身上，现实感和责任感是完全一致的。虽然他在《筹洋刍议》中主张“效法西人”，只是为了“取西人器数之学，以卫吾尧舜禹汤文武周孔之道”，仍然没有超越“洋务派”的目标，但至少已经从“坚船利炮”的框框里跳出来，开始提倡商政矿务、考工制器、火轮舟车、兵制阵法，提倡“变古以就今”，以掌握西人“富强之术”，这就确实“超越寻常万万”，达到了“洋务派”所能达到的最高水平了。

从海防到出使

薛福成在曾、李幕中垂二十年，到一八八四年才得到做官的机会，出任浙江宁绍台道。宁绍台道管辖宁波、绍兴、台州三府，为浙东海防要区。尤其是宁波城东五十里的镇海海口，更是浙江的门户。薛福成受任之际，正值法国侵略军在越南和中国军队发生冲突，法政府命海军中将孤拔率领远东舰队沿中国海岸北上骚扰，沿海戒严，形势紧急。薛福成到任后，浙江巡抚即在宁波设立海防营务处，檄令薛氏“综理营务，尽护诸军”，负责海防重任。

宁波海防

在镇海设防工作中，充分看出了薛福成处事应变的能力。他首先协调统一了炮台守将和增防陆师将领的指挥部署，切实加强战备；用沉船的办法堵塞海口，只留出一条狭窄的通道，准备随时堵死，以防止敌船入港登陆；切实控制熟悉镇海水道的引水员，不使其为敌所用；迅速架设镇海——宁波电报线路，保证通讯灵捷畅通；对于从前线退到镇海的三艘兵船，则严令管驾兵官，必须就地参加抗战，如敢再逃，即以军法从事。他还运用自己办洋务的经验，在外交方面采取了一些措施和提出了一些建议，如通知外国领事，中立国军舰入口，必须事先联系；对到港中外客轮，一律进行稽查；将宁波地区的法国侨民，迁移集中居住，派兵加以“保护”；报请南、北洋大臣，依据原有条约，请求英国劝阻法国攻打孤悬海中的舟山；并撰成《英宜遵约保护舟山说》，译成英文，寄往伦敦各报馆（由于中国进行交涉，结果英国驻上海总领事与法国驻华公使达成了英国不宣布阻碍法国行动，法国则自动不进攻舟山的秘密协议)；电请总理衙门照会各国，不得为侵华法国舰队供应作战物资、提供通讯条件；等等。

孤拔率领的法国舰队，在侵袭福州马尾军港时，由于中国统帅慢不设防，打了一个大胜仗。侵略者原来以为，在镇海这个小地方更可以轻易得手。可是这一回，他们却大大失算了。一八八五年三月一日，法舰队向镇海发起攻击。海口各炮台和口内三艘兵船一齐开火，第一艘法舰连中五弹，头桅折断，船腰负伤。第二日晚上，法军两次用鱼雷艇进袭，又被击退。第三日清晨，法国装甲舰驶近虎蹲山，企图进攻威远炮台。守备吴杰亲自发炮，第一炮命中烟囱，第二炮击断船桅；口内兵船也协同射击，将其击走。之后，孤拔多次乘夜派船探测航道，屡被炮火击沉；悬赏六万两银子招募引水，也无人应募；只得停泊口外，进退失据。薛福成又积极发动反攻，令钱玉兴部将八门陆军炮秘密运到前沿，二十日半夜突然向敌舰轰击，结果命中五炮，杀伤了很多敌人。据说孤拔也在这次夜袭中负伤，不久后便伤重而死。薛氏还广发文告，号召军民用爆炸、火攻等办法围攻敌舰，使得法军十分惊恐，急忙在军舰周围布置木簰、竹筏、铁丝网，日夜戒备，不得安宁。

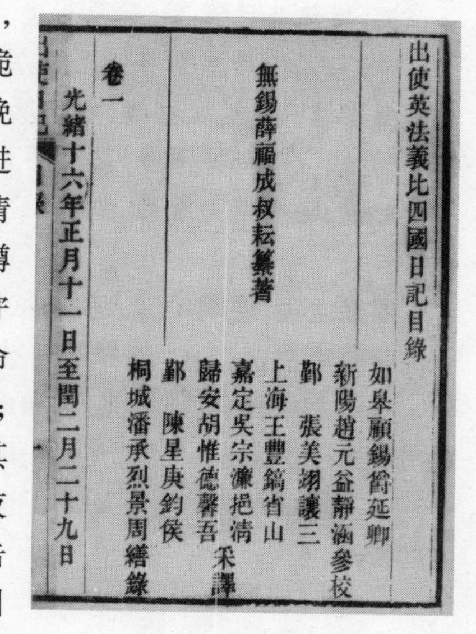
出使英法義比四國日記目錄

如皋顧錫爵延卿
新陽趙元益靜涵參校

鄞 張美翊讓三
上海王豐鎬省山
嘉定吳宗濂挹清
歸安胡惟德馨吾
鄞 陳星庚鈞侯 采譯

桐城潘承烈景周繕錄

無錫薛福成叔耘纂著

卷一

光緒十六年正月十一日至閏二月二十九日

(《出使四国日记》目录)

击毙孤拔

法国舰队在镇海口外窥伺了四十五天，直到中法和议告成，一直没有讨到便宜。这支偷袭马尾成功后耀武扬威、不可一世的侵略舰队，在小小的镇海口外却屡战屡败，损兵折将。钱基博论曰：

> 是役也，孤拔乘中国无海军，以铁甲舟十馀，龋我海疆。直苏闽粤台湾，督防皆特派大臣，会办络绎，宿将棋置，拨部帑巨万万，然要皆幸无事；而台湾告急，福州丧师，我武未扬。惟浙防无督办之大臣，亦未请拨帑项，仅福成以一分巡道拄撑，位望既轻，而兵不过数千，兵轮只"元凯"、"超武"两艘，然屹不为敌军乘，而防守之固称一时最，论者以为难焉。

浙东之役，说明中国人民有抵抗外国侵略的决心和力量，也说明薛福成这个作"筹洋"之论者有保卫祖国的胆略和才能。事定之后，他得到嘉奖，加布政使衔。这时候，他开始整理出版自己的著作。早已传诵一时的《筹洋刍议》，即刊行于一八八五年的冬天。自序回溯了这一组论文写作的背景和产生的影响，云：

布政使衔

> 光绪五年，日本……灭琉球；……而西洋德意志诸国方议修约事，议久不协；俄罗斯踞我伊犁，索重赂，议者尤汹汹。余愚以为应之得其道，敌虽强不足虑；不得其道，则无事而有事，后患且不可言。窃不自揆，网罗旧闻，略抒胸臆，笔之于书，凡得《筹洋刍议》十四篇。
>
> 既属稿，以呈伯相北洋大臣合肥李公，公大韪之，为达总理各国事务衙门备采择。岁辛巳，余友遵义黎庶昌莼斋，以出使西班牙参赞超授出使日本大臣，至自西洋，

携一册视余，且曰："曩过伦敦使馆，见曾侯案上有是书。讽玩数周，心益异之。手写一通，请曾侯用泰西铅印法印得数十册，稍贻同志。今且尽矣，而索者未已也，盍速付诸剞劂。"……

铅印之法

但薛福成并不因为时论的许可而高估《筹洋刍议》的价值。他说："此特一时私论，大端所宜发挥者，十未得一二。""今距与莼斋相晤时又四年矣，事变愈繁，时艰未艾，余所欲言者滋益多"；现在把它刊刻出来，"倘异日阅历益进，或所见更有异同，岂特藉为自镜之资，亦以显天下之理之日出不穷焉"。这说明，他的思想并没有停顿在《筹洋刍议》的水平，而是准备进一步增进自己的阅历，去弄通"日出不穷"的"天下之理"。这样的机会，他不久就得到了。

前面已经介绍过，在薛福成一八七二年应诏陈言后，郭嵩焘便曾奏举他"可胜公使之任"。一八七八年春天，由使英副使改任出使德国大臣的刘锡鸿，也以"襄赞需人"为由，请朝廷旨派薛福成为驻德使馆参赞。薛福成未尝不想早些出国，去亲自考察一下西方国家的"富强之道"，但此时他的母亲刚逝世不久，李鸿章也不愿他离开，便以"丁忧人员，例应终制"为理由，替他辞掉了这次差使。一八八四年，清廷遴选接任使才，薛福成又一次同张荫桓等人被召见，结果又因赶赴浙东，没有能和张荫桓同批出国。

一八八九年初，出使英法义比大臣刘瑞芬三年任满，已被授为广东巡抚，遗缺本拟由江苏臬司陈钦铭接替。可是陈在被任命后一个月就因病去职，朝廷遂以刚刚升授湖南按察使尚未到任的薛福成继任。薛福成于一八九〇年一月离沪出洋，至一八九四年七月回到上海，在欧洲度过了四年半时间。

出使英法

回到上海后，他忽罹时疾，不到一个月就去世了。在欧洲的这几年，也就是他五十七岁生涯的最后几年。

清朝政府于一八七八年有过“出使各国大臣应随时咨送日记等件”的规定，内称：“凡有关系交涉事件，及各国风土人情，该使臣皆当详细记载，随事咨报，……自当用心竭力，以期有益于国。”薛福成本有在自己“阅历益进”后论述天下事理的计划，他写出使日记，确实做到了“用心竭力”。

糖印法印六份

光绪十七年(辛卯)十月，薛福成在伦敦使馆，将他从光绪十六年正月到十七年二月的日记整理为六卷，共十七万馀言，饬员楷录，用西洋糖印法印出六份，咨送总理衙门后，于次年(壬辰)在国内刻板印行，名为《出使日记》。他去世后，他的儿子莹中又将他光绪十七年三月至二十年五月的日记遗稿厘为十卷，共三十五万字，于光绪二十四年(戊戌)刊行，名为《出使日记续刻》，并且都收入了他的全集。《走向世界丛书》将正续二编合为一册，书名则取“光绪壬辰暮春之初吴俊书端”的，统称《出使英法义比四国日记》。

吴俊书端即题书名

薛福成在光绪十七年十月朔日为自己日记写的序道：所载“由考核而得于昔者十有五六，由见闻而得于今者十有二三”。这说明他的日记，比较注重收集历史资料，而不限于记录亲自的见闻，表现了一种“学人”的特色。《续刻》因为没有经过本人整理，资料的比重更大一些，有时不免显得芜杂。但正如《自序》所云：

凡斯编所言,要有所致意。然太史公讥张骞使西域不得要领,庸讵知我所谓至要,人固以为非要;我所谓非要,人固以为至要乎?是则非福成所敢测矣。

下面就来看一看,在国内经历了洋务场中二十多年的"时艰"和"事变",接着又亲身"厕于邻敌之间"以后,薛福成所殷殷"致意"的到底是哪些事物?他"所谓至要"的到底是哪些东西。

出洋后的变化

薛福成在出国前,虽然也主张"筹洋",主张"变法",但他的主体思想,一般说来还限于"取西人器数之学,以卫吾尧舜禹汤文武周孔之道"的水平。这个情况,在他实地出洋以后,即开始发生变化。光绪十六年三月十三日记云:

郭筠仙之言

昔郭筠仙侍郎,每叹羡西洋国政民风之美,至为清议之士所牴排,余亦稍讶其言之过当。以询之陈荔秋中丞、黎莼斋观察,皆谓其说不诬。此次来游欧洲,由巴黎至伦敦,始信侍郎之说,当于议院、学堂、监狱、医院、街道征之。

他所见议院的情形是:

议院

下议院之人,皆由民举,……无早暮皆得见君主……。凡议院坐次,宰相、大臣及与宰相同心之官,皆居院长之右;其不同心者居左;其有不党者,则居前横坐。世爵不在议院及各国公使入听议者,皆坐楼上。余于前

日，尝往听一次焉。（光绪十六年七月二十二日）

泰西诸大国，自俄罗斯而外，无不有议院。……议院者，所以通君民之情者也。凡议政事，以协民心为本。大约下议院之权，与上议院相维制；上下议院之权与君权、相权相维制。英国有公、保两党，公党退，则保党之魁起为宰相；保党退，则公党之魁起为宰相。两党互相进退，而国政张弛之道以成。（十八年二月十八日）

他所见学堂的情形是：

学堂

西洋各国，教民之法，莫盛于今日。凡男女八岁以上不入学堂者，罪其父母。男固无人不学，女亦无人不学，即残废聋瞽喑哑之人亦无不有学。其贫穷无力及幼孤无父母，皆有义塾以收教之。（十七年正月初三日）

院中男女孩凡三百馀人。有厨房，有书库，有浴室，有饭厅，有读书堂，有讲经堂，有做工所，有演艺场，有洗衣所，有男孩卧室，有女孩卧室，秩然不紊。……听诸孩奏乐，年皆不过十岁左右，而按之乐谱，悉协宫商。……其教导皆用女师，亦颇爱诸孩，有如其子。聪颖之孩，常有成学业以去者；其次则出为兵丁，为乐工，为画师，为木匠，为裁衣，……於戏！至矣尽矣，毫发无遗憾矣。吾不意古圣先王慈幼之道、保赤之经，乃于海外遇之也。

（十八年七月十八日）

他所见监狱的情形是：

……（狱囚）作工，皆有常程，……工作之资，悉归本犯，不充公款，俾自购食物，甚有积资者。……每犯日皆三餐，有面包；每七日与肉食二次，每次牛肉约一斤有半。……地下窟室炽炭，以送暖而御寒，虽届冬令，而巷中甚温，此狱每冬炭费三万佛郎。有药室，有病房，以待病者。有书库，以待各犯之愿观书者；凡各学诸艺，以及游历、教门之书，无不有之，亦使之散闷，且警觉改悔也。

监狱

（十七年十一月二十七日）

他所见医院的情形是：

西医所长，在实事求是。凡人之脏腑筋络骨节，皆考验极微，互相授受。又有显微镜，以窥人所难见之物。或竟饮人以闷药，用刀剜人之腹，视其脏腑之秽浊，为之洗刷，然后依旧安置；再用线缝其腹，敷以药水，弥月即平复如常。……此其技通造化，虽古之扁鹊、华佗，无以胜之。

医院

（十六年五月二十四日）

他所见道路的情形是：

铁路告成，车行愈驶，旅客愈多。……当其行驶之时，汽机内蒸气出入，计一秒中往来二十次；蒸气筒外，时闻有极速呼吸之声，蒸气鼓动之力也。轮宽八尺，一秒中旋转五次，每次车行十丈有馀，神速无比矣。……每至一富庶之区，铁路六通四辟，殆如蛛网。数十年来，智能之士，研精经理，日臻美备，殆亦集思广益而成，非一人所能专其功也。夫西人之所以横绝宇宙而莫之能御者，火轮舟车之力为最多……（十六年三月初七日）

道路

所有这些观感，在薛福成思想上产生了深刻的影响，使他的观念发生了很大的变化。日记中关于这方面的记述很多，兹略举数节如下：

预言必有航空空战

余观火轮舟车之迅捷，因念人心由拙而巧，风气由朴而华，固系宇宙间自然之理。自开辟以后不知几何年，古圣人始创为舟车，为弧矢。乃阅四千数百年以迄于今，弓矢变而为枪炮，舟车改驶以火轮。……若再设想四五千年或万年以后，吾不知战具之用，枪炮变而益猛者为何物？行具之用，火轮舟车变而益速者为何物？但就轻气球而论，果能体制日精，升降顺逆，使球如使舟车——吾知行师者，水战、陆战之外，有添云战者矣；行路者，水程、陆程之外，有改云程者矣。此外御风、御云、御电、御火、御水之法，更当百出而不穷，殆未可以意计测也。

（十六年正月二十六日）

“人心由拙而巧，风气由朴而华，固系宇宙间自然之理”，是进化的文明观，完全不同于“尧舜禹汤文武周公孔子，吾道一以贯之”的传统文明观。薛福成预言的“云战”、“云程”，现在早已成为事实，不过叫做“空战”、“航程”就是了。

又如：

西俗于养身之道，无论贫富贵贱，皆较华人为讲究。凡稍有身家者，每膳必食兼味，必有牛肉，有洋酒一二品；食毕，有水果，有加非，有雪茄烟；早晚必饮牛奶，或牛肉汤。……大抵洋人性情，好洁好整，好便捷，好示阔气，好有益于身体而却疾病。虽工人、仆御之流，每七日亦必食牛肉一二次，否则谓无以养生也。华民之佣工外洋者，每日可得工资洋银二圆或三四圆；而其自奉甚菲，衣食至为滥恶，意在节啬以蓄馀资，洋人往往嗤鄙之。其意以为：天地之间人为贵，天本予人以自养之权；今华民欲等人道于牛马，则我亦不能以人道待之。美国所以有驱逐华民之政也，虽由贫民之忌人夺其生计，然使华民稍自修饰，不露寒伧之态，其被嫉当不至若是之甚。

天地之间人为贵

（十九年四月十五日）

“天地之间人为贵”的价值观念，完全不同于过去那种建筑在自给自足经济基础之上的价值观念。现在中国工人、农民，每七日食肉不是至少也有一二次吗？虽然不一定是牛肉。又如：

泰西诸国，……或以英人而辅法，或以意人而佐德，……奇勋伟绩，不出于土著而出于羁旅者多矣。至其民之为商为工为农为佣者，不必定居本国；凡可安居乐业者，即适之。一经入籍，即为土著；新籍旧籍，所获权利，并无歧异。即如美国，地多旷土，凡英人意人德人往垦辟者，为数不下数十百万。美之官绅，待之与美人一体，并不以英人意人德人视之也。……华民所以不能入彼籍者，盖以饮食衣服，依然墨守华风，究不能与西人合而为一。华民之胜于他国人在此，而受侮于他国人亦在此。盖我既自异于彼族，即彼族亦不能不以异类视之也。

不能自异于彼族

（二十年二月二十五日）

不能自异于彼族，不能自居于异类，这是世界公民的心理，完全不同于“非我族类，其心必异”的封闭型心理。薛福成在二十二年前送陈兰彬赴美国时，还把洋人看成是“朋淫、腥膻”的异类，认为留学生到外国去，必须坚持固有的“三纲五常”，以免“沦于异族”。事过境迁，现在的他，确实“非复吴下阿蒙”了。又如：

批评“不勤远略”

> 《春秋左氏传》讥齐侯“不务德而勤远略”，……后之不善读书者，将上半句意义抹杀，若谓：不勤远略，即系务德之明证。……由考墨卷出身之士，寖假而秉国钧，遂以此说施之政事，不知其他。……夫惟“不勤远略”，是故琉球灭而越南随之，越南削而缅甸又随之……。夫惟“不勤远略”，是故香港、西贡、小吕宋、噶罗巴等处，各有数十万之华民，而不能设一领事……。夫惟“不勤远略”，是故商务则无一船越新嘉坡而西、越小吕宋而南者……。出使大臣，或懵然于条约之利病，而不知久远之计；封疆大吏，或惘然于边防之得失，而惟偷旦夕之安。凡此皆由学术之误，以误国家、误苍生也。

反对“不勤远略”，主张“越新嘉坡而西、越小吕宋而南”，这是一种主张向外看、主张走向世界的开放的观点，完全不同于用一道长城把自己紧紧地圈起来的“内中国而外夷狄”的旧观点。同时，它也就是薛福成写作《出使英法义比四国日记》的基本观点。出洋以后，薛福成的认识是大大地提高了。

西洋富强之本原

《出使英法义比四国日记》，尤其是其续刻，有很多篇幅是摘钞交涉案卷，辑录地理资料。其中比较富于研究价值的，则是薛氏《凡例》中所云，“必于洋务关涉者始笔之于书，即有偶读邸钞、阅新报而记之者，亦以其事关时局不能不录”的部分，尤其是那些“间抒议论”的文字。薛氏一八九〇至一八九四年期间对西方观察的心得，主要保存在这些文字里。人们如果只读薛福成的政论文章，不研究他的这些日记，便无从窥见他后期思想从“洋务”到“变法”的递嬗，对他的洋务思想也就谈不到有精深的了解。

（《出使日记续刻》扉页）

笔者对《出使英法义比四国日记》进行初步研究后，发现薛福成在出使期间，对西洋富强本原的认识，确实在逐渐加深。光绪十八年闰六月初六日记云：

养民之政二十一项

> 西人尝谓，谋国之要有三，曰安民，曰养民，曰教民。所谓养民者，何也？……一曰造机器以便制造，二曰筑铁路以省运费，三曰设邮政局、日报馆以通消息，四曰立和约通商以广商权，五曰增领事衙门以保商旅，六曰通各国电线以捷音信，七曰筹国家公帑以助商贾，八曰立商务局以资讲求，九曰设博物院以备考究，十曰举正副商董以赖匡襄，十一曰设机器局以教闾阎，十二曰定关口税以平货价，

十三曰垦荒地以崇本业，十四曰开矿政以富民财，十五曰行钞票以济钱法，十六曰讲化学以精格致，十七曰选贤能以任庶事，十八曰变漕法以利转输，十九曰清帐项以免拖累，二十曰开银行以生利息，二十一曰求新法以致富强。

这里比较详细地讨论了所谓“养民”之政，实际上就是西方近代国家充分利用技术文明成果，努力建设资本主义经济的各项措施。这段文字总的精神，和《筹洋刍议》中“西人之谋富强者，以工商为先”的观点，是完全一致的；不过因为了解得比较清楚，介绍得就比较准确，叙述也更为具体了。

十九年六月十四日，薛福成借用出使随员的议论，进一步比较全面地论述了西洋富强本原的问题，写道：

富强之原五大端

西国富强之原……约有五大端：

一曰通民气：用乡举里选以设上下议院，遇事昌言无忌；凡不便于民者，必设法以更张之；实查户版生死婚嫁，靡弗详记，无一夫不得其所，则上下之情通矣。

二曰保民生：凡人身家、田产、器用、财贿，绝无意外之虞；告退官员，赡以半俸；老病弁兵，养之终身；老幼废疾、阵亡子息，皆设局教育之，则居官无贪墨，临阵无退缩矣。

三曰牖民衷：年甫孩提，教以认字；稍长，教以文义；量其材质，分习算、绘、气、化各学，或专一事一艺，终身无一废学者，何也？有新报之流传，社会之宣讲也。

四曰养民耻：西国无残忍之刑，罪止于绞及远戍、苦工，其馀监禁、罚锾而已；监狱清洁无比，又教以诵读，课以工艺，济以医药，无拘挛，无鞭挞；而人皆知畏刑，不敢犯法，几于道不拾遗；父母不怒责其子，家主不呵叱其仆，雍然秩然；男女杂坐，谈笑而不及淫乱，皆养耻之效也。

五曰阜民财，其藏富于民者三要：一、尽地力，谓讲水利、种植、气、化之学；二、尽人力，各擅专门，通工易事，济以机器，时省工倍；三、尽财力，有公司及银号，而锱铢之积，均得入股生息，汇成大工大贾，有钞票及金银钱以便转运，则一可抵十矣。

有此五端，知西国所以坐致富强者，全在养民教民上用功。而世之侈谈西法者，仅曰“精制造、利军火、广船械”，抑亦末矣。

以上五点，“阜民财”相当于前面所讲“养民”一条；“保民生”、“牖民衷”和“养民耻”，相当于过去仅仅题头，却没有展开论述的“安民”和“教民”两条；除此以外，还加了个“通民气”，即自由选举、议会制度、言论自由等等，并且昂然居于“五大端”之首。在这里，薛福成不仅批评了包括自己在内的“侈谈西法者”把“西法”仅仅看成“制造、军火、船械”的错误，而且也纠正了自己一年以前仅仅注重经济问题，比较忽视政治社会等方面的不足。

不再仅仅注重经济

当然，薛福成洋务思想的核心始终是“重商”。他出国以后，在考察商务、了解商情方面，做了大量的工作，认识也较过去大有提高。

初到英国后，薛福成即于光绪十六年三月初六、初七、初八等日，详细记述了轮船、火车、电报的发明史。后来又多次在日记中补记续记，而尤其注意技术发明推广对于经济发展的巨大影响。如同年九月十四日记：

铁路

英国富强之业，始自乾隆、嘉庆年间创造火轮舟车之

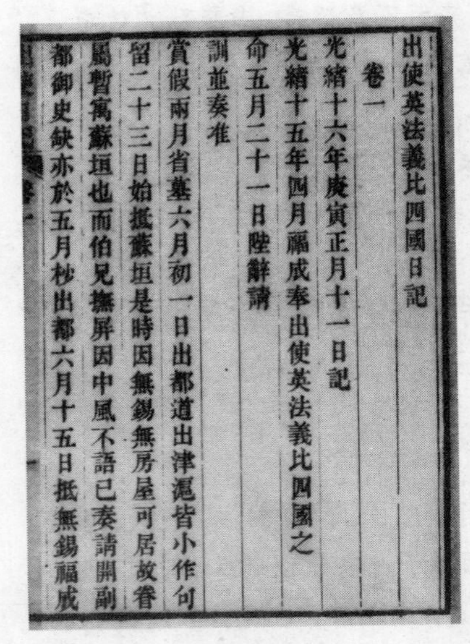

出使英法義比四國日記

卷一

光緒十六年庚寅正月十一日記

光緒十五年四月薛福成奉出使英法義比四國之

命五月二十一日陛辭請

訓並奏准

賞假兩月省墓六月初一日出都道出津滬皆小作句

留二十三日始抵蘇垣是時因無錫無房屋可居故眷

屬暫寓蘇垣也而伯兄撫屏因中風不語已奏請開副

都御史缺亦於五月杪出都六月十五日抵無錫福成

(《出使日记》首页)

后。当其初开铁路时,国人亦相与疑阻,以伦敦——苏士阿摩登海口,往来车运用马三万馀匹,若用汽车,虑妨小民生计也。迨车路开通,用马乃至六七万匹。盖以道途便利,贸易日繁,火轮车只行干路,其枝路歧出不穷,相距百里内外来就火轮车者,用马愈多也……

这些具体事例,不是身历其境,考古证今,是很难了解得到的。

十六年八月初七的日记,从“唐肃宗至德二年与法王查理曼立商人之约”起,记述了英国海外通商的历史。一直写到在中国“以贩运鸦片启衅”;“当此之时,通商船舰三万八千艘,水手二十九万人,其富如此。迄今数十年来,经营开拓,又加倍焉”。此后日记,于贸易史、经济史、技术史时有记载,采撷的范围非常广泛,观察也能逐步深入。如十七年四月初六日记:

美国产业,于八十年之内,多至四十三倍;英国于八十五年之内,产业多至六倍;法国于六十年之内,产业多至三倍。……德有二家,共得银二千五百兆两;法有一家,得银一千兆两。诸商之致此巨富,实众工人胼胝辛勤所致也。因此各工人设会,曰“同心会”,又曰“合同会”,计德、美各有六十馀万人,英有八十馀万人,法国人数更

同心会
合同会

多，动辄停工。实非与上为难，不过求工资饶裕，且一日中限定作工四个时辰，以资养息也。

十七年十月十六日记：

西洋之造自来火，始于道光十六年，从前俱用布纸等炭质，击火石引火，此旧式也。以旧式取火，多费时刻。少成货物，即少得银，是费时刻无异费银也。近有人核计，英国全境因易用自来火，一岁能节省英金二千六百万镑。

十八年六月十四日记：

股份公司

西洋各国之所以致富强者，以工商诸务之振兴也；工商诸务之无阻，以各项公司之易集也。凡事，独立则难支，众擎则易举；势孤则气馁，助多则智周。西洋公司资本之雄，动以数千百万计，断非一人一家之财力所能就。然苟有当办之事、可兴之利，则风声一播而富商立集，股票一出而巨款立致。盖其规画之精，风俗之纯，章程之善，有使人深信不疑者矣。

十八年闰六月二十七日记：

欲振兴商务，必先讲求工艺；讲求之法不外二端，以格致为基、以机器为辅而已。格致如化学、光学、重学、声学、电学、植物学、测算学，所包者广。得其精，则象纬、舆图、律历，皆能深造有得；得其粗，亦不难以一艺名家。……机器能以一日之力，成十日之功，一人之力，代百人

> 之功，如是，则货价必廉，而销售始畅矣。而所以扩商务之用者，则尤有八焉：一曰设专官……有商部尚书以综核贸易之盈亏，又有商务委员以稽查工作之良窳……；一曰兴公司……立保护公司之法……；一曰励新法，有能创一艺者，给以凭单，俾得专享其利……；一曰杜伪品……悬明法以禁之，又使诸商公议罚办之规格……；一曰超时尚，凡物能变新样，必可善价而估……；一曰设赛会……所以广见闻，资仿效，开风气，旺贸易，法至良也；一曰改税制……稍重洋货进口之税则，……稍轻出口税，以减成本而广销流；一曰导商路，……多置轮船……裨益岂浅鲜哉。

这八个方面，用现代语言来说，就是商业政策、公司组织、专利制度、商品检验、市场信息、商品展览、税收政策和对外贸易，已经概括了现代商业活动的主要内容。

日记中关于各国工业技术的记载也很多。其写大蒸气锤云："其重击，千钧之石可立碎；其轻击，鸡卵而止伤其皮。"其写贝尔试验"德律风"即电话云："就暴斯敦大堂聚集众人，又于十五里外集众亦如之，以德律风传言，互相问答，其应如响；又歌一曲，音调铿锵，如在耳际。"其写新发明之飞机云："麦心工厂现复造飞天机器，……两旁张二巨叶，恍如飞鸟之有翼，来往空中，进止自如。"在"鹅湖居士"笔下的这些十九世纪西方的技术，确有其文化史上的价值，会心的读者是不会放过的。

德律风

君民共主之政

薛福成在深入考求欧洲工商致富本原的同时，不断思考中国工商何以落后于欧洲这个问题。《出使英法义比四国日记》中，记下了他的一些心得，也是值得研究者重视的。还在去国途中，船过香港、新加坡，见“洋人借经营商务，辟荒岛为巨埠”，他就有感而曰：

> 夫商为中国四民之殿，而西人则恃商为创国、造家、开物、成务之命脉，迭著神奇之效者，何也？盖有商则士可行其所学而学益精，农可通其所植而植益盛，工可售其所作而作益勤；是握四民之纲者，商也。此其理为从前四海之内所未知，六经之内所未讲；而外洋创此规模，实有可操之券，不能执中国“崇本抑末”之旧说以难之。

在欧洲过了四年多时间以后，薛福成在光绪二十年二月二十二日写道：

机器之用

> 西洋各国，工艺日良，制造日宏，销流日广，皆恃得机器为之用也。有机器，则人力所不能造者，而机器能造之。夫以一人而兼百人之功，则其所成之物必多矣。然以一人所为百人之工，而作十人之工之价，则四方必争购之矣。……而谓商务有不隆盛，民生有不富厚，国势有不勃兴者哉？
>
> 中国人民之众，十倍于各国。议者谓若广用机器，不啻夺贫民之生机，使之不能自食其力，故西洋以善用机器为养民之法，中国当以屏除机器为养民之法。然使行是说也，则必有人所能造之物，而我不能造者；……其物之为人所争购，必不能与西人之物……相敌也明矣。自是而中国之货，非但不能售于各国，并不能售于本国。自是而中国之民，非但不能自食其力，且知用力之无益，而遂

不自用其力。……则商务有不日替，民生有不日困，国势有不日蹙者哉？

是故，守不用机器、调剂贫民之说者，此中古以前闭关独治之时势，而非所施于今日也。必也研精机器以取西人之长，仍兼尽人力以收中国之用……。且用机器以造物，则利归富商；不用机器以造物，则利归西人。利归富商，则利犹在中国，必可分其馀润以养吾贫民；利归西人，则如水渐涸而禾自萎，如膏渐销而火自灭，后患有不可思议者矣。

利归富商犹在中国

这里所说的“机器”，已经不是一八七二年应诏陈言时“制器宜精”的机器了，而是指的近代化机器生产，指的资本主义生产方式。紧接着上面这段议论的第二天所写的日记，便是很好的证明：

近年中国出口货与入口货相准，每岁亏银至三四千万两之多，……大端尽在棉纱棉线。……所以然者，以其用机器纺成，工价较轻；匀细洁白，又胜于人力所制者，是以人争购之。以织土布，则工费省而销售速。若不设法拒遏，则洋纱洋线之源源而来者，尚恐日多一日，无穷期也；而中国之织女织妇，恐多束手以待饥寒矣。然遏之固无他法，不外设厂招工，广购机器，自纺洋纱洋线，渐推而至于织布，则风气开而利源溥矣。余是以有用机器殖财养民说也。

薛福成还有一个重要的收获，就是在西洋各国看到了“通民气”、“保民生”、“牖民衷”、“养民耻”的各项政教设施和“阜民财”的关系。这在上节所引十九年六月十四日的日记中,已经扼要地表达出来了。但《出使英法义比四国日记》对“用乡举里选以设上下议院”,还有多次的申述和议论。如十六年七月二十二日记:

> 西洋各邦立国规模,以议院为最良。然如美国则民权过重,法国则叫嚣之气过重;其斟酌适中者,惟英、德两国之制,颇称尽善。……

立国规模议院最良

此云“英、德两国之制颇称尽善”,同年十二月二十九日又谓:“地球万国内治之法不外三端,有君主之国,有民主之国,有君民共主之国”。英国就是君民共主之国,“其政权亦在议院,大约民权十之七八,君权十之二三;君主之胜于伯理玺天德者无几,不过世袭君位而已”。从语气看,薛福成是比较欣赏这种“君民共主”的政体的。出国以前,他的政论文章,极少涉及政治。《筹洋刍议·变法》所要变的“法”,无非是商政矿务、考工利器、火轮舟车、兵制阵法,没有谈政体改革问题。此固由于薛福成宦海浮沉,明哲保身,深知“大经大法”之不可轻议;但主要还是“洋务派”的立场限制了他,“尧舜禹汤文武周孔之道”约束了他,使他只能在“大经大法”的范围内考虑问题。现在到了“英法义比四国”,耳濡目染,对“君民共主”的情况有了真切的了解,他的观念就和以前不同了,胆子也比以前大一点了。十八年三月二十八日论君主、民主政体之比较云:

> 民主之国,其用人行政,可以集思广益,曲顺舆情。为君者不能以一人肆于民上,而纵其无等之欲。即其将相诸大臣,亦皆今日为官,明日即可为民,不敢有恃势凌

人之意。此合于孟子“民为贵”之说，政之所以公而溥也。然其弊在朋党角立，互相争胜，甚且各挟私见而不问国事之损益。其君若相，或存五日京兆之心，不肯担荷重责，则权不一而志不齐矣。

君主之国，主权甚重，操纵伸缩，择利而行，其柄在上，莫有能旁挠者。苟得贤圣之主，其功德岂有涯哉。此其弊在上重下轻，或役民如牛马，俾无安乐自得之趣，如俄国之政俗是也。而况舆情不通，公论不伸，一人之精神，不能贯注于通国，则诸务有堕坏于冥冥之中者矣。

民主君主各有利弊

是故民主君主，皆有利亦皆有弊。然则果孰为便？曰：得人，则无不便；不得人，则无或便。

薛福成虽然认为君主制和民主制各有利弊，但肯定民主之国用人行政可以集思广益，统治者不能肆于民上，而君主之国则或役民如牛马，舆情不通，公论不伸，“诸务有堕坏于冥冥之中者矣”，却是深中腠理，抓住了要害。薛福成作为君主国的臣民，将两种政体作这样的比较，这件事情本身就带有显明的倾向性。

中国究竟是实行君主制好，还是实行民主制好呢？薛福成在三天后的日记中继续发表了自己的见解：

中国唐虞以前，皆民主也。观于舜之所居，一年成聚，二年成邑，三年成都，故曰“都君”。是则匹夫有德者，民皆可戴之为君，则为诸侯矣，……此皆今之民主规模也。迨秦始皇以力征经营而得天下，由是君权益重。秦汉以后，则全乎为君矣。若夫夏商周之世，虽君位皆世及，而孟子“民为贵，社稷次之，君为轻”之说，犹行于其间,其犹今之英、义诸国君民共主之政乎。夫君民共主,无君主、民主偏重之弊,最为斟酌得中;所以三代之隆,几及三千年之久,为旷古所未有也。

英义诸国君民共主

最后的结论,还是"君民共主"的制度最好。薛福成沿用传统的观念和手法,把中国历史上的"黄金时代"——夏、商、周三代,说成是君民共主的模范,无非是为了抬高君民共主制度的声望,已经有一点后来康有为"托古改制"的味道了。

身为专制帝国朝廷大臣,却主张改行君民共主的政体,甚至把"今之英、义诸国君民共主之政",和"三代之隆"相提并论,这时的薛福成,已经有点离开"大经大法",在思想上开始带有维新主义的色彩了。把一个"主(君)权甚重","其柄在上,莫有能旁挠者"的君主专制国,改变为"集思广益,曲顺舆情"的君民共主之国即君主立宪国,这才叫做真正的变法。薛福成从一八六五年开始"筹洋","筹"了二十七年,到外国两年多以后,才开始在思想上作出这样的结论。

薛福成的"以工商为先"的思想,以"利归富商"的主张,都说明他所代表的是要在中国发展资本主义的"富商"的利益,而这正是在薛福成身后蓬勃兴起的变法维新运动的社会基础。当他设想"君民共主"的政治制度时,薛福成也极力提倡"富民"的领导作用,并把他在欧洲的观察拿来加以印证。十八年五月十三日记云:

西洋各国议院员绅由民推选,大抵皆取器识明练、才辩锋生者,而尤以家道殷实为第一要义,群谓之"体面人",……盖视此为扬名成业之具,而非为养身肥家计也。议员中资深望重者,可举为宰相及各部尚书,或为伯理玺

欧美之官贪墨者少

天德;或有稍玷其声誉者,则终身无再选之理。故近来欧洲之官,以贪墨著者尚少。

十九年四月十六日又记云:

中国用人以富者为嫌,西俗用人以富者为贤,其道有相反者。夫登垄断以左右望而罔利市者,谓之"贱丈夫",中国数千年来,无愚智皆知贱之,……贬之曰"铜臭",斥之曰"守财虏",中国之习俗然也。泰西各国最重议绅,议绅之被推选者,必在殷富之家。……至其选为各部大臣及宰相者,非殷实之世爵,即富厚之名人;其意以为彼皆不忧衣食,专顾体面,未有不竭诚谋国者。……且西洋之寒门贫族所以不出人才者,彼自入学读书以后,非极富则不能为上等之学问,非极富则不能交上等之朋友;况复囿于见闻,牵于衣食,其不能开拓胸襟也,审矣。若夫豪杰之士,非以财助之,不兴也。盖有恒产即有恒心者,吾于泰西风俗见之。

有恒产即有恒心

看来,出国以后,薛福成的追求,已经由"取西人器数之学,以卫吾尧舜禹汤文武周孔之道",逐渐变为行"今之英、义诸国君民共主之政"了。

非西人所得而私也

作为"洋务派"中的一位学人,薛福成早就反对"以堂堂中国而效法西人,不且用夷变夏乎"的说法;但他真正主张全面向西方学习,也还是出使四国以后的事情。

十六年四月朔的日记，从《筹洋刍议》“假造化之灵，利生民之用，中外所同也”的观点引申开来，正式提倡像赵武灵王改胡服学骑射那样效法西人，云：

夫西人之商政、兵法、造船、制器及农渔牧矿诸务，实无不精，而皆导其源于汽学、光学、电学、化学，以得御水御火御电之法。斯殆造化之灵机，无久而不泄之理，特假西人之专门名家以阐之，乃天地间公共之道，非西人所得而私也。中国缀学之士，聪明才力，岂逊西人，特无如少年精力多縻于时文试帖小楷之中，非若西洋亿兆人之奋其智慧，各以攻其专家之学，遂能直造精微。斯固无庸自讳，亦何必自画也。……昔者宇宙尚无制作，中国圣人仰观俯察，而西人渐效之。今者西人因中国圣人之制作而踵事增华，中国又何尝不可因之。若怵他人我先，而不欲自形其短，是讳疾忌医也。若谓学步不易，而虑终不能胜人，是因噎废食也。……巫臣教吴而弱楚，武灵变服以灭胡，盖相师者未必无相胜之机也。

讳疾忌医
因噎废食

薛福成反对“讳疾忌医”和“因噎废食”两种偏向，正中“用夷变夏”说的要害。他从文明进化的历史，说明不同的文化从来就是彼此“相师”“相胜”，互相补充，共同进步的，力反封闭隔绝的积习。同年十二月三十日的日记，总结近代泰西三大战事，谓“弱者让于强者，强者让于尤强者，殆必至之势，固然之理”。“故与其争胜于境外，不如制胜于国中”；也就是说，国家欲求自立，必须引进先进的文明——

然则居今之世而图国是，虽伊、吕复出，管、葛复生，谓可勿致意于枪之灵、炮之猛、舰之精、台之坚,吾不信也。若夫修内政、厚民生、浚财源、励人才,则又筹此数者之本原也。

从这个宗旨出发,薛福成到西洋以后,对日本变法维新的情形十分注意。十七年六月初三日记云:

日本维新

日本……尽废诸侯而退德川氏,以全国之权归于国主,陆续与诸国通商,步趋西法,名曰“维新之政”。三十年来,外交之道日益讲求,……工艺益兴,商务益旺,有蒸蒸日上之势。盖日本之地,小于中国不啻十倍;而风气之开,先于中国则不止十年,斯所以能转贫弱而渐基富强也。

同年九月朔日又记云:

日本通国,肄习洋学者,几于十居四五;往泰西读书学艺者,络绎不绝,拔取医学、矿学、律学者皆有其人;译西书为日本文字者,汗牛充栋;询以西事西学、泰西掌故,无有不知者。——惟汉学则微矣,谓其无所用之也。

十月初五日又记:

日本自设工艺学塾以来,仅十有七年;其工艺大学院之设仅十年,造就人才已不少。大学院中,董劝之人,皆贵官、爵绅,有二西人赞襄其间。而其工艺之精进,有出人意料之外者。

十七年三月十九日记：

> 观明治十九年海关册，中国出口运日本货，值银七百十万馀两；日本出口运中国货，仅值银九万五千馀两。迨至去年，日本货进中国口者，增至七百三十八万八千馀两；华货运日本者，只四百八十三万二千馀两。

日本很快就赶到中国前头去了，其原因完全在效法西方。十八年八月朔日记云：

> 日本步趋泰西，制造一项，更锐意讲求。如大阪制造铜铁等物，东京制造绸缎布匹，横滨制造蜜〔啤〕酒、荷兰水、火柴等物。……出物日精，价复廉贱，欧洲生意，转为所夺矣。

在研究日本的同时，薛福成还注意到暹罗变法的情形，十六年九月十八日记云：

> 数十年来，暹罗宗尚西法，与英法诸国交谊颇亲，国势尚称完固。盖东洋诸国力摹西法者，日本也；南洋诸国力摹西法者，暹罗也。南洋各邦，若缅甸，若越南，若南掌，或亡或弱矣；而暹罗竟能自立，不失为地球三等之国，殆西法有以辅之。然则今之立国，不能不讲西法者，亦宇宙之大势使然也。

立国不能不讲西法

薛福成不仅认识了向西方学习的必要，而且在向西方学习方面也切实作了努力。当然，他的注意力始终集中在振兴商务上。根据他“欲振兴商务,必先讲求工艺;讲求之法不外二端,以格致为基、以机器为辅而已”的观点,他在西洋四年多的时间内,比较注意了解的主要是科学技术方面的知识和情况。今摘录日记中关于电学的札记数则,以见其一斑:

电学

昔人见云中电光闪烁,常以比作事之速,从未有知取而用之者。……然格致家考察电气,亦已匪朝伊夕。古人始以琥珀摩擦令热,能吸轻物;后人以玻璃、火漆等物摩热,亦能吸轻物。若质巨气足,则见有火星爆出。寻知五金之属,皆善引之。又以瓶内外粘贴锡箔,蓄其气,放之则有光如电,作声如雷,能震人击物。乾隆三十年,美人弗兰林验试,遇雷雨时以纸鸢放诸空际,……气随绳下,盛之充瓶;用一铁匙稍近瓶口,则火星跃出,迸然有声。始知向用玻璃、琥珀等物所出之气,实与雷电无殊,电学由此渐兴。 (十六年三月初八日)

天空本有电气,雷亦电气也。是气之为用极广,收之可以镀金银、燃炮火、通文报、代灯烛,皆可以人力制之。……观于电气行所储之电,引以铁物,不必贴近瓶边,即相离四五寸,瓶中火光激射而出。……西人言人之遭雷殛者,乃天空电气偶然相触,死于火非死于击,死于气非死于神。 (十七年七月十六日)

同治七年,有德国人名西门斯者,英国人名辉子敦者,查出新理,……遂设新法,将平常鍒铁造成此“代拿模”(感应电机),可用人力或汽机以运动之,则自生电气;转动愈速,则电力愈大。费省力巨,故其用处愈推愈广:有作电车者,电灯者,又可传力于数十里外者。

(十七年十月初六日)

电学有无穷之妙，其大用不外四端。一曰治病……。一曰传报，电路以铜丝或铁丝为之，……一秒能行二十八万洋里……。一曰传声，……用吸铁杆，围以包丝细铜丝圈，……吸铁杆前端有极薄圆铁皮，人口对此铁皮言语，彼端亦有此同式之器，人耳对此铁皮听之，即闻言语。一曰燃火，地雷水雷，多可用电气放之，……可轰敌于数里之外。——以上四端，皆实用之载在电学书者也。此外，用以镀金，可饰器皿；用以代炬，可照昏宵；用以运机，可助工艺；用以航海，可得南针。信乎，格致之学之精妙也。

电工

（十七年十二月初六日）

空气中有电，即动植诸物亦莫不有电。电之性分阴阳，同则相驱，异则相吸。电之用分干湿，可借其力以运动别物，亦可借其用以大放光明。近三十年来，研究愈精，运用愈妙。……自电灯盛行，而煤气灯为之黯然减色。如炮台之守御，兵舰之游行，皆用电灯窥伺敌人。……以铜线通于别种机器，一经运动，千轮万轴旋转不已。……迩来又以电气行车，较之火轮车，无震动、轰炸之患，无风雨迟缓之虞。如日后再用电力以行船，则更妙矣。

（十九年三月二十七日）

一代使才

作为一位外交使臣，薛福成的成绩，在清季外交史上，也是比较突出的。为了保护广大侨民，他经过交涉，为中国取得了在英属各地设置领事的对等权利。

薛福成出国之初，即十分关心海外华侨的境遇。赴欧途

关心华侨

中,听前任旧金山领事黄遵宪言,金山华侨每年汇回广东的现款,平均约一千二百万圆。薛氏即在日记中写道:新加坡及南洋各地,华侨人数更多,“其商佣所得之银输回中华者,奚啻数倍于是”;侨汇收入,以抵全国贸易逆差,已经“有赢无绌”,故于侨务决不能忽视。到英国以后,他即注意了解侨情,发现侨民因得不到祖国保护,在各地都面临着困

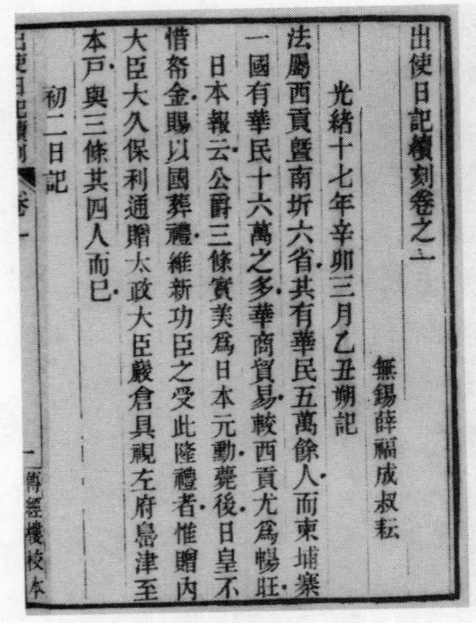
出使日記續刻卷之二
無錫薛福成叔耘
光緒十七年辛卯三月乙丑朔記
法屬西貢暨南圻六省·共有華民五萬餘人·而柬埔寨一國有華民十六萬之多·華商貿易·較西貢尤爲暢旺·
日本報云·公爵三條實美爲日本元勳·薨後·日皇不惜帑金·賜以國葬禮·維新功臣之受此隆禮者·惟贈內大臣大久保利通·贈太政大臣巖倉具視·左府島津至本戶·與三條·其四人而已·
初二日記
出使日記續刻 卷一 一 傳經樓校本

(《出使日记续刻》书影)

境。如澳洲叭拉辣等地,“向时金矿最盛,华人约逾三万;今金矿已稀,又加身税,华人艰苦甚矣”。又如南洋诸岛,“工务商务均赖华人为骨干”,而“(种植)园主虐待华工”,“弊端有四:一、违例虐殴;二、令工头纵赌,诱工人输银;三、纵赌为害,年年借欠,永无脱工之日;四、官定条例亦尚平允,园主不肯张挂”。因此,薛福成认为:“保护华民之事,顾可缓乎?”但他查看旧约,则“但有彼在中国设领事之语,而无我在外洋设领事之文,盖因未悉洋情,受彼欺朦”。于是他决定“援照公法及各国常例”,向英国外部提出交涉,并面告英官:“余意颇不惮笔舌之烦,不参游移之见;若英廷未允,必当据理力争,虽至三四至六七不厌也。”结果,经过反复交涉,英国外部只得复照使馆:“英廷愿给文凭与中国所派之领事官,如给与外洋各友邦之领事官同样办理。”

华工之苦

设领以后,从领事的禀报中,薛福成了解到侨胞的另一重

痛苦,就是在海外辛苦积蓄了资财,却不敢携资回国。地方上的土豪恶霸,任意诬蔑归国华侨是"汉奸"、"海盗",抢夺他们的浮财,拆毁他们的房屋,或者伪造借契对他们进行讹诈;而地方政府,却不能主持公道,保护归侨的合法利益。为什么会发生这样的情形呢?薛福成详参律例,发现原来在顺、康两朝,曾立下严厉的"海禁":大陆商民,片帆不准下海;"通海"而后回国的人,立即"正法"。海疆平靖后,康熙帝曾于一七一七年特准以前出洋的华人返回原籍;但十一年后,雍正帝又宣布,至此不归、羁留海外的,都是"甘心异域"的"莠民",重申前禁。乾隆年间,还发生过皇帝下旨,对回国贸易的华侨陈怡志"严予惩治"的"案例",这就是地方土劣得以肆意迫害归国华侨的藉口。为了维系人心、保护侨胞,薛福成于一八九二年十一月函请总理衙门奏请朝廷废除旧禁。总理衙门不愿担承"妄议祖宗旧制"的风险,拖了整整半年,才回信要他自己"恭疏具陈"。他于是起草了著名的《请豁除旧禁招徕华民疏》,结果为亲政的光绪皇帝接受,下令刑部修改私出外境的旧例,并饬沿海各省晓谕州县乡村,商民无论出洋久暂,一概允许回国谋生置产,和内地人民享有同等权利。薛福成由是而成了侨民和侨乡感激不尽的"恩官","闽粤人尸祝之"(夏寅官:《薛福成传》)。

请解海禁

在出使期间,薛福成还代表中国政府,同英国政府谈判,订立了《续议滇缅界务、商务条款》。原来一八八五年英国强占缅甸后签订的"中英缅甸条约",并没有完全划定中缅边界。在中、缅居民区之间,还夹杂着不少"不华不缅"的少数民族地区。十八年初,薛福成得知"英兵之驻缅者,屡逾野人山,窥伺滇边土司",觉得如不趁英人蚕食未甚,及早划定中缅边界,日后必然更于中国不利。他一面上疏朝廷,建议主动与英方谈

中缅边界谈判

判界务;一面札委销差回国的使馆随员姚文栋,行经印度、缅甸,察访中缅边界的历史和现实情形,以为谈判依据。几经争取,朝廷才算同意了薛福成的建议,并指派他为谈判的代表。

谈判是在艰苦、复杂的条件下进行的。英国原以为中国从来不争边地,中国人也不熟悉国际条约和谈判方法,可以把他们的意图强加给薛福成:不仅想独占有重要战略价值的野人山地区,还指中国境内的车里(西双版纳)、孟连两大土司为缅甸领土,理由是这两个土司在历史上曾向缅王进贡。薛福成据理力争,多次与英外部大臣及副大臣、谈判代表山特生舌剑唇枪,有时一次发言达五刻钟。十八年八月初二日记告山特生之言曰:

野人山

> 中朝意在必得此地(按指伊洛瓦底江以东的野人山地区),就情、理、势三者而论,英国断无说以拒之。与其费笔墨,烦口舌,到结局时仍不能不与,不如速与之,示若出英人本意,以彰公道而联睦谊。且野人山地,在厄勒瓦谛江以东者四之一,在厄勒瓦谛江以西者四之三,英得其三而中得其一,在英已大占便利。从前中国不勤远略,于边徼瓯脱之地向不介意;今则渐明利害,欲保体面,故于此等事不肯放松。然中国欲自立,则俄、法不能肆意蚕食,英之商务亦不致受损,固英国之利也。英国胡不稍让荒地,以成中国之美,而示他国以榜样,……轻小利而成大计乎?

从这段话看,薛福成的外交水平和谈判策略都是很不错的。历时一年半,最后终于"刚柔互用,稍稍使就范围",于光绪二十年正月二十四日,和英国外部大臣签订了边界条款。

英国除让出科干等地，并归还车里、孟连两土司全权外，还同意将野人山穆雷江北英国驻兵的昔马地区三百平方英里的地界，穆雷江南既阳江东约七八十平方英里的地界，划归中国所有。这在清季数十年外交史上，和曾纪泽赴俄谈判收回伊犁先后媲美，是仅有的两个谈判得比较成功的例子。

薛福成死后，李鸿章闻之痛惜，以为未尽其用，奏称“曾纪泽、洪钧、刘瑞芬，并经出使外洋，著有勤劳；惟薛福成奉使绩效，亚于曾纪泽，过于洪钧、刘瑞芬”。钱基博也说：“数十年来，称使才者，并推薛、曾云。”

虽然在薛福成去世后，总理衙门在划定滇越边界时，拱手让出车里南界和猛乌、乌得等地；英人又乘机勒索，重新夺去了薛福成好不容易争回的昔马、科干地区，并且为尔后的“片马纠纷”种下了祸根。但直到今天，孟连全境和西双版纳，仍然能够作为云南省的一部分，保留在中国的版图之内，这不能不承认有薛福成的一分劳绩。

西双版纳

薛福成在外交上的这些努力，在总理衙门心目中却成了“多事”、“好名”之举。他的好友黎庶昌，曾将总理衙门掣肘的情形写信告诉他，感慨地说：“今日时局，以馈遗敷衍为能，决不喜人办事。使臣在外，尤属无拳无勇，似宜虚与委蛇，以待转圜……”薛福成对总理衙门的颟顸腐败，也深有所感。他在十八年六月二十日的日记中评论道：

> 洋人之恣挟持于中国也，其所由来非一日矣。……虽设总理各国事务衙门，而堂司各官皆未洞识洋情，因应不能得决。每遇一事，大抵御之以多疑，示之以寡断，……刚者争非所争，柔者又让非所让，而事益不可为。

闰六月初四日又慨乎言之：

> 总理衙门大臣，萃毕生之全力以经理交涉事务者，殆鲜其人。或以官高挂名；或以浅尝自喜；或骤出骤入，听其自然；一闻《海国图志》、《瀛寰志略》两书之名，尚有色然以惊者(原注：谓景秋坪尚书)。或又有一二清流，如李高阳、阎朝邑两相国，皆自谢为“不知洋务”，以终年不一至衙门为高。至于章京，考取之卷皆以小楷，固有居署十年，尚于洋务不甚通晓者。……如是，而欲洋务人才之练习，其可得乎。如是，而欲办理洋务之不至于歧误，其可得乎。

而总理衙门的颟顸、腐败，却又另有更重要的原因。薛福成世故极深，极少留下容易出麻烦的笔墨。但是在他的日记里，还是可以找到一点蛛丝马迹。如十七年九月十二日记：

出使经费移作园工

> 户部自阎相去后，库款匮乏。……沪关积年存出使经费一百九十万两，从前文文忠公煞费经营，谓此款关系紧要，无论何项急务不得挪动。前月，海军衙门以园工支绌，奏提一百万两作万寿山工程矣。

所谓“园工”，所谓“万寿山工程”，就是为了庆祝慈禧太后“六旬万寿”而举修的颐和园工程。海军经费用到这上面去了，还不够，又从出使经费项下提去一百万两。

十九年五月初五日的日记，又记到了这件事情。薛福成不愧古文名家，他的白描手法喜怒不形于色而力量自见。这一天日记不长，我们把它全钞如下：

明年恭逢慈禧皇太后六旬万寿，敬备一切庆典，遵旨力崇节俭。户部预为筹款约已备五六百万金。惟各衙门查照乾隆年间迭次庆典成案，实需三千六百万金；今节至三分之一，尚与预筹之款不符。而大典攸关，责无旁贷。除由户部行知各衙门，再将所需力筹节省请旨遵行外，户部现将岁出岁入各款逐加详核，设法腾挪，移缓就急，挹彼注兹。一俟筹有成数，再行奏闻请旨。

读了这节日记，再想想“为君者不能以一人肆于民上，而纵其无等之欲”的“民主之国”，薛福成写这节日记时的心态，也就可以一目了然了。

游蜡人馆观油画记

薛福成和黎庶昌、吴汝纶、张裕钊同称“曾门四子”，在事业外还以古文名家。《出使四国日记》中不少篇章，叙事状物，都不在《西洋杂志》之下。光绪十六年三月二十四日的一篇，曾以《游巴黎蜡人馆记》、《观普法战争油画记》为题，被收入各种选本和读本，可以视为他的代表作。

本篇先叙“赴蜡人馆观蜡人”，云所见蜡人：

或立或坐，或卧或俯，或笑或哭，或饮或博，无不毕具。凡人之发肤、颜色、态度、长短、肥瘠，无不毕肖。

接下去便叙述“赴油画院观普法交战画图”，云：

……两军人马杂遝，放枪者、点炮者、搴大旗者、挽炮车者，络绎相属。各处有巨弹坠地，则火光迸裂，烟焰迷漫……而军士之折臂断足，血流殷地，偃仰僵仆者，令人目不忍睹……

文章的确写得淋漓尽至，有声有色，称得上古文名家了。现在把刻本这一篇全文制版放在最后，作为对这位“一代使才”的一点纪念。

二十四日記
赴蠟人館觀蠟人其法以蠟仿製生人之形自王公卿
相以至工藝雜流無不可留像於館或立或坐或臥或
俯或笑或哭或飲或博無不畢具凡人之鬚眉顏色態
出使日記 卷一 畫
度長短豐瘠無不畢肖所謂神妙欲到秋毫顛者聞
其法係一老嫗創之今盛行於歐洲各國未百年也又
赴油畫院觀普法交戰畫圖其法爲一大圜室以巨幅
懸之四壁由屋頂放進光明人入其中極目四望則見
城堡岡巒溪澗樹林森然布列兩軍人馬雜遝放槍者
點礮者攀大旗者挽礮車者絡繹相屬各處有巨彈墮
地則火光迸裂煙焰迷漫其被轟擊者則斷壁危樓或
黔其廬或赭其垣而軍士之折臂斷足血流殷地僵仰
偃仆者令人目不忍觀仰視天則明月斜挂雲霞掩映
俯視地則綠草如茵川原無際幾自疑

身外即戰場而忘其在一室中者迨以手捫之始知其
爲壁也畫也皆幻也夫以西洋油畫之奇妙則幻者可
亂爲眞然普法之戰迄今二十年已爲陳迹則眞者亦無
殊於幻矣

（《出使日记》光绪十六年三月二十四日）

21 《李鸿章历聘欧美记》

□ 一八九六年即清光绪二十二年，清廷派李鸿章为特使，赴俄参加尼古拉二世加冕典礼，签订“中俄密约”，并顺访德、荷、比、法、英、美等国。兹将林乐知编《李傅相历聘欧美记》、桃溪渔隐等编《傅相游历各国日记》纂辑成为一书。

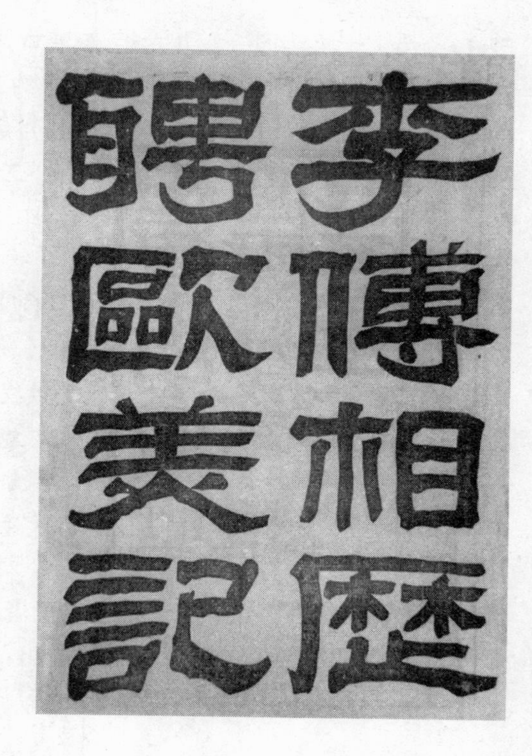

光绪二十二年即一八九六年，李鸿章作为祝贺尼古拉二世加冕的特使，赴俄签订中俄密约，临行时在上海对黄遵宪说："联络西洋（俄），牵制东洋（日），是此行要策。"签订密约回来，他又不无得意地对黄遵宪说："二十年无事，总可得也。"结果不要说二十年，连二年都不到，中国便完全成了既是东洋也是西洋列强刀俎上的鱼肉。

一九〇一年李氏死后，黄遵宪为他作了四首挽诗，其三云：

毕相伊侯早比肩，外交内政各操权。
抚心国有兴亡感，量力天能左右旋。
赤县神州纷割地，黑风罗刹任飘船。
老来失计亲豺虎，却道支持二十年。

老来失计亲豺虎

讲的就是联俄立约这件事。全诗先对死者表示恭维，将他和俾斯麦、伊藤博文相提并论。接着就指出：是罗刹（罗刹本为梵文"恶鬼"之意，清初用作"俄罗斯"之音译，此处语意双关）

黑风把他吹上了“亲豺虎”的错路，中俄密约使得赤县神州落到了“割地行成”的困境，而这位与“毕相伊侯早比肩”的人物却还沾沾自喜，自以为给国家争得了“二十年无事”的和平环境。这是多么深刻的讽刺。古人论诗，所谓“婉而多讽”，黄遵宪足以当之矣。

中国之大患终在俄

俄国是最大的危险

曾经有过这样一种观点：中华民族最大的危险，总是来自北方。自从沙皇俄国的熊爪向东伸到中亚和远东，这种观点就越来越使某些人觉得有道理。因为：

(一)从地理上看，俄国已经成为唯一与中国直接接壤的帝国主义大国。

(二)专制的沙皇俄国，对内实行高压，对外侵略扩张，其凶恶的程度远远超过其他欧美国家。它不仅是俄国各族人民最凶恶的敌人，同时也是全世界弱小民族最凶恶和最危险的敌人。

(三)专制统治的必然结果之一，是它的暴力机器特别具有反人道和反文化的性质，因而特别具有凶残性和危险性。像波雅科夫率领的哥萨克队伍在中国达斡尔地区一连杀死和吃掉五十多个活人这类暴行，在世界上是少见的。

近代中国持上述观点的人，有被称为清代“开眼看世界之第一人”的林则徐。他在抗击英帝国主义失败后被谪戍新疆，亲自感到俄国咄咄逼人的侵略气焰，曾经说过：“百年后，为中国患者，其惟俄罗斯乎。”

持同一观点的人，还有经过千辛万苦，向西方寻找真理的严复。他在三国干涉还辽、“联俄”之说盛行时力持不可，说：

“甲午以还，彼族常以剖分支那为必至之事。……以远近形势言之，俄于支那，其情亦与各国异，故中国之大患终在俄。”

力主联俄

然而，自命为对“洋务涉历颇久，闻见稍广”的李鸿章，在甲午战败后，却来了个“一边倒”，力主联俄。此时俄国因怕日本独吞朝鲜、满洲，妨碍自己实现在远东的侵略野心，曾经联合德、法阻止日本割占中国的辽东半岛。这件事情成了李鸿章因中日战败下台后东山再起的资本。一八九六年五月，俄皇尼古拉二世举行加冕礼，中俄两国最高当局心照不宣，由李鸿章以“钦差头等出使大臣”名义前往致贺，在彼得堡秘密签

（赴俄“祝贺”的李鸿章及其主要随员）

订了“中俄密约”。于是，联俄的主张成为事实，中国的东北从此逐步落入俄手。后来日俄两国在中国领土上一场大战，日本又取代了俄国在南满的地位。李鸿章“引狼入室”，认为可以驱狼制虎，结果却是狼虎齐来，一同吞噬中国人民的血肉。

李鸿章为什么要联俄？如果从他的思想上找原因，就是(一)依赖“保护伞”，(二)想玩“外国牌”。

依赖“保护伞”的病根在于害怕本国人民。因为害怕本国人民，所以就感到“军民全不足恃”，自己断非外国的敌手。李鸿章一八七四年对中外形势的基本看法是：“各国条约已定，断难更改。江海各口，门户洞开，已为我与敌人公共之地，……似觉防无可防矣。”“一国生事，诸国构煽，实为数千年来未有之变局。轮船电报之速，瞬息千里；军器机事之精，工力百倍；炮弹所到，无坚不摧；水陆关隘，不足限制：又为数千年来未有之强敌。”既然敌人如此不可抵挡，自己如此不堪一击，自然只能把希望寄托在“盟邦”身上，躲在外国的“保护伞”下过日子了。

数千年未有之变局

玩“外国牌”，用李鸿章自己的话来说，叫做“以夷制夷”，这是从专制统治者长期统治经验中“继承”下来的一种权术。李鸿章前半生同太平军和捻军作斗争，施展软硬兼施、分化瓦解、各个击破等手段，捡得了不少便宜。但是，帝国主义列强这些“数千年来未有之强敌”的战略、策略水平，比在苏州缴械投降被杀的李昭寿、郜云官等太平军头领要高明。李鸿章虽想“以夷制夷”，“夷”又那有这么愚笨呢？于是所谓“二十年无事，总可得也”，完全成了自欺欺人之谈。列强看到俄国得手，唯恐在瓜分中国时落后，立即掀起了要求中国割地的狂潮。德占青岛(胶州湾)，法占湛江(广州湾)，英占九龙、威海，都是中俄密约签订后一两年内接连出现的事情。

以夷制夷

黄遵宪毕竟是黄遵宪，他对国际形势和外交政策的看法，比李鸿章要高明得多。他很早就认识到沙皇俄国的反动性和危险性，发出过“豺虎在有北”的警告。而以李鸿章为代表的一部分“洋务派”，盲目崇拜外国的力量，一味依赖外国的“援助”,不坚持本国的独立,不珍惜本国的主权,硬要把敌国当成“盟邦”,把豺虎视为兄弟,结果国家成为列强的鱼肉,自己也落下了千古骂名。这不能不说是近代中国“走向世界”中的一次惨痛教训。

欲盖弥彰

关于中俄密约,当时两国当局讳莫如深。本书的编译者对李鸿章一头栽倒俄国怀里不以为然,用揭露的笔调记述了双方欲盖弥彰的一些情况。如:

俄国亲王出境远迎

使节初抵码赛埠,即有俄国某亲王奉其皇命出境远迎,旋即同舟共济。闻某俄亲王言:“傅相所奉国书,备道中俄交谊之厚,不及其他。我俄亦不欲别立盟约,反致多生枝节。惟愿实力维持中国,不任他国凌逼,更不许他国割取寸土。盖期保华者,即以保俄也。”

*

英国《士丹特报》云:闻诸外部侍郎古尔逊云,李中堂行箧中,虽未闻其有中俄密约,然似操议约及画诺之权。又闻中堂语人云:“中俄实无密约,惟俄国之鲜卑(原注:即西伯里亚,又作悉毕尔)铁路,许其假道满洲以达海口耳。”(原注:珲春欤?旅顺口、大连湾欤?似此语气,殊浑沦也。)英国各报皆谓:所以虑中俄之有密约,即此事耳;今中国已贸然许俄,天下事尚可为乎?

*

四月十三日,英伦电报云:法人某谒傅相于俄旧都,即问来欧之意。傅相语之曰:“贺俄升冕,无待赘言矣。

仆更将博考诸国政治之道，他日重回华海，改弦而更张之。至于华之与俄，实无密约；惟交谊之固，则诚如胶似漆耳。……"

除此之外，因为对签订密约的内情无从得悉，书中也就无法加以叙述。

《傅相游历各国日记》卷下附有当时《字林西报》发表的"中俄和约"十二条，其实这并不是真正的中俄密约，真正密约的中文本，一直作为绝密件，存在原来清政府后来中华民国外交部的档案库里；二十五年之后，才首次钞出，交由参加华盛顿会议的中国代表团在会上宣读。接着，苏联政府又全文公布了密约的法文本，其内容始为众所周知。（在这以前，李鸿章之子李经迈曾于一九一一年向伦敦《每日电讯报》透露过密约的基本内容，但未被中俄官方承认。）一九六六年，在台湾又影印了密约的中文本。

一九六六
台湾影印

一九八〇年，台湾《传记文学》杂志从总号第二一五期起，连载李宗侗（清朝军机大臣李鸿藻之孙）的遗著《光绪中俄密约之交涉与签订》。文中发表了作者称为"海内孤本"的李鸿章使俄期间与军机处的往来密电（以下简称"李氏密电"，这些电报皆用特殊密码，由军机大臣亲自翻译，进呈御览后不再载入军机处档册，故后人无从查考），于是密约条文从初稿到定本的演变过程，也已大白于世。

现将中俄密约中文本及序言照录于下，谈判过程中重大修改之处另在括弧内注明：

中俄密约

大清国大皇帝陛下暨大俄国大皇帝陛下因欲保守亚洲大地现在和局，不使日后别国再有侵占之事，决定订立御敌互相援助条约。

针对日本

第一款　日本国〔初稿此处有“或与日本同盟之国”八字，俄方提议删去〕如侵占俄国亚洲东方土地〔“土地”初稿作“属地”，中方提议修改〕，或中国土地，或朝鲜土地，即牵碍此约，应立即照约办理。如有此事，两国约明：应将所有水陆各军届时所能调遣者尽行派出，互相援助。至军火粮食，亦尽力互相接济。

第二款　中俄两国既经协力御敌，非由两国公商，一国不能独自与敌议立和约。〔中方提议末尾添“如非敌国，不在此例”八字，俄方不允。〕

第三款　当开战时，如遇紧要之事，中国所有口岸，均准俄兵船驶入。如有所需，地方官应尽力帮助。

第四款　今俄国为将来转运俄兵御敌并接济军火粮食，以期妥速起见，中国国家允于〔“中国国家允于”六字初稿作“议于”〕中国〔“中国”二字中方提议加入〕黑龙江、吉林地方接造铁路以达海参崴。惟此项接造铁路之事，不得藉端侵占中国土地，亦不得有碍大清国大皇帝应有权利。其事可由中国国家交华俄银行承办经理〔“其事可由……”句俄方初稿作“其事可由中俄公司经理”〕。至合同条款，由中国驻俄使臣与银行就近商订。

第五款　俄国于第一款御敌时，可用第四款所开之铁路运兵、运粮、运军械。平常无事，俄国亦可在此铁路运过境之兵粮。除因转运暂停外，不得藉他故停留。〔本条俄方初稿作：“无论和时战时，俄国可用上款所开之铁路运兵、运粮、运军械。”中方议删，俄方不允。〕

第六款　此约由第四款合同批准〔“合同批准”初稿作“所让之事”〕举行之日算起照办，以十五年为限。届期

六个月以前,由两国再行商办展限〔"届期……"句为初稿所无,系俄方增入〕。〔本条中方议删,俄方不允。〕

事实上是,清廷和李鸿章希望签订的只是一个防止日本侵犯的军事合作条约。但俄方一定要中国允许俄国通过黑龙江、吉林"接造铁路以达海参崴","无论和时战时",俄国均可用这条铁路"运兵、运粮、运军械",以此作为实行军事合作的条件。这样,在日本还没有来侵犯的时候,中国的土地和主权就已经"应允"俄国来侵犯了。

背信和昏愦奇怪地混合在一起

这样一个丧权辱国的条约,固然是慈禧太后和李鸿章错误外交路线的产物,但更是俄国精心策划的侵略阴谋。

维特伯爵回忆录

代表帝俄与李鸿章谈判的俄国财政大臣维特伯爵(即书中所称"户部大臣卫德")死后发表的回忆录(我国有商务印书馆一九七九年节译本,内部发行),透露了当时帝俄君臣密谋对付李鸿章的一些情况。回忆录写道:"那时登位不久的尼古拉皇帝,正急欲在远东扩张俄国的势力,……被一种夺取远东土地的贪欲

(尼古拉二世夫妇像)

迷住了心窍”。维特就是尼古拉扩张政策的执行者。

很卓越的一个

维特承认李鸿章“十分率真而且认真”。“以李鸿章的智力和常识来判断，他要算这些人(指维持一生中接触的政治家)中很卓越的一个。”当维特在谈判中提出由俄国通过满洲修造铁路时，“李鸿章立即表示了反对”。但是，这个老奸巨猾的帝国主义分子，利用李鸿章想“联俄拒日”的心理，向李表示：“我们既然宣布了中国领土完整的原则，在将来我们也要遵守这个原则。但是，为了保持这个原则，我们必须在发生紧急情况时能够给中国以紧急援助。俄国的兵力目前都集中于欧洲部分，在欧洲的俄国和符拉迪沃斯克(海参崴)没有用铁路同中国连接起来以前，我们就不能进行这种援助。”接着尼古拉也秘密接见李鸿章，进行威胁利诱，终于使李鸿章接受了俄国的要求。

中俄密约就是在这种情况下，由尼古拉和维特一手炮制出来的。李鸿章虽也曾企图对俄方提出的草约条文略加修改、限制，但基本上都被驳回。“弱国无外交”，在这里又一次得到了证实。

维特在回忆录中还叙述了一个戏剧性的情节，在这儿引述一下也许不会是多馀的。由俄国外交大臣起草的中俄密约第一款，本来规定中俄军事同盟要对付“日本或与日本同盟之国”。维特认为这会使俄国承担不必要的风险，于是向沙皇建议删去“或与日本同盟之国”这几个字，沙皇当然完全同意。到条约签字那一天，双方代表已经坐到签字桌旁时，维特突然发现正式文本上这几个字仍然没有删去。他大吃一惊，立刻将主持仪式的外交大臣洛巴诺夫——罗斯托夫斯基公爵叫到一旁，小声告诉他这件事。维特写道：

……他却一点也不惊惶。他看了看表,那时是十二点一刻。他轻敲了几下,招呼侍役,然后转向会场道:“时候已经过正午了,我们去吃午餐吧,然后我们再在协定上签字。”

我们于是都去进午餐。只有两个秘书在我们进午餐的时候,又将文件誊录了一遍,并作了必要的改正。午餐前已经传阅过的两份文件,被悄悄地用两份新的抄本换掉了。在这两份新的抄本上,正式由一方李鸿章、另一方洛巴诺夫——罗斯托夫斯基公爵和我签了字。

签字文本被掉包

清廷和李鸿章既然想引俄为援,当然希望“保护伞”保护的范围大一些才好。俄国君臣起初也暗示李鸿章,俄国的援助不会仅只针对日本。据“李氏密电”,尼古拉二世在秘密接见李时,曾亲口向他保证:“将来倭、英难保不再生事,俄可出力援助。”清廷也曾密电李鸿章:“倘中国西南水陆有事,俄国如何援助之处,亦应于约内叙明,以期周密。”“西南水陆有事”,显然不是指日本。结果,“智力和常识”都不错的李鸿章,居然堕入维特和洛巴诺夫串演的江湖骗子式的“掉包计”而不自觉,亦可哀矣。

结果,横贯中国东北的俄国铁路是筑起来了,铁路两旁由俄国军事占领的“特别区”也划出来了。俄国对中国的“保护”和“援助”又在哪里呢?密约签字的墨迹还未干,德国就向中国强索胶州湾(青岛)。李鸿章在北京两次找俄国公使求救,尼古拉二世却在给德皇威廉的电报中说:“我既不能赞成,也不能不赞成您派遣舰队到胶州去。”俄国不仅不阻止德国占胶州,反而以“保护中国”为名先占了旅大。光绪皇帝责备李鸿章等人道:“汝等言俄可倚,与订约,许以大利;今不独不能阻德，乃自渝盟索地，亲善之谓何？”李鸿章只能免冠叩首，支吾以对。后来，维特在回忆录中总结俄国在远东的失败经验时，也不得不承认：“是我们自己违反了协定（指密约），才造成今日远东的局面，这是一件背信和昏愦奇怪地混合在一起的事。”

俄人承认自己背信

“背信”的是俄国君臣，“昏愦”的是清廷上下。俄国在打别人主意的时候总是十分精明的，总是用漂亮的言辞掩盖卑鄙的行动，总是（如恩格斯所说）“拿开明、自由主义、解放各族人民作为幌子”。后来的斯大林和勃列日涅夫，用的仍然是这种手法，仅仅以“社会主义”代替了“开明、自由主义”，至于“解放各族人民”，则仍照用不误。

李鸿章听信尼古拉和维特骗人的鬼话，一意要“联俄”，“联”的却是这样一个背信弃义的国家。无怪乎连对李颇为同情的黄遵宪，在给他的挽诗中，也要埋怨他“老来失计亲豺虎”了。

“李二先生是汉奸”

黄遵宪的诗，不过表达了当时舆论对李鸿章的一种看法。从生前到死后，李鸿章一直就是个毁誉不一、众说纷纭的人物。

本书所载英美等国报纸的评论，毫无例外对李鸿章表示捧场。如《伦敦特报》所云：“中国大臣，不乏老成持重，而具大见识，开大智慧，展旋乾转坤手段，扶中国以趋前路者，断推中堂（李鸿章）一人。”《泰姆（晤）士报》甚至认为：“华人四垓（万万）中，实无其匹。”

而在李鸿章奉旨赴俄前两年内，也就是甲午、乙未之际，国内的“清议”却对他颇有微词。像吴昌言在《责偿和款议》中，即直指李鸿章祸国“之辱甚矣，率天下人皆欲食其肉。……经营三十年而一败涂地不可收拾至此，至令弹劾之封章、规谏之书札、讥刺之诗歌中外传遍，窃窃然争购之。清夜自思，又复何颜视听食息于天壤间乎？”

“历聘欧美”后五年，李鸿章死时，清廷在“上谕”中褒扬他“匡济时艰，辑和中外，老成谋国，具有深衷”，“予谥‘文忠’，追赠太傅，晋封一等侯爵，入祀贤良祠”。而北京的市井小民，却把他和差不多同时死去的昆剧丑角戏子杨三相提并论，拟了一副讽刺他的挽联：

杨三已死无昆丑；
李二先生是汉奸。

（李鸿章，1823—1901）

李鸿章

平心而论，李鸿章在咸丰、同治年间，不失为统治阶级中一个比较有能力、有见识的人物。他由曾国藩引导登上政治舞台，也和曾国藩一样，都是太平军起、满洲贵族腐朽无能的“时势”造成的“英雄”。曾国藩死时，他送的挽联有云：“师事近三十年，薪尽火传，筑室忝为门生长。”在所谓“中兴事业”和政治经验上，他确实可算是曾国藩的“传人”。

咸丰以前，清政府无所谓“洋务”，亦无熟习洋务的“人材”。当轴者于中外形势既属茫然，更常因举措荒谬而贻误大局。如《郭嵩焘日记》咸丰九年三月初八日云：

怡亲王来营，……入京换约之说始终不能改易。

悄悄击之

……怡邸言奉旨密商一语：如夷人入口不依规矩，可悄悄击之，只说是乡勇，不是官兵。予曰：凡事须是名正言顺，须缓缓商之。……

怡亲王载垣是咸丰最亲信的近支王公。英法联军之役，清廷既不能取胜于疆场之上，又不能拒辱于尊俎之间，而在已经签订条约同意接受公使之后，却企图在英法公使进京时由官兵化装乡勇“悄悄击之”，这确实很难说是高明的做法。

曾国藩、李鸿章等“中兴将帅”，比载垣之流要高明得多。曾国藩在咸丰十年十一月初八日的奏摺中说：“驭夷之道，贵识夷情”。他认为“和议已成，中外贸易，有无交通，尤属名正言顺”。“外国技术之精为中国所未逮”，学习西方的技术科学已成为“救时之第一要义”，“中国自强之道，或基于此”。曾的这些看法，由李鸿章全盘继承下来，并且“发扬光大”，成为同光时期大办洋务的张本。李鸿章分析中外形势出现了“数千年来未有之变局”时，提出了“‘穷则变，变则通’，盖不变通则战守皆不足恃，而和亦不可久也”的重要观点。他说：“外患之乘变幻如此，而我犹欲以成法制之，譬如医者疗疾，不问何症，概投之以古方，诚未见其效也。”

如果李鸿章从这个观点出发，真正走上学习西方的道路，那么，即使这种学习仅仅停留在“坚船利炮、通商惠工”的水平，以他的地位和影响，也能够为中国的进步作出贡献。可是他并没有真正走上这条道路。他和曾国藩一样，是宗法社会传统文化和伦理观念的乳汁哺育成人的“当朝一品”人物。历史的局限性使他们即使能够看出西方国家是“数千年来未有之强敌”，却不能也根本不会去寻求西方资本主义“强”于中国专制制度的根本原因，更谈不到“变”封建统治之道，“通”资产

曾李等人的局限性

阶级民主政治之情。

对于洋人,他们是既害怕又羡慕。怕是怕洋人“无父无君”,万一“助贼攻我”,“足为中国腹心之患”。羡慕的是洋人“器械精坚”,“目前资夷力以助剿济运,得纾一时之忧;将来师夷智以造炮制船,尤可期永远之利”。他们主张“变通”,提倡“救时”,都是为了巩固宗法专制制度,而不是为了改变这个制度。他们的“洋务”,和怡亲王的“悄悄击之”,只是策略上的不同,而无本质的差异。将李鸿章和戏子杨三相提并论,虽然有点“不伦”,至少反映了人民的某种情绪;至于因为他和外国交际,就斥之为“汉奸”,则太不公道了。

对洋人老老实实的结果

李鸿章于同治十三年十一月初二日所上《筹议海防摺》中说:“臣虽愚暗,……惟洋务涉历颇久,闻见稍广,于彼己长短相形之处,知之较深”。光绪二年九月十四日《复刘仲良中丞》书中说:“处今日,喜谈洋务乃圣之时。人人怕谈、厌谈,事至非张皇即卤莽,鲜不误国。公等可不喜谈,鄙人若亦不谈,天下赖何术以支持耶?”其自负如此。

喜谈洋务乃圣之时

究其办理外交的根本诀窍,不出他自己所说的“羁縻”二字,也就是牵萝补屋,能妥协则妥协,能利用则利用。这个诀窍,同样是从曾国藩那里继承来的。据曾国藩孙女婿吴永(渔川)《庚子西狩丛谈》所记李鸿章亲口说的一段话:

> ……别人都晓得我前半部的功名事业,是老师提挈的;似乎讲到洋务,老师还不如我内行。不知我办一辈子外交,没有闹出乱子,都是我老师一言指示之力。……

没有力量只能老实

曾国藩的"一言"是什么呢？就是只能用"老老实实、推诚相见"的态度和洋人打交道。因为"我现在既没有实在力量，尽你如何虚强做作，他是看得明明白白，都是不中用的。不如老老实实、推诚相见，与他平情说理，虽不能占到便宜，也或不至过于吃亏"。

弱肉强食是帝国主义的"公理"。"没有实在力量"的弱国，在强敌压境的时候，"虚强做作"固然不行，"老老实实"难道就能够不吃亏吗？李鸿章一意"联俄"时，对俄国总算是"老老实实、推诚相见"的了，结果临到签字桌上，还被维特和洛巴诺夫掉了包。中俄密约，贻患及于雅尔达会议，能够说"不至过于吃亏"吗？

曾国藩、李鸿章等人当然并不蠢。他们在洋人面前如此老老实实，完全是因为他们事奉的朝廷是一个专制腐朽的政权，它要在国内与人民为敌，所以不敢再开边衅，怕陷于内外夹攻的困境。曾国藩同治元年六月二十日的《议复调印度兵助剿摺》中，虽然也说"中国之寇盗，其初本中国之赤子，……中华有难，中华当之"，不主张让洋兵"助剿"内地；但最后还是表示，万一洋兵"不约而来，实逼处此"，则"但有谦退之义，更无防范之方"，因为"吾方以全力与粤匪相持，不宜再树大敌"也。

中华有难中华当之

李鸿章深得此中三昧，他在一封给曾国藩的信中说："洋人所图我者利也，势也，非真欲夺我土地也。自周、秦以后，驭外之法，征战者后必不继，羁縻者事必久长。今之各国，又岂有异？"曾国藩立即复信道："承示驭夷之法以羁縻为上，诚为至理名言。"结果，在这边是着意"羁縻"，在那边却既要图利争势，又欲夺我土地。密约签成，中东铁路、旅顺大连直至东北全境，一度都落入了北极熊的利爪，这大概是"抱定一个诚字"

的曾文正公所不及料的吧。

至于洋人，当然喜欢对他们“老老实实，推诚相见”的人。本书所录西人评论，对李鸿章很是捧场，捧的便是这一点。例如《颇使得报》便说：“夫求人才于中国高爵厚禄之中，复能洞悉友邦冀望之事，知若何因应而睦谊斯敦者，惟直隶总督（李中堂）一人而已。”因此，西方国家的政府，毫不掩饰地表示他们希望李鸿章在中国掌权（英国因李鸿章过分亲俄而对他有些不满，但在支持李氏当权这一点上也从未改变过态度。）

西人大捧李中堂

李鸿章的联俄政策，慈禧太后实主使之。李氏赴俄前请训时，太后屏退左右，同他密谈“至半日之久”。丙辰八月，李“历聘欧美”归来，九月太后即降旨令其“在总理各国事务衙门行走”。《李鸿章历聘欧美记·归轺新论》记：“伦敦露透电报总新闻馆接北京访事人电信（报告李鸿章被任命），以为其职如各国宰相之管外部，凡与外国交涉事件，得以独断独行，从此中外无隔阂之虞，东西有会通之乐，……不禁喜出望外。”

但是专制朝廷的事情不可以常理推测，李鸿章在专任外交时期，迎来了“赤县神州纷割地”的局面，更加激起了广大人民和“清议”对他的反对。后来“扶清灭洋”的义和团，提出要杀“一龙二虎三百羊（洋）”，二虎之一便是李鸿章。戊戌年间，光绪与慈禧的矛盾激化。光绪对“联俄”本有保留，乃于七月诏鸿章“毋庸在总理各国事务衙门行走”，从此李氏又被投闲置散了两年。

《李鸿章历聘欧美记》恰好在戊戌年成书，编者美国人林乐知（Young John Allen）对李鸿章的不被重用深致不满。他在序文中说：“各国重视中堂，深冀其回华而后，优加信任，重畀大权。今乃以不赀之身，听其为伴食之宰相；于是向有厚望于中国之外国，相与心灰意懒……”

向英女王呈递国书

THE ILLUSTRATED LONDON NEWS,

No. 2991.—VOL. CIX. SATURDAY, AUGUST 15, 1896. SIXPENCE

（李鸿章向英国维多利亚女王呈递国书）

两年后,八国联军侵占北京,李鸿章又被慈禧太后任为议和全权大臣,与八国签订"辛丑和约"。这时候,俄国早已不"遵守中国领土完整的原则"了。它利用中国的危难,出兵占领了东三省全境,胁迫中国与之另立条约,承认东三省全属俄国势力范围。这件事情,全国士民痛心疾首,誓死反对,李鸿章又一次成为众矢之的。据梁启超叙述,他"本年以来,肝疾增剧,时有盛怒,或如病狂",终于在光绪二十七年(辛丑)九月二十七日死于北京贤良寺。据说在他"吐血大渐"时,俄国公使还闯入他的病房,催他在条约上画押。同俄国的条约,成了他的催命符,也可以说是他"老来失计亲豺虎"的报应。他自诩"涉历颇久,知之较深"的"洋务",早在甲午年间便已一败涂地,至此则和他本人一道寿终正寝了。

辛丑九月病死北京

印行《李傅相历聘欧美记》的广学会成立于一八八七年,原名"同文学会",英文称"The Society for The Diffusion of Christian and General Knowledge Among The Chinese",直译为"在中国人当中广泛传布基督教及普通知识的团体"。

广学会

林乐知于一八六〇年由美国监理会派遣来华,直至一九〇七年去世。他在本书序文中说:"鄙人寓华垂四十载,……自命为寓华之老友,而冀逆旅主人有勃然而兴之一日;因而出其所知所能,著书作报,冀邀刍荛之俯采。"协助林乐知编辑本书并将其译成汉文的,则是中国人蔡尔康。

林乐知

在中国的变法维新运动中,林乐知和广学会的督办(总干事)李提摩太,曾经起过不小的影响。只需要举出以下的事实就够了:光绪皇帝为了参考"西法"和了解"西学",找来阅读的一百二十九种新书中,广学会编译出版的占了八十九种。而维新派的政论总集《皇朝经世文新编》中,所收的李提摩太和林乐知的论文共三十六篇,比康有为本人的篇数只少两篇。

林乐知、李提摩太都是西方国家的传教士，他们在中国提倡西学、赞助维新，用他们自己的话来说，是为了把中国“改造”成为能够使西方人士“感到满意”的国家。所以，本书反复宣传中国要向西方“开放”，一再表扬像李鸿章这样同西方“亲善”的人物。本书收集了大量关于李鸿章“历聘欧美”的报道和评论，颇有历史价值。在对待帝俄暴政和“联俄”政策的态度上，全书也保持了与黄遵宪等维新派相似的观点，不以李鸿章“亲豺虎”为然。《俄国庆典记略》一节全文译载了法国报纸刊登的致沙皇的公开信，就是一个例证。

（李鸿章在柏林拜访俾斯麦）

22 戴鸿慈《出使九国日记》载泽《考察政治日记》

□ 一九〇五年，清廷遣“五大臣”出洋考察政治，预备立宪。戴鸿慈等前往美、德、奥、俄、意，载泽等前往日、英、法、比。戴鸿慈《出使九国日记》据光绪三十二年农工商部工艺局印本，载泽《考察政治日记》据宣统元年商务印书馆印本整理。

清廷为了“预备立宪”，于光绪三十一年(一九〇五)派出以载泽和戴鸿慈为首的“五大臣”出洋考察政治。考察分为两路：载泽、尚其亨、李盛铎前往日本、英国、法国、比利时；戴鸿慈、端方前往美国、德国、奥匈、俄国、意大利。“五大臣”各带了一支很大的随员队伍，其中颇有些曾经留学外国或涉猎西学、比较了解东西洋情况的人才，如伍光建、施肇基、温秉忠、夏曾佑、钱恂、熊希龄等等。考察政治和撰写报告的工作，主要是这些人做的。

五大臣出洋

光绪三十二年考察回国以后，“五大臣”的工作班子将考察所得编译成书，仅载泽一路即达三十部之多，呈朝廷新设的“考察政治馆”(光绪三十三年改为“宪政编查馆”)“以备采择”。而在此以外，戴鸿慈又“重次日行所记，凡十二卷”，名曰《出使九国日记》；载泽也将其“邮程所历，身履而目接者，与彼都人士言论之可甄存者，为日录一编”，名曰《考察政治日记》。

戴鸿慈从上海出洋的时候略早于载泽(前者为一九〇五年十二月十九日，后者为一九〇六年一月十四日)，《出使九国日记》的出版也早于《考察政治日记》(前者于光绪三十二年十二月由清政府农工商部工艺局印刷科印出,后者于宣统元年六月由上海商务印书馆印刷发行)。虽然在"五大臣"排列名次的时候,总要把"贝子衔奉恩镇国公"载泽排在第一。

历史的报应

从"坚船利炮"到"化电声光",近代中国知识分子在向西方学习的道路上走了几十年。到十九世纪七十年代中期,郭嵩焘才开始突破"办洋务"的框框,首倡学习西洋"政教"。又过了二十多年,康有为"大讲变法",正式建议朝廷"采万国之良规,行宪法之公议"。这两句话,便成了维新派"君民合治"的政治纲领。

以慈禧太后为代表的清朝统治集团中的实权派,从一开头就坚决反对"行宪法之公议"。因为"君为臣纲"是"万古不易"的"大经大法",所以"君民合治"便是"乱纲纪、毁伦常"的荒谬主张。维新派想通过变法实行立宪的打算,很快就在戊戌政变中成了一场泡影。

但是,历史的报应也有来得特别快的时候。戊戌一庚子的反动,不仅使整个国家付出了惨重的代价,也使统治集团本身陷入了一场几乎灭顶之灾。太后和皇帝连"仓皇辞庙"都来不及,便狼狈地被赶出了京城。穷途末路中,慈禧不得不捡起两年前自己弃掷并践踏在菜市口血泊中的"变法"旗帜,于庚子十二月在西安宣布要"变通政治",说是"取外国之长,乃可补中国之短;惩前事之失,乃可作后事之师"。第二年(辛丑)八月,在离西安回京的前四天,她又进一步声明:"惟有变法自强为国家安危之命脉,亦即中国民生之转机。予与皇帝为宗

慈禧太后的转变

庙计,为臣民计,舍此更无他策。”

壬寅—甲辰年间,清政府在这方面多少采取了一些实际措施,如将“总理各国事务衙门”改成外务部,成立商部,制定商律,奖励公司,废除科举,开办学堂,选派学生出国留学,裁汰绿营,组练新军等等。正如陈天华癸卯年所说,朝廷“及到庚子年闹出了弥天大祸,才晓得一味守旧万万不可,稍稍行了些皮毛新政……不过借此掩饰国民的耳目,讨讨洋人的喜欢罢了”。

自由有点像被禁锢在瓶子里的魔鬼,一旦被放出来,它的形象就会越来越大、越来越高,发出的声音也会越来越大。戊戌政变之初,要求改革的潮流曾一度低落,“朝野上下,咸仰承风旨,于西政西学,不敢有一字之涉及”(《东方杂志》第一卷第一号:《论中国必改革政治始能维新》)。到这时,“革新之机”又渐渐“萌发于下”,“有志之士翻译欧美及日本之书籍、研究其宪法者渐众”(《东方杂志》第九卷第七号:《立宪运动之进行》)。到乙巳年即光绪三十一年(一九〇五年),日本和俄国在中国的领土上发生战争,君主立宪的日本打败了君主专制的俄国。在朝野士夫的心目中,“非小国能战胜于大国,实立宪能战胜于专制也”(达寿:《考察日本宪政情形摺》)。于是,立宪的呼声不断升高。“昔者,维新二字,为中国士夫之口头禅;今者,立宪二字,又为中国士夫之口头禅”(一九〇五年九月二十一日《南方报》:《论立宪当以地方自治为基础》)。

立宪乃能战胜专制

慈禧太后当然并不是《一千零一夜》书中那位为了好奇打开瓶子的渔夫。她是因为更加害怕另一个怪影,才把瓶子中的魔鬼放出来的。那个更加可怕的怪影便是孙中山,是孙中山号召的革命。

孙中山在甲午战前,还赞成康有为的政治主张,“欲以和平之手段、渐进之方法请愿于朝廷,俾倡行新政”。后来他看到依靠清廷自上而下地进行改革已经没有可能,才转而主张革命。但是,这个主张最初在国内并没有得到多大支持,孙中山只能从华侨和会党中物色革命的力量。直到庚子年,情况才发生变化。在《建国方略·心理建设》第八章中,孙中山自述这一变化云:

> 当初次之失败也,举国舆论莫不目予辈为乱臣贼子、大逆不道。咒诅漫骂之声,不绝于耳。吾人足迹所到,凡认识者几视为毒蛇猛兽,而莫敢与吾人交游也。惟庚子失败之后,则鲜闻一般人之恶声相加;而有识之士,且多为吾人扼腕叹息,恨其事之不成矣。

“有识之士”和“一般人”对革命态度的变化,正是清朝统治者倒行逆施的结果。到一九〇五年,在孙中山领导下,中国同盟会正式成立,宣布了“驱除鞑虏,恢复中华,创立民国,平均地权”的革命纲领。革命的思想和活动,已经由星星之火逐渐蔓延开来。“五大臣”之一的端方在一道密摺中写道:

端方奏请改革政治

> 近访闻逆党方结一秘密会,遍布支部于各省,到处游说运动,

(戴鸿慈和端方)

> 且刊印鼓吹革命之小册子。……入会之人，日以百计。……逆说横流，如疫传染；从逆愈众，肃清愈难。……今日欲杜绝乱源，唯有解散乱党；欲解散乱党，则唯有于政治上导以新希望。

这个"新希望"就是"立宪"。从慈禧太后到端方，经过庚子年的打击之后，自己也知道爱新觉罗王朝已经在全民中丧尽了威信，"一味守旧"的办法已经再也统治不下去了。人们原来要求的是立宪。立宪是坏事，是魔鬼；但是这个魔鬼并不一定会吃掉皇帝，甚至有时候还能听听朝廷的话，朝廷还有可能把它收服，再度装进大一点的瓶子。现在有的人已经开始要求革命。革命也是魔鬼，而且是更可怕的魔鬼；这个更可怕的魔鬼一定会要吃掉皇帝，而且一旦出现，就绝不可能被收服，被消灭。两害相权取其轻，与其让革命的魔鬼出现，不如把立宪的魔鬼放出来。这一点，在载泽的一道密摺中讲得更为明白：

两害相权取其轻

> 海滨洋界，会党纵横，甚者倡为革命之说。顾其所以煽惑人心者，则曰政体专务压制，官皆民贼，吏尽贪人，民为鱼肉，无以聊生，故从之者众。今改行宪政，则世界所称公平之正理，文明之极轨。彼虽欲造言，而无词可藉；欲倡乱，而人不肯从。无事缉捕搜拿，自然冰消瓦解。

在一九〇五年前后，有着和载泽、端方同样认识的大臣还有许多。最早奏请朝廷立宪的有出使法国大臣孙宝琦，他在奏本中建议"仿英、德、日本之制，定为立宪政体之国，先行宣布中外，于以固结民心，保存邦本"，若不如此，"外侮日逼，民心惊惧，相顾铤而走险，危机一发，恐非宗社之福”。随后，云贵总督岑春煊、两江总督周馥、湖广总督张之洞等，也相率以立宪入奏。最会见风使舵的直隶总督袁世凯，也奏请简派亲贵大臣，分赴各国考察政治，以为改政张本。“五大臣出洋”，就是在这样背景下演出的一幕。

择善而从

派五大臣考察政治

光绪三十一年六月十四日，清廷发出《派载泽等分赴东西洋考察政治谕》：

> 方今时局艰难，百端待理。朝廷屡下明诏，力图变法，锐意振兴。数年以来，规模虽具而实效未彰，总由承办人员向无讲求，未能洞达原委。似此因循敷衍，何由起衰弱而救颠危？兹特简载泽、戴鸿慈、徐世昌、端方等，随带人员，分赴东西洋各国考求一切政治，以期择善而从。……

谕旨虽没有明讲立宪，但“分赴东西洋考求一切政治，以期择善而从”，正是四年多以前在西安所说“取外国之长，乃可补中国之短”同样的意思，和七年前康有为所说“采万国之良规，行宪法之公议”，实际上也差不多。

据当年九月出版的《醒狮》杂志第一期报道，在决定派“五大臣”出洋时，慈禧太后说过：“立宪一事，可使我满洲朝基础永远确固，而在外革命党亦可因此消灭。候调查结局后，若果无妨害，则必决意实行。”

由此可见，“五大臣出洋”和“预备立宪”，后来的历史上虽然说不过是一场骗局，但在当时，在慈禧太后和“五大臣”心目中，还是非同小可的一件大事。

皇太后和皇上终于下了决心，要"力图变法"、"择善而从"了。谕旨一下，立宪派的人们确实高兴过一阵子。上海《时报》发表文章："人人意中皆若有大希望之在前，以为年月之间，必将有大改革以随其后。人心思奋，则气象一新。"《东方杂志》也发出欢呼："盛哉此举，其我国自立之权舆，吾人莫大之幸福欤！"

革命派的人则相反。他们说："择善而从"是假的，是"假考察政治之名，以掩天下人之耳目"，是清廷"将变易其面目，掩其前日之鬼脸以蛊惑士女，因以食人者也"。（《民报》第一号《怪哉！上海各学堂各报馆之慰问出洋五大臣》）

志士吴樾炸弹送行

八月二十六日上午十一时，载泽、戴鸿慈、徐世昌、端方、绍英"五大臣"，率领随员于北京正阳门车站登上火车。大批送行的官员、亲友，也上车话别。"正拟开行，陡闻轰震之声甚为剧烈，并见烟气弥漫，窗棂皆碎。查系炸弹猝发，……计车内轰毙一人，车旁中伤毙踣三人"。"载泽额角已受微伤"，"绍英耳后发际及臂上受伤略重"（《出使各国考察政治大臣载泽等奏出京乘坐火车遇炸情形摺》）。丢炸弹的人叫吴樾，是保定高等学堂学生，本人当场即被炸死。吴樾受同盟会革命书刊的影响，认为"满洲政府实中国富强第一大障碍"，"五大臣出洋"考察政治预备立宪，所谓"择善而从"，无非是为了延续满洲政府的生命，是为了"扶满"。因此他不惜牺牲自己的生命，来表示反对。吴樾的态度，和那些用欢呼为"五大臣出洋"送行的人，恰成了鲜明的对照。

吴樾的炸弹推迟了五大臣的行期。朝廷以尚其亨、李盛铎代替徐世昌、绍英，五大臣分成两路，分别于十一月十一和十五两天出发。这次"车站稽查严密，外人不得阑入"，总算没有再发生事故。

被“特简”出洋的五大臣，载泽是近支王公，端方是满族大臣，戴鸿慈、尚其亨也都是深得清廷宠信的官僚。他们从来不能代表中国士大夫阶级中那些倾向进步的力量。但是，在当朝满汉大臣中，这几个人并非特别昏愚，也不算极端顽固。他们看到了革命的危险，看到了政治不“善”是革命“逆说横流”的根本原因；同时也知道“方今各国政治艺术，日新月异，进步正速”，其中就包括了实行君主立宪制度的日、德、英、奥、意、比等国家，只有“实行其因革损益之方”，才能“收富国强兵之效”，从而“杜绝乱源”，防止革命，这就叫“择善而从”。

（戴鸿慈，？—1910）

改革政治以杜乱源

五大臣奉到六月十四日上谕以后，于七月二十八日上了一道《出洋考察政治请调员随同差委摺》，又一遍讲到了上面这些道理，并且特别说到：

> 我中华近十馀年来，非不派学生出洋，遣员游历，卒未闻卓著成效者，则由于提倡之不力，研究之不精。是以风气虽开，而持论者或参成见；规模虽创，而任事者绝少专门；仅袭皮毛，难言实际。

这就是说，过去向西方学习，还停留在比较低的水平；现在则应该老实承认，西方国家的“一切政治”都比中国高明，都是中国“择善而从”的榜样。此种认识，出自觉罗贝子领衔的五大臣之口，虽说完全是由于历史潮流的冲击使然，但也毕竟反映了开放和改革已成为无法遏抑的趋势这样一个事实。

五大臣抱着“择善而从”的目的出洋，他们考察的情形和记载，本文拟在以后再作介绍，现在先把他们在国外陆续发回的报告中最重要的一些话摘录一点在下面：

介绍各国政治情况

日本维新以来，一切政治取法欧洲，复斟酌于本国人情风俗之异同，以为措施之本。……公议共之臣民，政柄操之君上；民无不通之隐，君有独尊之权。……不耻效人，不轻舍己。故能合欧化、汉学，熔铸而成日本之特色。

*

美以工商立国，纯任民权，与中国政体，本属不能强同。然其规划之周详，秩序之不紊，当日设施成迹，具在简编；要其驯致富强，实非无故，借资取镜，所益甚多。

*

德国以威定霸……立国之意，专注重于练兵。故国民……无不以服从为主义。……日本维新以来，事事取资于德，行之三十载，遂致勃兴。中国近多歆羡日本之强，而不知溯始穷原，正当以德为借镜。

*

英国政治，立法操之议会，行政责之大臣，宪典掌之司法，……百官承流于下，而有集思广益之休；君主垂拱于上，而有暇豫优游之乐。……惟其设官分职，颇有复杂拘执之处，自非中国政体所宜……

*

> 法兰西为欧洲民主之国，其建国规模非徒与东亚各国宜有异同，即比之英、德诸邦，亦不无差别。……比之英吉利，一则人民先有自治之力，而后政府握其纲；一则政府实有总制之规，而后人民贡其议。施之广土众民之国，自以大权集一为宜。

这些话都很简短，但比起以前斌椿、傅云龙诸人的游历考察报告来，认识的水平和概括的能力确实是提高了。五大臣“择善而从”的倾向性是十分明显的：美、法等“纯任民权”的共和国，虽亦足“借资取镜”，但总“不能强同”；英国三权分立，也有“复杂拘执之处，自非中国政体所宜”；只有日本、德国这类国家，君主“有独尊之权”，人民“无不以服从为主义”，才是尽美尽善的政体。考察归来，清廷正式宣布预备立宪的上谕所云：“大权统于朝廷，庶政公诸舆论”，也就是日本“公议共之臣民，政权操之君上”的翻版，是以日为师的。

以日为师

两部日记

戴鸿慈的《出使九国日记》，在例言中说明只作为考察报告及进呈各书的补充，“随时记录，间及琐细”。他于考察政治之外，对于财政经济、文化教育等方面也比较注意。如在日本参观横滨正金银行，在美国参观美孚煤油公司，在德国参观多门运河及克虏伯制造厂，都有十分详细的记载，这在载泽《考察政治日记》中是少见的。甚至对瑞士风景、庞贝古城，戴鸿慈也舍得花一点笔墨，显示了翰林公的本色。日记关于《灰姑娘》和《罗米欧与朱丽叶》演出的叙述，在近世介绍西洋文艺的历史上，也颇有价值。

罗米欧与朱丽叶

《出使九国日记》颇多关心国家命运的感慨之词。如二月初三日在伦敦参观博物院，见中国室内陈列着英军抢去的内廷玉玺两方，记云："吾国宫内宝物，流传外间者不少，此其一矣。若叩所从来，固亦凡国民所铭心刻骨、永不能忘之一纪念物也。"二月十五日在柏林观剧，看演印度故事，记云，"观英将之威恣与印度君臣悚息之状，使人生无限之感。呜乎！亡国之祸，可畏也哉。"五月初五日途经埃及时又记云："午帅自开卢来，登舟为言，埃及国势式微，受役外族。文明古国不能自强，至于如此，可为感叹。"但是，他所关心的国家仅仅是"大清皇太后、皇上"的国家。尽管他在美国见到总统故居"室中陈设朴素，无异平民"，不禁赞颂："诚哉！不以天下奉一人也。"在比利时王宫宴会上，见其"君臣之间，蔼然可亲，堂陛周旋，宛如宾友"，亦不胜羡慕。他也曾盛称英国议会制度和两党政治，并认为意大利废黜大臣权在议院，"其法至善"。但是一接触中国的实际问题，他就只知道骂"暴动匪徒"，骂百姓"好暴动而无秩序，知合群而不知自治"了。海外归来，在上海"屡日阅报，见湖南学界之嚣，江南征兵之闹，扬州各属抢米之多，瑞安各县教案之起，以及水旱之灾南北迭告，殷忧方切，竟日怃然"。而他能够贡献给皇太后、皇上的唯一办法，还是只有"预备立宪"。

不以天下奉一人

《出使九国日记》所记戴鸿慈向外国政治家请教宪政的情形，更活灵活现画出了他既忧君忧国，又害怕"乱民"的心理。二月二十四日在柏林，论及德国政治之善，"立宪之要在自治，自治之要在民兵"，认为"法固是矣"，然中国"尚不能急图，何也？诚虑其为兵之后，一不能谋生，必至于为匪，是教练之法，反以为悖乱之阶也"。闰四月初二日在彼得堡会晤俄国前首相维特，这位沙皇侵略中国的得力大臣，竟认为中国需要到五十年以后,才能实行宪政。按照这个帝国主义分子的如意算盘,中国皇帝的专制统治应该维持到一九五五年。戴鸿慈觉得这样太缓不济急,说:“中国今日之事,方如解悬,大势所趋,岂暇雍容作河清之俟?”但他同时又认为维特的话也有其道理,因为“国民无普通智识与法律思想,则议法与奉法略无其人,弊与不立宪维均”。同月二十七日在罗马,意国上院议绅卜第鄂来谈,“言宪政,则以渐进为主义,若躐等强迫,则为害斯大云云”。戴鸿慈对此极为欣赏,连呼“殊足尚已”。

五十年后始能行宪

载泽《考察政治日记》的内容,和《出使九国日记》颇不相同,主要是外国官员、学者讲解宪法及国家制度、政府组织的记录。所有讲演,口译和笔受的都是随员,载泽无非是一个挂名的作者。这些记录,就其重要性来说,确实是近世中国人考查和研究外国政治达到一定程度的标志,是不应该因为它们被保存在一个满洲贵族的日记里,就任其湮没的。

听讲立宪政治

光绪三十二年正月初二日在东京,日本法学博士穗积八束,“以内阁命令来讲日本宪法,并悬一君主统治简明表于壁,指画而言”。有云:“明治维新,虽采用立宪制度,君主主权初无所损。……至统治方法,自宪政成立,少有更改”,即“君主行立法权,则国会参与之;君主行大权,则国务大臣、枢密顾问辅弼之;君主行司法权,则有裁判所之审判”是也。接着,大藏省主

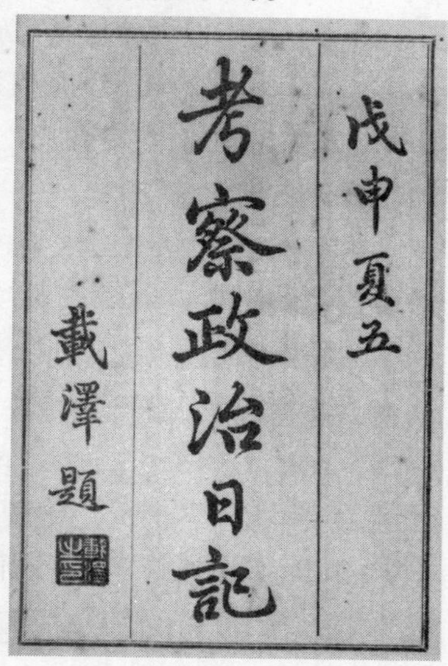

(《考察政治日记》扉页)

计局长荒井贺太郎又来讲日本财政沿革及预算编制之大略。

初四日,明治维新元老伊藤博文亲自和使团作了关于立宪和宪法的长篇讲话。载泽先问:“敝国考察各国政治,锐意图强,当以何者为纲领?”伊藤云:“贵国欲变法自强,必以立宪为先务。”问:“立宪当以法何国为宜?”伊藤云:“贵国数千年来为君主之国,主权在君而不在民,实与日本相同,似宜参用日本政体。”问:“君主立宪与专制有何区别?”答:“最紧要者,立宪国之法律,必经议会协参。(日本)宪法第五、六条,凡法律之制定、改正、废止三者,必经议会之议决,呈君主裁可然后公布;非如专制国之法律,以君主一人之意见而定也。”凡经数十问答,伊藤表示他所谈者,“皆身经艰难阅历,实行有效,非如学问家之仅由研究理想而得也”。载泽又问:“敝国立宪,将何以提纲挈领,行之有利无弊?”伊藤答:“政治必宣布一定之主意,一国方有所率从。若漫无秩序,朝令夕更,非徒无益,反失故步。甚或在下以私意窥度:朝廷既无实心,又无实学,徒事纷纭,反生内乱,更何望于自强耶?”伊藤不愧为一精明之政治家,“朝廷既无实心,又无实学”,一针见血指出了被迫“预备立宪”的满洲朝廷的要害。

伊藤博文

三月初一日在伦敦,特邀政法学教员埃喜来到使署讲解英国宪法纲要,中心内容为三权分立:造律权(即立法权)全在议院,“英国宪法之最要者,其惟议院之无量权力乎。”无论何律,惟议院能造之,且惟议院有节制政府之全力。行政全由内阁大臣负责,“大臣如不申请,君主固无所为也”。“至裁判(司法)之权,君主及各部大臣皆从无干与”;“故能独立,不受政府节制,亦不为其(按指君主)无形隐力所动摇”;“惟其独立不受制于政府,故能保卫民庶,不使为大臣、勋贵、官吏所强迫抑制”,云云。

司法独立

随后，埃喜来又陆续于初四、初五、初六、初七、初九、十二、十四等日，来讲英国内部、农渔部、户部、藩部、地方自治部、议院、司法部、警察、学部之制度，并演说英国办理事务情形，每次都有详细的记录。兹节录其讲议院之制开头一小段如下：

上下议院

> 英国议院，合君主、贵族（按即指上议院）、下议院议员三者组织而成，然其真实权力归于下议院。何则？君主之权在传议员聚议，及举行开院典礼于颂词中申明何项法律此次由政府请议院核议，并降谕闭院而已。虽议院议准法律，必经君主批准颁行，而君主但据政府大臣申请批准，从无批驳，相沿已二百年。凡事经两院议准，君主无不批行，已成为不言而喻之定例矣。上议院之权亦不及下议院。万一如遇两议院意见不合，下议院所争执者上议院不得不从；此虽无定例，然由来已久，为宪法所认可。故上议院开议，议员来者绝少；而下议院于上议院所不满意之事，从不置意。

除了请专家讲学外，使团在伦敦还先后拜访了内部大臣、地方自治局监督、学部大臣、农部监督、藩部次官、首相兼总理户部大臣、陆军大臣、海军提督，了解英国政府各部的规章制度。

三月二十六日，为载泽一行到巴黎的第二天，他们便邀请了法国提审院裁判官衔金雅士讲法国宪政源流："法国未立宪时，君主专制，贵族擅权，政治腐败，人民愁苦。当法王鲁意第十六时，有召集贵族、教士、民党三党代表聚议之举；时在下自由思想已渐发达，于是请国家立宪之议乃起。至西历一千七百八十九年八月二十六号，宣布宪法十七条，其事为历史从来所未有。”接着历叙法国国体、政体之变更，并详述现行宪法。

考察法国期间，使团历访巴黎公董局、司法大审院、巴黎总巡署、户部、国家银行、邮局、陆军士官学校，分别了解有关情况。随后到比利时，又访问了比利时的国家银行和武备学堂。日记用了三千多字介绍了比国宪政大略，结语云：“比为立宪后起之国，故法制规律尤为详密，其地方自治盖完全可法，备录于篇，未可以小而忽之也。”

从不立宪到假立宪

五年为期

载泽和戴鸿慈两路分别于丙午（光绪三十二年）六月回国，他们考察的结论，具见载泽领衔的《奏请以五年为期改行立宪政体折》。奏折的第一段开宗明义：“宪法者，所以安宇内，御外侮，固邦基，而保人民者也。滥觞于英伦，踵行于法、美，近百年间，环球君主国，无不次第举行。”在遍举各国事例之后，再一次指出：“观于今日，国无强弱，无大小，先后一揆，全出宪法一途，天下大计，居可知矣。”

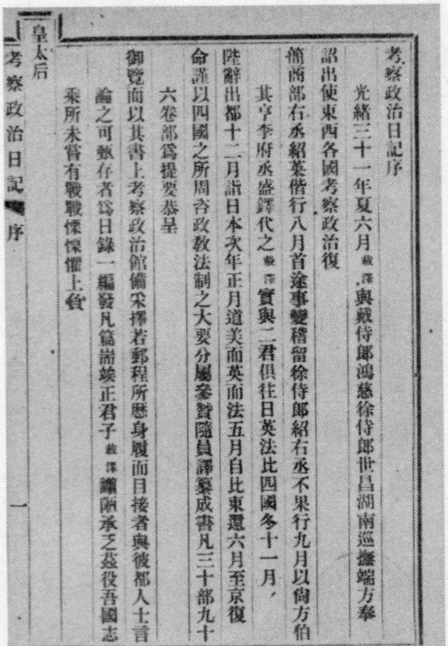

考察政治日記序

光緒三十一年夏六月載澤與戴侍郎鴻慈徐侍郎世昌湖南巡撫端方奉

詔出使東西各國考察政治復

簡商部右丞紹英偕行八月首途事變稽留徐侍郎紹右丞不果行九月以尙方伯

其亨李府丞盛鐸代之載澤實與二君俱往日英法比四國冬十一月，

陛辭出都十二月詣日本次年正月道美而英而法五月自比東還六月至京復

命謹以四國之所周合政教法制之大要分屬參贊隨員譯纂成書凡三十部九十

六卷部爲提要恭呈

御覽而以其書上考察政治館備采擇若郵程所歷身履而目接者與彼都人士言

論之可甄存者爲日錄一編發凡篇耑竢正君子載澤讕陋承乏忝役吾國志

乘所未嘗有戰戰慄慄懼上負

皇太后

考察政治日記　序　一

（《考察政治日记》自序）

奏折第二段强调：“立宪政体，利于君，利于民，而独不便于庶官”。这一则是为了让皇太后、皇上放心，说君主立宪可以使皇图永固，“安乐尊荣之典，君得独享其成；艰巨疑难之事,君不必独肩其责"。二则是为了在反对立宪的顽固派官僚头上敲一记,以忠君爱国的姿态,奉劝那些太不明事势的同僚:应该"以致君泽民视为义务",不应"以一己之私阻挠至计"。

奏摺的第三段,分析了中国"岌岌然不可终日"的内外形势,说明"保邦致治,非此(指立宪)莫由"。接着便提出"有万不可缓,宜先举行三事":(一)宣示立宪宗旨,明定国是;(二)限期实行地方自治,官吏"由郡邑会议公举","庶官任其责,议会董其成";(三)保障民间集会、言论、出版自由。

奏摺的最后一段,写得相当诚恳、坚决:

> 臣等待罪海外,见闻较切,受恩深重,缄默难安,用敢不避斧诛,合词吁恳。伏愿我皇太后、皇上宸衷独断,特降纶音,期以五年改行立宪政体。一面……开馆编辑大清帝国宪法,颁行天下;一面将臣等所陈三端,预为施行,以树基础。从此南针有定,歧路不迷,我圣清国祚传于无穷,皇太后、皇上鸿名施于万世,群黎益行忠爱,外人立息觊觎,宗社幸甚,天下幸甚。

不避斧诛合词吁恳

五大臣如此"不避斧诛,合词吁恳",皇太后、皇上又已经表示过愿意"宸衷独断",弃旧图新,似乎事情就应该好办了。但是,这里用得上一句套话:天下事乃有大谬不然者。在统治阶级中,坚持按老办法实行统治,反对对国家政治作真正改革的那些力量,本来就十分强大。五大臣一出洋,考察政治的谕旨一发表,他们突然觉得:纲常名教、世道人伦、国恩家庆、利禄功名,随着宪政即一定程度的民主制度的建立,都将毁于一旦。因此,他们不能不誓死力争。一时间,反对立宪,反对维新,甚至反对五大臣个人的言论,在官场中居然颇为得势。

反对之声

江西道监察御史刘汝骥奏称:"立宪之说,施之我国,有百害而无一利。""立宪美名也,乃美之加弗、林肯,法之路易十六,卒以总统之尊,授首于平民,为天下笑。孟德斯鸠倡无门阀无特权之说,此立宪之萌芽也,而革命党、公产党、无政府党之效果,遂滋蔓而不可图。黄宗羲倡天下为主君为客之说,此立宪之嫡乳也,不轨之士心醉神眩,又从而叫嚣之,遂酿成戊戌党人之祸。"

福建道监察御史赵炳麟奏称:"夫立宪本欲尊君,而其弊乃至陵君;立宪本欲保民,而其弊乃至虐民。……海外会党利用之,必有以更宪法伸民权为名,阴行其革命之术者。兴言及此,臣为中国危,臣为民生恸矣。"

内阁学士文海奏称五大臣奏请立宪有六大错:"当时明降谕旨考察政治,并未专指立宪而言,乃该大臣回国复奏,竟以立宪为请。细绎立宪各节,并无裕国便民之计,似有削夺君主之权,此大错一也。"……"中国法度,乃历代圣神文武创垂后世,……试问欲行立宪诸臣,其学识才力,果能突过前人乎?……该大臣等并无悉心考究,分别损益,派令少年多人,名曰起草,名曰评议,据为典要,恐误大局,不可收拾,此大错三也。"……

内阁中书王宝田等呈请代奏:"今士气之嚣亦已甚矣。……毁服童发以自即于夷者有矣,结党背公以谋大逆者有矣,甚至重臣出使,炸弹窃发,摇毒肆蠚,以逞狂悖者又有矣。此其意之动于恶,非痛之以威不能弭也。奈何在事之臣计不出此,乃谋立宪以慰安之。"

民之恶其上也久矣

举人诸子临等条陈宪政有八大错、十可虑。其警句有云:"国以众强,尤易以众败。""民之恶其上久矣……又以卢骚之民约、斯宾塞尔之合群以讽示而激聒之，则民气日嚣，党会滋盛，而他日隐患更不知所终也。”

候补内阁中书黄运藩陈请代奏：“夫宪，非法之谓而已乎？宪又有大且要于中国之所谓三纲五常者乎？……今男无君父，女无夫，当更取何者为宪，而必中国之创立之耶？岂不知破坏中国之宪以致坏乱者，实由事必学人而致然乎？……中国此时之民尚堪此耶？人心一去而天下土崩瓦解矣。诸主张立宪大臣，料难担任其咎。”

此时之民尚堪此耶

掌广东道监察御史胡思敬奏：“其由专制趋于立宪，必上下相争，大乱数十年而后定。”“五大臣归自海邦，皆知有隙可乘，遂一发不可收拾”。“使雍正、乾隆两朝而有是言，两观之诛，何以逃罪。”……………………

（戴鸿慈、端方及随员伍光建、熊希龄、施肇荃、陆宗舆诸人）

同是官僚，同是士大夫，同样看到了“民之恶其上久矣”，同样害怕人民革命，但是主张和政见却偏不一样。五大臣说：

唯有立宪，才有可能避免革命。反对五大臣的人说：唯有不立宪，才有可能制止革命。瓶子里的魔鬼到底是放出来，还是不放出来呢？是放好还是收好？两派争得不可开交。这真是一场灭亡前的争吵。当时《东方杂志》刊载的一篇《立宪纪闻》记载："顽固诸臣，百端阻挠，设为疑似之词，故作异同之论。或以立宪有妨君主大权为说，或以立宪利汉不利满为言，肆其簧鼓，淆乱群听。泽、戴、端诸大臣地处孤立，几有不能自克之势。"在这样的形势下，慈禧太后又一次运用了保持平衡、利用平衡的驭下权术，于光绪三十二年七月十三日发出一通"宣示预备立宪，先行厘定官制"的上谕，一面表示接受载泽等的陈奏，"仿行宪政"；一面又强调"目前规制未备，民智未开，若操切从事，涂饰空文，何以对国民而昭大信"，所以只能先作预备，"俟数年后"查看情形，"妥议立宪期限，再行宣布天下"。两年以后，又宣布了一个"九年预备立宪"的计划，比五大臣奏请的期限实际上推迟了七年。

放还是收

这样一来，清廷的所谓"预备立宪"，完全失掉了端方最初设想的对全国人民"于政治上导以新希望"的作用。革命派固然放了心，立宪派却因而泄了气。梁启超便在《新民丛报》上写道：清政府"号称预备立宪、改革官制，一若发愤以刷新前此之腐败。夷考其实，无一如其所言。"(《现政府与革命党》)他站在反对革命的立场上，指责清政府在立宪的空名下维持腐败的政局，只能为革命党提供条件。中国资产阶级及其知识分子的多数，正是在这几年中，从本来只要求立宪的立场，开始转向主张革命的立场。革命的时机，迅速地成熟了。

在这样的情况下，五大臣中的某些人，还曾经努力促进立宪。端方在升任两江总督后，又于光绪三十二年上摺乞求慈禧太后"俯从多数希望立宪之人心，以弭少数鼓动排满之乱党”。其实,到这时候,“多数”已经靠不住了。此议不行,再拖一年,慈禧、光绪死去,清室主脑无人,“多数”就完全转到了对立面。及到川路事起,武昌起义,资政院总裁世续奏称:

> 鄂军之变不及旬日,而响应者四起,此非一朝一夕之故。……其意以为生今之世,万国竞争,非立宪无以立国,然窥我政府之意,则决不肯立宪。不立宪则亡,与其坐而待亡,孰若起而革之?其说皆由怵于危亡而起。近数年间,朝廷下预备立宪之诏矣,宣布九年筹备清单矣,……夫此数事,皆有名无实。在政府以为可借此敷衍人民,在人民终不能因此而信爱政府。……故彼所藉口者,其初齿朝廷之不立宪,其继愤政府之假立宪,其后乃不欲出于和平立宪,而思以铁血立宪。……

不立宪,
假立宪,
造成革命

虽然世续到这时还在奏请朝廷赶快颁布宪法,“示人民以真正立宪”,以挽救清室的危亡。清廷也确实手忙脚乱,一口气连下许多上谕,又是“准开党禁颁布特赦”,又是“实行宪政”,又是“择期宣誓太庙,颁布立宪重要信条”,但这一切都已经晚了,来不及了。从不立宪到假立宪到灭亡,短短十几年就写完了有清二百六十多年的历史。

载泽在宣统三年四月成立的“皇族内阁”中被任为度支大臣,武昌起义后被迫奏请开去职务。四川保路事起,端方受命入川,在途中武昌起义消息传来,当即被军中革命党人杀死。密摺建言、出洋考察、预备立宪,都没有能够救得了清王朝,也没有能够救得了五大臣之一的端方自己。只有戴鸿慈比较幸运,他死于宣统二年,比清室江山早“走”了一年。

FROM EAST TO WEST

23 康有为《欧洲十一国游记》二种

□ 康有为戊戌年间逃亡出国，一九〇四年于加拿大温哥华写《欧洲十一国游记·自序》，宣布了他写作游记的计划。一九〇五年出版了第一编《意大利游记》，一九〇七年又出版了第二编《法兰西游记》。兹均据广智书局初印本整理。

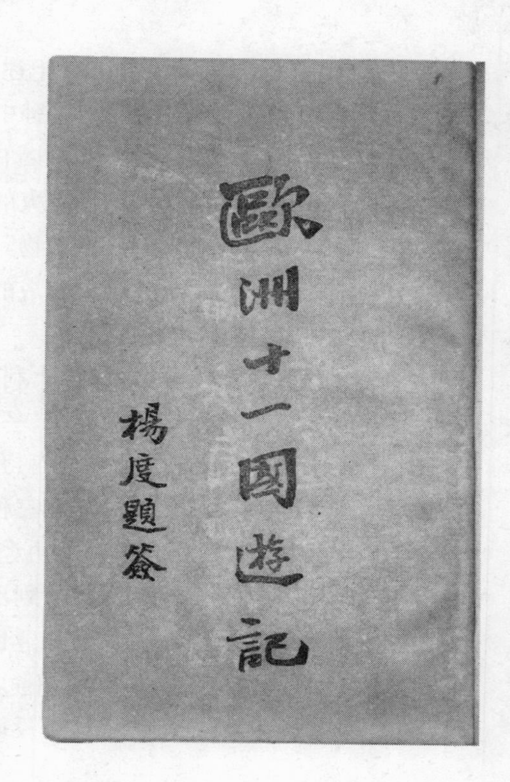

清朝灭亡以前，亲历西方留有记述的人物，没有比康有为更有名、更有影响的了。（孙中山没有记述，严复的《沤舸纪经》只在郭嵩焘日记中留下少许痕迹，容闳只记述个人经历，郭嵩焘所记广博精深却没有大的影响；至于把洪秀全扯来算是“向西方寻找真理的一派人物”，则近于胡说矣。）

康有为留下的记述，就是他未完成的著作《欧洲十一国游记》。

《欧洲十一国游记》第一编《意大利游记》光绪三十一年（一九〇五）初版时，卷首有个总目录，一共列有意大利、瑞士、澳（奥）地利、匈牙利、德意志、法兰西、丹墨（麦）、瑞典、比利时、荷兰、英吉利共十一国，此外还有三种附录。但实际上，在第一编以后，只在光绪三十三年（一九〇七）出版了一个第二编《法兰西游记》，其他各编并未按计划出版。

考政治乃吾之专业

康有为自称：“考政治，乃吾之专业也。”这两编游记，实际上是康有为两篇考察政治的心得。不过，历史是如此无情，康有为在戊戌以后，被历史潮流推向了反面；他主观上也许仍然在追求进步,客观上却越来越和历史进步的方向背道而驰了。

为了研究这两编游记,必须溯及康有为在一九〇七年以前的整个政治活动和政治观点,溯及康有为在中国鼓吹政治社会改革的整个过程。本文试图于此作一点试说,供读者参考。

乱臣贼子——领袖导师

距今九十年前,几乎中国所有赞成维新的人,都把康有为当作自己精神上的领袖和导师;也几乎所有主张守旧的人,都把他骂做洪水猛兽、乱臣贼子。

在当时南京"路矿学堂"里,有个瘦小的青年学生,如饥似渴地读着康有为一派人物著译的新书。有次翻开《天演论》,读到"赫胥黎独处一室之中,在英伦之南,背山而面野,……"立刻为这样一个新鲜世界所吸引,可是也立刻受到了"老辈"的呵斥:

鲁迅说

> "你这孩子有点不对了,拿了这篇文章去看去,抄下来去看去。"一位本家的老辈严肃地对我说,而且递过一张报纸来。接来看时,"臣许应骙跪奏……",那文章现在是一句也记不得了,总之是参康有为变法的……
>
> (鲁迅:《朝华夕拾》)

这个青年学生,就是鲁迅。

稍晚些时候,在偏僻的湖南湘乡乡下的"东山学校",又一个年纪更轻、身材却很高大的学生,在油灯下一遍又一遍诵读康有为和梁启超的文章。后来他在叙述自己这一段学生生活时说:

毛泽东说

……我写得一手好古文,但是我无心读古文。当时我正在读表兄送给我的两本书,讲的是康有为的变法运动。……这两本书我读了又读,直到可以背出来。我崇拜康有为和梁启超,也非常感谢我的表兄。……

(据斯诺:《西行漫记》)

这个青年学生,就是毛泽东。

现在,再遵照鲁迅“本家的老辈”的训诲,把许应骙参康有为的“文章”“抄下来”一段:

……今之以西学自炫者,绝无心得,不过藉端牟利,借径弋名。……今康有为逞厥横议,广通声气,袭西报之陈说,轻中朝之典章,其建言既不可行,其居心尤不可测。……

鲁迅和毛泽东是当时的新青年,许应骙则是地地道道的老顽固;双方都旗帜鲜明,观点明朗。——在十九世纪至二十世纪之际,中国知识分子不同阶层和不同集团对康有为的评价,竟是如此的水火和冰炭。

鲁迅和毛泽东喜欢康有为,是喜欢康有为一派人物所介绍的“在英伦之南,背山而面野”的新世界里的新道理。许应骙“参”康有为,是“参”他“袭西报之陈说,轻中朝之典章”。由此可见,主张学习西方,坚持“要救国,只有维新;要维新,只有学外国”,就是康有为既得到有志青年热烈拥护,又被守旧顽固分子切齿痛恨的主要原因。

许应骙参

康有为,名祖诒,广东南海人,出生于一个世代读书为官的大家庭。他五岁即从叔伯读唐诗，能诵数百首；六岁开始受四书五经；十一二岁起即广泛涉猎文史，并喜阅邸报，渐知朝廷政事，试为诗文，颇有“奇气”；唯不喜学做应科举考试的八股制艺，因而受到诸叔伯的诘责。康有为十四岁和十五岁时，两次应童子试，都没有取，却“益好为纵横之文”。一八七四年，他始见《瀛寰志略》及从日本传入的《地球图》诸书，是为接触“西学”之始；因而更加厌弃八股，于一八七六年起从广东著名学者朱次琦研习经史典籍三年。熟读深思之后，他感到旧学无法解决现实政治问题和自己思想上的苦闷，遂于一八七八年辞朱氏归，入本乡西樵山中，钻研释老二氏之言，企图从佛教和道教的理论中求得解答，却仍然没有找到归宿。一八七九年冬月初游香港，见“西人治国有法度”，一个不同于自己所熟悉而厌倦的环境的新天地，给了他以深刻的印象，从此开始访求西学之书，尝试找寻新的道路。这时，康有为年二十二（虚岁）。

康有为

（康有为，1858—1927）

一八八二年，康有为到北京应“顺天乡试”，没有考上举人。已经有了“世界开新逢进化”（《苏村卧病写怀四首之二》）思想的他，对这一挫折并不十分在乎；而在归途经过上海时，发现了“江南制造局译书所”出版的各种西学书籍，便大喜欲狂，尽量购置。这些“西书”，不过是一些启蒙性质的读物，但

读制造局所译西书

毕竟是当时了解西方国情、政治，以及近代天文、物理、化学、生物各科知识的唯一津梁。康有为就是靠阅读这些书，开始研究西方的政治理论和社会科学的。

康有为的思想非常活跃，能够“举一反三”，悟出书本上没有写到的道理；同时他又十分大胆，能够“坐言起行”，有一分认识就试作一番实践。一八八三年，他在家乡组织“不裹足会”，首先从自己的女儿同薇、同璧做起，对封建陋俗发起冲击。

一八八四年爆发了中法战争，结果福建水师马江战败，清政府妥协求和，承认法国“保护”越南。康有为受到很大刺激，在诗中倾诉了自己满腔悲愤：“山河尺寸堪伤痛”，“贾生痛哭欲如何”，更加热切地探索救国之道。后来他在《进呈〈日本明治变政考〉序》中，向光绪皇帝叙述自己在中法战争前后注意从日本接受变法图强的信息的情形道：

贾生痛哭欲如何

> 昔在……琉球被灭之际，臣有乡人，商于日本，携示书目。臣托购求，且读且骇，知其变政之勇猛，而成效之已著也。臣在民间，募开书局以译之；人皆不信，事不克成。及马江败后，臣告长吏，开局译日本书，亦不见信……

这时的康有为，在封建士大夫最重视的科第出身方面，简直还毫无资格。尽管他已经从译书和日本书上，知道了西方国家“变政之勇猛”和“成效之已著”，希望中国也能够如法试行；但“民间”和“长吏”都不相信他，使他不能够“有为”。

一八八八年，康有为再次赴京应顺天乡试，又不第。可是他却利用到京的机会，做了一件十分大胆的事：以“布衣”上书光绪帝，极陈外国相逼、中国危险之状，请取法泰西，实行改革，提出“变成法”、“通下情”、“慎左右”三点建议。他认为：“马江败后，国势日蹙，中国发愤，只有此数年闲暇”，“过此不治，后欲为之，外患日逼，势无及矣”。这就是他的“一上皇帝书”。

上皇帝书

按照清朝体制，专摺奏事是高级官员的特权；地位较低的官员，只能呈请大吏、堂官代奏；“布衣”上书，等于庶民干政，虽然不算犯罪，也是冒险的事情。康有为一上皇帝书，“九门深远，格不得达”，根本没有到达光绪帝左右。但这封书稿，却流传开来，使京师和全国各地关心时局的知识分子，都知道广东出了个不怕闯祸建言变法的康有为。梁启超和陈千秋，便是为康有为上书的名气所吸引，才相约到康氏门下献贽称弟子的。顺便说一句，这时的梁启超少年得志，已经成了举人；康有为却屡试不第，还没有中举。照《儒林外史》介绍的规矩，“老友不和小友序齿”，本应该是康有为称梁启超为师。他二人能够一反流俗，在万木草堂中师弟相称，确实显示了一种新的风貌。

第一次上书失败，康有为深感“虎豹狰狞守九关，帝阍沉沉叫不得”，一度曾萌去国之志，想赴美洲讲学，或往巴西殖民；但终于还是“或劝蹈海未忍去，且歌《惜誓》留人间”，决定留在国内鼓吹改革。他估量形势：“眼中战国成争鹿，海内人才孰卧龙。”打算先以讲学方式发现和积蓄人才，同时进一步进行理论的和舆论的准备。

一八九〇年，康有为开始在广州讲学，陈千秋、梁启超先后及门。其明年，开学堂（万木草堂）于长兴里，“讲中外之政、救中国之法”，又有麦孟华、徐勤等人从学。这些人后来都成了康氏的重要干部。一八九二至一八九三年，讲堂来学者更众。康氏讲学，杂糅经史，贯通中西，并和著书立说紧密结合。一八九一年，失弟协力刻成《新学伪经考》。据梁启超云：

万木草堂

> 此说一出，所生影响有二：第一、清学正统派之立脚点根本摇动；第二、一切古书皆须从新检查估价。此实思想界之一大飓风也。（《清代学术概论》）

一八九三年又编成《孔子改制考》，并在一八八五年所作《人类公理》一书的基础上，继续著他的《大同书》。

新学伪经考

《新学伪经考》大旨谓：清代正统学派——"汉学"所依据的经典，大部分是为王莽"新"朝服务的刘歆所伪造，只能叫"新学伪经"。《孔子改制考》大旨谓：除掉刘歆伪经之外，真正的六经，也是孔子"托古改制"的创作，而"改制"则是一种政治改革和社会改造。书中借用公羊家春秋"三世"之说，大言"通三统，张三世"："三统"者，谓夏、商、周三代随时因革，宣传变革的历史观；"三世"者，谓人类社会当由"据乱世"入"升平世"再入"太平世"，宣传进化的社会观。康氏以"三世"之说解释《礼运·大同篇》，谓"升平世"为小康，"太平世"为大同，著《大同书》描述自己理想的社会，如："无国家，全世界置一总政府，分若干区域"；"无家族，男女同栖不得逾一年，届期须易人"；"设公共宿舍、公共食堂，有等差，各以其劳作所入，自由享用"；"死则火葬，火葬场比邻为肥料工厂"。梁启超谓：

大同书

> 若以《新学伪经考》比飓风，则此二书者，其火山大喷火也，其大地震也。（同上书）

梁启超将康有为这几部著作对传统学说、传统观念的打击，比作飓风、火山、地震，是一点也不过分的。这几部书虽然没有打出"西学"的旗号，但明显看得出"西学"对康有为思想的影响。

《大同书》第三章《初设公议政府为大同之始》中，提出公政府不设总统、不立总理，只设并无实权的议长，并引《易经》：“见群龙无首，吉”，“乾元用九，天下治也”为证。后来康氏还在《中国不能逃中南美之形势》一文中说：“夫共和之义，欲人人之自治也；故见龙无首，实为乾元之上治。”又在《忧问》一文中说：“群龙无首之义，必如瑞士之公议内阁，立议长而不立总统，乃为至公。”这些话等于是《大同书》的注脚，说明康有为乙未（一八九五）前的著作，其思想和方法已经接受了西方资产阶级民主的观念。也就是说，康有为在他“公车上书”之前，就已经走上了“向西方寻找真理”的道路。

有为虽著《大同书》，然秘不示人，谓今方“据乱”之世，只能言小康，不能言大同，言则“陷天下于洪水猛兽”。正如梁启超所评：“自发明一种新理想，自认为至善至美，然不愿其实现，且竭全力以抗之遏之，人类秉性之奇诡，度无以过是者。”这一点暴露了康有为世界观和方法论的深刻矛盾。

一八九四年，康有为在广东讲学的影响越来越大，给事中余晋珊奏劾他“惑世诬民，非圣无法，同少正卯，圣世不容，请焚《新学伪经考》，而禁粤士从学”。这个封建官僚的政治嗅觉是比较灵的，他从康有为考伪经、谈改制的学术论文中，嗅到了政治火山即将爆发的气息，预感到了地震飓风、洪水猛兽的威胁。

惑世诬民 非圣无法

上书光绪，宣传变法

中国人要求变法自强，既是西方国家“带”出来的，也是西方国家“逼”出来的。

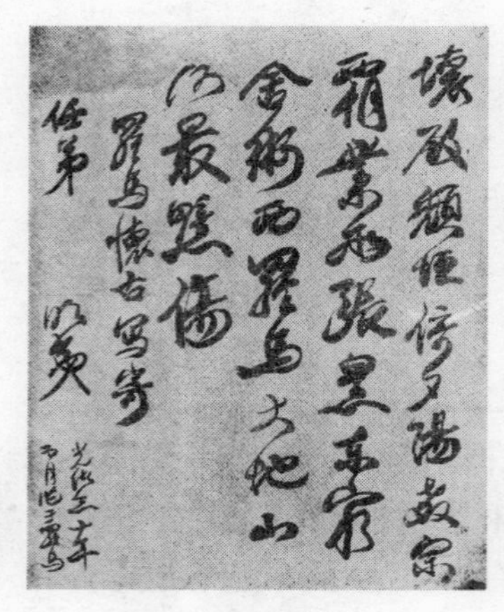

（康有为手迹）

正如康有为自己所说的那样：琉球被灭，引起了他对日本的注意；马江战败，促使他“告长吏”译日本之书。但是，更强烈、更大的刺激还在后头：甲午（一八九四）之役，维新不过二十五年的小日本，居然打败了千年守旧的大中华；马关和约，中国被迫弃朝鲜、割台湾、赔款二万万两，等于国家三年的全部收入。胶州事起，德国强租青岛，瓜分危险更迫在眼前。正是在这种“山河已割国抢攘”的形势下，康有为连续二次、三次、四次、五次上皇帝书，同时创办《万国公报》，组织“强学会”，掀起了轰轰烈烈的维新运动。他的历次上皇帝书，以及所写《日本明治变政考》、《俄大彼得变政考》、《突厥削弱记》、《波兰分灭记》、《法国革命记》、《德国变政考》、《英国变政考》等著作，充分利用对西方政治历史和现状的知识，利用李提摩太（Timothy Richard）等西人提供的资料，提出了一个全面学习西方变法图强的纲领。

万国公报

《戊戌履霜录》是一本彻头彻尾站在守旧立场，百般诋毁戊戌新政和康有为的书。它也承认新政之始萌芽，是由于“日难初平，德衅旋发于胶”，得以使康有为“托名忠爱，鼓煽公卿”的结果。其《康有为构乱始末》一节中写道：

……有为见四方无事，无所逞其阴谋，……益揣摩中外时局……丁酉十月，胶州事闻，有为拊掌喜曰：“外祸亟，吾策行矣。”……抵京不十日，即草疏数千言，求总署代奏……

这就是康有为的“二上皇帝书”,亦即有名的“公车上书”。有为于癸巳年(一八九三年,三十六岁)终于考取举人以后,乙未(一八九五)年公车入都,参加会试。恰好马关条约签订的消息传到北京,各省举人群情激愤。有为立即派梁启超到广东籍举人中发动联名上书,并串联其他各省举人共一千二百馀人在松筠庵开会;自己用一天一夜时间,起草了这封长达一万四千多字的上皇帝书,在上面签名的各省举人计六百零三人。夏历四月初八日,有为等投书都察院,请求代奏,实际上是一次集体请愿。都察院借口皇帝已在和约上盖印批准,拒不接受。但松筠庵大会的消息早已传遍全城,初九日美国驻京公使田贝(Charles Denby)向有为索去书稿,全书立刻不胫而走,“刻遍天下”。据梁启超《戊戌政变记》所说,光绪皇帝是见到了这封万言书的;“康有为之初承宸眷,实自此始”。

公车上书

万言书首先尖锐地指出了国家大祸临头,“举人等栋折榱坏,同受倾压。故不避斧钺之诛,甘犯冒越之罪,统筹大局,为我皇上陈之”。接着提出四项请求,即是:“皇上下(罪己)诏鼓天下之气,迁都定天下之本,练兵强天下之势,变法成天下之治。”书中明言:前三项“皆权宜应敌之谋,非立国自强之策”;中国失败的根本原因在于“法度”已经完全腐朽败坏,“凡百积弊,难以遍举……即无外衅,精华已竭,将有他变”;欲谋挽救,只有从根本上弃旧图新,实行变法。“当以开创之势治天下,不当以守成之势治天下;当以列国并立之势治天下,不当以一统垂裳之势治天下。”书中语重心长地说:

倡言变法

方今当数十国之觊觎,值四千年之变局,盛夏已至而不释重裘，病症已变而犹用旧方，未有不暍死而重危者也。

对“四千年之变局”的认识，过去王韬、郭嵩焘、曾纪泽诸人早就有了。尤其是郭嵩焘，已经看到了“政教”为西洋富强之根本，舍本逐末地办一点洋务，搬运一点坚船利炮，引进一点制造工艺，并不能挽救国家的危亡。但是，他们并没有看到“本朝”的“法度”即政治已经完全腐朽败坏到即使没有“外衅”也难于避免“他变”的程度，更没有也不敢提出从根本上(改)变法(度)的主张，没有也不敢公然把西方国家当作变法的榜样。历史的担子，于是便落到了康有为的肩头。

列举变法的内容

万言书详细列举了变法的内容：“富国之法有六，曰钱法，曰铁路，曰机器轮舟，曰开矿，曰铸银，曰邮政。”并一一举泰西为例，如“德之克虏伯、英之黎姆斯，著于海内，皆民厂也——宜纵民为之，并加保护”。

“养民之法，一曰务农，二曰劝工，三曰惠商，四曰恤穷”。又一一举泰西为例，如“鸟粪可以肥培壅，电气可以速长成，沸汤可以暖地脉，玻璃罩可以御寒气，刈禾则一人可兼数百工，播种则一日可以三百亩……”。

为了富国养民，必须改革教育，不能再以八股取士，仍举泰西为例，云：

今地球既辟，轮路四通，外侮交侵，闭关未得，则万国所学，皆宜讲求……尝考泰西之所以富强，不在炮械军器，而在穷理劝学。彼自七八岁人皆入学，有不学者，责其父母，故乡塾甚多；其各国读书识字者，百人中，率有七十人；其学塾经费，美国乃至八千万；其大学生徒，英国乃至一万馀；其每岁著书，美国乃至万馀种；其属郡县，各有书藏,英国乃至百馀万册……

万言书接着指出:“教、养之事,皆由国政”;归根结蒂,变法就是要变国政。“中国大病,首在壅塞”,就是政府脱离了人民,政治不顾及民意。康有为拿西洋和中国作比较:

> 同此兴作(按指上述富国、养民诸法),并为至法,外夷行之而致效,中国行之而益弊者,皆上下隔塞,民情不通所致也。

为了“谋及庶人”,书中建议国家设置“议郎”,“略分府县,约十万户而举一人,不论已仕未仕,皆得充选”,“并准其随时请对,上驳诏书,下达民词。凡内外兴革大政,筹饷事宜,皆令会议于太和门,三占从二,下部施行。所有人员,岁一更换。”——这显然就是西方国家的议会制度。

十万户举一“议郎”

万言书在最后给皇帝举了两个外国的例子:“近日土耳其为回教大国,不变旧法,遂为六大国割地废君而柄其政。日本一小岛夷耳,能变旧法,乃能灭我琉球,侵我大国。前车之辙,可以为鉴。”

“公车上书”,是康有为“向西方寻找真理”的第一份正式宣言。上书后数日,会试榜发,康有为中了进士,旋授工部主事。他不愿到职,于五月十一日三上皇帝书,“言变法之先后次第”,紧接着又于闰五月初八日第四次上书,正式提出“设议院以通下情”的主张。是时守旧大臣,已有嫉康之心,复阻格不为代奏。由于同情维新观点的老臣、帝师翁同龢的推荐,光绪帝才非正式地见到康的上书。这个长期被慈禧太后压制、自己颇思有所作为的青年皇帝,开始接受了康有为的观点。

翁同龢

光绪帝

乙未六月,康有为在京师创办《万国公报》(旋改名《中外纪闻》),作为宣传变法的舆论机关。七月,又"开强学会于京师,以为政党嚆矢",有文廷式、沈曾植、杨锐、袁世凯等数十人参加。这些活动,得到了英、美、日本驻京公使和在华人士的支持,同时也立即受到了守旧势力的打击。到十一月间,强学会就被政府封禁。康氏知事机尚不成熟,遂留梁启超在北京,自己回广州继续编写《日本变政论》等书。翌年秋,再到香港、澳门,在澳门筹办《知新报》。又明年(丁酉,一八九七),到广西筹开"圣学会",撰成《日本书目志》。十一月,胶州事发,遂"万里浮海,再叩阙廷",第五次上皇帝书,正式揭开了戊戌变法的序幕。

五上皇帝书

梁启超说得好:"吾国四千馀年大梦之唤醒,实自甲午战败,割台湾、偿二百兆以后始也。我皇上赫然发愤,排群议,冒疑难,以实行变法自强之策,实自失胶州、旅顺、大连湾、威海卫以后始也。"中国人下决心拜西方做老师,是这个老师不断打学生,不断进行侵略的结果。康有为适逢其会,充当了"四千馀年大梦"的唤醒者,"变法自强之策"的创制人。

以日为师,以法为鉴

康有为是戊戌变法的旗手。他打着奉戴光绪皇帝实行变法的旗帜,贡献给光绪皇帝的是"欧美之新法,日本之良规",一心想效法日本,自上而下地革旧图新,使中国走上现代化的道路。

康有为的上皇帝书,一脱稿便举国传抄、人人传诵,实际上是一篇又一篇进行广泛宣传鼓动的文章。其中最重要的,是第二书和第五书。第五书更加发扬了康有为大声镗鞳、震聩发聋的风格，用极其尖锐的言辞，促使光绪皇帝和国人猛醒：

（戊戌旗手康有为）

> 夫自东师辱后，泰西蔑视，以野蛮待我，以愚顽鄙我。昔视我为半教之国者，今等我于非洲黑奴矣。昔憎我为倨傲自尊者，今则侮我为聋瞽蠢冥矣。按其公法、均势、保护诸例，只为文明之国，不为野蛮；且谓剪灭无政教之野蛮，为救民水火。故十年前吾幸得无事者，泰西专以分非洲为事耳。今非洲剖讫，三年来泰西专以分中国为说，……胶警乃其借端，德国固其嚆矢耳。……甚则如土耳其之幽废国主，如高丽之祸及君后；又甚则如安南之尽取其土地人民而存其虚号，波兰之宰割均分而举其国土。马达加斯加以挑水起衅而国灭，安南以争道致命而社墟：蚁穴溃堤，衅不在大。职恐自尔之后，皇上与诸臣，虽欲苟安旦夕、歌舞湖山而不可得矣。且恐皇上与诸臣，求为长安布衣而不可得矣。

求为布衣而不可得

书中引《尚书·仲虺之诰》“兼弱攻昧，取乱侮亡”之言，列举国内外形势，以说明“吾既自居于弱昧，安能禁人之兼攻。吾既日即于乱亡，安能怨人之取侮。”通篇既体现了康有为对西方情形的了解，更表现了康有为向西方寻求真理的用心。其说云：

欧洲大国,岁入数千万万;练兵数百万,铁船数百艘;新艺新器,岁出数千;新法新书,岁出数万;农工商兵,士皆专学;妇女童孺,人尽知书。而吾岁入七千万,偿款乃二万万,则财弱;练兵、铁舰无一,则兵弱;无新艺新器之出,则艺弱;兵不识字,士不知兵,商无学,农无术,则民智弱;人相偷安,士无侠气,则民心弱。以当东西十馀新造之强邻,其必不能禁其兼者,势也,此仲虺"兼弱"之说可畏也。

大地八十万里,中国有其一;列国五十馀,中国居其一。地球之通自明末,轮路之盛自嘉、道,皆百年前后之新事,四千年未有之变局也。……公卿台谏督抚,皆循资格而致,已既裹足未出外国游历,又以贵倨未近通人讲求,……夜行无烛,瞎马临池,今日大患,莫大于昧,……用是召攻,此仲虺"攻昧"之说可惧也。

皆百年前后之新事

自台事后,天下皆知朝廷之不可恃,……即无强敌之逼,揭竿斩木,已可忧危。况潢池盗弄之馀,彼西人且将借口兴师,为我"定乱"……此仲虺所谓"取乱"者可惧也。

有亡于一举之割裂者,各国之于非洲是也;有亡于屡举之割裂者,俄、德、奥之于波兰是也;有尽夺其政权而一旦亡之者,法之于安南是也;有遍据其海陆形胜之地而渐次亡之者,英之于印度是也。欧洲数强国,默操神算,纵横寰宇,以取各国……公卿士庶,偷生苟活,候为欧洲之奴隶,听其犬羊之刲缚……,此仲虺所谓"侮亡"之说尤可痛也。

……皇上远观晋、宋,近考突厥,上承宗庙,孝事皇太后,即不为天下计,独不计及宋世谢后签名降表、徽钦移徙五国之事耶。

接着，康有为向光绪列陈三策：上策是请光绪像彼得大帝那样痛下决心变更旧法，像明治天皇那样“步武泰西”实行新政；中策是“大集群才而谋变政”；下策是“听任疆臣各自变法”。他痛切地说道：

凡此三策，能行其上，则可以强；能行其中，则犹可以弱；仅行其下，则不至于尽亡。……否则沼吴之祸立见，裂晋之事即来，职诚不忍见煤山前事也。

诚不忍见煤山前事

面对“万寿无疆”的至尊天子，直言他会要亡国，会要落得徽钦二主和崇祯皇帝那样的下场，“求为长安布衣而不可得”，这是需要很大勇气的。康有为确实表现了足够的勇气。

这封书交到工部，工部大臣害怕闯祸，不敢代奏。“然京师一时传抄，海上刊刻”。见到它的人，“莫不嗟悚”。给事中高燮曾抗疏荐之。光绪对康有为早有印象，此时即拟予召见，但被成例所阻（清朝成例，非四品官不能召见），只好命王大臣传有为到总署问话，并令如有所见及著述，可由总署进呈。于是，这封书才终于到了皇帝的面前。据说光绪览后，肃然动容，指篇中“不忍见煤山前事”等语，语军机大臣曰：“非忠肝义胆、不顾死生之人，安敢以此直言陈于朕前乎？”这时已是戊戌正月，光绪随即命令，自后康有为如有条陈，即日呈递，无许阻格。这使得康有为情绪异常高涨，他便于正月初八日第六次上书，再次吁请光绪效法明治，大举维新，起用新人，实施宪政，按照三权分立的精神改造国家机关，全面推行西法；此外如“广遣亲王大臣游历以通外情，大译西书、游学外国以得新

学……皆宜先行者”。书中的警句是:

能变则全
不变则亡

> 能变则全,不变则亡;全变则强,小变仍亡。……今祖宗之地既不守,何有于祖宗之法乎?夫使能守祖宗之法,而不能守祖宗之地;与稍变祖宗之法,而能守祖宗之地,孰得孰失,孰重孰轻,殆不待辨矣。

紧接着,康有为又把李提摩太所著《泰西新史揽要》、《列国变通兴盛记》,和自己所编《日本明治变政考》、《法国革命记》等书,陆续送呈光绪阅览。这些介绍西学洋情的书,都有鲜明的政治目的;他是在用事实进行宣传:大清帝国必须以日本为榜样,以法国为鉴戒。在进呈《明治变政考》时,他写道:

> 彼与我同文,则转译辑其成书,比其译欧美之文,事一而功万矣。彼与我同俗,则考其变政之次第,鉴其行事之得失,去其弊误,取其精华,在一转移间,而欧美之新法,日本之良规,悉发现于我神州矣。

在进呈《法国革命记》时,又写道:

> 民愚不知公天下之义则已耳,既知之,……安有以一人而能敌亿兆国民者哉?则莫若立行乾断,不待民之请求迫胁,而与民公之,如英之威廉第三后诸主然,明定宪法,君臣各得其分。……而惜路易十六不能审时刚断也,徘徊迟疑,欲与不与,缓以岁月,靳以事权,遂至身死国亡,为天下戮笑,几没其贤也,岂不哀哉。

康有为向西方寻找真理,很少在纯粹学理上花费时间和笔墨,而总是和中国实际政治改革的需要密切结合在一起。他把法国大革命"君后同囚,并上断头之台","巴黎百日,而伏尸百廿九万"等情形描写得淋漓尽致,固然是为了敦促光绪皇帝"不待民之请求迫胁,而与民公之","明定宪法,君民各得其分",同时也确实暴露了潜藏在他心里的对人民革命的恐惧。他说:"盖民性可静不可动也,一动之后,若转石于悬岩,不至于趾不止也"。"时势所趋,民风所动,大波翻澜,回易大地,深可畏也"。康有为在戊戌失败后,逐渐和资产阶级民主革命潮流脱离,最后堕落成了保皇主义者和复辟主义者,于此已见其滥觞。

欲铸新中国,遥思迈大秦

戊戌四月,光绪决定变法,二十三日下诏定国是,宣布嗣后: 戊戌变法

> 须博采西学之切于时务者,实力讲求,以救空疏迂谬之弊。专心致志,精益求精,毋徒袭其皮毛,毋竟腾其口说,总期化无用为有用,以成经济变通之才。

这是第一次以朝廷名义,正式宣布把学习西方、改行新政定为国策,可以明显地看得出康有为的影响。皇帝于诏定国是后,随即召见康有为于颐和园之仁寿殿,历时至九刻钟,为向来召见臣僚所未有。据《戊戌政变记》记载,在召见中——

> 皇上曰:国事全误于守旧诸臣,朕岂不知;但朕之权不能去之,且盈廷皆是,势难尽去,当奈之何?

> 康曰：请皇上勿去旧衙门，而惟增置新衙门；勿黜革旧大臣，而惟渐擢小臣；多召见才俊志士，……委以差事，赏以卿衔，许其专摺奏事……彼守旧大臣，既无办事之劳，复无失位之惧，则怨谤自息矣……
>
> 上然其言。

可见康有为和光绪也曾经考虑用“赎买”的办法照顾官僚阶级的既得利益，以求减少改革的阻力和困难。但即使这样温和、妥协性质的改革，也得不到顽固守旧派势力的允许和容忍。在光绪诏定国是、召见康有为的同时，老谋深算的慈禧已经命她的心腹荣禄为北洋大臣，总统三军，把兵权掌握在自己手里；并将翁同龢开缺回籍，切断康有为的“天线”；又示意京官大肆攻击康“居心叵测”，使光绪不得不在重用他时有所顾忌。在“百日维新”期间，光绪只来得及将康有为上书（包括进呈各书）中的各项建议，草成几十道推行新政的上谕，陆续公布。到八月初六日，顽固派便发动了政变，幽光绪皇帝于瀛台，杀谭嗣同等六君子于菜市口，宣布旧法照旧施行，新政全部作废。

反动政变

康有为没有被杀，是由于光绪的苦心保全。政变前四日，光绪交由林旭带出一道给康有为的密诏（康有为把它叫做“衣带诏”）：

衣带诏

> 朕今命汝督办官报（按指前发上谕将上海《时务报》改为官报），实有不得已之苦衷，非楮墨所能罄也。汝可迅速出外，不可迟延。汝一片忠爱热肠，朕所深悉。其爱惜身体，善自调摄，将来更效驰驱，共建大业，朕有厚望焉。特谕。

从“衣带诏”看出，光绪对康有为确有同志的感情和倚重的本意，他确实希望有朝一日，康有为和谭嗣同等人能够成为辅佐自己维新定霸的木户孝允和伊藤博文、玛志尼和加富尔。也许就是这一分“特达之知”，使得谭嗣同怀着“不有死者，无以酬圣主”的心情而慷慨就义；也使得康有为在六君子的血流过以后，还牢牢抱着“无论如何，不能忘记今上的”这句话而不改初心的吧。

接诏后，由于弟弟广仁和梁启超的苦劝，康有为于五日晨出京，六日上午在天津乘英国“重庆号”轮船南下，逃过了一死。是日凌晨，奉命逮捕康有为的军队便包围了他在京城的住处，结果只将广仁捕杀。接着便是大搜京津陆海，通电全国缉拿，谓“康有为进丸毒弑大行皇帝，着即行就地正法，钦此。”并谓梁启超“与康有为狼狈为奸”，命“一体严拿惩办”。

因为英国和日本当时同情中国变法，康有为得英人保护逃往香港，梁启超则避入日本使馆设法东渡，两人都逃出了网罗。但在慈禧太后心目中，这两个“首恶”是非必办不可的，于是连续发布“上谕”，重赏购买两人的头颅。有一道“上谕”是这样宣布的：

> ……不论何项人等，如有能将康有为、梁启超缉获，送官验明实系该逆犯正身，立即赏银十万两。万一该逆犯等早伏天诛，只须呈验尸身确实无疑，亦即一体给赏。此项银两，并着先行提存上海道库。一面交犯，即一面验明交银，免致展转稽延。
>
> ……………………

银十万两购买头颅

于是，从此康梁只能托足海外，过着政治流亡者的生活。

海外流亡

戊戌九月，康有为应日本友人之招往居东国。己亥（一八九九）二月，由于清廷多次提出交涉，日本外务省赠以旅费，劝请离境；遂横海赴加拿大，随即在温哥华华侨中组织“保皇会”。九月，康氏还香港；庚子（一九〇〇）正月，移居新加坡，领导南洋各地保皇活动；辛丑（一九〇一）复移居槟榔屿；壬寅（一九〇二）迁居印度大吉岭；癸卯（一九〇三）秋再回香港；甲辰（一九〇四）初夏，乘船经印度洋入地中海，作欧洲十一国之游。

（康氏在明信片上题名更生，纪念戊戌之不死）

从戊戌去国到始游欧洲的六年间，康有为主要是在英国的领地上度过的。他仍然寄希望于光绪皇帝重掌政权，时时刻刻在关心着国内的时局，等待着东山再起的机会。凭良心说，康有为确实是一个热爱祖国的人，是一个有强烈的历史责任感的人；但他同时又是一个大大的历史唯心主义者，是一个总是企图以个人意志代替历史规律的主观主义者，是一个把自己看成救世主而把群众看作群盲的自我中心主义者。这六年之中，康有为写了不少的诗，像《闻意(大利)索三门湾以兵轮三艘迫浙江有感》：

凄凉白马市中箫，梦入西湖数六桥；
绝好江山谁看取，涛声怒断浙江潮。

表现了他对祖国的一片深情。而在癸卯初夏所作《生民二章》之二：

尧舜君民愿，艰难险阻身。明良思会合，肝胆尚轮囷。
欲铸新中国，遥思迈大秦。吾能不拯溺，四万万生民。

虽然仍旧以拯救“四万万生民”的先知先觉自任，决心铸造出一个能够超迈“大秦”即欧洲的新中国，但是把希望完全放在“尧舜”身上，并且认为实现“尧舜之治”是君主和人民一致的愿望，这就站到跟主张“驱除鞑虏，恢复中华”的资产阶级民主革命派相对立的立场上去了。

和孙中山对抗

在写《生民二章》的差不多同时，为了和孙中山的革命主张相对抗，康有为发表了他的《答南北美洲诸华侨论中国只可立宪不可行革命书》，宣传君主立宪制度，反对民族民主革命，遭到了资产阶级民主革命派的严正批判。

正是在这样的背景下，康有为开始了他的欧洲十一国之行。他的主要目的是“考政治”，想用欧洲各国的政治历史和现实，来说明“立宪有利进化、革命带来破坏”的道理，进一步和革命派进行论战，以求扩大保皇派的思想影响。《欧洲十一国游记》的序文，为他自己此行大作宣传：

夫中国之圆首方足以四五万万计，才哲如林而闭处内地；若我之游踪者，殆未有焉。而独生康有为于不先不后之时，不贵不贱之地，巧纵其足迹、目力、心思，使遍大地，岂有所私而得天幸哉？天其或哀中国之病，而思有以药而寿之耶？其将令其揽万国之华实，考其性质色味，别其良楛，察其宜否，制以为方，采以为药，使中国服食之而不误于医耶？则必择一耐苦不死之神农，使之遍尝百草，而后神方大药可成，而沉疴乃可起耶？……

不死神农
遍尝百草

虽然，天既强使之为先觉以任斯民矣；虽不能胜，亦既二十年来昼夜负而戴之矣。万木森森，百果具繁，左捋右撷，大嚼横吞，其安能不别良楛、察宜否、审方制药，以馈于我四万万同胞哉？方病之殷，当群医杂沓之时，我国民分甘而同味焉，其可以起死回生、补精益气，以延年增寿乎？

康有为认为自己二十年来"负戴"了"为先觉以任斯民"的责任，是一位"耐苦不死之神农"；说他的欧洲十一国之游是为了"遍尝百草"，寻找能够医治中国沉疴的"神方大药"；认为四万万同胞只要服下他在书中开出的药方，就"可以起死回生、补精益气，以延年增寿"。

事实果真如此吗？

意大利游记

《欧洲十一国游记》成书的二种为：第一编《海程道经记》和《意大利游记》；第二编《法兰西游记》。本节先介绍《意大利游记》。

康有为于光绪三十年(甲辰,一九〇四)二月六日从香港出发到槟榔屿,以事小滞,四月十二日再从槟榔屿至锡兰,换船西行,五月二日夜抵达意大利的巴连的诗(布林的西),然后历游奈波里(那不勒斯)、邦渒(庞贝)古城、斐苏斐(维苏威)火山、罗马、佛罗练士(佛罗隆萨)、斐呢士(威尼斯)、美兰(米兰)等地,十四日离意入瑞士境,在意大利停留的时间不到两个星期。

游意大利

他在意大利停的时间不长,看的东西却不少,发的议论尤其多。他的"游记",实际上是借题发挥,充分运用他过去间接得到和现在直接得到的历史、地理知识,纵论外国尤其是中国的政俗;既继续宣传中国必须有选择地学习西方,在各方面实行变法,同时又着意宣传革命不如立宪的观点,推销他的保皇主张。

《意大利游记》中,有好几段长篇议论,都是精华与糟粕杂陈,真理与谬误互见。如《奥古士多宫》一节,叙二八八年罗马皇帝地克里生裂国为四,导致罗马灭亡,"至今欧洲各国,尚自分裂争战无已",云:

> 或谓人道必以竞争,乃能长进;中国之退化危弱,由于一统致然;西欧之政艺日新,由于竞争所致。是则诚然。然欧人经千年黑暗战争之世,苦亦甚矣。今读《五代史》,五十馀年之乱杀,尚为不忍,而忍受千年之黑暗乱争乎?今中国迟于欧洲之治强,亦不过让之先数十年耳。吾国方今大变,即可立取欧人之政艺而自有之。岂可以数十年之弱,而甘受千年之黑暗乎?……(且)中国号有文明,皆进于汉唐宋一统久安之世。即今西欧学艺之长进日新,亦在百年来弥兵息战之时。……竖儒乃不审时势,至欲分中国为十八国,以望竞争之效,……呜乎,其为

反对分裂为十八国

罗马、印度哉!

肯定保持统一是中国国家和中华民族的根本利益所在,这是康有为正确的一面。认为中国只要下决心"大变","即可立取欧人之政艺而自有之",也还是六次上皇帝书中一贯的观点。但是,离开欧洲各个民族国家产生和发展的历史条件,机械地将欧洲和中国相提并论,抽象地去比较"分"与"合"究竟哪样好,却是不够科学的。当时有些主张推翻清朝的革命者,的确在宣传南方各省脱离清廷"独立",宣传十八行省"自治"(这种主张的正确与否是另一问题,兹不具论),康有为的这番话,完全是针对革命派而发的。

在《罗马宫室不如中国秦汉时》一节中,康有为说他以前听说古罗马建筑妙丽,倾仰甚至,"及此游也,亲至罗马而遍观之",乃知古罗马之建筑,实不如《三辅黄图》和《汉书》所述秦汉盛时。惟其"石渠、剧场之伟大,亦自惊人;然比之万里长城,则又不足道矣"。接着又有一大段议论:

> 今欧人之文明皆本于罗马,大学皆学罗马之语言文字,不忘其祖,宜盛称之。若以我之文明较之,则渺乎在下矣。而我国人耳食而未尝亲游者,徒惊今日欧美之盛美,而误信其所出之罗马,乃亦同而尊仰之,则大谬矣。甚矣!吾国人今日之不自立,乃忘己而媚外也。故吾国人不可不读中国书,不可不游外国地,以互证而两较之,当不致为人所恐吓,而自退于野蛮也。

不可不游外国地

"不可不读中国书,不可不游外国地,以互证而两较之",这确实是向外国学习的正确的态度。康有为不愧为老资格的维新领袖，他承认“今日欧美之盛美”，也承认今日中国之落后。比如在《意大利国民政治》一节中，他说：“意国二十年来，机器之进步亦大矣。同治十年时，其蒸汽力一百三十二万吨；至光绪二十年，已增五倍馀，为五百五十二万吨。此则过于我国者矣，吾国所最宜急务也。”同时他又反对妄自菲薄，反对数典忘祖，表现了一个中国人的尊严和自信，和那些“忘己而媚外”的人完全不同。但值得注意的是，康有为在这里也颇有指桑骂槐的意思；而在《罗马四百馀寺之至精丽者》一节中，则讲得更加露骨。他从欧洲人信仰基督，论及中国应该尊崇孔子，奉孔为教，进而大肆攻击革命派，把革命派骂做少正卯。其言曰：

（《意大利游记》扉页）

> 今欧洲新理，多皆国争之具，其去孔子大道远矣。一二妄人，好持新说，以炫其博；……乃辄敢攻及孔子，以为媚外之倡。……吾昔者视欧美过高，以为可渐至大同；由今按之，则升平尚未至也。孔子于今日，犹为大医王，无有能易之者。……今若有人焉，言伪而辨，学非而博，日以非圣为事，必当正两观之诛，万无可赦者也。

骂革命派为少正卯

矛头所指，是十分清楚的。

在游罗马元老院旧址后，康有为写了一节《议院之制必发生于西》的文字，企图从地形的不同来说明中西政体的区别，其中有云：

> 而中国亘古乃无议院政体、民举之司者，国民非不智也，地形实为之也。……欧洲数千年时之有国会者，则以地中海形势使然；以其海港汉沍纷歧，易于据险而分立国之故也。分立，故多小国寡民，而王权不尊，而后民会乃能发生焉。……广土众民，则必君权甚尊；而民权国会，皆无从孕育矣。况我中国之一统，已当黄帝尧舜之时。盖古号九州为中国者，在大江以北太行以南，旷野数千里，地皆平陆，无险可守。故为一统之早之远，在万国之先，……盖不待秦汉以后，万里山河，纯赖帝制；而君权之巩固，已自神农、黄帝来矣。……假令罗马而一统至今，则英伦三岛，亦中国之琼、台耳，滇、黔耳。为罗马之郡县，奉罗马之政法，何从而有国会？何从而与王争？何从而渐进渐精，而成今日之立宪政体乎？……物无两大，有其利者必有其害。中国万里，数千年已享一统之乐利。欧洲列国分立，经黑暗中世，千年战争，惨祸酷矣；乃得产此议院以先强，则有其害亦有其利。然中国苟移植之，则亦让欧人先获百年耳，何伤乎，天道后起者胜也。

中国地形利于一统

"天道后起者胜"，应该说是一种辩证的、进化的历史观。康有为的思想就是这样的驳杂，方法又是这样的出奇。他的历史眼光是锐利的，往往能够深入奥窍，发人所不能发。但是，他总要使学理的议论服从于自己的政治目的，常常凭着他所自傲的一条"广长之舌"，随意地"创造"出一些"历史规律"来，明明是牵强附会，却又说得头头是道。照他的"地形政治论”，虽然也承认世界大地必行议院政体，“英得伏流之先，故在大地最先强；欧美得其播种之先，故次强”，这是正确的一面；但又把中国的“君权必尊”，归之于天生之理，既然地形是“无可易”的，那么中国的君主制度也就是“无可易”的，只需要从欧洲把议院制度“移植”过来，就一切都美满了。——这就是他“馈于我四万万同胞”的“神方大药”。

康有为开始向西方寻找真理，远在他作欧洲十一国游之前。他寻找真理，是因为“欲铸新中国”；但这个“新中国”，不过是他用自己的政治理想“铸”出来的虚幻的影子。在这个“新中国”里，应该有光绪皇帝这样的“尧舜之君”，有孔子（在当今就是他康有为）这样的“大医王”、“大教主”。这个“新中国”需要“移植”西方的议院政体，但尤其需要发扬“孔子之大道”（实际上就是康有为自己的“通三统，张三世”等一套理论）。很显然，这和中国人民所追求的新中国是完全不同的。康有为从自己阶级的、个人的政治理想出发，在向西方寻找真理的路上确实跨过大步，确实超过了王韬和郭嵩焘诸人，但是很快又走上了歧途，最后并且走到了与中国人民革命完全对立的地步。

大医王
大教主

《欧洲十一国游记》第一编《意大利游记》，是康有为已经走上歧途的作品。他想当“大医王”，当“耐苦不死之神农”，去遍游世界，遍尝百草，“审方制药，以馈于我四万万同胞”；其实他的“神方大药”，无非是《答南北美洲诸华商论中国只可行立宪不可行革命书》一样的货色。

法兰西游记

《意大利游记》光绪三十一年（一九〇五）出版后，保皇派和革命派的斗争更趋激烈。不仅“南北美洲诸华商”,在海内外广大阶层的群众中,倾向革命的人都越来越多。孙中山的革命组织,也在这一年扩大成了中国同盟会。因为斗争激烈,活动紧张,《欧洲十一国游记》的写作计划大受影响,原定接着写下去的瑞士、奥地利、匈牙利、德意志等国游记,只留下少部分残篇。是年七月二十二夜,康有为由德赴法,二十三日晨到巴黎,再游法都。他的《法兰西游记》,初版于光绪三十三年(一九〇七)三月六日发行。全书共分四个部分:(一)法兰西游记;(二)法国之形势;(三)法国创兴沿革;(四)法国大革命记。实际上只有第一部分是游记;第二部分是法国概况;第三部分是法国小史;第四部分则是借叙述法国大革命,竭力宣传“只可行立宪不可行革命”的理论,是康有为大开历史倒车的一次鲜明的表态。

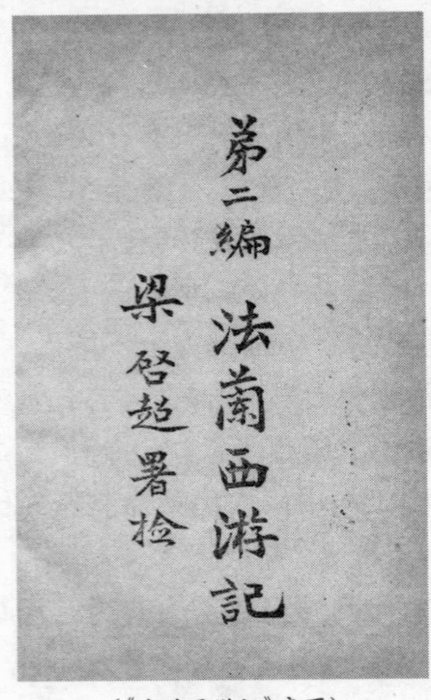

(《法兰西游记》扉页)

《法兰西游记·法国大革命记》的主题思想,和九年前进呈给光绪阅览的《法国革命记》是完全一致的,很可能就是用九年前的旧稿补充改削而成。

讲述法国大革命

所不同的是,九年前的康有为,是用“大革命”这个怪物,去吓唬光绪皇帝,劝他“立行乾断,不待民之请求迫胁,而与民公之”;九年后的康有为,则是用“大革命”这个怪物,来吓唬全国人民,要大家不要听革命派的话,不要跟革命派走。同为一事,时隔九年;九年前还有一些积极因素,九年后却完全成了反面教材。

现在让我们对《法兰西游记》主要是《法国大革命记》略予剖析：

（一）书中大肆渲染法国大革命的恐怖和破坏，如谓：

> （西一七八九年）八月十九日，开革命法院，选酷吏主之。大索官商民家，有嫌疑于抗革命者皆捕杀。……自八月三十至九月一日，按户搜形迹可疑者囚至巴黎，日五千人。以屠者三百人为一团，每屠者杀百数十人。……尚以行刑迟烦，置囚于大漏舟而沉之，名曰“革命宣礼式”；或对缚合年男女投水中，名曰“革命结婚刑”。凡台刑、水刑死者一万八千馀。此外死者三万馀。河流皆臭，二百里间水赤，鸟雀集啄人尸，鱼含毒不能食，舟夫拔锚多获尸。尸投海者，沙鱼海兽食焉。

杀人之多

又谓：

> 异党屠尽，则同党相屠；疏者屠尽，则亲者相屠。人人互相猜忌，人人自图保卫；究则无同无异，无亲无疏，不保不卫，一无所得，只有尽上断头台以为结果而已。其究也，合数十百万革命者之流血，以成就罗伯卑尔（罗伯斯庇尔）之专制民主；合数千万良人之流血，以复归于一拿破仑之专制君主。然则所以大流血残忍无道者，果何为哉？

流血之惨

（二）书中也说到：“法国何为而起大革命也？法封建僧寺之贪横，税敛刑法之苛重，民困苦不聊生，其可骇可悲，实中国人所未梦想者也。”“此平等之会所由起，自由之说所由倡，革命之变所由生也。”甚至还说：“若使吾中国而有十万淫暴之诸侯，占国地三分有一；有一专横之僧寺，举中国平民不得任权要之职。——则鄙人必先奋笔焦舌而倡自由，攘臂荷戈而诛民贼。革命乃吾国自有之义，岂复待译书之人？已先卢骚、福禄特尔而力为之矣。”

但是，笔锋一转，康有为却竭力替中国的君主专制制度说起好话来，如说“全国数百年永免丁役，且定制后世不得加税”；“日本之税三十而一，美税二十二而一，英税二十而一，……而吾中国税千分而一”；“自亲王、宰相，不得妄杀一人”；“科举选补之用吏，多属汉人。将镇皆可起徒走而致，公卿皆可从科举而得”……因而得出结论：“我之大革命，盖在秦世；我之享自由，盖自汉时。”既然中国人民早就享受自由、平等了，中国也就当然不需要进行什么革命了。

中国早已自由平等

(三)但康有为此时还不愿意公然站在和革命对垒的立场。他想把他和革命的分歧，说成只是一个方法问题，或者只是一个认识问题：

> 吾观今谈革命之人，非无至诚义热、救国为心者；亦颇有文学之士，不察知中外，从其煽动者。皆因目击国弱，积愤牝朝，无所发纾，郁极生变。盖中国甫当开关，未经阅历，盲者试步，非有真知，人云亦云，以为舍此无由，故不得已而出此也。其忧国之心，亦可原矣。

然后再用“先知先觉”的口吻，劝导别人：

> 鄙人八年于外，列国周游，小住巴黎，深观法俗，熟考中外之故，明辨欧华之风，鉴观得失之由，讲求变革之事，

乃益信吾国经三代之政、孔子之教,文明美备,万法精深,升平久期,自由已极,诚不敢妄饮狂泉,甘服毒药也。凡万国政俗之初更,志士学人,阅历必浅,既寡书传,又未亲游。但愤于积弊,耻于国弱,发愤太过,张脉怒兴,故未及深思,轻为举发。故皆欲先行破坏,而后徐图建设之功。即法之卢骚、福禄特尔诸人,亦不无阅历短浅、轻于言论之咎。……我中国平等自由已甚,与法全反。立宪之后,恐更有加重征税、密增法律之事。吾恐革夙昔自由之命,而国人一切举动,益不得自由耳!有慕法之革命自由者,其深思明辨之!

物质民权二者少缺

(四)康有为认为,中国的君主制也不是十全十美的,"但于物质、民权二者少缺耳。但知所缺在物质、民权,则急急补此二者可也。"

在物质方面,康有为完全承认欧洲比中国进步。书中写道:"自华忒(瓦特)之后,机器日新;汽船铁路之交通,电、光、化、重之日出;机器一日一人之力,可代三十馀人,或者可代百许人。于是器物宫室之精奇,礼乐歌舞之妙,盖突出大地万国数千年之所无,而驾而上之。"

在民权方面,康有为十分推崇欧洲的议院制度政教修明。书中说:欧洲各国"立法出自议院公众之论;民讼皆有陪审辩护之人。人民皆预闻国政,有选举议员之特权;国王皆隶于宪法,无以国土人民为私有。医院、公园、聋盲哑校、博物院、藏书馆都邑相望,公馆壮丽,狱舍精洁,道路广净,为民之仁政备举周悉。"

康有为认为,欧美在这两方面确实可以为中国之师,"此新世之文明乎,诚我国所未逮矣。今且当舍己从人,折节而师之矣。”只要“取其长技，择其政律，斟之酌之，损之益之，断之续之，去短取长，一反掌间，而欧美之新文明皆在我矣”。

走向谬误

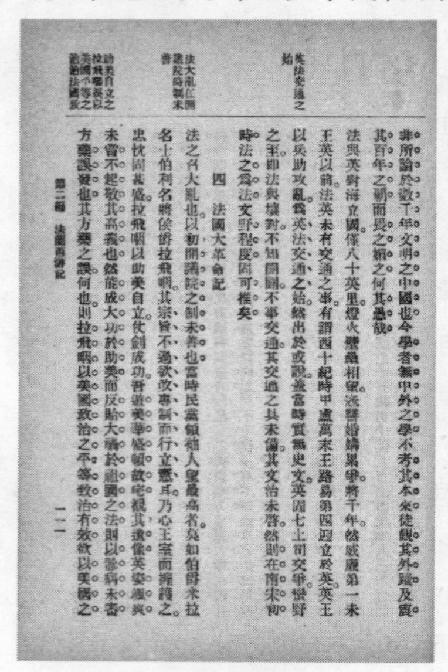
英法交通之始
法大亂仁開議院時製未善
助美自立之拉飛咽以誤美國不等之治法國

非所論於數千年文明之中國也今學者無中外之學不考其本來徒觀其外跡及觀其百年之新而畏之媚之何其愚哉

法與英對海立國僅八十英里燈火壁壘相望淡婚姻累爭將千年然威廉第一未王英以前法英未有交通之事有謂西十紀時中盧萬末王路易第四迎立於英英王以兵助攻亂爲英法交通之始然出於或說蓋當時實無史文英國七土司交爭懷舒之王即法與壤對不知開關不事交通其交通之具未備其文治未啓然則在南宋前時法之爲法文野程度固可推矣

四 法國大革命記

法之名大亂也以初開議院之制未善也當時民黨領袖人望最高者爲如伯爵米拉名士伯利名將侯爵拉飛咽其宗旨不過欲改專制而行立憲耳乃心王室而擁護之忠忱固甚盛拉飛咽以助美自立仗劍成功昔游美華盛頓故宅視其遺像英姿颯爽未嘗不起敬其高義也然能成大功於助美而反貽大禍於祖國之法則以診病未審方藥誤費也其方藥之誤何也則拉飛咽以美國致治之平等致治有效欲以美國之

第二編 法國游記 一一

（广智书局初印本书影）

——综上所述，我们可以看到康有为从追求真理到走向谬误的悲剧：

康有为犯了一个根本性质的错误，他从不肯反躬自问地想一想，他自己和梁启超、谭嗣同、黄遵宪等人，不是早就想向欧美日本“取其长技，择其政律，斟之酌之，损之益之，断之续之，去短取长……”，并且还在戊戌年间，确实这样做过一阵子的吗？但结果并不是他们“一反掌间”，把“欧美之新文明”都拿了过来；而是顽固派“一反掌间”，把“六君子”连同他们的整个计划，全都送上了菜市口。既然如此，想把欧美之新文明移植于中国的志士仁人，除了走上革命的道路，用暴力破坏由顽固派掌握的政权，还有什么别的办法呢？孙中山原来不也曾上书李鸿章，希望这位中堂能够在中国引进“欧美之新文明”，是戊戌六君子的血教育了他，才使他下决心“驱除鞑虏，恢复中华”的吗？

历史的车轮，在中国大地上迅猛前进。近代中国的知识分子，被开放的潮流“带”上或者“逼”上了向西方寻找真理的道路。这是一条艰难的、曲折的、有时颇容易使人迷失方向的道路。康有为在这条路上大显过身手。他在戊戌前的言论，影响了举国上下整整一代人。但是,“民者,冥也”(《意大利游记·斐苏斐士火山》)的思想害了他,“为帝王师”的思想害了他,使他在戊戌后选择了错误的方向。他仍然以西学老前辈自诩,但他只准人向西方学一点“物质”文明,学一点“民权”初步,不准人学习“平等自由”的学说,尤其不准人学习革命的道理。在这些方面,他变成了向西方学习的反对者。这一点,在《法兰西游记》中看得格外清楚。他想拉转历史的车轮,改走君主立宪的道路;结果却是历史的车轮把他推倒,“康有为的时代”很快就过去了。

一九〇五年以后,康有为继续游历欧美各国,其纪游诗时有佳作,但思想越来越反动,谈不到任何积极的影响了。后来他反对辛亥革命,参与张勋复辟,“觐见”废帝溥仪,渐渐完全变成一个顽固的老头了。他最后的论著《共和平议 · 序》云:

> 吾两年居美、墨、加,七游法,吾居瑞士,一游葡,八游英,频游意、比、丹、那,久居瑞典。十六年于外,无所事事,考政治,乃吾专业也。于世所谓共和,于中国宜否,思之烂熟矣。

考政治乃吾专业也

当共和制度已经在中国建立起上十年之后,康有为却还要大家来考虑“共和于中国宜否”的问题,所得到的反应当然只有寂寞,于是他就只能在寂寞中消失了。

FROM EAST TO WEST

24 梁启超《新大陆游记》及其他

□ 梁启超戊戌逃亡日本后，翌年(一八九九)赴美，至夏威夷被阻，有《汗漫录》纪行。一九〇〇年游澳洲，报载有《梁卓如先生澳洲游记》。一九〇三年终至北美，作《新大陆游记》。兹据当年东京《新民丛报临时增刊》本，并辑入前二种印行。

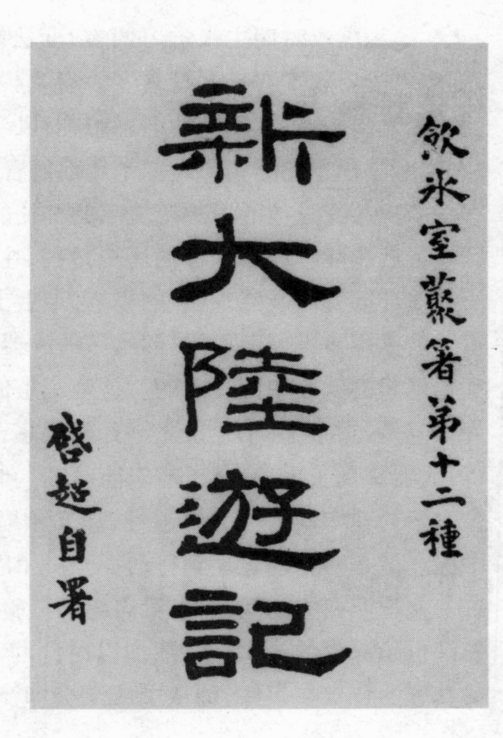

作为戊戌时期主张学习西方、变法维新的宣传鼓动家，梁启超实在是太有名了。有人说："在他那新兴气锐的言论之前，差不多所有的旧思想、旧风习都好像狂风中的败叶，完全失掉了它的精彩。二十年前的青少年，……可以说没有一个没有受过他的思想或文字的洗礼的。"

梁启超能够取得这样的历史地位，主要是由于他在康有为的引导下，以"新兴气锐"的姿态，走上了向西方寻找真理的道路。他用来批判旧思想、旧风习的武器，完全是从西方近世文化思想的武库中搬过来的。这确实是他的一大功绩。

但是，梁启超向西方学习真理很多，在中国寻求真理不得；武器拿到了手中，靶子却未能对准。他宣传了资产阶级民主对于封建专制的巨大优越性，却又顾虑共和政体不适用于中国。他是一个从思想到行动都充满矛盾的人。

在学习西方的问题上，梁启超的经验是重要的，梁启超的教训也是深刻的。本文试图加以讨论的是：梁启超向西方寻找真理的背景和条件，他从戊戌至癸卯流亡国外时期的一些主要活动和言论，以及这些活动和言论的积极和消极两个方面的影响。

政变的逃亡者

梁启超是广东新会人。他生而颖异，四岁时即从祖父和母氏学读四书和诗经；六岁后就父读，受中国略史、五经卒业；八岁学为文；九岁能缀千言；十二岁考取秀才；十七岁中举；随后又到广州学海堂肄业，专攻训诂词章。这时候的梁启超，“不知天地间，于括帖、训诂、词章之外，更有所谓学也”。

然而，正当他在“少年科第”路上“春风得意马蹄疾”时，外部世界的信息却突然吸引了他的注意。一八九〇年，梁启超会试下第归粤，途经上海，偶然在书坊见到一部《瀛寰志略》。“读之，始知有五大洲各国；且见上海制造局译出西书若干种，心好之，以无力不能购也”。这个聪明而敏感的十七岁少年从此知道了：在十三经、廿二史所说的“四夷八荒”之外，还有一个如此广大的、多样化的世界；知道了在世界上还有这样多的“西书”，还有所谓“西学”。他的思想立刻为之一变，决心要探求自己过去所不懂得的新知识和新道理。

瀛寰志略

启超回到广州，学海堂的同学陈千秋（通甫）告诉他：南海康先生上书请变法不达，新从京师归来，“其学乃为吾与子所未梦及，吾与子今得师矣”。两人立即修弟子礼，往谒有为。

关于“康梁”的初次见面，梁启超《三十自述》中有一段十分生动的叙述：

> 时余以少年科第，且于时流所推重之训诂词章颇有所知，辄沾沾自喜。先生乃以大海潮音，作狮子吼，取其

以康为师

> 所挟持之数百年无用旧学，更端驳诘，悉举而摧廓清之。自辰入见，及戌始退。冷水浇背，当头一棒，一旦尽失其故垒，惘惘然不知所从事。且惊且喜，且怨且艾，且疑且惧。与通甫联床，竟夕不能寐。明日再谒，请为学方针。先生乃教以陆王心学，而并及史学、西学之梗概，自是决然舍去旧学……

其实，当陈、梁二人联袂往谒时，康有为自己懂得的“西学”并不多，不外制造局及西教会所译各种，“皆初级普通学，及工艺、兵法、医学之书，否则耶稣经典论疏耳，于政治、哲学，毫无所及”。但康氏“以其天禀学识，别有会悟，能举一以反三，因小以知大，自是于其学力中，别开一境界”，而能使得梁启超、陈千秋“一见大服，遂执业为弟子，共请康开馆讲学，则所谓‘万木草堂’是也”（见梁氏《南海康先生传》及《清代学术概论》）。

把康有为对青年的吸引力全部归之于他的“天禀”，是一种历史唯心主义的解释。但即使康有为所接触的西学“皆初级普通学及工艺、兵法、医学之书”，而这些书所介绍的新的知识、新的观念和新的方法，却确实具有强大的生命力，足以在学问范围和思想领域中“别开一境界”。

一八九一至一八九三年间，梁启超“学于草堂者凡三年”。在这三年中，他深入接触并且实际参加了康有为著书立说的活动。这既是一种学术活动，也是一种推动社会政治改革的宣传活动。康氏著《新学伪经考》，他协助校勘；康氏著《孔子改制考》，他担任分纂；康氏开始写《大同书》，秘不以示人，唯有他和陈千秋得读，“读则大乐，锐意欲宣传其一部分；有为弗善也，而亦不能禁”。在这三年中，梁启超把自己锻炼成了一个关心天下、关心世界的人才，成了一员宣传社会政治改革的健将。

大梦之醒在甲午

一八九四年即有名的甲午年，梁启超作《戊戌政变记》，一开头就指出：“吾国四千馀年大梦之唤醒，实自甲午战败割台湾偿二百兆以后始也。”是年，梁氏在京师，战事起，惋愤时局，时有吐露，“顾益读译书，治算学、地理、历史等”，决心从“译书”中寻找救国的道路。一八九五年和议成，康有为发动“公车上书”，接着在京师组织“强学会”，成为变法维新运动的机关。启超奔走宣传，并担任学会书记。会中于译出西书，购置颇为齐备。他“居会所数月，……得以馀日尽浏览之，尔后益斐然有述作之志”矣。

时务报和时务学堂

“强学会开办不久，即被清政府封禁。在欧美日本看到报纸在维新开化事业中的巨大作用的黄遵宪，准备在上海开设报馆，把“强学会”的事业继续下去，请梁启超去专任撰述。启超有“训诂词章之学”的根柢，有从“万木草堂”学到的“史学、西学之梗概”，又有一支“笔锋常带情感”的笔杆子；于是，从丙申（一八九六年）七月开始，一篇接着一篇新兴气锐、精彩有力的宣传变法维新的文章，就连续在上海《时务报》上发表出来了。这些文章，确实起到了郭沫若所说如“狂风扫败叶”的巨大作用，梁启超的名声也就很快地传遍了中国士林。

（梁启超手迹）

丁酉（一八九七年）十月，在湖南推行新政的维新派人士陈宝箴和江标，聘梁启超前往主讲“时务学堂”，唐才常为助教。

是时，黄遵宪、谭嗣同也在湖南，“湘中同志称极盛”。梁氏欣然前往，每日主讲四小时，夜则批答诸生札记，每条或至千言，往往彻底不寐。这些批语，“皆当时一派之民权论，又多言清代故实，胪举失政”；“其论学术，则自荀卿以下汉唐宋明清学者，掊击无完肤”。“诸生归省，出札记示亲友，全湘大哗”。叶德辉、孔宪教、苏舆等著《翼教丛编》数十万言，进行驳议。一时湖南辩论风气空前高涨，实际上成了戊戌前夜全国思想文化斗争的一个中心。

百日维新

康有为上皇帝的万言书，在戊戌(一八九八)年春天得到了光绪的重视，中国的“百日维新”开始了。梁启超到北京，“多所赞画奔走”。四月，他破格得到皇帝召见。五月十五日，上命赏给六品衔、办理大学堂译书局事务。六月二十九日，所拟译书章程十条，得旨允行，并命拨给开办及常年经费。七月初十日，请设立编译学堂，给予学生“出身”，并书籍报纸免税，得旨允行。此时的北京城，似乎弥漫着同三十年前日本江户城差不多的空气，中国的“明治维新”，似乎就要开始了。礼部主事王照，甚至上摺请皇帝亲自游历日本及各国。千百年来的“祖宗成法”，似乎会要彻底改变了。值得注意的是，在新政似乎推行得很顺利，维新派人士都似乎在入参机要各据要津时，梁启超却担负了“办大学堂译书局”这个看起来比较闲冷的工作。他是认真地把介绍西学看成救时救国的要务的。

八月初六日，慈禧太后发动政变，光绪被囚。康有为事先得到皇帝的密诏，梁启超和康广仁等跪着请他离开，遂于初五日晓离京，卒得英国保护逃往香港。谭嗣同对启超道：“不有行者，无以图将来；不有死者，无以酬圣主。今南海之生死未可卜，程婴、杵臼，月照、西乡，吾与足下分任之。”于是启超避入日本使馆，嗣同则“横刀向天笑”，为中国的改革而献出了一腔热血。(月照、西乡都是日本"勤王"运动中的人物,西乡隆盛为"维新三杰"之一,月照是一个僧人,因参加倒幕被追捕,为了不连累保护他的西乡,赴水而死。)

月照西乡

戊戌九月,梁启超到了日本,开始了政治流亡生活。这个极力主张译读西书、效行西法的人,从此有了直接接触和研究西方社会文化、政治经济的机会。同时,他也没有忘记自己担负着程婴和西乡的使命,仍然积极协助康有为进行反对慈禧复辟、保卫光绪皇位的宣传工作。后来他旅行北美、澳洲,都是为了这个目的。

西学的宣传家

从丙申到戊戌三年(实际上是两年)中,梁启超宣传维新、宣传变法的本钱,主要是经康有为介绍入门后他自己广泛涉猎的"西学译书"。

丙申年开始发表的长篇政论《变法通议》的第一章《论不变法之害》,一开头就运用了他在"始知有五大洲各国"以来所扩充的世界知识:

变法通议

……印度,大地最古之国也,守旧不变,夷为英藩矣。突厥地跨三洲,立国历千年,而守旧不变,为六大国执其权分其地矣。非洲广袤三倍欧土,内地除沙漠一带外皆植物饶衍,畜牧繁盛,土人不能开化,拱手以让强敌矣。波兰为欧西名国,政事不修,内讧日起,俄、普、奥相约,择其肉而食之矣。……今夫日本,幕府专政,诸藩力征,受俄、德、美大创,国几不国;自明治维新,改弦更张,不三十年,而夺我琉球,割我台湾也。……大地既通,万国蒸蒸,

变亦变，不变亦变

> 日趋于上，大势相迫，非可阏制。变亦变，不变亦变。……是故变之途有四：其一如日本，自变者也；其二如突厥，他人执其权而代变者也；其三如印度，见并于一国而代变者也；其四如波兰，见分于诸国而代变者也。吉凶之故，去就之间，其何择焉？……彼犹太之种，迫逐于欧东；非洲之奴，充斥于大地。呜呼！夫非犹是人类也欤？

梁启超对世界形势的认识，跟过去王韬、李圭、郭嵩焘、曾纪泽诸人比较起来，有了很大的发展。最主要的有两点：第一，他已经有了一个比较明确的发展和进步的历史观，肯定了“凡在天地之间者莫不变”这个前提，认为“大地万国，上下百年间，强盛弱亡之故”，完全在于能否自觉地适应“变”的规律。“变而变者，变之权操诸已，可以保国，可以保种，可以保教；不变而变者，变之权让诸人，束缚之，驰骤之，呜呼，则非吾之所敢言矣”。第二，他已经不只是在日记里自语自言，和朋友们互相讨论；也不限于向朝廷陈述意见，对国事贡献方针；而是向整个知识阶级大声疾呼，让大家都来看清“大地万国”的历史和现状，从中得出中国必须变法才能自强的结论。

康梁作用之比较

第一点是康有为首先做到的，在这一点上，康有为是梁启超的老师。第二点却是由梁启超最早开始做的，他是中国近代启蒙时期最大的宣传鼓动家，也是把世界（历史、地理、文化、思想）知识普及到一般知识分子中去的卓著成效的启蒙教育家。

《变法通议》第二章《论变法不知本原之害》指出：中国自同治以来，“讲求洋务三十馀年，创行新政不一而足，然屡见败衄，莫克振救”，根本原因在于“变法不知本原”。接着举出一件事实以说明问题：

昔同治初年，德相毕士麻克语人曰："三十年后，日本其兴，中国其弱乎？日人之游欧洲者，讨论学业，讲求官制，归而行之；中人之游欧洲者，询某厂船炮之利，某厂价值之廉，购而用之。强弱之原，其在此乎？"

梁启超指出的"本原"，同郭嵩焘二十年前所谓"大本大原"是一个意思，亦即明谓西人政教当为学习仿效之根本，而不应该把主要注意力放在搬运坚船利炮、制造技术上面。本章之结论为："一言以蔽之曰：变法之本在育人才，人才之兴在开学校，学校之立在变科举；而一切要其大成，在变官制"，也就是要改革政治制度。文中引证了许多事实和外论，据梁氏原注，分别"见去年七八月间上海、香港各报所译西文报中"、"见七月上海某日报"、"见李提摩太(Timothy Richard)所著《西铎》，以乙未年刻于京师"、"见去年《万国公报》"、"见《时务报》第八册"，都是当时介绍西学的新书新报，可见其浏览之广泛。

在《变法通议》中，梁启超提出了三条变法的总纲："一曰教；二曰政；三曰艺。""其分目十有八：一曰学堂；二曰(变)科举；三曰师范；四曰专门；五曰幼学；六曰女学；七曰藏书；八曰纂书；九曰译书；十曰文字；十一曰藏器；十二曰报馆；十三曰学会；十四曰教会；十五曰游历；十六曰义塾；十七曰训废疾；十八曰训罪人。"并且提出："非尽取天下之学究而再教之不可，非尽取天下蒙学之书而再编之不可。"——这是一个大规模地全面地改革"政教"的纲领，其中心内容则是要引进西学、学习西方。《论译书》一章，论述至为精详，曰：

变法总纲

西人致强之道，条理万端，迭相牵引，互为本原；历时千百年以讲求之，聚众千百辈以讨论之，著书千百种以发挥之。……苟非通西文、肄西籍者，虽欲知之，其孰从而知之？……而欲参西法以救中国，又必非徒通西文、肄西籍遂可以从事也，必……深究其所谓迭相牵引、互为本原者，而得其立法之所自，通变之所由，而合之以吾中国古今政俗之异而会通之，以求其可行。

咸习西文

这就是说，需要让读通了中国书的成熟的人材兼通西学；因而必须在“使天下学子，自幼咸习西文”之外，再“取西人有用之书，悉译成华字”。本章开列现时“当译之本”，包括所谓“章程之书”、“学堂定课之书”、“律意之书”、各类史书、各国年鉴、“农书”、“矿书”、“工艺书”、“商务书”、“希腊罗马名理诸书”等等。事实上，当时已译之上列各类书籍，梁启超几乎无一不曾涉猎。

丙申年间，梁氏曾著《西学提要》，缺医学、兵政两门未成；“而门人陈高第、梁作霖、家弟启勋，以书问应读之西书，及其读法先后之序”，乃为《西学书目表》，将二十馀年来中国所译西书的书目，除去谈基督教义的以外，汇为三卷，附中国人言西学之书一卷、杂记一卷。其序例云：

……海禁既开，外侮日亟。曾文正开府江南，创制造局，首以译西书为第一义。数年之间，成者百种。而同时，同文馆及西士之设教会于中国者，相继译录。至今二十馀年，可读之书，略三百种。昔纪文达之撰《提要》，谓《职方外纪》、《坤舆图说》等书，为依仿中国邹衍之说，夸饰变幻，不可究诘。阮文达之作《畴人传》，谓第谷天学，上下易位，动静倒置，离经畔道，不可为训。今夫五洲万国之名，太阳地球之位，西人五尺童子皆能言之。若两公，固近今之通人也，而其智反出西人学童之下，何也？则书之备与不备也。……智愚之分，强弱之原也。今以西人声光化电农矿工商诸书，与吾中国考据词章括帖家言相较，其所知之简与繁，相去几何矣。……故国家欲自强，以多译西书为本；学子欲自立，以多读西书为功。此三百种者，择其精要而读之，于世界蕃变之迹、国土迁异之原，可以粗有所闻矣。

多读西书

（梁启超，1873—1929）

丁酉春间，梁启超在上海主《时务报》笔政时，即计划联合同志，创办“大同译书局”，“以东文为主，而辅以西文；以政学为先，而次以艺学”。决定“首译各国变法之书，及将变未变之际一切情形之书，以备今日取法；译学堂各种功课，以便诵读；译宪法书，以明立国之本；译章程书，以资办事之用；译商务书，以兴中国商学，挽回利权”；“中国人所著或编辑之书，有与政教艺学相关、切实有用者，皆随时印布”。

是年冬，梁启超到湖南后，翌年发表《论湖南应办之事》一文，又提出“必以广民智为第一义”，建议全省书院改课时务，“授以东西史志各书，使知维新之有功；授以内外公法各书，使明公理之足贵”；同时，还建议在全省绅士、官员中提倡西学，“各国约章、各国史志及政学、公法、农、工、商、兵、矿政之书，

以广民智为第一义

在所必读;多备报章,以资讲求”。如果说,译书是为了介绍西学,这些措施则是为了推广西学,二者正是相辅相成,梁启超视为当务之急的。

因此,在百日维新期间,梁启超被光绪皇帝破格起用,他别的官都不当,专拣起“办理大学堂译书局”这件事来干,也就是可以理解的了。惜乎维新的幼芽不幸被守旧的石板压杀,梁启超的“译书局”计划就这样破灭了;当然,同时破灭了的,还有清朝复兴的希望。

旅居日本后的变化

一八九八年秋,梁启超逃脱守旧派的屠刀,“割慈忍泪出国门,掉头不顾吾其东”,流亡到了日本。用他自己的话来说,就是“以国事东渡,居于亚洲创立行宪政体之第一先进国”,“是为生平游他国之始”。

流亡日本

梁启超和康有为一样,出国完全是因为政治原因,出了国当然还要进行政治活动。初到日本一年多时间内,“师友弟子眷属来相见者,前后共五十六人”,绝大多数都是他的同志;横滨侨商“同志相亲爱者亦数十人,其少年子弟来及门者以十数”。戊戌十月,他取得侨商资助,创办《清议报》,作为宣传机关。己亥七月,复与同人共设“高等大同学校”于东京,吸收国内留学生,培养预备干部。梁启超自己也抓紧学习日文,努力通过日文继续接受西学。己亥年(一八九九年)他作《论学日本文之益》一文,云:

> 既旅日本数月,肄日本之文,读日本之书。畴昔所未见之籍,纷触于目;畴昔所未穷之理,腾跃于脑。如幽室

见日，枯腹得酒，沾沾自喜，而不敢自私。乃大声疾呼，以告同志曰：我国人之有志新学者，盍亦学日本文哉！日本自维新三十年来，广求智识于寰宇，其所译所著有用之书，不下数千种；而尤详于政治学、资生学（即理财学，日本谓之经济学）、智学（日本谓之哲学）、群学（日本谓之社会学）等，皆开民智、强国基之急务也。吾中国之治西学者固微矣，其译出各书，偏重于兵学、艺学，而政治、资生等本原之学，几无一书焉。夫兵学艺学等专门之学，非舍弃百学而习之不能名家；即学成矣，而于国民之全部无甚大益；故习之者希，而风气难开焉。使多有政治学等类之书，尽人而能读之，以中国人之聪明才力，其所成就，岂可量哉。……学英文者，经五六年而始成。……而学日本文者，数日而小成，数月而大成，日本之学已尽为我有矣。……夫日本于最新最精之学虽不无欠缺，然其大端固已粗具矣。中国人而得此，则其智慧固可以骤增，而人才固可以骤出。如久餍糟糠之人，享以鸡豚亦已足果腹矣，岂必太牢然后为礼哉？且行远自迩，登高自卑；先通日文，以读日本所有之书；而更肄英文，以读欧洲之书，不亦可乎。

政治学
资生学
智学
群学

这一段话，把他自己借学日文以通西学的目的和手段都介绍得很清楚了。同年冬作《汗漫录》，又自述云：

借学日文
以通西学

自居东以来，广搜日本书而读之，若行山阴道上，应接不暇；脑质为之改易，思想言论，与前者若出两人。每日阅日本报纸，于日本政界学界之事，相习相忘，几于如己国然。……

在这里,梁启超承认自己到日本以后,思想上发生了极深刻的变化。这个变化,一言以蔽之,就是进一步西化——资产阶级化。由于这个变化,梁启超对西方社会、政治、文化的了解大大加深了,进一步接受了西方的哲学思想和价值观念。在向西方学习的意义上来说,这当然是一个大的进步。但是,他在接受西方观念的同时,也无批判、无分析地接受了西方资产阶级对中国、对中国人、对中国革命,以及一般对民族革命和社会革命的错误看法。

清议报

这一年,他在《清议报》上发表的《商会议》、《论商业会议所之益》等论文,提倡在华侨社会中"采泰西地方自治之政体",欲使戊戌年功败垂成的政治理想行之于海外。文中引"西方天演家之言曰:世界以竞争而进化,竞争之极,优者必胜,劣者必败"。又云:

我华民所至各国,动见驱逐,不以平等之人类相待。虽各国私意苛政,深可愤恨,然亦我民有以自取焉。彼其言曰:"支那人贪鄙龌龊,风俗败坏;倘来者日多,则其恶俗将如传染之病,遍于国中,悉成秽土。"彼之厄我,盖有词矣。

而在代神户侨商致日本公众的一封信件中,更公然承认:

一曰:支那下等社会之人,多未经教育,若行杂居,恐害于日本之风俗及卫生也。……以上所据,虽非无一理,然大抵有此诸弊者,惟劳动工人为然耳。若商业之人,其实情与此相反,……即使间有恶习,然以日本法律之严明，警察之整肃，以法治之，何难之有。

这里流露的鄙视“劳动工人”的思想，当然和梁启超“少年科第”的出身有关，但也是在不知不觉中接受了西方“商业之人”的观点的结果。

一八九九至一九〇二(己亥、庚子、辛丑、壬寅)四年间，梁启超在《清议报》和《新民丛报》上发表了大量文章，继续介绍西学，宣传康有为派的政见。在抨击以慈禧太后为首的守旧派，和以李鸿章、张之洞为代表的“中学为体，西学为用”的主张时，他的文锋仍然是那样的锐利。但是，他的文章的积极意义，已经逐渐由鼓动国内的政治改革，转移到宣传西方的学术文化这方面来了。吾人固不能因梁氏政治态度之渐趋保守，而否定其在近代启蒙运动中的巨大功绩；亦不能因为他在文化思想史上的贡献，而讳言其政治上的“退坡”。

新民丛报

梁启超曾经在他所作的《康南海先生传》后略缀数语，借Oliver Cromwell的佚事，说明观人应勿失其真相：

英国名相克林威尔，尝呵某画工曰：“Paint me as I am!”盖恶画师之谀己，而告以勿失吾真相也，世传为美谈。吾为康南海传，无他长，惟自信不至为克林威尔所呵。

勿失真相

吾人之于梁氏，亦宜尔也。

梁启超在这四年中所发表的重要论文，差不多都从标题即可看出强烈的倾向性，即是主张将西方的学说移植于东方，藉世界的潮流以推动中国。诸如：

《论中国与欧洲国体异同》

《论近世国民竞争之大势及中国之前途》

（以上一八九九年）

《立宪法议》

《立法权论》

《论今日各国待中国之善法》（以上一九〇〇年）

《十九世纪之欧洲与二十世纪之中国》

四年中之重要论述

《霍布士（Hobbes）学案》

《斯片挪莎（Spinoxa）学案》

《卢梭（Roussean）学案》（以上一九〇一年）

《近世文明初祖倍根、笛卡儿之学说》

《天演学初祖达尔文学说及其事略》

《法理学大家孟德斯鸠之学说》

《乐利主义泰斗边沁之学说》

《进化论革命者颉德之学说》（未完）

《亚里士多德之政治学说》

《近世第一大哲康德之学说》

《泰西学术思想变迁之大势》

《生计学学说沿革小史》

《格致学沿革志略》

《政治学学理摭言》

《地理与文明之关系》

《历史与人种之关系》

《斯巴达小志》

《雅典小志》

《匈加利爱国者噶苏士传》

《意大利建国三杰传》

《世界第一女杰罗兰夫人传》

《论民族竞争之大势》
《论政府与人民之权限》
《新民说》(以上一九〇二年)

这些文章,纵论世界时局和潮流,评述西方史事和人物,有的针对中国现状,有所为而发;更多的却是以"开民智"为目的,意不在直接进行鼓动,而是通过介绍西方近代思潮、政治理论、历史哲学和价值观念,以"陶铸国人之精神,冶炼国人之灵魂"。他讲的道理为"当时人人所欲言而迄未能言"(郑振铎语),而又"笔锋常带感情","很能打动一般青年人的心"(周作人语),在当时确实拥有最众多的读者和最广泛的影响。

(梁启超在日本)

梁启超对西方政治学、经济学、哲学、社会学及其他学问的了解,正如他自己所承认的,完全要归功于读日本书。在《乐利主义者泰斗边沁之学说》文后,梁氏列举之参考书目,除边氏原著外,还有陆奥宗光译《利学正宗》、中江笃介译《理学沿革史》、纲岛荣一郎著《西洋伦理学史》、《主乐派之伦理说》、山边知春译《伦理学说批判》、竹内楠三著《伦理学》、田中泰麿译《西洋哲学者略传》、杉山藤次郎著《泰西政治学者列传》、小野梓著《国宪泛论》、冈村司著《法学通论》、有贺长雄著《政体论》,共十一种,全都是日本人的著译。

转译新书不遗馀力

当时日本对西方哲学社会科学的译介,真可以说是不遗馀力。而梁启超对日译新书的转译介绍,也是不遗馀力的。英人颉德(Ben Jamam Ridd)之《泰西文明原理》一书,于一九〇二年四月出版;当年冬天,梁氏就根据日文译文,撰写并发表了《进化论革命者颉德之学说》一文(未完)。他还撰述了《东籍月旦》长文,系统介绍日本关于西学的译著,仅在已发表的"伦理学"和"历史"(未完)二章中,即介绍了书籍七十二种。其叙论云:

> 我中国英文英语之见重既数十年,学而通之者不下数千辈;而除严又陵外,曾无一人能以其学术思想输入于中国。……直到通商数十年后之今日,此事尚不得不有待于读东籍之人,是中国之不幸也;然犹有东籍以为之前驱,使今之治东学者得以幹前此治西学者之蛊,是又不幸中之幸也。

在这里可以套用梁氏的句法说一句:他"割慈忍泪出国门",是中国之不幸也;而他"掉头不顾吾其东",使"日本之学尽为我有",促进了整整一代中国知识青年思想上的启蒙,是又不幸中之幸也。

真理再向前跨半步

在梁启超之前到西方去的人当中,容闳留学最久而未志于学,王韬助译汉籍而未译西书,仅仅有郭嵩焘曾经接触希腊先贤和培根、笛卡儿的学说,但只限于个人有所认识,没有进行传布;能够"以其学术思想输入于中国"的,的确非梁启超和梁氏一再提到的严复莫属。严复留学时亦写有日记,郭嵩焘《伦敦与巴黎日记》曾予摘录,可惜至今尚未发现。

梁启超所最推崇也最着力介绍的西方思想家,是他所称的“十贤”——哥白尼、倍根、笛卡儿、孟德斯鸠、卢梭、富兰克令、瓦特、亚丹斯密、伯伦知理(Bluntschili,一八〇八至一八八一)、达尔文。其述倍根实验派之学说有云:

> 倍根以为人欲求学,只能就造化自然之迹而按验之,不能凭空自有所创造;若恃其智慧以臆度事理,则智慧即为迷谬之根源。譬如戴青眼镜者,所见物一切皆青;戴黄眼镜者,所见物一切皆黄。一切物果青乎哉?果黄乎哉?常人妄思,以为五官所感触之外物,一与其物之原形相吻合;不知其相吻合者,吾之精神耳,非物之本质也。此种妄想,为人性所本有;百般误谬,由此生焉。

倍根

其述笛卡儿怀疑派之学说有云:

> 笛卡儿以前,宗教之焰极张;……古学复兴以来,学者视希腊先贤言论如金科玉律,莫敢出其范围,此皆束缚思想自由之原因也。笛卡儿起,谓凡学当以怀疑为首,以一扫前者之旧论,然后别出其所见,谓于疑中求信,其信乃真。此实为数千年学界当头棒喝,而放一大光明以待来哲者也。……
>
> 然则所恃以破疑之术奈何?曰:凡遇物皆疑之。而其中必有不容疑之一物存,曰“我”是也。当其怀疑也,而心口相商曰:“我疑之。”疑之者谁?我也。知我之疑者谁?亦我也。疑也者,思想之一端也。我自知我之思想,

笛卡儿

而当我思想之之时，即我自知我思想之时，我与思想为一体，此天下之最可信凭而为万理鹄者也。

笛卡儿乃立一案曰："我能思故，是故有我。"以是为一切真理之基础。此事存于我精神中，与外物毫无所预。……

其述孟德斯鸠"三权分立"之政体论，则有云：

孟德斯鸠

凡专制之国，必禁遏一切新奇议论，使国民沍然不动，如木偶然。其政府守一二陈腐之义，有倡他义者，则言为畔道，为逆谋。何也？彼其宗旨，固以偷一时之安为极则也。以故，务驯扰其民若禽兽然，时时鞭挞之，使习一二技艺，以效己用。民既冥顽如禽兽矣，则其中有一极狞恶而善威吓者，则足以统御之。不宁惟是，乃至不必以人为君，而治之有馀……

孟氏谓立法、行法二权，若同归于一人，或同归于一部，则国人必不能保其自由权。……如政府中一部有行法之权者，而欲夺国人之财产，乃先赖立法之权豫定法律，命各人财产皆可归之政府，再藉其行法之权以夺之。则为国人者，虽起而与之争论，而力不能敌，亦无可奈何。故国人当选举官吏之际，而以立法、行法二权归于一部，是犹自缚其手足而举其身以纳之政府也。又谓司法之权，若与立法权或与行法权同归于一人，或同归于一部，则亦有害于国人之自由权。盖司法权与立法权合，则国人之性命及自由权必致危殆，盖司法官吏得自定法律故也。……

这些西方自由资本主义时期的政治理论和哲学思想，介绍到开始变革的传统社会里来，应该说是有很大的积极意义的。梁启超也介绍了一些既有积极意义，也有消极意义的东西。如《霍布士学案》有云：

霍布斯

> 霍布士曰：人人本相仇视者也。各人皆求充己之愿欲，而他人之患，曾无所撄于其心。人人如是，欲其毋相斗焉，不可得也。故邦国未建、制度未设之前，人相吞噬如虎狼。然吞噬不已，胜捷必归于强者。强者之胜，乃自然之势，合于义理，而无容异议者也。由此论之，则谓强权为天下诸种权之基本可也。……众互相争，以强凌弱，是自然之势，即天定之法律也。

梁氏评称："霍氏之哲学理论极密，前后呼应，几有盛水不漏之观。其功利主义，开辨端、斯宾塞等之先河；其民约新说，为洛克、卢梭之嚆矢。虽其持论有偏激，其方法有流弊，然不得不谓有功于政治学也。"

麦喀士即马克斯

在梁启超著书为文时，马克思主义已经出现于欧洲。梁氏在《乐利主义泰斗边沁之学说》一文中，介绍"麦喀士之社会主义"云，"麦喀士谓今日社会之弊，在多数之弱者，为少数强者所压伏"。麦喀士就是马克思。在马克思主义者看来，不要说霍布士的功利主义，就是培根、笛卡儿、"天赋人权"、"三权分立"，统统属于资产阶级意识形态，是不该宣传介绍，扩大其影响的。但是，马克思主义还管不了梁启超，当时还没有出世的中国共产党更管不了梁启超。这些思想和理论，用来反对封建专制、迷信落后和闭塞保守，还能够发挥一定的作用。梁启超在《十九世纪之欧洲与二十世纪之中国》一文中写道：

> 西人有言:"十八世纪者,十九世纪之母也。"(原注:专指欧洲言)故吾愿今日自命维新党者,勿遽求为欧洲十九世纪之人物,而先求为欧洲十八世纪之人物,吾亚其将有瘳。

他是这样想的,他也是这样做的。

但是,十八世纪的思想武器,拿来解决二十世纪中国面临的问题,很快有些就显得陈旧和无力。这在康梁一八九八年以后的实际政治活动和政治言论中,看得尤其清楚。

新民说

试以梁启超壬寅(一九〇二)年发表的长篇政论《新民说》为例来略加剖析。本文之主旨在说明:"今日中国第一急务"在"新民",而"新民"的涵义则在提高"民德、民智、民力";必须先使中国人民取得"可以为一国国民之资格",然后才能使中国自立于今日之世界。在本文《就优胜劣败之理以证新民之结果而论及取法之所宜》一节中,梁氏写道:

> 凡地球民族之大别五,闻其最有势力与今世者谁乎?白色种人是也。……
>
> 白人之优于他种人者,何也?他种人好静,白种人好动;他种人狃于和平,白种人不辞竞争;他种人保守,白种人进取。以故,他种人只能发生文明,白种人则能传播文明。……其勇猛果敢、活泼宏伟之气,比诸印度人何如?比诸中国人何如?……白种人所以雄飞于全球者,非天幸也,其民族之优胜使然也。

这完全是照搬西方的白人优越论。文中以白人优越论的观

点,“举吾国民所当自新之大纲小目,条分缕析,于次节详论之”。这些纲目,按照梁启超的次序和说法是:

中国人的主要缺点

一、中国人缺乏公德心。“享权利而不尽义务,人人视其所负于群者如无有焉。人虽多,曾不能为群之利,而反为群之累”。

二、中国人无国家思想。“其下焉者,惟一身一家之荣瘁是问”。“其贤者,亦仅以尧、跖为主,而自为其狗”。“联军入北京,而顺民之旗户户高悬,德政之伞署衔千百”。

三、中国人无进取冒险之性质。一部十七史之列传,无有如哥仑布、马丁路德、克林威尔之人,“藉有一二,则将为一世之所戮辱而非笑”。

四、中国人无权利思想。“有权利而不识有之之为尊荣,失权利而不知失之之为痛苦”。

五、中国人缺乏“不自由毋宁死”之精神,习为古人之奴隶、世俗之奴隶、境遇之奴隶、情欲之奴隶。

六、中国人缺乏自治之能力。

七、中国人保守性质太强。其原因一曰大一统而竞争绝;二曰环蛮族而交通难;三曰言文分而人智局;四曰专制久而民性漓;五曰学说隘而思想窒。

八、中国人无自尊心。“我中国人格所以日趋于卑贱,其病源皆坐于是。”

九、中国人不能群。其原因:一曰公共观念之缺乏;二曰对外之界说不分明;三曰无规则;四曰忌嫉。

十、中国分利之人多,生利之人少。

十一、中国人无毅力。“义和团之起也,吾党虽怜其愚，犹惊其勇。……而何以联军一至，其在下者惟有顺民旗，不复有一义和团；其在上者惟有二毛子，不复有一义和团也?”

十二、中国人无义务思想。

十三、中国人缺乏尚武精神。

就这样，梁启超开列了中国人民的一大堆缺点。他用西方的真理标准和价值观念，来衡量中国的“民德、民智、民力”，结论是中国人根本不行。虽然他的本意在唤起国人自觉，怀着一种“恨铁不成钢”的感情；但是他把长期专制统治在人民身上造成的恶果，也统统说成是人民群众不争气，甚至把这些说成是专制统治得以长期存在的原因，这就把是非弄颠倒了。在本文《论合群》一节结束时，梁启超万分感慨地说：

(日本初印本《新大陆游记》)

吾闻彼顽固者流，既聒有辞矣，曰：“今日之中国，必不可以言共和，必不可以言议院，必不可以言自治。以是畀之，徒使混杂纷扰、倾轧残杀，以犹太我中华，不如仍因数千年专制之治，长此束缚焉，驰骤焉，犹可以免滔天之祸。”吾恶其言，虽然，吾且悲其言，吾且惭其言。呜呼！吾党其犹不自省不自戒乎?

于是，梁启超的“脑质为之改易”了。他仍然主张改革，主张变法；然而他所设想的改变，已经不是依靠四万万人民起来打碎封建专制枷锁，自己掌握自己的命运，而是由少数像他这样的“先知先觉”，自上而下地来改造和教育四万万人成为“新民”。这便是康有为、梁启超壬寅、癸卯以后组织保皇会的指导思想。

从真理再向前跨半步，就会变成谬误。梁启超在学习西方、改造中国问题上的表现，最生动、最清楚地说明了这一点。

夏威夷和澳洲

《新大陆游记》是梁启超一九〇三年到北美旅行的游记。他于癸卯正月廿三日自日本横滨首途，二月初六日抵加拿大温哥华，四月十六日由加拿大满地可（蒙特利尔）到美国纽约，以后历游哈佛、波士顿、华盛顿、费城、必珠卜（匹兹堡）、先丝亨打（辛辛那提）、纽柯连（新奥尔良）、圣路易、芝加哥、舍路（西雅图）、钵仑（波特兰）、旧金山、罗省技利（洛杉矶），九月初十日复由钵仑至温哥华，十二日离加，廿三日回到横滨。

梁启超的这次旅行，完全是一次政治旅行，其任务为促进北美“中国维新会”（即保皇会）的建设。

己亥赴美被阻

四年之前的己亥也就是一八九九年的冬天，梁启超即拟前往美国，结果因清政府阻挠，走到夏威夷就停止了。关于这件事件，《饮冰室文集类编》杂文卷《复金山中华会馆书（庚子）》的按语讲得很清楚：

去年秋冬之交，因美属金山大埠华人致电敦请往美，遂于十一月由日本首途。道经檀香山，拟小住一月，即便前往。总署闻之，惊惶失措，遂移檄驻美使臣伍廷芳，令其阻止登岸，……

那一次梁启超于己亥十一月十八日即西历一八九九年十二月二十日从日本出发，“航太平洋，将适全地球创行共和政体之第一先进国”。他因“昔贤旅行，皆有日记，因效其体，每日所见所闻所行所感，夕则记之，名曰《汗漫录》，又名曰《半九十录》，以之自证，且贻同志云”。因为他美国没有去成，《汗漫录》也只写到抵夏威夷檀香山后十天就中止了，现存约九千字，篇幅虽少，但作为《新大陆游记》的前奏，却是值得重视的。其记抵檀香山后情形云：

汗漫录

……舟将及岸，忽闻岛中新有黑死疫病。经过旅客，不许登岸。而埠中华人，不许越雷池一步。余之登岸也，埠中同志无知者。一人独行，言语不通，甚苦之。于是投亚灵顿客寓中暂居。是日（一八九九年十二月三十一日），即往见日本领事斋藤君。

西历一千九百年正月一日，寓阿灵顿旅馆。岛中同志来访者十馀人，相见咸惊喜出意外。……

二日，复往见日本领事斋藤氏，相偕往晤本岛外务大臣蓦士蔑氏。吾邦领事某，闻余之来，惊惧失措，移文外务请放逐；即不尔，亦请监察，不许有举动。外务辞以无名。盖檀岛近已归美属，一切从美例，凡足迹踏本岛之地者，即应享有本岛人一切之自由权，非他人之可侵压也。……

侨民咸集询问国事

四日，数日以来，埠中乡人纷纷咸集，询问国事，日不暇给。

中国人旅居此岛者，凡二万人之间，而热心国事、好谈时局者，殆十而七八……

七日，檀岛政府以防疫故……禁止集会，虽礼拜堂、戏院，亦一概停止。故余到此，经一来复之久，不能得演说之地，殊为怅然。是日同志十馀人，集于保皇会总理黄君之宅，共议论国事。……

正如《汗漫录》所记，夏威夷的华人是“热心国事，好谈时局”的。还在一八九四年，即梁启超来此之前五年，孙中山就在檀香山组织了兴中会，进行革命活动。孙中山那时还不甚知名，梁启超很可能还没把他放在眼里。但事实证明，革命比改良有更强的号召力。十七年以后的事情，就不是梁启超所能逆料的了。

梁启超在夏威夷淹留了半年，看样子他在那里并没有取得多大成功。庚子（一九〇〇）六月，他得到自立军起事的消息，动身经日本返上海，“遽闻汉口之变，志不遂，遂折而南，由香港而星加坡而槟榔屿而印度，绕澳大利亚洲一周，辛丑（一九〇一）四月经菲律宾复至日本”。（《新大陆游记》）

澳洲雪梨

梁启超到新加坡，是为了会晤避居当地的康有为。澳洲之行，便是他二人会商的结果。当时澳洲雪梨（悉尼）侨商已建立保皇会组织，有会员二百五十人，并且创办了机关报——《东华日报》。雪梨保皇会想请康梁旅行澳洲，以壮声势；康梁也想在澳洲扩大组织，筹集款项。大约其时无新加坡直航澳洲的轮船，梁氏遂经槟榔屿与锡兰岛科仑坡启程赴澳，开始了他所谓“绕澳大利亚洲一周”的旅行。

此次澳洲之行，梁氏本人只留下了一些诗作，并无纪游文字。丁文江《梁任公先生年谱长篇》初稿光绪二十七年辛丑

(一九〇一年)项下,也只引用了《新大陆游记》的一句话,说:“先生这次游澳的详细情形,很少材料可以参考。”

但是,在悉尼密昔尔图书馆保存的一九〇〇、一九〇一年的《东华日报》上,却有不少有关梁氏游澳的纪录。台湾《传记文学》杂志第三十八卷第一、第四两期,刊有刘渭平氏《梁启超的澳洲之行》长文,录载了《东华日报》上的许多文字,极可宝贵。

《东华日报》上的第一篇报道,题为《梁孝廉卓如先生澳洲游记》,署名“随行书记罗昌[1] 载笔”,《传记文学》所载系全文,约三千馀言,兹节录如下:

> 西十月七日(按时为一九〇〇年),先生自槟榔屿首途游澳洲。……廿五日乃抵西澳洲之非厘文度埠(Freemantle)……舟未抵岸,已有西报馆访事登舟问讯。须臾泊定,乡人咸集,握手欢极……
>
> 廿六日,先生乘汽车往巴扶(Perth)埠,遍拜乡人。廿七日晚在长老会会堂演说,集听者数百人,遂议开西澳保皇会……同人咸激爱国之心,知皇上因救民而蒙难,莫不淬厉奋发,思拯国危。书名入会者,踊跃争先……
>
> 十一月一日,在遮炉顿(Geraldton)长老会会堂演说。该处华人不过三十馀,是夕咸集倾听。演说后,邝君(按名亮)首倡开保皇会,在座之人无一不入会者……
>
> 十日,舟抵黑列(Adelaide)……华人叶君寿华等偕西人议院首领、议绅数辈到船奉迎……
>
> 十四日上午十点钟,先生到域多利省之美利畔(墨尔

保皇会

[1] 罗昌为康有为之婿,留美学生。梁氏不善英语,故偕罗昌同行,赖以传译。

> 本)埠,阖埠名望绅商五十馀人迎于车站。……(十五日)在戒酒会馆演说,张卓雄牧师为主席,听者千二三百人。十六日,雪梨埠保皇会总理刘君汝兴、欧阳君万庆来迎先生于美利畔……(十七日)新宁、开平二邑请宴,宴毕遂公举保皇会总理、值理各员……(二十日)先生之宗亲梁忠孝堂合族父老请宴……二十一日,四邑会馆请宴,其晚各值理开捐保皇会会份,一席之间立捐七百馀镑。
>
> 廿三日,先生游孖辣(Ballarat)埠……(廿四日)先生出游矿务学堂……次往织绒局……晚间复在西人礼拜堂演说……欧阳君、刘君次第皆演焉。

此外,一九〇〇年十二月一日的《东华新报》,还报道了梁氏在墨尔本市政厅的演说,主要说明保皇会主张改革中国政治之两大原则,一为"设立议院、仿同英国律例",二为"洞开中国门户,与天下万国通商"。梁氏在演说时,并分发一小册,内列六款:

六项承诺

> 第一款为设立皇家书信馆,广开新闻纸馆;第二款为各人自有独立之权;第三款为免除厘金;第四款为设巡捕署,筑铁车路,开五金各矿,考究农业;第五款为审案规制务要更改;第六款为设立议院,选各国〔!〕有才能者充当官职。

这就是康有为派的政治纲领,即全面推行代议制民主,将中国的门户彻底开放。应该指出,当时孙中山的革命宣传和组织,还没有及于澳洲,故梁氏在这里似乎得到了比在夏威夷为多的收获。

罗昌所记梁氏游踪止于墨尔本。此后，一九〇一年一月下旬的《东华日报》，又陆续刊出了署名“庞冠山载笔”的《梁启超先生坑上游记》（旧时澳洲华侨称南威尔士州中部山谷地带为“坑上”），全文约三千六百字，其中载有梁氏一九〇〇年十一月二十五日到坚连尼士（Glennnes）时向全埠华侨二十人所作演讲，词云：

（初到西方世界的梁启超）

皇上密诏出外求救

今日小弟出游外国，乃承皇上密诏出外求救。……中国自甲午败于日本，赔巨款，割台湾。皇上处忧积虑，知非变法维新，无以自强。……太后复出垂帘听政，幽皇上于瀛台，诛逐忠良。我中国居地球大地，虽英、俄莫与京也。……今因守旧，凡有百姓谋食外洋，莫不被人窘辱。……我同胞每恨官府不善，王家不善，其实历来为王家、官府所压制。皇上变法，首及民权；盖洞悉子民受害，欲子民有权，则官府不敢肆无忌惮也。……望列位同胞体念皇上如此爱民之盛心，务宜各发天良，以答君恩于万一也。

于此可见当时康梁宣传侨众之一斑，盖虽仍言及自强、民权，而奉光绪皇帝为变法之领袖，与孙中山“驱除鞑虏，恢复中华，建立民国”的主张是完全不同的。

文中还有一节，叙及澳洲侨领与西人对梁氏之评价，节录如下：

> ……该院管理西人闻先生驾临，乃出院前迎接，握手为礼，请进客厅坐，问先生春秋几何及新政等事。鲍炽（澳洲华人牧师）为先生介绍，既以先生之年若干答之，继言："光绪皇帝爱民睦邻，仁德著于寰宇；前年改革政治，先生即居维新领袖之列，为皇上所重用者也。嗣因奸臣不喜新政，酿祸滔天，以致先生有此游历外国之举也。"西人再言："光绪皇帝用贤行政，锐志维新；先生之盛名，我西人闻之稔矣，今蒙辱临，三生有幸焉。"

《坑上游记》还纪录了梁启超在南威尔士州（原称鸟修威省）天架（Tinga）、贪麻（Tamworth）各埠的活动，至一月二十四日（礼拜四）结束。之后《东华新报》二月六日又续载游记一段，未著撰人姓名。

梁启超在澳期间，大部分时间均寓于悉尼。一九〇一年三月十三日《东华新报》有《孝廉著书》新闻一则，报道梁氏"在本埠著《中国近十年史记》一书"。四月十七日又报道梁氏于"办理公务，练习英文之暇，近数礼拜，晚在本报馆楼上，取是书逐节而演说之，同志诸人列坐环听"。

澳洲报纸颂扬备至

梁启超二十九岁的生日，也是在悉尼度过的。《东华日报》报道了本埠保皇会同志设宴庆贺的情形。稍后并刊出梁氏小像，英文标题作"The Hon Leong Che Tchau, The 2nd Leader of the Chinese Empire Reform Association"，并附像赞，对梁氏颂扬备至。

梁氏离澳后，《东华日报》五月八日刊出了他的辞行小启，五月十一日又刊登了雪梨保皇会总理吴济川《赠梁任公先生回国七绝四首》和梁氏《和吴济川赠行即用其韵》，均不见于《饮冰室全集》，兹各录其一，以见当时海外维新派知识分子的思想与情趣：

公推人杰志峥嵘，冒险当年出帝京；
价换头颅金十万，民权演说发文明。（赠诗之二）
年来志气尚峥嵘，欲挈民权朝玉京；
君看欧罗今世史，几回铁血买文明。（和诗之二）

梁启超熟看过"欧罗今世史"，也说文明和民权需要"铁血"才能换来，可惜他只是在做诗的时候才这样说。

海云凝望转低迷

《新大陆游记·凡例》云："兹编本游历时随笔所记。"其关于英属加拿大的一部分内容，曾以《海外殖民调查报告书》为题，发表于《新民丛报》。大概原来是打算随写随发表的，"丛稿盈尺"。梁氏"返日本后，以两旬之力重理之"，面目已和原稿颇有不同。

《游记》第一节，首叙四年前蓄志游美不成之经过，提到了"西历一千八百九十九年腊月晦日之夜半，扁舟横渡太平洋"时所作的《二十世纪太平洋歌》。这首长歌《新大陆游记》并未收录，却可以从《饮冰室文集》中读到。诗中讲自己到新大陆去的目的，是"誓将适彼世界共和政体之祖国，问政求学观其光"。讲到新大陆被发现以后，数世纪以来，"世界风潮至此忽大变，天地异色神鬼瞠；四大自由塞宙合，奴性销为日月光；悬岩转石欲止不得止，愈竞愈剧愈接愈厉卒使五洲同一堂。"讲

共和政体之祖国

到当前世界上的形势是:“物竞天择势必至,不优则劣兮不兴则亡。……尔来环球九万里上一砂一草皆有主,旗鼓相匹强加强;惟馀东西老大帝国一块肉,可取不取毋乃殃。”最后寄托自己的希望:“我有同胞兮四万五千万,岂其束手兮待僵?招国魂兮何方,大风泱泱兮大潮滂滂。吾闻海国民族思想高尚以活泼,吾欲我同胞兮御风以翔,吾欲我同胞兮破浪以飏。”

应该说,此时梁启超的情绪是饱满的,思想也是积极的。

但在写了这首长歌后不久,在自澳洲归日本的舟中,他又写了一首题为《举国皆我敌》的诗:

> 举国皆我敌,吾能勿悲?……众安混浊而我独否兮,是我先与众敌。……积千年旧脑之习惯兮,岂旦暮而可易?先知有责,觉后是任;后者终必觉,但其觉匪今。……眇躯独立世界上,挑战四万万群盲。

挑战四万万群盲

一方面“欲我同胞兮御风以翔”,一方面却又把四万万同胞看成是“四万万群盲”,这难道不是一个不可调和的矛盾吗?正因为梁启超的思想上存在着深刻的矛盾,所以他才会一面大声疾呼:“必取数千年横暴混浊之政体,破碎而齑粉之”,一面又反对“内乱”,说“内乱”是“最不祥物”;一面痛骂专制政权的“数千万如虎如狼、如蝗如蝻、如蜮如蛆之官吏”,一面又认为在中国实行改革,“一切事舍官莫属”;一面大力宣传“国之强弱,悉推原于民主”,一面又说“今日民义未讲,则无宁先借君权以转移之”;一面“日与人言西学”,一面又说“今日非西学不兴之为患,而中学将亡之为患”;……

关于这一点,梁氏本人在给严复的一封信中有很坦率的自白:

> 启超于学本未尝有所专心肆力,……当其论此事也,每云必此事先办,然后他事可办;及其论彼事也,又云必彼事先办,然后馀事可办。比而观之,固已矛盾,……抚心自问,亦自笑其欺人矣。然总自持其前者椎轮土阶之言,因不复自束,徒纵其笔端之所至,以求振动已冻之脑官,故习焉于自欺而不觉也。

亦自笑其欺人矣

既承认了"自欺",也承认了"欺人",承认了自己的论点"固已矛盾";但梁启超把它归因于"于学本未尝有所专心肆力"和"不复自束,徒纵其笔端之所至",就未免仍旧在"自欺欺人"了。

梁启超的根本矛盾在于:他重视向西方学习,从西方理论武库里拿来了思想武器;可是他却没有掌握实际政治发展的方向,没有对准中国进步和改造的真正的靶子。他要"挑战"的不是帝国主义、封建主义,而是"四万万群盲";这就难怪他只能向皇上"激发天良",而在心中不可避免地会产生一种"举国皆我敌"的孤臣孽子的感觉。

在专制蒙昧主义面前,梁启超是"一个革命家的代表";在四万万人民群众面前,他却变成了一个害怕革命、害怕"内乱"的读书人。正跟明明对一切事情都很热中,偏偏要自号为"饮冰室"一样,他一生都在以折中的态度掩盖思想的矛盾,又以过正的议论来求得态度的折中——梁启超的矛盾即在于此。

《新大陆游记》(以下简称《游记》)这本书正好反映了梁启超思想上的深刻矛盾。这是一本颇有价值,但是也有缺点的书。所谓有价值,即作者在三个方面宣传了有积极意义的东西:

(一)用所见所闻的事实,宣传了资本主义民主制度对于封建专制制度的巨大优越性,宣传了美国革命独立后短短一百馀年中的突飞猛进,这就等于用事实继续宣传了在中国实行变革的必要性。

民主制度的优越性

美国是一个后来居上的新兴的民主国家。梁启超第一次从东方来到美国,于美国建国一百馀年来所取得的巨大进步深有所感。《游记》第八节叙述:

> 纽约当美国独立时,人口不过二万馀(其时美国中一万人以上之都市仅五处耳)。迨十九世纪之中叶,骤进至七十馀万。至今二十世纪之初,更骤进至三百五十馀万,……今欲语其庞大其壮丽其繁盛,则目眩于视察,耳疲于听闻,口吃于演述,手穷于摹写,吾亦不知从何处说起。

《游记》第九节记美国各大公司,资本总额合"上海、香港通用银九十万万元有奇,……其气象之伟大,真不可思议、不可思议!"第十节记美国工业进步,"一八六〇年英国所产工业品之金额每人平均九十五元,其年美国所产之工业品之金额每人平均不过五十九元",而"一九〇〇年美国每人平均百七十一元有奇,英国则每人平均百二十元耳"。第十五节记大企业家摩尔根,其所控制之铁路"足以绕地球四周而有馀",其资本"当中国政府二十年之岁入"。第二十八节记太平洋海底电线告成,有线通信十二分钟即可环绕地球一周,莎士比亚在三百年前的梦想已经成为现实。第三十四节记横贯美洲大陆的"大北铁路"修成后,"数千里之荒原,不十年间,而千数之大村落、百数之大城市弹指涌现,岁岁产七千万石以上之小麦供给世界市场,其馀物产亦称是。至今全世界农业制度最完美之区,惟此为称首。"

梁启超兴致勃勃地介绍了美国的建设成就,他的结论很明确：

成功自是人权贵

成功自是人权贵，创业终由道力强。

主观上不赞成革命、共和的梁启超，客观上却不能不承认人权民主、共和是“创业成功”的根本保证，而为之大唱赞歌，这件事情本身就是民主、共和的强大生命力的明证。

（二）继续介绍了西方世界的一些主义和理论，以及资本主义经济、政治、社会各方面的情况，对当时闭目塞听的国人在思想上继续起了启蒙的作用。

八十年前的“新大陆”，对于正在经历戊戌政变后黑暗时期的中国人来说，确实是一个新的世界。《游记》介绍的那里的情况，有许多是足以使人们深思猛省的。

政治平等

游华盛顿时，作者见到“全都中公家之建筑，最宏敞者为国会（即喀别德儿），次为兵房，次为邮局，最湫隘者为大统领官邸”。“观此，不得不叹羡平民政治质素之风，其所谓平等者真乃实行，而所谓国民公仆者真丝忽不敢自侈也。”

作者在论述美国政治时，着重介绍了美国的地方自治和地方分权，并引卢梭、波伦哈克的话，说这种不同于中央集权的政体，是实行民主共和的要素之一。接着又介绍了美国的两党政治，结论是“美国卒以此两者之相竞争相节制相调和，遂以成今日之治。”同时《游记》又愤慨地提到“现时中国政府”（指戊戌政变后的清政府）之“摧锄新党”。一贬一褒，用意十分明显。

《游记》以整整一节叙述了“前世纪与今世纪之交”新出现的一大“怪物”——托辣斯，列举了它的十二利和十弊。作者既看到了托辣斯对于劳动者和小生产者的危害，也指出了企业联合、资本集中对于发展生产的巨大作用,是现代经济的不可避免的趋势。

在华盛顿、波士顿、费城等地,作者访问了美国独立战争和建国时期的历史遗迹。他在记述"新世界石"时,歌颂了初到美洲的一〇一位英国人追求自由独立的精神。在游览一七七五年四月北美民兵和英军交战的古战场时,又作诗云:

> 生命固所爱,不以易自由。国殇鬼亦雄,奴颜生逾羞。
> 当其奋起时,磊落宁他求。谓是实天幸,人谋与鬼谋?
> 谓是某英雄,只手回横流?岂识潜势力,乃在丘民丘。

充分强调了民众(丘民)的"潜势力"作用。在这方面,作者和从根本上敌视人民群众的顽固守旧派,毕竟是完全不同的。

西方社会的弊病

(三)从一定的角度揭露了西方社会和美国国家的弊病。

《游记》对美国的许多方面提出了批评,有一部分批评接触到了资本主义制度的弊病,即使到今天看也依然是正确的。

在纽约,梁氏写道:"天下最繁盛者宜莫如纽约,天下最黑暗者殆亦莫如纽约。"他罗列了纽约贫民窟脏乱、死亡率高、犯罪者多、性关系乱等黑暗面,归结到一点:美国的贫富过度悬殊,"譬之有百金于此,四百人分之,一人得七十元;所馀三十元以分诸三百九十九人,每人不能满一角,但七分有奇耳。"

梁氏在研究美国资本主义的同时,还接触了美国的社会主义运动。第十五节称:"余在美洲,社会党员来谒者凡四次,……其来意皆甚殷殷,大率相劝以中国若行改革,必须从社会主义着手云云。"极力鼓吹资本主义的梁启超。当然不可能对社会主义有真正的认识。他以为这些意见"太不达于中国之内情,不能与之深辨"。但是,他并没有把社会主义当成洪水猛兽,而说:“吾所见社会主义党员,其热诚苦心,真有令人起敬者。”“若近来所谓国家社会主义者,其思想日趋于健全,中国可采用者甚多。”

马克思以极专制而求极平等

《游记》继续向中国读者介绍了马克思的学说,第十五节说社会主义者“于麦克士(德国人,社会主义之泰斗)之著书,崇拜之,信奉之,如耶稣教人之崇信新旧约然”。梁氏把社会主义当成一种“迷信”,又说社会主义“以极专制之组织,行极平等之精神,于中国历史之性质,颇有奇异之契合”。他也意识到社会主义是对资本主义的否定,“观于纽约之贫民窟,而深叹社会主义之万不可已也”。这些评论,在一百年后的今天看来,仍不能使人佩服他的认识之深刻。

上述三方面,可算是《游记》的精华。但是,《游记》也确有一些糟粕:

(一)作者在批判民主共和制的弊病时,没有首先肯定民主共和总的说来要比君主专制进步得多这个前提。第二十二节批评美国总统选举不一定能选出优秀人物,说什么:“共和政体,实不如君主立宪者之流弊少而运用灵也。”当然,他讲的君主立宪制,是英国那样的政体,也是资产阶级民主制。但英国式的资产阶级民主,怎么能比美国式的资产阶级民主“流弊少而运用灵”呢?梁启超纵有生花妙笔,也说不出一个道理来。

(二)作者总是牵强附会地攻击革命,吹嘘英国式的“和平过渡”。第七节云:“以名义论,则加拿大者,君主国之一附庸也;中南美诸国者,则独立之共和民主国也。以实际论,则加拿大人所获之自由、所享之幸福,以视中南美诸国如何?”第四十三节又云:“彼法兰西以革命求自由者也,乃一变而为暴民专制,……彼南美诸国皆以革命求自由者也,而六、七十年来未尝有经四年无暴动者,始终为蛮酋专制政体,求如美国之自由者，更无望也。”其实，当时中南美诸国并没有建立起真正的民主共和制，法兰西共和国内的自由也并不比美国为少。而前面所引梁氏咏民兵战地的诗，恰好证明美国的自由也是美国人民奋起为独立而战所得来的果实。在这里，作者又一次犯了他向严复坦白承认过的那种错误。

（三）《游记》以很大篇幅叙述了在美国的华人，如“哈佛之

（原书插图：留美中国女学生，中为康有为之女同璧）

中国留学生”等，弥足珍贵。但在批评自己同胞的缺点时，却颠倒是非因果，不把责任归之于专制统治、帝国主义，而一味遣责群众“愚昧落后”。第四十节列举所谓“中国人性质不及西人者多端”，如“西人行路，身无不直者，头无不昂者；吾中国则一命而伛，再命而偻，三命而俯，相对之下，真自惭形秽”之类。在作者的心中，也许正因为爱之深，所以才恨之切；但叙述的态度显得那样超然、冷静，就难免使人反感。其实，这也不过是《新民说》中发表的理论的“具体化”罢了。

自惭形秽

本节前引梁氏一八九九年底所作《二十世纪太平洋歌》，“誓将适彼世界共和政体之祖国，问政求学观其光”，还能大胆承认“世界共和政体”对自己的吸引力。可是一九〇三年真正作新大陆之游记，他的调子却不同了：

海云凝望转低迷

> 庄严地岳来何暮，刍狗年华住且佳。
> 一事未成已中岁，海云凝望转低迷。

无论一个人多么聪明，如果慢慢丧失了“新兴气锐”的豪情，开始拥护起“开明专制”来，他就不能不由进步退而落伍，即使到了“庄严地岳”新大陆的门口，仍不免“海云凝望转低迷”，开始看不清方向了。梁启超正是如此，他“自美洲归来后，言论大变，前所深信之破坏主义与革命的排满主义，至是完全放弃”（丁文江《梁任公先生年谱长编》初稿）。到一九〇五年发表《开明专制论》以后，梁启超就完全站到反对民主共和的立场上去了。

25 钱单士厘《癸卯旅行记》《归潜记》

□ 钱单士厘是清末外交官钱恂的夫人，她从一八九九年起常往日本探亲，一九〇三年又自日本赴俄，有《癸卯旅行记》。后“两旅罗马”，复辑录有关意大利的记述为《归潜记》。前者据稿本，后者据家刻毛本整理印行。

癸卯旅行記卷上

回憶歲在己亥（光緒二十五年）外子駐日本。予率兩子繼往。是爲予
出疆之始。嗣是庚子辛丑壬寅間無歲不行或一航或再航
往復既頻。寄居又久。視東國如鄉井矣。癸卯外子將由西伯利
之長鐵道而爲歐俄之游。予喜相偕。十餘年來予日有所記
未嘗間斷顧瑣細無足存者惟此一段旅行日記歷日八十
行路逾二萬經國凡四頗可以廣聞見。錄付並木名曰癸卯
旅行記我同胞婦女或亦覽此而起遠征之羨乎跂予望之
浙江錢單士釐誌於俄都森堡
光緒二十九年二月十七日（陽三月十五）黎明發自日本東京寓廬

中国妇女的启蒙和觉醒是特别艰难的,她们走出国门和走向世界就更加艰难了。在一九〇〇年以前到西方的中国人中,女人本来就少,知识妇女尤其少,能够用笔墨留下记载的则更是绝无仅有了。

绝无仅有的女人

《癸卯旅行记》和《归潜记》的作者钱单士厘,便是这位绝无仅有的女人。

钱单士厘的娘家姓单,夫家姓钱。其始出国在一八九九年(光绪二十五年)。《癸卯旅行记》为其一九〇三年从日本经朝鲜、中国东北、西伯利亚至森堡(圣彼得堡)八十天旅行的日记。《归潜记》则成书于一九一〇年,内容主要为记述意大利和古希腊罗马艺文,以及关于中西文化交流史事之研究。

《癸卯旅行记》有一九〇四年日本"同文印刷舍"排印本(另有稿本存北京图书馆),《归潜记》则只有一种未完成的家刻毛本存世。两书不仅是对外文化交流和妇女活动史的珍贵资料,在近代图书文献中也是属于罕见的。

第一位写国外游记的女子

中国知识妇女之前往泰西不知始于谁，一八九六年梁启超记江西康女士云：

> 女士名爱德，江西九江人，幼而丧父母，伶仃无以自养。昊格矩者，美国学士有宦籍者之女公子也，游历东方，过九江见之，爱其慧，怜其穷，挈而西行，时女士才九龄耳。既至美，入小学、中学，……最后乃入墨尔斯根省之大学。以发念救众生疾苦因缘故，于是专门医学。……女士之适美也，实母昊格矩。至是既卒学，复从其母归于中国，盖年仅二十有五云。

康爱德

康女士之适美，当在一八七〇至一八八〇年之间，迟于容闳；而其得以至美，入小学、中学，最后大学卒业，情形与容闳颇相仿佛，惜其无另一《西学东渐记》传世。数及一九一一年以前身历远西而有亲笔记载的女子，便只能推单士厘了。（最近获知，还有一位金雅妹早期留美，但亦无记载行世。）

单士厘为浙江萧山人，出身于一个文化教养程度很高的家庭。其外祖父先人官至礼部尚书，舅父许壬伯的著作多达十馀种，父亲单思溥，字棣华，也有文名。她在《和张甥菊圃戊寅除夕诗原韵》诗中自称“家世馀黄卷”，注云：“余家世代清贫，而书籍不少。”这些书籍就成了她儿时的宝物。

单士厘

单士厘幼年失母，随舅氏读书，受到了如同“母慈师严”般的照料，得以在闺中涉猎子史、玩习文词。后来她有“不能见母幸见舅”的诗句，表示对给自己提供了“读书灯下音四壁”的环境的舅父的感激。

大概是由于舅家钟爱、择配很严的关系，单士厘到二十九岁才结婚，这在当时的大家闺秀中是极为少见的。晚婚使她有了更多的读书和写作的机会，更幸运的是婚后的情况也仍然如此。

钱恂

单士厘的丈夫钱恂（一八五三至一九二七年）为钱玄同的长兄（比玄同年长三十四岁）。恂字念劬，自号积跬步主人，"好治小学暨韵学"，是一位思想开通、于旧学新知都有了解的人物。钱恂青年时即随薛福成等人出使欧洲，后来又到过日本，于一九〇七至一九〇八年先后任清政府出使荷兰和意大利的大臣（公使）。他身为清朝的外交官，思想上却接受了自由民主的观念，于清末秘密加入光复会，辛亥革命后当了民国政府的顾问。就是到了晚年，钱恂的思想也还颇倾向进步，对保守顽固势力持批评态度。《鲁迅日记》一九一三年九月二十八日记："星期休息，又云是孔子生日也。昨汪总长令部员往国子监，且须跪拜，众已哗然。晨七时往视之，则至者仅三四十人，或跪或立，或旁立而笑，钱念劬又从旁大声而骂，顷刻间便草率了事，真一笑话。"

婚后两人感情很好，单士厘曾在诗中怀念新婚远别的丈夫："栏外几枝红芍药，怜他何事号将离。"丙申（一八九六）除夕又有寄外诗："矍铄高堂健，嬉游稚子欢；遥怜游宦客，谁与话团圞。"钱恂对妻子耽娴卷帙、浸淫文史的习惯和趣味，亦能理解和同情。单士厘后来在《马哥博罗事》一文中，回忆钱恂"二十年前初次从西欧归来，为予道元世祖时维尼斯人马哥博罗仕中国事"，因而使她"艳羡马哥之为人"，对远西山川文物不胜向往，终于在十九年后"亲履维尼斯之乡，访马哥之故居，瞻马哥之石像，既记游事，并记马哥父子叔侄来华之踪迹及行事大略”。从这件事情,即可见单士厘之所以能成为清季唯一有国外旅行记传世的妇女,也并不是偶然的。

像单士厘这样有才学、有见识的女子,在中国历史上虽不数数见,毕竟还是有的。但因为她们不幸身为女子,每每只能在狭小的闺房里度过一生,最多能留下几首“寻寻觅觅,冷冷清清,凄凄惨惨戚戚”的诗词。即使如此,封建礼法的维护者们,还要不时对她们横加指摘,什么“以妇人而自炫才学,其薄命也宜矣”……

(钱单士厘,1856—1943)

但是,到十九世纪末二十世纪初,坚冰毕竟开始融化。单士厘虽然出身闺秀,又成了“朝廷命妇”,却也能听到像“维尼斯人马哥博罗仕中国”之类的事情,在闺房里多少能够呼吸到外边广阔天地的气息了。这既是单士厘个人的幸运,更重要的恐怕还是时代的推移所使然。

首创留学日本之议

后来钱恂到了日本,见到日本向西方学习的成效,“知道德教育、精神教育、科学教育均无如日本之切实可法者”,于光绪丁酉(一八九七)首创留学日本之议,而以己弟幼楞为先导;并陆续将两个儿子、一个儿媳、一个女婿都带到日本留学,使自己的家庭成为中国第一个有女学生到日本留学的家庭。《癸卯旅行记·作者自叙》称:

> 回忆岁在已亥(光绪二十五年),外子驻日本,予率两子继往,是为予出疆之始。嗣是庚子、辛丑、壬寅间,无岁不行,或一航,或再航。往复既频,寄居又久,视东国如乡井。今癸卯,外子将蹈西伯利之长铁道而为欧俄之游,予喜相偕。十馀年来,予日有所记,未尝间断,顾琐细无足存者。惟此一段旅行日记,历日八十,行路逾二万,履国凡四,颇可以广见闻。录付并木(钟按:系日本出版社的名称),名曰《癸卯旅行记》。我同胞妇女,或亦览此而起远征之羡乎,跂予望之。

视东国如乡井

钱恂的题记则云:

> 右日记三卷,为予妻单士厘所撰。以三万数千言,记二万数千里之行程,得中国妇女所未曾有。方今女学渐萌,女智渐开,必有乐于读此者。故稍为损益句读,以公于世。

中国妇女所未曾有

这些文字,不仅道出了单士厘出国和写作的原委,也能告诉我们钱单夫妇志趣融合、相得益彰的仪型风范。

在国外,单士厘广泛接触了所在国的社会和文化,并和外国知识妇女交上了朋友,如东京学校女干事时任竹子、女教师河原操子、爱住女学校校长小具贞子等。她的日语学得很好,能会话,能笔译;对欧洲现代语文和拉丁、希腊古文,也多能通解。在《彼得寺》文中,她自称:“予两旅罗马,瞻游此寺无虑二、三十次。”此时的单士厘,已是孙儿绕膝,渐入老年,却依然对寺中“歌路刹埤”(Chorea chapelle,唱诗小教堂)的音乐极感兴趣,“恒率孙辈伫门外听之,不觉神往;孙辈侍听,亦自有一种静肃气”。这不禁使人联想起曾皙所向往的情景:“莫春者,春服既成,冠者五六人,童子六七人,浴乎沂,风乎舞雩,咏而归。”此种阔大自由、平等和谐的气象,在几千年封建礼法“尊卑长幼”观念笼罩下的家庭中,确实十分罕见。如果不是到了罗马城中,钦差大臣的二品夫人,恐怕也不便率孙辈久立寺门之外,听得如此“神往”的吧。

提倡文明开化的启蒙女性

单士厘到日本,比秋瑾早了五年,比何香凝、陈璧君等一班人也要早。这是中国妇女接受启蒙开始觉醒的时代,是何香凝深思冥想、秋瑾慷慨悲歌的时代。单士厘并没有被卷入革命的漩涡,却在走向世界的道路上,把整个身心投入了时代的潮流。这一点,从《癸卯旅行记》一开头就看得很清楚。她离开东京后,先赴大阪参观日本“第五回内国博览会”,于述及教育馆时发表了下面的议论:

> 日本之所以立于今日世界,由免亡而跻于列强者,惟有教育故。即所以能设此第五回之博览会,亦以有教育故。馆中陈列文部及各公立私立学校之种种教育用品与各种新学术需用器械,于医学一门尤夥。更列种种比较品,俾览者得考见其卅年来进步程度。……
>
> ……要之,教育之意,乃是为本国培育国民,……故男女并重,女尤倍重于男。中国近亦论教育矣,但多从人材一边着想,而尚未注意国民,故谈女子教育者尤少。即男子教育,亦不过令多材多艺,大之备政府指使,小之为

女子教育尤重要

> 自谋生计，可叹。况无国民安得有人材，无国民且不成一社会。中国前途，晨鸡未唱。观彼教育馆，不胜感慨。

从大阪到京都，单士厘见到日本游览处所陈设朴素，不似欧美“动以千万金相夸，陈列品无非珠钻珍奇”，又“益知日本崇拜欧美，专务实用，不尚焜耀。入东京之市，所售西派物品，亦图籍为多，工艺为多，不如上海所谓‘洋行’者之尽时计（钟表）、指轮（戒指）以及玩品也”。她虽然自谦道：“予知家事经济而已。”但观察入微，议论中肯，固于维新时务具有真知灼见，远非以时计指轮为时尚的夫人小姐可比矣。

类似这样赞美维新、批评守旧的言论，书中所在多有。如批评俄国不用“格勒阳历”（即通行的公历），实际上是批评了中国反对“改正朔”的守旧论调：

赞成阳历

> 世界文明国，无不用格勒阳历；一岁之日有定数，一月之日有定数，岁整而月齐，于政治上得充分便利。关会计出入无论矣，凡学校、兵役、罪惩，均得齐一。故日本毅然改历，非好异也，欲得政治齐一，不得已也。予知家事经济而已，自履日本，于家中会计用阳历，便得无穷便利。闻外子述南皮张香涛之言曰：“世人误以‘改正朔’三字为易代之代名词，故相率讳言，不知此三代以前之事耳。汉兴，承用秦历，代易矣，而正朔未改也；太初更历，正朔改矣，而代未易也。……何讳之有。”诚确论也。

单士厘“用格勒阳历”的主张，在四十八年后中华人民共和国成立后，终于得到了实现。

但单士厘又不是一个数典忘祖的人。她深受中国传统文化的熏陶,深知中国的精神文明确有不可抹煞的优越性。比如在谈到"女学"即女子教育时,她认为中国女子看重性道德,这是为西方妇女所不及的;中国的缺点在于完全没有认识到女学的重要,以为"妇德"就是"一物不见、一事不知之谓"。她说:

日本妇人能守妇德

> 论妇德,究以中国为胜,所恨无学耳。东国(日本)妇人能守妇德,又益以学,是可以贵。……西方妇女,固不乏德操,但逾闲者究多。在酬酢场中,谈论、风采、琴画、歌舞,亦何尝不表出优美?然表面优美,而内部反是,何足取乎。……
>
> 而女德云者,初非一物不见、一事不知之谓。……中国女学虽已灭绝,而女德尚流传于人人性质中。苟善于教育,开诱其智,以完全其德,当为地球无二之女教国;由女教以衍及子孙,即为地球无二之强国可也。

现在有的女人,并不懂什么"西学",只知追求"荡检逾闲"的生活方式,连表面上"谈论风采"的优美也表现不出来,内在的道德情操当然更谈不上优美,却自以为是效法西方妇女的时尚。对于她们来说,听听八十年前这位思想解放的老祖母的话,也许不无裨益。

思想认识如此,在家庭和社会实际生活中,单士厘也能够突破旧风习的藩篱。参观大阪博览会时,她携子妇同行,大雨竟日,却步行参观不辍,至晚始归寓所。是日记云:

> 中国妇女,本罕出门,更无论冒大雨步行于稠人广众之场。予因告子妇曰:"今日之行,专为开拓知识起见;虽踯躅雨中,不为越礼,况尔侍舅姑而行乎?"

从日本准备赴俄期间,单士厘曾绕道回硖石乡间省视数日。这几天的日记,可见其处处以移风易俗为己任,亦可见国外生活对她的影响,如:

破除旧习

> 六日　晚乘月率朝日婢步行至东南湖母舅家,距予家不足三里。中国妇女,向以步行为艰。予幸不病此,当在东京,步行是常事。辛丑寓居镰仓,游建长寺则攀树陟巅,赏金泽牡丹则绕行湖壖,恒二三十里。……此硖石为幼年生长地,今已老(时单士厘四十七岁),乡党间尚不以予为非,故特以步行风同里妇女。
>
> 八日　伯宽之友顾、金二君,欲见予谈日本女学事。论乡曲旧见,妇女非至戚不相见。予固老矣,且恒与外国客相见;今本国青年,以予之略有所知,欲就谈女学,岂可不竭诚相告,乃偕伯宽接见……
>
> 十三日　李君兰舟家招饮,其太夫人率两女、一外孙女接待。席间谈卫生事,因谆戒缠足,群以为然。

这些记载,生动地刻画了一个蔑视封建礼法、提倡文明开化的启蒙时期的长辈知识妇女可敬可亲的形象。

对专制和侵略的不满

对于落后的封建中国来说,当时西方资本主义国家的技术、社会和文化是进步的。日本人向西方学习有成效,中国人也想向日本人学。但是,包括新兴日本在内的列强要剥削落后民族,要侵占和掠夺殖民地,要扩张势力范围,它们的帝国主义政策和沙文主义思想，又是完全反动的。单士厘的可贵之处在于：她不仅看到了列强技术、社会和文化的进步，也看到了它们国外政策以及与之相适应的国内政策的反动性，并且以满腔爱国热情，对这种反动进行了口诛笔伐。

从长崎到海参崴的航程中，轮船曾在朝鲜釜山停泊避风。单士厘等上岸游观，见“密树一山，为日民万馀群居地。有驻兵约一大队，有临时宪兵队，有领事，有警察……一望而知为日本之殖民地，且已实行其殖民之政矣。”而当时沦为殖民地的朝鲜人民的处境又如何呢？《癸卯旅行记》云：

日本治下之朝鲜人

> 朝鲜土人，除运木石重物及极劳极拙之事外，无他业。见土人运木者，横负长五六尺之大木于背，喘步市街，几不知市街尚有他人他物者。……船上佣彼苦力数十辈事搬运，事毕，以舟渡之归。舟小人多，不能容，日本人捽其发捺入舟底……

在海参崴登岸后，入境旅客必须接受世界上最严厉的检查，而“遇东方人尤严，盖无方寸之包不开视，甚至棉卧具亦拆视，一盆栽之花亦掀土验之”。铁道进入中国东北境时，“由俄入华，其关权应在华而不在俄；然今日关权，乃在俄不在华”，中国人在本国领土上仍须接受俄人检查。由满洲里车站经越国界进入俄境时，检查之严又“无异海参崴”。因为钱恂是外交官，单士厘等人得以免受检查。但目睹这些情形，她仍然十分气愤，写道：

> 中国妇女，笼闭一室，本不知有国。予从日本来，习闻彼妇女每以国民自任，且以为国本巩固，尤关妇女。予

发爱国心

亦不禁勃然发爱国心,故于经越国界,不胜慨乎言之。

癸卯年正是日俄战争爆发的前一年,当时中国东北全境都是俄国的势力范围。单士厘记俄国侵占和经营哈尔滨的情形云:

> 旧哈尔滨,土名香坊,旧为田姓者"烧锅"所在。五年前,俄铁路公司欲占为中心起点,乃逐锅主而有其地。……续见(秦家冈)冈地爽垲,濒江而不患水,尤占形势,于是于冈建都会(即新哈尔滨)。今划入界内者一百三十二方华里,已建石屋三百所,尚兴筑不已,盖将以为东方之彼得堡也。……俄人在哈尔滨"购地",固以己意划界,不顾土宜;以己意给价,不问产主……

至于俄人在东北的侵略罪行,单士厘写道:"自以海兰泡之杀我男妇老幼三千馀人于一日,为最著称。……辛、壬以来,被杀一二命,见公牍于三交涉局者以百数,不见公牍者不知数;至于毁居室、掠牲畜、夺种植,更小事矣……"就在单士厘等到哈尔滨的前一日,又"有俄兵刃杀一解饷华官之仆于途,并伤二同行人"。而俄人肆虐,又往往有卖国的官吏、土豪为虎作伥。在哈尔滨,就有一个"满洲世职"恩祥:

满洲官吏献媚俄人

> 恩祥恃其世官之焰,本鱼肉一方;自俄人来此,更加一层气焰。每霸占附近民地,以售于俄人,冀获微价。……俄人利用之,故土人畏之,官宦又媚之。

最使单士厘对清政府卖国行为印象深刻的,是宁古塔副都统讷荫“率阖属官员铺商等”建献给“大俄国东海滨省巡抚迟公”的一座“功德碑”。这个迟怯苛夫，于庚子年间率兵侵占中国领土塔城(宁古塔)，干尽了坏事。作为塔城地方长官的讷荫，不仅不抵抗侵略，反而以建碑的方式向敌人献媚乞怜。碑文无耻地恭维俄国军队镇压中国人民的“功绩”道：

为俄军官建功德碑

> ……公乃统节制之师，琱戈电举；拥貔貅之众，铁骑风驰。竟以八月初旬据塔。……其始则军容甚盛，阚若雷霆；其终则恺泽旁流，沛如雨露。……欣此日干戈已戢，俾环海群登衽席之安；冀将来和睦恒修，幸吾辈共享升平之福也。

读了这座“丰碑”上的“新镌汉文”以后，单士厘愤极而出以冷嘲，曰：“讷荫满洲世仆，其忠顺服从，根于种性。见俄感俄，正其天德，但文字非其所长也。”

数日后，车过牡丹江，迤南即宁古塔城。《癸卯旅行记》追述了顺治十一年俄兵犯宁古塔，为中国都统沙尔呼达所败，浙人吴兆骞侍亲荷戈，记宁古塔事颇为详尽这一段历史，无限感慨道：“今亦时异势殊矣，南望增叹。不知撰碑之讷荫，尚在塔城否也？”

在横过西伯利亚大陆时，单士厘清楚地感到，俄国在中亚和远东经营的铁路，正如巨蟹双螯，想攫取的是我北中国。她在海参崴遇见任中国驻海埠商务委员李兰舟，其人曾在未有铁路之时，“万里长途，三马敝车，冰雪奔驰”，旅行西伯利亚，“较缪君祐孙之仅至伊尔库次克者过之，盖中国一人而已”。李氏告诉钱恂，他曾于乙未岁(一八九五年)条陈总署，“言俄人志在接路中国地上”，请政府注意利害，及早对策，结果却是

“可以无庸置论，一语扫空”。关于讷荫建献俄人的石碑，李氏也曾录告北京政府，“引为国民之大辱”，政府也不予置答。

钱恂的另一位旧友李佑轩，此时任哈尔滨俄国铁路公司的高级职员。某日休假，李乘马车入市至饭店进餐，并令车夫就食，“可谓毫无过失”。而擅作威福的俄国警察，“怒车之驻于肆门也，捽车夫殴之”；“李君闻声趋出，向警役用俄语申说”，该警察竟连李也打了一顿。“以铁路公司之高等华员，且善俄语，竟以一车夫就食之故，大受警辱”。

俄警施暴

为了处理中俄交涉纠纷，“奉、吉、黑三省各设一交涉局于哈，例以候补道府司之”。这些中国官“惟恐失俄欢，仰达尼尔（俄国总监）鼻息惟恐不谨”。钱恂曾因事到交涉局，见门外用木笼囚禁着好几个荷校（即戴枷）的中国犯人，有一俄国车夫正在“用华语毒詈此荷校人，作极村辱语。一中国所谓二爷者出，笑靥向车夫，怒目视荷囚”。钱恂把这件事情告诉了单士厘，单士厘说：“（此‘二爷’）真不愧为（交涉）局中人矣！”冷冷一句话，充分表现了她的失望和鄙视。

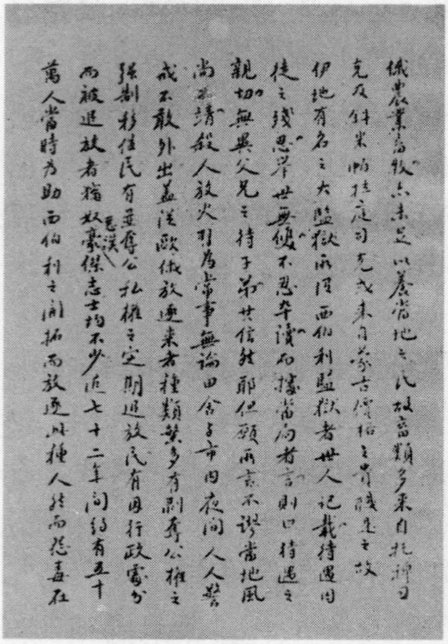
俄中農業尚狱亦未足以養當地之民故需糧多來自北滿日
竟及什米納桂庭司克戎來日蒙古僅給之費賤生之故
伊地有名之大監獄即西伯利監獄者世人記載待遇囚
徒之殘忍舉世無雙不忍卒讀而據當局者言則曰待遇之
親切無異父兄之待子弟其信然耶但願再言不諳當地風
尚請殺人放火引爲常事無論田舍與市日夜間人人警
戒不敢外出蓋注歐俄放逐來者種類甚多有剝奪公權之
強制移住民有並奪公私權之定期退放民有因行政處分
而被退放者猶太豪傑志士均不少近七十二年間約有五十
萬人當時爲助西伯利之開拓而放逐此種人於西伯利而恐毒在

（手稿记“西伯利监狱”诸事）

入俄以后，单士厘历述：“俄商之不得自由贸易”，“俄学生之不得自由读书”，西伯利监狱“待遇囚徒之残忍举世无双”，西伯利亚的流放犯人多达五十万；俄国的新闻事业不发达，原因是“政府对报馆禁令苛

俄国统治

细"，"执笔者既左顾右忌，无从着笔，阅者又以所载尽无精彩而生厌"；俄国的宗教气氛极浓，原因是专制政府"务欲使人迷信宗教，则一切社会不发达与蒙政治上之压迫损害，悉悉诿于天神之不佑，而不复生行政诉愿、行政改良之思想"。尤其使她感到可笑的是，明明情况不妙，偏要粉饰太平：

专制政府粉饰太平

> 譬如水旱偏灾，发帑移粟，乃行政者分内事。而在俄国则必曰："此朝廷加惠穷黎"，"此朝廷拯念民生"。一若百姓必应受种种损害，稍或不然，便是国政仁厚。此俄之所以异于文明国也。

从接受启蒙、追求进步开始，就必然对制造愚昧和不公正的专制政治产生不满，对侵略扩张的帝国主义政策产生不满。单士厘虽然少谈政治，却能毅然"以国民自任"，在日记中留下了很多颇有政治意义的记载，值得后人仔细玩味。

犹太基督，希腊罗马

单士厘深受文化熏陶，极具审美能力。她个人的兴趣，始终是在艺文学术方面。《癸卯旅行记》中有一节关于托尔斯泰的介绍，在中国恐怕要算是最早的：

托尔斯泰

> 托为俄国大名小说家，名震欧美。一度病气，欧美电询起居者，日以百数，其见重世界可知。所著小说，多曲肖各种社会情状，最足开启民智，故俄政府禁之甚严。以行于俄境者，乃寻常笔墨；而精撰则行于外国，禁入俄境。俄廷待托极酷，剥其公权，摈于教外（摈教为人生莫大辱

事，而托澹然）；徒以各国钦重，且但有笔墨，而无实事，故虽恨之入骨，不敢杀也。曾受芬兰人之苦诉，欲逃无资。托悯之，穷日夜力，撰一小说，售其版权，得十万卢布，尽畀芬兰人之欲逃者，藉资入美洲，其豪如此。

《归潜记》十二篇，《彼得寺》和《新释宫》二篇详细介绍了罗马圣彼得大教堂的建筑和罗马有关古典，旁及罗马之神话故事，极富文化史的价值。如叙寺藏“耶稣受拭之巾”云：

耶稣受拭之巾

当耶稣自肩十字架登山受钉，中道喘息。妇人威隆尼加怜之，出巾拭其汗。一拭，而耶稣神貌即留巾上不去。……此巾为约翰七访得，于七〇七年藏彼得寺，后移圣灵寺。罗马贵族六人，各持一钥，非六人齐集，巾不得出。……一四四〇年复移彼得寺。有西文著名游记言：“此巾吾亲见之，确无可疑为耶稣受拭之巾，必毗山丁美术，其麻织绘工，确是七、八世纪之物。”两用“确”字，可知其所以“确”矣！此巾每年于圣木曜节、好金曜节、东日节出示信徒，倏悬墙柱数秒钟，人苟得一见，云可免七千年之罪，真子孙百世之业矣。

《景教流行中国碑跋》、《景教流行中国表》、《摩西教流行中国记》、《马可博罗事》等篇，为中西交通史和宗教史研究论文。如述景教流行中国碑文中“弥施诃”一词云：

弥施诃

弥施诃者，希伯来字为 Meshiha，叙里亚字为 Mesiha，希腊译为 Christos，腊丁译为 Christus。《新约》约翰一章四十一、四章二十五、皆言弥赛亚即基督，配译最相吻合。

厥义为受圣膏者，谓受抹膏礼于耶和华者，基督一人而已；基督之神，必先亲受抹膏礼于耶和华，而后成圣也。碑文“景尊弥施诃”，即今通称之耶稣基督。钱氏《廿二史考异》引《至元辨伪录》：“迭屑人奉弥失诃，言得生天。”即此。洪氏钧言：详《西游记》“迭失头目”注。今洪著《西游记注》不传，无从参证。

《罗马之犹太区——格笃》、《义国佩章记》、《奥兰琦——拿埽族章》、《宝星记》等篇，记述西国礼俗典章，而尤以《罗马之犹太区——格笃》为有深意。其述罗马迫害、歧视犹太人之情形云：

> 古罗马习惯，……迫令犹太人喀尼乏尔节日竞走于群民嘲讪之中……驱驴于前，犹太人逐驴后，仅许围一缕布于腰下，四肢尽裸。犹太人后为水牛，牛后为野马，凡不以人类视犹太人也。
>
> ……今虽不用此例，而犹太人尚于节之第一土曜，往嘎毕都行敬礼于马鞍。盖纪念往事，而谢马之娱罗马民以代己也。

不以人类视犹太人

单士厘明白表示：她写这篇的目的，是为了“以示亡国遗黎受辖于白人治权下之情况”。在正文之后，又特别加了一行话：“此格笃记，阅者宜细心味之。数百年后，吾人当共知之。”这无非是暗示同胞，如果中国还不力疾自强，保国保种，犹太人的惨况就会落到中国人的头上。在谈艺文、述史事的时候，她依然没有忘记国家和人民，始终保持了一个启蒙者的良心和激情。

章華庭四室　　歸潛記丙編之一

十五世紀時，景宗伊諾琛八建章華宮於乏氏剛景宮之鄰（章華譯義聚古）彫藏之後，藏品累加，乃擴充建築，以接於景宮，而通路焉。章華庭者，章華宮之庭，亦因其形而稱八角庭。遊人從豐達孟答街入門，先登觀對書庫之梯，經希臘十字室，進圓室，右折過摩發室（又名九女室），出羽曦室（均別詳）即章華庭也。庭周爲廊，廊隅凡爲小室四，一室藏一彫，即以彫名名室，曰勞貢室，曰阿博隆室，曰眉溝室，曰俾爾塞室。室中珍藏主彫之外，亦附藏小品，名稱不重，未暇及之。

勞貢 LAOCOON 集像者，名彫巨擘也。像爲二蛇繞噬一老者二少者。老者右舉蛇胴，左提蛇頸，筋骨高下，一望而知爲甚有力者。然長蛇繞足噬腰，縱彊遄賁，亦莫能脫。

（《归潜记》叙“劳贡）

章华庭四室之雕像

《归潜记》最有价值的是《章华庭四室》和《育斯》两篇，为中国介绍希腊——罗马神话之嚆矢。

《章华庭四室》从介绍乏氏刚（梵蒂冈）收藏的古希腊石雕开始。四室一室一雕，为劳贡（Laocoon，拉奥孔）、阿博隆（Apollon，阿波罗）、眉沟（Mercure，墨耳库里）和俾尔塞（Persee，柏修斯）等神与英雄的雕像。以四位神人的故事为经，穿插叙述了金苹果、特洛伊之战、木马计、大蛇丕东、达夫奈化月桂、奥林匹亚山、百眼怪、九位缪斯、奥德赛、潘、美神、黄金雨、美杜萨等有名的神话。其叙美杜萨（梅窦思）云：

> 梅窦思者，福尔希（海中神之一）第六女也，与其两妹共有三皋尔拱（Gorgos）之称。……或谓三人但有一目一齿，公而用之，齿利胜野豕之牙。或谓口鼻无缺，且艳丽，但有毒，见者辄迷。雕画像多从后说……海神讷都诺者，好色不亚其兄，知梅窦思之美也，变为鸟，攫之飞，止于女战神密讷尔佛之庙。梅窦思即与庙神较美。神恶之，悉改梅发为蛇，俾损色；又变梅目力，俾见者成石，不为所迷云……

《育斯》专论 Jupiter（今译朱必特）及诸神世系，兼及神话之起源，希腊神话流传罗马后之转变，古代之神庙、神职与仪式,神话与宗教,育斯崇拜为多神至一神所自始,……实可谓为近代中国第一篇自成系统的神话学论文,在近代神话学史上有开山的价值。

清词丽句,写景关情

《癸卯旅行记》和《归潜记》的文学性也是很不错的。现在我们从中各举一例,以见这位前辈女作家的文笔,亦可进一步觇其学识。如《癸卯旅行记》卷下四月十九日一则:

> 黎明,知将过色楞格河桥,特起视之。四山环抱、残月镜波。予幼时喜读二百数十年前塞北战争诸记载,其夸耀武功,虽未足尽信,然犹想见色楞格河上铁骑胡笳之声,与水澌冰触之声相应答。今则易为汽笛轮轴之声,自不免兴今昔之感。然人烟较昔为聚,地力较昔为任,则又睹今而叹昔。凡政教不及之地,每为国力膨胀者施其势力,亦优胜劣败之定理然也。
>
> 天明,渐渐从山缺树隙望见水光,知为世界著名之第一大淡水湖,所谓贝加尔湖者矣。自过上乌的斯克,浓树连山,风景秀丽,殆迈蜀道。而此夷彼险,但有怡悦,无有恐怖。因想苏武牧羊之日(武牧羊于北海,海即贝加尔湖),虽卓节啮雪,困于苦寒,而亦夫妇父子,以永岁月,亦未始非一种幽景静趣,有以养其天和也。……
>
> 环湖尽山,峭立四周,无一隅之缺。苍树白雪,错映眼帘。时已初夏,而全湖皆冰,尚厚二三尺(湖面拔海凡千五百六十英尺),排冰行舟,仿佛在极大白色平原上,不知其为水也。……

贝加尔湖

又如《归潜记·彼得寺》叙寺前方尖碑竖立时的情形：

竖方尖碑

> 一五八六年，(教皇)息司朵五命丰丹那移此柱于寺前。植立此柱时，需人八百，马百五十，卷绳器四十六具。丰丹那云，重量九十六万三千五百三十七罗马磅云。未移柱之前，息司朵五入彼得寺，礼大弥撒，盛祝丰氏及众工人福，并命："柱升时，不得有人语，语者死。"迨柱缓缓而升，升至中途，忽然不动。众正屏息间，忽闻大声曰："润其绳！"工人先未受此指示，闻言，又不敢问，惟亟润绳，绳润上引，柱动而植。当时实一工人，见引绳几断，亟而狂呼耳，按命令应处死。无如柱赖以立，督工者大发慈悲，不忍加刑，乃谓此声发自上帝耶和华，众工亦默喻无言。……

除了这两部作品以外，单士厘还有许多首在国外生活时期写下的诗，其中也不乏佳什，可与二书参读。这些诗保存在她自订《受兹室诗稿》中，诗稿并未刊行，计一百八十三题，二百九十九首，海外部分约占四分之一。如在日本所作《日光山红叶》云：

> 欲画秋容着色山，无将奇丽难荆关。
> 霞烘霜染轻千卉，岩际松间见一斑。
> 有客停车怜畹晚，阿谁题句寄潺湲。
> 旧游回首增惆怅，相落吴江鹤梦闲。

清词丽句，写景关情。《汽车中闻儿童唱歌》：云天籁纯然出自由，清音嘹呖发童讴。
中华孩稚生何厄，埋首芸窗学楚囚。

从日本的新式儿童教育，联想到“中华孩稚”的命运，正好和《癸卯旅行记》卷上三月十六日一则参看：

……国所由立在人，人所由立在教育。有教必有育，育亦即出于教，所谓德育、智育、体育者尽之矣。教之道，贵基之于十岁内外之数年中所谓小学校者……

在单士厘的诗中，和她的文中一样，启蒙思想是和国民意识的觉醒交织在一起的。例如《游俄都博物馆》诗：

只今新世代，主义益繁广。欧美竞文明，宜思所以抗。
露虽非立宪，民志藉开旸。远游饶眼福，学界无尽藏。

《乙巳秋留别陆子兴夫人》，是赠给嫁给中国驻荷兰公使陆征祥的一位欧籍妇女的，诗云：

俊眼识英才，于归我国来；神明仰华胄，未许谤衰颓。

《庚子秋津田志者约夫子偕予同游金泽及横须贺》诗中，更对中国妇女寄予希望：

寄语深闺侣，疗俗急需药；勖学当斯纪，良时再来莫。（原注：英人论十九世纪为妇女世纪，今已二十世纪，吾华妇女可不勉旃。）

正因为单士厘深爱吾国吾民，有“未许谤衰颓”的强烈爱国心，所以她才会痛惜“中华孩稚生何厄”，亟呼“吾华妇女可不勉旃”。真正的爱国心，和真正的民族责任感和历史责任感是完全一致的。这道理，又岂是“见俄感俄”的讷荫和下令拜孔的汪总长之流所能懂得的呢。

长子稻孙

从国外归来后，单士厘继续潜心文史，从事著述。钱恂逝世后，她曾依次子穟孙寓居沈阳。一九三六年穟孙亡后，由长子稻孙迎至北京奉养，仍笔耕不辍。所著《清闺秀艺文略》，对于研究清代妇女生活和思想很有价值，因为无力刊行，七十多岁的单士厘竟亲自手抄数部，分赠国内外图书馆。她在写给女友“夏穗嫂”（夏曾佑夫人）的诗中自叙著作此书的情景云：

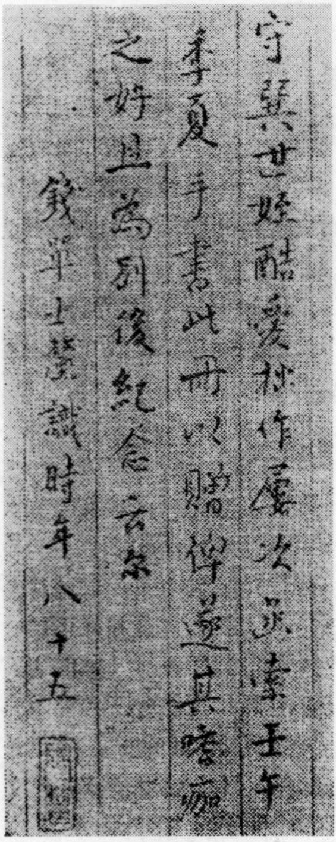

闺阁姓氏资考核，
伏案终朝户不出。
师承无自苦茫然，
单独生涯岁逾七。
赖有良朋素志同，
道义文辞互相匹。
历年酬唱解烦忧，
蔗境怡怡忘苦疾。

（晚年手迹）

单士厘活了八十七岁。逝世前

三年,八十四岁的她还写了一首《庚辰端节家宴,忆三强侄时在巴黎围城中》:

今岁天中节,阶兰等二雏。
一家兼戚党,四代共欢娱。
不尽樽前话,难忘海外孤。
烽烟怜小阮,无计整归途。
(原注:长孙外姑增田夫人同座)

忆三强侄在巴黎

可见这位老太太直到衰龄暮景,仍然关心世界情事,关心自己以外的他人,不失启蒙时期先进妇女的本色。

一九四三年单士厘卒后,钱稻孙有《追讣》一篇,其中谈到单士厘"一生著述,凡十一种":

其经刊印者,《癸卯旅行记》三卷,《家政学》二卷,《家之宜·育儿简谈》一卷,《正始再续集》五卷;其刊而未竟者,《归潜记》十卷,《清闺秀艺文略》五卷;其未刊者,有《受兹室诗钞》,《发难遭逢记》,《懿范闻见录》,《噍杀集》,唯《懿范闻见录》之稿俱在,《受兹室诗钞》已不全,他二种更因寄递失佚不归。

这就是这位最早走向世界的中国知识妇女留下的遗产。

FROM EAST TO WEST

后记

钟叔河

“文章自己的好，老婆别人的好。”虽是玩笑话，却合乎常人的心理。关于老婆姑不具论，若说写文章，写的人总会力求写好，至少也是自以为写好了才会拿出来，不过不一定能够达到别人的标准罢了。

我也当编辑，也有“衡文”的责任，但因为又算半个业馀作者，懂得写文章的人的一点心思，所以对于书稿，只有合用与否一层考虑，并不霸蛮去将别人的文章改成自己的文章，干既费力又不讨好的事。而当我以业馀作者身份行事时，当然也希望操笔政的同行准此办理，不讲什么文责自负之类的大话，实在无非想让自己那点隐秘的心理多少得到一点同情和理解而已。

收在本书中的二十五篇叙论，均据《走向世界丛书》岳麓书社增订版各册原文（较湖南人民出版社初版本篇数增加二分之一，各篇平均字数增加一倍半），只由我在文字上作了订正。谢谢出版社的编辑，他们允准了我的请求，让这二十五篇文章保持我自己写作和改定的原貌，也不把它拉到什么丛书和“系列”里去，免得它相形见绌，徒贻附骥之讥。这是我私心引为庆幸的。

李一氓先生是我的文章知己。他在不知我为何许人，亦不要求和我见面的情况下，光凭几本书和几篇文章，即决定召我入京参加国务院古籍整理出版规划小组会议，不止一次地肯定“丛书”整理编辑工作的学术价值，并在拙著《走向世界，近代中国知识分子考察西方的历史》在中华书局出版以后，两次写信给我，一九八五年九月二十九日的信说：

> 这套书这样一弄，真可以传之万世了。你写的那些导言尤有意义。可惜搞改革的，搞近代史的，都没有注意及此。是否再搞些宣传工作？

一九八五年十一月二日又来信说：

> 每卷内各篇你的前言，集合起来，印为一册，尤便翻览，未审尊意如何？

我认真考虑以后，回信表示愿意接受他的建议。他又牺牲元宵节日的休息，写来了精彩的序言，给了我极大的鼓励。抱歉的是，我至今还只在一九八二年京西宾馆的会上见过他，仅有的一次交谈也只在餐桌上，未及多语。现特趁本书出版的机会，向他表示我的感谢。

一九八八年九月于长沙。

[重印题记] 本书一九八九年十二月于上海初版，印数很少，久已售缺，而读者却还有要看的。不久前丁双平君提出，岳麓书社准备重印《走向世界丛书》，希望先将这本叙论集

印行。这原是我的初志，当时因故未遂，现在自然也就同意了。趁此机会，将全书校阅一过，有不少改动。插图原来放在卷前，因增加较多，便改放在文内。后记的文字原来写得啰嗦，且有不妥之处，这次也作了些删改。

《走向世界丛书》的第一种李圭的《环游地球新录》，是一九八〇年八月由湖南人民出版社出版的，至今已二十一年。叙论的写作，也是二十一年前开始的，头一篇署名"谷及世"，即"古籍室"的谐音。当时我五十岁，今则已逾"古稀"。李一氓先生更在本书初版面世后不到两年便去世了，如今墓木已拱矣。

知己的失去是令人痛惜的，思之黯然，——也只有黯然了。

二千零一年十月十日，记于长沙城北之念楼。